André Holenstein
»Gute Policey« und lokale Gesellschaft

FRÜHNEUZEIT-FORSCHUNGEN

Band 9.2

Herausgeber:

Peter Blickle
Richard van Dülmen
Heinz Schilling
Winfried Schulze

bibliotheca academica Verlag

ANDRÉ HOLENSTEIN

»GUTE POLICEY«
UND LOKALE GESELLSCHAFT
IM STAAT DES
ANCIEN RÉGIME

Das Fallbeispiel der Markgrafschaft
Baden(-Durlach)

Band 2

bibliotheca academica Verlag

Die Deutsche Bibliothek: Bibliographische Information
Die Deutsche Bibliothek verzeichnet diese Publikation
in der Deutschen Nationalbibliographie.
Detaillierte bibliographische Daten sind im Internet abrufbar
über http://dnb.ddb.de.

ISBN 3–928471–32–5

*Die vorliegende Studie ist im Wintersemester 2000/2001
von der Philosophisch-historischen Fakultät der Universität Bern
als Habilitationsschrift angenommen worden.*

*Publiziert mit Unterstützung des Schweizerischen Nationalfonds
zur Förderung der wissenschaftlichen Forschung.*

Satz: bibliotheca academica Verlag GmbH
Satzprogramm: TUSTEP
(Tübinger System von Textverarbeitungsprogrammen)

Tabellen und Graphiken: Hubert Amann, Epfendorf
Karten: Kartographisches Büro Dieter Ohnmacht, Frittlingen
Gestaltung von Einband und Umschlag: T. Bratič, Dußlingen / Hubert Amann,
Epfendorf

Druck: F. X. Stückle, Ettenheim
Bindearbeiten: Großbuchbinderei Spinner, Ottersweier
Gedruckt auf alterungsbeständigem, säurefreiem Papier

Inhaltsverzeichnis

Erster Band

Inhalt

Zweiter Band

543

5. »GUTE POLICEY« ALS LOKALE PRAXIS. LOKALE PROBLEMFELDER UND IHRE BEHANDLUNG DURCH DIE BADISCHEN FREVELGERICHTE

Bis dahin sind die badischen Frevelgerichte vorwiegend hinsichtlich ihres institutionellen Charakters und funktionalen Wandels im Verlauf der zweiten Hälfte des 18. Jahrhunderts betrachtet worden. Dabei ist der Wandel dieser Einrichtung zu einer umfassenden Gemeindevisitation deutlich zu Tage getreten. Nun gilt es, auf der Basis der Frevelgerichtsprotokolle die konkrete Durchführung dieser Visitationen zu untersuchen. Zum einen lassen sich damit die thematischen Schwerpunkte dieser Gemeindevisitationen erhellen und die Schwerpunkte der staatlichen Gemeindepolicey beschreiben. Dabei kommen die konkreten Schwierigkeiten und Möglichkeiten zur Sprache, das Programm der badischen Policeygesetzgebung in den Gemeinden einzulösen. Inwiefern die Policeyordnungen mit den Verhältnissen in den badischen Gemeinden etwas zu tun hatten, welche Problemlagen die Oberamtleute bei ihren Besuchen in den Gemeinden diagnostizierten und mit welchen Maßnahmen sie darauf reagierten, kann zumindest an ausgewählten Themenfeldern erörtert werden. Zum andern lassen sich die Frevelgerichtsakten aber auch als Dokumente eines Aushandlungsvorgangs lesen, in dem die Gemeindevorgesetzten und die vorgesetzten Behörden agierten und dabei die Realisierungschancen und -grenzen des gesetzlichen Programms ausloteten. In dieser Hinsicht stellen die Frevelgerichtsakten ein wertvolles Dokument für eine Untersuchung der Modalitäten von Macht und Ohnmacht der Verwaltung im Staat des Ancien Régime dar.

Inhaltlich geht es im folgenden primär nicht um eine systematische Detailstudie aller in den Frevelgerichtsprotokollen zur Sprache kommenden Themenbereiche der lokalen Policey. Es geht mithin nicht um eine Agrar-, Schul-, Bevölkerungs- oder Armengeschichte des badischen Oberlands, wenn auch, wie die einschlägige Forschung punktuell gezeigt hat, die Behandlung dieser Themenbereiche erheblichen Nutzen aus den Frevelgerichtsprotokollen zu ziehen vermag.[1] Dieses Kapitel zielt vielmehr auf die Rekonstruktion des kommunikativen Handelns, in das Zentralbehörden, Amtsbehörden und Gemeinden jeweils aus Anlaß von Frevelgerichten eintraten. Wie wickelte sich der Lokalaugenschein der Oberbeamten praktisch ab? Auf welche Fragen richteten diese ihr Informations- und Inspektionsinteresse besonders?

---

[1] An neueren Untersuchungen, die u. a. auf die Frevelgerichtsakten zurückgreifen, seien v. a. die Untersuchungen von Strobel, Agrarverfassung; Straub, Oberland und Zimmermann, Reformen, genannt.

In welchen Bereichen scheint die Policeygesetzgebung in den Gemeinden Wirkung gezeitigt zu haben, in welchen hingegen gab es offensichtliche Schwierigkeiten bzw. eine fehlende Bereitschaft auf seiten der Gemeindebewohner, den gesetzlichen Vorschriften zu folgen? Und läßt sich etwas über die Ursachen dieser gegensätzlichen Handlungsweise sagen? Besonders wird auch darauf zu sehen sein, ob sich in der Folge dieses Austauschs zwischen Behörden und Gemeinden eine besondere Redeweise über den Umgang mit Policeygesetzen einspielte, so etwa, ob die Vorgesetzten einen Modus der Rechtfertigung gegenüber den Behörden fanden, um die fehlende oder mangelhafte Ausführung von Frevelgerichtsanordnungen darzulegen.

Vor der Betrachtung der einzelnen Bereiche lokaler Policey (5.2–5.9) und vor der Untersuchung der diskursiven Topoi der beteiligten Akteure (5.10) muß der Gang der institutionalisierten Kommunikation zwischen Gemeinden, Oberämtern und Hofrat im Rahmen von Frevelgerichtsverfahren geschildert werden. Die Rekonstruktion dieser Verwaltungsabläufe macht mit den Quellen und mit dem Verfahren vertraut, auf die die weitere Darstellung zurückgreifen kann (5.1).

5.1 Die Aufsicht des Hofrats über die Frevelgerichte

Sieht man einmal von dem Spezialfall des Kondominatsortes Dürrn ab, wo sich der Markgraf von Baden-Durlach und die Herren Leutrum von Ertingen die Herrschaft teilten und die badischen Beamten die bei Vogtgerichten getroffenen Maßnahmen jeweils ad referendum nahmen, um von den Zentralbehörden die Genehmigung ihrer einstweiligen Verfügungen einzuholen,[2] ist die systematische Übersendung der Frevelgerichtsakten und -protokolle von den Oberamtsbehörden an den Hofrat in Baden(-Durlach) erst nach der Mitte des 18. Jahrhunderts in Gang gekommen. Seitdem aber war sie ein integraler Bestandteil der Frevelgerichtsverfahren. 1754 verfügte die Landesherrschaft nicht nur, daß bei den Frevelgerichten immer auch die in das »Polizey-Wesen« einschlagenden General-Verordnungen neu zu verlesen waren und sich die Oberbeamten nach deren Befolgung zu erkundigen hatten, ebenso sollten diese ihre Frevelgerichtsprotokolle jeweils bis spätestens Georgi (23. April) des darauffolgenden Jahres an den Hofrat einzusenden.[3] Diese Anordnung konnte zwar

---

[2] Beim Vogtgericht in Dürrn 1685 etwa trafen die badischen und – damals noch – württembergischen Beamten mit dem Mitherrn Leutrum von Ertingen eine Übereinkunft hinsichtlich des Termins für künftige Vogtgerichte; der badische und württembergische Vertreter behielten aber die Genehmigung dieser Vereinbarung durch ihre Herrschaften vor und berichteten ihren Regierungen von dieser Übereinkunft (229/21362; 3 XII 1685). Auch die späteren Vogtgerichtsentscheide von Dürrn wurden von den badisch-durlachischen Beamten jeweils ad referendum genommen (229/21362; 21 VI 1688; 18 III 1701; 28 VI 1705; 13–16 III 1715). Auf das Vogtgerichtsprotokoll vom 13–16 III 1715 erging am 29 IX 1715 die Genehmigung durch ein badisch-durlachisches Hofratsdekret.

[3] RepPO 1832 (30 X 1754); GS III, S. 583 f.; Posselt, Vogt- oder Rügegerichte, S. 223 f. –

nicht auf Anhieb durchgesetzt werden, und es hat den Hofrat erhebliche Mühe gekostet, die Oberämter darauf zu verpflichten, die Protokolle einzusenden. Die Anweisung zeigt aber, daß der Hofrat in der Mitte des 18. Jahrhunderts, als die Gesetzgebung unter Markgraf Karl Friedrich einen ersten Höhepunkt erlebte, die Frevelgerichte gezielt als Instrumente zur policeylichen Inspektion in die lokalen Verhältnisse nutzen wollte. Die Pflicht der Oberämter zur Berichterstattung an den Hofrat wurde mit dem schon öfters erwähnten wichtigen Hofratsreskript von 1767 bekräftigt.[4] Danach scheint die Akteneinsendung tatsächlich richtig in Gang gekommen zu sein (vgl. Tab. 5.1). Die Berichterstattung der Oberämter in Frevelgerichtssachen an den Hofrat verstetigte sich.[5]

Im Oberamt Hochberg fand bald nach dem Erlaß des Generaldekrets vom 30. Oktober 1754 in der Gemeinde Teningen vom 3. bis 7. Dezember 1754 ein Frevelgericht statt. Landvogt von Koseritz konnte mit der anschließenden Einsendung des Protokolls an den Hofrat beweisen, daß sich das Oberamt bei dieser Gelegenheit der »Höchsten Intention« gemäß verhalten habe, indem es zahlreiche neueste Policeyordnungen hatte verlesen lassen (Tab. 2.6). Koseritz bat dabei auch um die Bewilligung der beim Frevelgericht angefallenen Kosten und um die Rücksendung des Protokolls nach Einsichtnahme durch den Hofrat. Das Protokoll gelangte wieder an das Oberamt zurück, wobei der Hofrat den Verfügungen des Oberamts keine eigenen Bescheide und Anweisungen hinzufügte.[6] Auch die nächsten überlieferten Ak-

---

Seit 1781 mußten auch in Lippe die Gorichter im Anschluß an die Abhaltung des Gogerichts einen detaillierten Bericht an die Herrschaft »über offensichtliche Mängel in den Verwaltungsbezirken einsenden« (Frank, Dörfliche Gesellschaft, S. 175).

[4] RepPO 2233 (4 XI 1767); GLAK 236/3155. – Druck in: GS III, S. 586–589; WI I, S. 172 ff.

[5] Am 1 VI 1768 forderte der Hofrat sämtliche Oberämter und Ämter mit Ausnahme Durlachs auf, darüber zu berichten, an welchen Orten sie seit Erlaß des Reskripts vom 4 XI 1767 Frevelgerichte durchgeführt hatten; wo diese noch nicht stattgefunden hatten, sollte dies nachgeholt werden (GLAK 236/3155; 1 VI 1768). Diese Anordnung hatte zumindest kurzfristig einen gewissen Erfolg, wie die Häufung von Frevelgerichten im Jahr 1769 und 1770, v. a. im Oberamt Hochberg, zeigt (vgl. die Übersicht im Anhang). – In seiner Sitzung vom 18 II 1769 behandelte der Hofrat gleich mehrere Frevelgerichtsprotokolle aus verschiedenen Oberämtern und erteilte Anweisungen zum weiteren Fortgang dieser Geschäfte: Das Oberamt Hochberg sollte demzufolge berichten, ob und wie seine Anordnungen bei den Frevelgerichten von Ihringen und Bötzingen/Oberschaffhausen von 1767 in der Zwischenzeit in den Gemeinden zur Ausführung gelangt waren; dasselbe erwartete er vom Oberamt Rötteln hinsichtlich der Frevelgerichte in den Gemeinden Hauingen, Kirchen und Märkt. Von den Oberämtern Badenweiler, Pforzheim, Karlsruhe und Durlach und dem Amt Stein wollte der Hofrat wissen, welche Frevelgerichte sie seit dem Sommer 1768 veranstaltet hatten (236/3155; 18 II 1769). Die Oberämter Badenweiler, Karlsruhe und Pforzheim beeilten sich aber offenbar nicht, dieser Anweisung nachzukommen und mußten am 28 III 1770 vom Hofrat ermahnt werden, zu berichten, warum sie seit zwei Jahren kein einziges Frevelgericht mehr durchgeführt hatten; im Oktober 1770 waren die beiden Oberämter Pforzheim und Karlsruhe diesen Bericht immer noch schuldig (236/3155; 28 III 1770, 20 X 1770).

[6] 229/105128.

ten zu Frevelgerichten im Hochbergischen – jenen von Windenreute/Maleck 1755, Köndringen 1756, Teningen 1759, Köndringen und Mundingen 1761 und von Bötzingen 1767 – enthielten noch kein Reskript des Hofrats mit weitergehenden oder präzisierenden Befehlen der Regierung an das Oberamt.

Zu einem ersten ausführlicheren Schriftwechsel zwischen dem Oberamt und dem Hofrat kam es im Anschluß an die Durchführung des Frevelgerichts von Köndringen vom Januar 1769.[7] Der Oberbeamte hatte bei diesem Anlaß Resolutionen zu insgesamt 122 Anzeigen, Beschwerden und Klagen erteilt. Nach der Durchsicht des Frevelgerichtsprotokolls trug der Hofrat dem Oberbeamten auf, die Vorgesetzten zu befragen, wie und inwiefern sie in der Zwischenzeit die Resolutionen des Oberamts befolgt hatten. Es kam zu zwei Befragungen der Gemeindevorgesetzten: Eine erste fand schon bald am 11. Mai 1769 statt, die zweite nach fast drei Jahren am 18. März 1772.

Bei der ersten Nachprüfung äußerten sich die Vorgesetzten im Mai 1769 zu 78 oberamtlichen Resolutionen, und im März 1772 bezogen sich deren Antworten immer noch auf 67 Resolutionen des Frevelgerichts von 1769, an deren Umsetzung die höheren Behörden nach wie vor interessiert waren. Die Stellungnahmen der Vorgesetzten fielen unterschiedlich aus. In manchen Punkten erklärten sie das frühere Problem, das beim Frevelgericht 1769 zu einer Anweisung des Oberbeamten Anlaß gegeben hatte, als erledigt, in vielen anderen gaben sie zumindest zu erkennen, daß sie ihrer Amtspflicht Genüge taten oder dies zumindest noch tun wollten, so etwa indem sie angaben, ihrerseits den örtlichen Amtsträgern die Aufsicht über die Einhaltung der Anweisungen befohlen zu haben. Sie versprachen die Befolgung der Anordnung für die Zukunft oder gaben an, den untergeordneten Amtsträgern in der Gemeinde die entsprechenden Befehle erteilt zu haben. In einigen Fällen wurde die noch ausbleibende Befolgung mit näheren Umständen begründet, die es der Gemeinde unmöglich machten, die Resolution zu vollziehen (Tab. 5.1). Auf alle Fälle aber mußten die Vorgesetzten zu den vorgelegten Fragen Stellung beziehen.

Das Oberamt notierte die Antworten der Vorgesetzten von Köndringen auf gebrochenem Papier, das auf der rechten Blatthälfte die ursprünglichen Verfügungen beim Frevelgericht aufführte und auf der linken Hälfte die entsprechenden Antworten der Vorgesetzten wiedergab. Auf die zweite Befragung im März 1772 hin erließ der Hofrat am 25. April 1772 ein weiteres Dekret an das Oberamt Hochberg mit dem Befehl, sich nochmals nach der Befolgung von sechs Anordnungen durch die Vorgesetzten zu erkundigen und das Ergebnis zu berichten.[8] Dieser Bericht ließ aber

---

[7] Die gesamte Köndringer Frevelgerichtsakte von 1769 in: 229/54953.

[8] Mit seiner Verfügung vom 25 IV 1772 kam der Hofrat nochmals auf die Nummern 29, 34, 41, 42, 45 und 99 zurück. Ad 29 hob der Hofrat die Anordnung des Oberamts auf, wonach die Wirte selber 15 Kr. in die Schwörbüchsen zu legen hatten, wenn diese beim Aufschließen leer vorgefunden wurden, er wies die Wirte aber an, die Strafen auf das Schwören

auf sich warten, so daß der Hofrat ihn am 9. Januar 1773 beim Oberamt in Erinnerung rufen mußte. Am 23. Februar 1773 wurde er schließlich erstattet und vom Hofrat am 3. April 1773 mit letzten bestätigenden bzw. präzisierenden Resolutionen an das Oberamt beantwortet.

Die Auswertung der Antworten zeigt, daß die Vorgesetzten auf die meisten Fragen eine Antwort gaben, die Konformität mit dem Gesetz bzw. mit der oberamtlichen Anweisung indizierte. 27mal im Jahre 1769 und gar 49mal im Jahre 1772 gaben die Vorgesetzten an, das Problem sei erledigt, der Mißstand sei abgestellt bzw. eine Unordnung komme nicht mehr vor (Stellungnahme 1). In der ersten Befragung hatten die Vorgesetzten in 49 Fragen beteuert, sie achteten auf den Befehl oder wollten dies demnächst jedenfalls tun; drei Jahre später kam diese Antwort nurmehr 13mal vor (Stellungnahme 2). Vergleichsweise selten waren demgegenüber Antworten nach dem Muster der Stellungnahmen 3 bis 5. Je zweimal lautete die Antwort, die örtlichen Amtsträger (Bannwarte, Wächter etc.) seien angewiesen, auf die Übertreter zu achten (Stellungnahme 3). Kein einziges Mal baten die Vorgesetzten 1769 darum, das Oberamt möge seinen Befehl wiederholen bzw. einschärfen, und auch 1772 war dies nur in drei Fällen nötig (Stellungnahme 4). Immerhin neunmal (1769) bzw. siebenmal (1772) hielten die Vorgesetzten dem Oberamt entgegen, sie hätten die Anordnung aus bestimmten Gründen bis dahin nicht vollziehen können (Stellungnahme 5).

An einer einzelnen Resolution von 1769 und deren Umsetzung in den darauf folgenden Jahren läßt sich vorführen, an welche Grenzen die Behörden beim Vollzug allgemeiner Vorschriften aus der Policeygesetzgebung stoßen konnten. Die Förderung der Holzproduktion durch die verstärkte Anpflanzung von Bäumen war ein zentrales Thema der Policeygesetzgebung; damit sollte der drohenden Verknappung der Holzversorgung entgegen gewirkt werden.[9] Insbesondere Ödland sollte dafür stärker genutzt werden. Stabhalter Engler aus Köndringen hatte auf die entsprechende Frage des Oberbeamten Wild beim Frevelgericht im Januar 1769 angegeben, die Gemeinde besitze im sogenannten Maienwäldlein eine öde Halde, die mit Bäumen

---

gewiß einzutreiben, widrigenfalls man sich doch an sie halten und die 15. Kr. von ihnen einziehen werde. Ad 34 wurde Landkommissar Seufert ernstlich angewiesen, die angefangene Aussteinung der Allmende zu beendigen. Ad 41 wurde die Gemeinde aufgemuntert, einen Versuch mit Kastanienbäumen oder anderem nützlichen Holz zu unternehmen, obwohl nach Aussage der Vorgesetzten von 1772 der Boden an der fraglichen Stelle gar schlecht war. Ad 42 hatte das Oberamt der Gemeinde Malterdingen die Herstellung der Dohle zu befehlen. Ad 45 hatte das Oberamt dafür zu sorgen, daß die Raine in Landeck noch im gleichen Frühjahr mit Esparsette besät wurden, und anschließend der Erfolg zu berichten. Ad 99 schließlich erwartete der Hofrat vom Oberamt Bericht darüber, warum die geringen Einkünfte der Gemeinde Landeck nicht mit der Gemeinderechnung von Köndringen verrechnet wurden, was die Ausgaben für den besonderen Heimbürgen in Landeck erübrigt hätte (229/54953; 25 IV 1772).

[9] S. dazu ausführlicher unten Kap. 5.4.2.3.

Tabelle 5.1:
Die Resolutionen des Oberamts Hochberg zum Frevelgericht von Köndringen
1769 und die Stellungnahmen der Köndringer Vorgesetzten in den Befragungen
von 1769 und 1772

Legende zu den Stellungnahmen der Vorgesetzten:
1: Sei bereits erledigt, wurde ganz abgestellt bzw. seit dem Frevelgericht unterlassen.
2: Man achte auf den Befehl bzw. wolle dies demnächst oder in Zukunft tun.
3: Die dörflichen Amtsträger würden angewiesen, auf die Übertreter zu achten.
4: Das Verbot bzw. der Befehl solle wieder eingeschärft werden.
5: Die Befolgung des Befehls sei aus Zeit-, Kosten-, Witterungs- oder anderen Gründen
   bisher noch nicht möglich gewesen, werde aber u. U. bei Gelegenheit erfolgen.

Es sind mehrere Stellungnahmen zu einer Frage möglich.
Die Numerierung der Resolutionen bezieht sich auf die Numerierung im
Frevelgerichtsprotokoll.

Resolution des Oberamts	Stellungnahmen der Vorgesetzten 1769					Stellungnahmen der Vorgesetzten 1772				
Resolution des Oberamts	1.	2.	3.	4.	5.	1.	2.	3.	4.	5.
1. Verbot von Geldspielen	X					X				
2. Verbot des Kegelns außerhalb des Dorfes	X		X			X				
3. Verbot des Auslaufens ins Feld an Sonntagen		X				X				
4. Schließung der Ölmühle nachts	X	X					X			
5. Verbot des Aufenthalts in der Bleumühle an Bettagen		X					X			
6. Verbot des Zechborgens und des Übersitzens in Wirtshäusern		X						X	X	
7. Verbot des Herumtragens offenen Feuer und Lichts		X						X	X	
8. Bessere Beachtung der Bettelordnung		X					X			
9. Instandstellung der Fußwege	X									
10. Erlaubnis, schädliche Maulbeerbäume zu verpflanzen	X									
13. Verbot, das Vieh ohne Hirten laufen zu lassen		X					X			
14. Anfertigung eines Überschlags für den Umbau der Gemeindestube					X	X				
16. Verbot des Privatweidens	X					X				
18. Verbot eines Wegs					X	X				
19. Setzung von Grenzsteinen und Berichtigung der Grenze	X									
20. Anschaffung einer Feuerspritze		X								X

Resolution des Oberamts	Stellungnahmen der Vorgesetzten 1769					Stellungnahmen der Vorgesetzten 1772				
Resolution des Oberamts	1.	2.	3.	4.	5.	1.	2.	3.	4.	5.
24. Verbot, Brunnen, Schalen oder Säulen aus Holz statt Stein herzustellen		✕					✕			
25. Anschaffung von Feuerlösch-geräten		✕				✕	✕			
26. Instandstellung von Weg und Steg					✕	✕				
29. Einlagepflicht der Wirte in leere Schwörbüchsen		✕								✕
32. Öffnung von Abzugsgräben	✕					✕				
33. Einrichtung einer Wässerungsordnung			✕							✕
34. Aussteinung aller Allmenden	✕					✕				✕
35. Bau eines Wegs		✕				✕				
36. Instandstellung eines Wegs		✕				✕				
37. Einrichtung des Bachlaufs		✕				✕				
38. Säuberung eines Bachlaufs	✕	✕				✕				
39. Öffnung eines Abzugsgrabens	✕	✕			✕	✕				
40. Öffnung eines Abzugsgrabens	✕									
41. Bepflanzung eines öden Platzes		✕								✕
42. Errichtung einer Dohle durch die Gemeinde Malterdingen		✕						✕		
43. Verbot des Abhauens von Erlen	✕					✕				
45. Aussaat von Esparsette an einem Rain in Landeck			✕							✕
46. Verbot des Hächelns bei offenem Licht		✕				✕				
49. Verbot der Einfassung der Gärten mit Zaunstecken		✕				✕				
51. Instandstellung eines Wegs	✕					✕				
52. Instandstellung eines Wegs	✕	✕				✕				
56. Instandstellung eines Wegs		✕				✕				
57. Gütertausch im Hinblick auf die bessere Nutzung einzelner Güter				✕	✕					
58. Instandstellung eines Wegs		✕				✕	✕			
59. Gleichheit in der Belastung mit Frondiensten		✕				✕				
61. Errichtung eines Ablasses für das Wasser		✕				✕				
62. Verbot des schädlichen Aus-stechens der Matten		✕				✕			✕	

Resolution des Oberamts	Stellungnahmen der Vorgesetzten 1769					Stellungnahmen der Vorgesetzten 1772				
Resolution des Oberamts	1.	2.	3.	4.	5.	1.	2.	3.	4.	5.
63. Instandstellung eines Wegs	X									
65. Bessere Haltung des Wucherviehs	X	X				X		X		
66. Verbot eines schädlichen Wegs	X					X				
68. Verbot eines schädlichen Wegs		X				X				
69. Überfahrtsverbot über eine Matte		X	X			X				
70. Verbot schädlichen Weidens der Schafe in den Reben	X					X				
71. Verbot schädlicher Erdfuhren		X				X				
77. Verbot eines schädlichen Wegs		X				X				
79. Verbot eines schädlichen Wegs		X				X				
80. Verbot schädlicher Bäume		X				X				
83. Öffnung eines Abzugsgrabens		X				X				
84. Zulassung einer Entschädigungsklage	X									
85. Entfernung eines schädlichen Baums				X		X				
87. Abtragung eines schädlichen Bucks		X				X				
89. Bessere Verteilung des Anteils am Zehnten		X				X				
92. Verbot der Beschädigung des Brandweihers durch Vieh		X				X				
93. Zulassung einer Entschädigungsklage	X									
97. Instandstellung von Wegen		X				X				
98. Anschaffung von Feuerlöschgeräten		X				X				X
99. Abschaffung des Landecker Heimbürgen		X								
105. Entfernung eines schädlichen Baums		X				X				
106. Verbot eines schädlichen Wegs		X				X				
107. Instandstellung eines Wegs		X				X				
108. Entfernung schädlicher Bäume in Reben und Äckern		X				X				
109. Bewilligung der Anlage eines Grabens auf einem Privatgut	X									
110. Bewilligung zur Anlage eines Grabens	X									

Resolution des Oberamts	Stellungnahmen der Vorgesetzten 1769					Stellungnahmen der Vorgesetzten 1772				
Resolution des Oberamts	1.	2.	3.	4.	5.	1.	2.	3.	4.	5.
111. Förderung des Anbaus von Esparsette	×					×				
112. Anpflanzung von Kastanien auf schlechten Äckern	×									
113. Untersuchung der Vermögens- verhältnisse schlechter Haushalter	×									
114. Verbot des übermäßigen Zechens auf Borg								×		
116. Feuerschau im Hinblick auf die Instandstellung bzw. den Einbau von Kaminen	×					×				
117. Aufsicht auf sparsamen Umgang mit Bauholz durch die Zimmermeister		×				×				
118. Aufsicht auf die gemeinen Schläge		×					×			
119. Schonung des Vierdörferwaldes		×					×			
120. Fleißigere Versehung der Tag- und Nachtwachen		×					×			
121. Fleißigerer Schulbesuch		×				×				

irgendwelcher Gattung bepflanzt werden könnte. Wild hatte darauf der Gemeinde befohlen, mit Kastanien einen entsprechenden Versuch zu unternehmen (Tab. 5.1, Nr. 41).[10] Bei der ersten Vernehmung der Vorgesetzten im Mai 1769 beteuerten die Vorgesetzten, sie würden die Anordnung befolgen. In der zweiten Vernehmung im März 1772 gaben die Vorgesetzten an, der Boden sei an der fraglichen Stelle so schlecht, daß keine Saat oder Bepflanzung aufkommen werde; die Gemeinde nutze die Stelle seitdem aber als Schafweide.[11] Der Hofrat gab sich zunächst mit dieser Auskunft nicht zufrieden, sondern ließ durch das Oberamt der Gemeinde Köndringen befehlen, gleichwohl nach den Anweisungen des Oberforstamts einen Versuch mit Kastanienbäumen oder anderem nützlichen Holz zu unternehmen.[12] Als das Oberamt im Februar 1773 dem Hofrat Bericht über die Befolgung u. a. dieses Be- fehls erteilte, beharrte nun auch das Oberamt aufgrund der Angaben, die es beim Köndringer Vogt eingeholt hatte, darauf, daß die Anpflanzung des Maienwäldchens mit Kastanien oder anderem nützlichen Holz wegen der hohen und steilen Lage des

[10] 229/54953 (Protokoll des Frevelgerichts vom 24–28 I 1769).
[11] 229/54953 (11 V 1769; 18 III 1772).
[12] 229/54953 (25 IV 1772).

Bezirks »nicht wohl thunlich« sei, weil sich u. a. der dortige Boden nicht dazu eignete.[13] Lakonisch verfügte der Hofrat auf diesen Bericht hin, unter den angezeigten Umständen habe es mit der Anpflanzung des »Maienwäldchens« in Köndringen sein Bewenden.[14] Vier Jahre nach der ursprünglichen Anweisung beugten sich die Behörden dem Druck der lokalen Umstände. Die Episode zeigt exemplarisch das Spannungsverhältnis, das zwischen der generellen Ordnungsnorm einerseits und deren Anwendbarkeit auf die jeweiligen lokalen Verhältnisse andererseits bestand.

Die administrative Behandlung des Köndringer Frevelgerichts durch den Hofrat zeigt, daß es sich der Hofrat mit der Behandlung der Frevelgerichtsgeschäfte nicht leicht machte, sondern mit einer gewissen Hartnäckigkeit in den ihm wichtig erscheinenden Punkten auf die Umsetzung der Anweisungen pochte und auf der Einsendung der Kontrollberichte beharrte. Der Vorgang zeigt auch, daß sich ein Frevelgerichtsgeschäft mit diesem Verfahren der Nachkontrolle über längere Zeit, mitunter über mehrere Jahre, hinziehen konnte, bis der Hofrat die jeweilige Akte für geschlossen erklärte (Tab. 5.2). Schließlich ist das Verfahren ein weiterer Beleg für die Tatsache, wie sehr die Behörden beim Vollzug der Policeygesetzgebung sowohl auf die Informationen wie auch auf die praktische Mitarbeit der Gemeinden und dabei insbesondere der kommunalen Vorgesetzten angewiesen waren und dabei in gewissen Punkten auch an den lokalen Verhältnissen scheitern mußten. Von den Angaben, von dem Einsatz und Amtseifer der örtlichen Vorgesetzten hing es ganz wesentlich ab, ob die Bestimmungen aus den Policeyordnungen in den Gemeinden im vollen Umfang oder wenigstens ansatzweise zur Anwendung gelangten oder ob sie dort – aus welchen Gründen auch immer – ins Leere stießen.

Tabelle 5.2 vermag einige Ergebnisse aus der Betrachtung des Köndringer Fallbeispiels zu generalisieren und zugleich auf neue Aspekte der obrigkeitlichen Behandlung der Frevelgerichtsgeschäfte aufmerksam zu machen. Die Tabelle verzeichnet für jene Frevelgerichte, in deren Anschluß es zu einer Berichterstattung an den Hofrat kam und für die die entsprechenden Schriftstücke in der Akte überliefert sind, das Datum des ersten Berichts, den das Oberamt im Anschluß an ein Frevelgericht an den Hofrat sandte, das Datum bzw. die Daten der darauf erlassenen Hofratsreskripte sowie die Namen der an der Bearbeitung der Protokolle beteiligten Hofräte. Für die einzelnen Frevelgerichte läßt sich damit ersehen, wie lange deren Akten jeweils mindestens offen geblieben sind.

Die Angaben in Tabelle 5.2 machen hinsichtlich der administrativen Behandlung der Protokolle von badischen Frevelgerichten auf zwei Dinge aufmerksam:

---

[13] 229/54953 (26 XI 1772 bzw. 23 II 1773).
[14] 229/54953 (3 IV 1773).

Tabelle 5.2:
Die Behandlung der Hochberger und Rötteler Frevelgerichtsprotokolle durch den Hofrat

Ort (und Termin) des Frevelgerichts	Erster Bericht des Oberamts an den Hofrat	Reskripte des Hofrats an das Oberamt	Namen der behandelnden Hofräte[15]
I. Oberamt Hochberg			
Köndringen (24–28 I 1769)	vor 11 V 1769	vor 11 V 1769	?
		25 IV 1772	Preuschen, Hummel
		9 I 1773	v. Gayling, Preuschen
		25 I 1773	v. Gayling, Preuschen
		3 IV 1773	v. Hahn, v. Wallbrunn
Mundingen (14, 17, 18 II 1769)	vor 10 V 1769	1 XI 1769	?
		11 IV 1772	v. Hahn, v. Gayling, Hummel
		9 I 1773	v. Hahn, v. Gayling, Preuschen
		3 IV 1773	v. Hahn, v. Wallbrunn
Teningen (10–11 X 1769)	nach 11 X, vor 16 XII 1769	16 XII 1769	v. Hahn, Preuschen
		28 III 1770	v. Hahn, Hummel
		20 X 1770	v. Hahn, Hummel
		21 XII 1771	?
		2 V 1772	Preuschen, Hummel
		9 I 1773	v. Hahn, v. Gayling, Preuschen
Teningen (11, 27 VI 1776)	nach 27 VI, vor 11 XII 1776	11 XII 1776	v. Hahn, Brauer
Köndringen (17–19 XII 1776)	nach 19 XII 1776, vor 22 III 1777	22 III 1777	v. Hahn, Brauer
		5 VII 1777	v. Hahn, Günderode
		21 IV 1778	v. Hahn, v. Blittersdorf, v. Günderode
Nimburg (16–18 VI 1783)	1 VII 1783	21 VII 1784	v. Günderode, Posselt
		28 XII 1785	v. Günderode, Posselt
Ottoschwanden (13–16 X 1783)	12 XI 1783	21 VII 1784	v. Günderode, Posselt
Eichstetten (2–13 II 1789)	23 III 1789	6 VI 1789	v. Kniestedt, Brauer, v. Reitzenstein, Bibra
		17 II 1790	v. Kniestedt, Bibra
		1 III 1791	v. Woellwarth,[16] v. Reitzenstein, v. Holzing, Eichrodt

[15] Die Spalte gibt die Namen jener Hofräte wieder, die die jeweiligen Reskripte unterschrieben.
[16] Carl Ludwig Georg v. Woellwarth, 1790 Mitglied des Geheimen Rates, Nachfolger von Hahns als Hofratspräsident (Windelband, Verwaltung, S. 222).

Ort (und Termin) des Frevelgerichts	Erster Bericht des Oberamts an den Hofrat	Reskripte des Hofrats an das Oberamt	Namen der behandelnden Hofräte
Teningen (5–13 VIII 1790)	1 IX 1790	16 X 1790	v. Woellwarth, Brauer, Eichrodt, Imhof
Mundingen (7–30 IX 1790)	1 XI 1790	18 XII 1790	v. Woellwarth, Nebenius, v. Reitzenstein
Vörstetten (15–18, 21–25, 28–29 IX 1790)	25 XI 1790	14 XII 1790	v. Woellwarth, Brauer, v. Reitzenstein
		2 III 1792	v. Woellwarth, v. Holzing, Eichrodt
II. Oberamt Rötteln			
Hauingen, Kirchen, Märkt (vor 1 X 1768)	1 X 1768	5 X 1768	?
		18 II 1769	?
		29 IV 1769	Posselt
		11 XI 1769	?
Binzen/Rümmingen (10 IV 1775)	29 V 1775	26 VII 1775	v. Liebenstein, Walz
Efringen (9 V 1775)	20 V 1775	22 VII 1775	v. Liebenstein, Walz
Kirchen (9 V 1775)	19 V 1775	15 VII 1775	v. Hahn, Walz
Wintersweiler (9 V 1775)	10 V 1775	19 VII 1775	v. Liebenstein, Walz
		28 II 1776	v. Liebenstein, Brauer
Schopfheim (VII 1777)	25 X 1777	29 XI 1777	?
		1 IV 1778	?
Haltingen (16 VII 1777)	19 X 1777	27 V 1778	v. Hahn, v. Günderode, Brauer
		20 VI 1778	v. Hahn, v. Blittersdorf, v. Günderode
		28 X 1778	v. Hahn, Fein
Tüllingen (16 VII 1777)	11 X 1777	27 V 1778	v. Hahn, v. Günderode, Brauer
		28 X 1778	v. Hahn, Fein
		9 VI 1779	v. Hahn, v. Günderode
		2 X 1779	v. Hahn, v. Günderode
		7 IV 1781	v. Hahn, Stößer
		7 VII 1781	v. Hahn, v. Günderode, Posselt
		18 VIII 1781	v. Hahn, v. Günderode
		2 II 1782	v. Günderode, Posselt
Hertingen (9 IX 1777)	25 X 1777	27 V 1778	v. Hahn, v. Blittersdorf, v. Günderode
Tannenkirch (9 IX 1777)	11 X 1777	27 V 1778	v. Hahn, v. Günderode, Brauer
		12 XII 1778	v. Hahn, v. Günderode

Ort (und Termin) des Frevelgerichts	Erster Bericht des Oberamts an den Hofrat	Reskripte des Hofrats an das Oberamt	Namen der behandeln-den Hofräte
Fischingen/Schallbach (22 IV 1778)	4 IX 1778	23 I 1779 10 IV 1779	v. Hahn, v. Günderode v. Hahn, v. Günderode
Welmlingen/Blansingen/ Kleinkems (26 V 1778)	27 VIII 1778	18 IX 1778 6 III 1779	v. Hahn, v. Günderode v. Hahn, v. Blittersdorf
Egringen (13 IV 1779)	25 VI 1779	2 X 1779 26 II 1780	v. Hahn, v. Günderode v. Hahn, v. Günderode
Mappach (13 IV 1779)	28 VI 1779	18 IX 1779 26 II 1780	v. Hahn, v. Günderode v. Hahn, v. Günderode, Posselt
Eichen (zw. 23 IV 1780 und 11 X 1780)	23 XII 1780	16 I 1782 24 VII 1782 4 XII 1782	? ? ?
Wittlingen (24 IV 1781)	18 VIII 1781	17 X 1781 13 II 1782	v. Hahn, v. Günderode v. Günderode, Posselt
Wollbach (24 IV 1781)	18 VIII 1781	31 X 1781 2 II 1782 24 IV 1782	v. Hahn, J.F. Posselt v. Günderode, Posselt v. Günderode, Posselt
Haagen (29 V 1781)	18 VIII 1781	3 X 1781	v. Hahn, v. Günderode
Hauingen (29 V 1781)	18 VIII 1781	26 IX 1781 2 II 1782	v. Hahn, v. Günderode, J.F. Posselt v. Günderode, Posselt
Ötlingen (26 VI 1781)	18 VIII 1781	27 X 1781 16 I 1782	v. Hahn, Posselt v. Günderode, Posselt
Tumringen (26 VI 1781)	18 VIII 1781	3 X 1781 9 I 1782	v. Hahn, v. Günderode, Posselt v. Günderode, Posselt
Wieslet (21 VIII 1781)	22 X 1781	1 XII 1781 20 II 1782	? ?
Steinen (20–22 VIII 1782)	14 IX 1782	4 XII 1782 9 VII 1783	v. Günderode, Posselt v. Günderode, Posselt
Hüsingen (27–28 VIII 1782)	21 XI 1782	4 XII 1782	v. Günderode, J.F. Posselt
Kirchen (18 IX 1783)	3 IV 1784	9 X 1784 13 VIII 1785	v. Günderode, J.F. Posselt v. Günderode, Posselt
Grenzach (22 III 1785)	vor 5 VII 1786	5 VII 1786 20 XII 1786 28 II 1787	v. Kniestedt, v. Drais, J.F. Posselt v. Drais, J.F. Posselt v. Kniestedt, v. Drais, Posselt
Binzen/Rümmingen (20 XII 1785)	?	9 V 1787 20 I 1790	v. Kniestedt, v. Drais, J.F. Posselt v. Kniestedt, v. Reitzenstein

Ort (und Termin) des Frevelgerichts	Erster Bericht des Oberamts an den Hofrat	Reskripte des Hofrats an das Oberamt	Namen der behandeln- den Hofräte
Welmlingen (22 VIII 1786)	5 I 1788	31 V 1790	v. Reitzenstein, Bibra
Hauingen (20 III 1787)	26 I 1788	31 V 1790	v. Harrant, Bibra
Eimeldingen/Märkt (2 X 1787)	3 I 1789	24 I 1789	v. Kniestedt, Brauer
Egringen (28 X 1788)	4 VII 1789	24 X 1789	v. Kniestedt, v. Reitzenstein
Efringen (14–16 II 1791)	11 III 1791	10 XI 1792	Herzog, v. Marschall, Eichrodt, Baumgartner
		22 III 1793	Herzog, v. Marschall, Eichrodt

1. An der administrativen Nachkontrolle eines Frevelgerichts waren Zentral-, Amts- und Gemeindebehörden beteiligt. Die Durchsicht des Protokolls und dessen Ratifizierung durch den Hofrat, die Mitteilung der Ratifikation an das Oberamt und an die jeweilige Gemeinde sowie die Kontrolle der Umsetzung der im Ratifikationsreskript des Hofrats enthaltenen Anweisungen erforderten einen größeren Zeitaufwand. Zwischen dem Frevelgericht in der Gemeinde und dem letzten Reskript, das der Hofrat in dieser Sache erließ, verstrichen Monate und nicht selten Jahre, während denen das Protokoll mehrere Male zwischen Emmendingen bzw. Lörrach und Karlsruhe hin und her geschickt wurde. Die Phase der Implementation der oberamtlichen und hofrätlichen Frevelgerichtsbescheide zog sich besonders dann in die Länge, wenn der Hofrat die Bescheide des Oberamts ergänzte oder präzisierte und auf der Umsetzung seiner eigenen Anordnungen beharrte. Auf jedes seiner Reskripte erwartete der Hofrat innerhalb einer gesetzten Frist von meistens acht Wochen vom Oberamt Bescheid darüber, ob seine Anweisungen befolgt worden waren. Da das Oberamt selber nicht Kenntnis vom neuesten Stand der Dinge in der jeweiligen Gemeinde hatte, mußte es sich vor dem Bericht an den Hofrat zunächst in der Gemeinde kundig machen und seinerseits die Vögte um Bericht in dieser Sache angehen. Diese Berichte der Vögte und Stabhalter konnten sich aber erheblich verzögern, wie die folgenden Beispiele belegen.

Am 10.–11. Oktober 1769 hatte in Teningen das Frevelgericht stattgefunden. Der Hofrat erließ am 16. Dezember 1769 ein Reskript an das Oberamt und Oberforstamt mit der Bitte um Bericht über die Befolgung der Frevelgerichtsbescheide durch die Ortsvorgesetzten. Am 28. März 1770, am 20. Oktober 1770 und nochmals am 21. Dezember 1771 mußte der Hofrat diesen Bericht bei den Amtsbehörden anmahnen. Die entsprechende Anhörung der Teninger Vorgesetzten durch einen Teilungskommissar fand dann erst im März 1772 statt, worauf der Hofrat am 2. Mai 1772 neue Anordnungen an das Oberamt mit dem Befehl um weiteren Bericht erließ. Auch diesen Bericht mußte der Hofrat am 9. Januar 1773 anmahnen, und er wurde vom Oberamt und Oberforstamt erst am 29. Mai 1773 dem Hofrat erstattet.[17]

Erst auf die dritte Ermahnung des Hofrats an das Oberamt Hochberg, über die Befolgung der Anordnungen bei den zuletzt gehaltenen Frevelgerichten in seinem Amt zu berichten, ging schließlich am 16. Mai 1770, mehr als ein Jahr nach dem ersten Dekret des Hofrats, ein entsprechender Bericht von Landvogt von Geusau nach Karlsruhe ab, der wenigstens die Angaben für die Gemeinde Leiselheim enthielt. Der dortige Vogt Buri attestierte schriftlich, er habe die Durchführung der Frevelgerichtsanordnungen Punkt für Punkt in Augenschein genommen und habe dabei gefunden, daß alles, »wie man glaubt, so viel möglich in Richtigkeit gebracht und eingerichtet worden«.[18]

Im Anschluß an das Kirchener Frevelgericht vom 9. Mai 1775 hatte der Hofrat auf den entsprechenden Bericht des Oberamts vom 19. Mai 1775 hin schon am 15. Juli 1775 sein Reskript an das Oberamt Rötteln ergehen lassen. Kurz darauf war das Oberamt im Besitz dieses Reskripts und leitete es an die Vorgesetzten in Kirchen weiter, damit diese die Fragen des Hofrats beantworten konnten. Am 10. März 1776 mußte das Oberamt die Antwort der Vorgesetzten anmahnen und erhielt diese schließlich am 25. April 1776, so daß es seinerseits am 27. April 1776 dem Hofrat die seit bald einem Jahr erbetenen Informationen mitteilen konnte.

Andere Vorgesetzte waren speditiver. Am 9. September 1777 hatte in Tannenkirch auch das Frevelgericht über die Gemeinde Hertingen stattgefunden, und das Lörracher Oberamt hatte bereits am 25. Oktober 1777 dem Hofrat den entsprechenden Bericht erstattet. Hier nun war es der Hofrat, der sich Zeit ließ und erst am 27. Mai 1778 das Reskript verabschiedete, das das Oberamt bzw. die Gemeindevorgesetzten zu weiteren Angaben aufforderte. Der Hertinger Vogt konnte diese immerhin schon am 26. August 1778 dem Oberamt einreichen, so daß dieses am 29. August 1778 den Bericht an den Hofrat abgehen lassen konnte.

Je öfter die Frevelgerichtsakte auf diese Weise zwischen der Zentrale und dem Amt hin und her gesandt wurde, desto länger mußte sie offenbleiben. Ein Beispiel dafür liefert das Frevelgericht über die Gemeinde Tüllingen, das in Haltingen am 16. Juli 1777 durchgeführt worden war. Der erste Bericht des Oberamts Rötteln an den Hofrat erging am 11. Oktober 1777 und wurde per Reskript des Hofrats vom 27. Mai 1778 beantwortet. Von da an wurde noch mindestens fünf Mal zwischen dem Oberamt und dem Hofrat in dieser Sache kommuniziert, so daß die letzten Hofratsbescheide erst im Februar 1782 ergingen.

2. Betrachtet man die Namen der Hofräte, die die Hofratsreskripte unterzeichneten, und achtet im weiteren auch auf die Daten der Hofratsreskripte, so ergeben

---

[17] Die Berichterstattung über die Befolgung der oberamtlichen Bescheide scheint allgemein schleppend vonstatten gegangen zu sein (Holenstein, Gesetzgebung und administrative Praxis, S. 189 f.).
[18] 137/105 (16 V 1770). Der lakonische fünfzeilige Bericht von Vogt Buri liegt bei den Akten.

sich erste Hinweise auf die Art und Weise, wie dieses Kollegium die Frevelgerichts-geschäfte behandelte.

Die Namen bestimmter Hofräte kehrten auf den Reskripten der Regierung in Frevelgerichtssachen regelmäßig wieder. Zwischen 1769 und 1781 findet sich häufig die Unterschrift von Hofratspräsident von Hahn,[19] zwischen 1769 und 1787 die von Hofrat J. F. Posselt. Beide haben Frevelgerichtsakten aus den Oberämtern Hochberg und Rötteln behandelt, wie auch Hofrat v. Günderode, der zwischen 1778 und 1785 regelmäßig mit Frevelgerichtsakten beider Oberämter befaßt war.[20] Erstmals 1776 taucht in diesem Zusammenhang auch der Name von Hofrat Brauer, des späteren Verfassers der Hofratsinstruktion von 1794 und der Organisationsedikte aus der Rheinbundzeit auf; Brauer hat sich noch 1790 mit Frevelgerichtsprotokollen beschäftigt. In den späten 1780er Jahren war Hofrat von Kniestedt zwischen 1786 und 1789 öfters mit Frevelgerichtsgeschäften betraut. Andere Hofräte, die aus der badischen Verwaltungsgeschichte bekannt sind und die zum Teil ihre große Zeit noch vor sich hatten, tauchen dagegen nur seltener auf: Hofrat Hummel zwischen 1770 und 1772, Hofrat Preuschen 1769, Hofrat und Rentkammerpräsident von Gayling in denselben beiden Jahren,[21] Hofrat von Wallbrunn – der frühere Rötteler Oberamtmann – 1773, die beiden Hofräte von Liebenstein und Walz 1775 – der erste ein künftiger Oberamtmann im Oberamt Hochberg, der andere ein vormaliger Oberbeamter in Rötteln –, Hofrat von Blittersdorf 1778 und 1779. In den letzten Jahren des Ancien Régime begegnen auf den Hofratsreskripten noch neue Namen, so 1786 und 1787 jener von Hofrat v. Drais – des späteren Policeytheoretikers und Historiographen der Regierungszeit Karl Friedrichs –, der von Hofrat Bibra und v. a. jener von Hofrat von Reitzenstein, der zentralen politischen Figur der badischen Reform- und Rheinbundära zu Beginn des 19. Jahrhunderts.

Die Häufung bestimmter Namen deutet daraufhin, daß der Hofrat die detaillierte Behandlung der eingehenden Frevelgerichtsprotokolle und -akten intern einem Kreis von eigens dafür deputierten Mitgliedern zuteilte, die dadurch Erfahrungen in diesem Bereich sammeln konnten. Es fällt weiter auf, daß sich unter ihnen mehrere

---

[19] August Johann von Hahn (1722 (?)–1788), 1759 Vizepräsident des Hofrats, seit 1768 Mitglied des Geheimen Rats, seit 1769 Präsident des Hofrats, Mitglied des Hofgerichts und Kirchenrats (Drais II, Beilagen, S. 93; Windelband, Verwaltung, S. 216–219). Lenel bezeichnet ihn als den wohl einflußreichsten Ratgeber des Markgrafen auf dem Gebiet der inneren Verwaltung (Lenel, Rechtsverwaltung, S. 58, Anm. 129).

[20] Von Günderode war nach Angaben bei Drais II, Beilage, S. 93 seit 1776 Hofrat und zum Regierungspräsidenten vorgesehen, verstarb aber nur 31jährig schon 1786.

[21] Bei Hofrat Preuschen handelt es sich wahrscheinlich um Georg Ludwig Preuschen: 1754 Hofratsassessor, 1755 Hofrat, 1764 Geheimer Rat, 1772 Austritt aus badischen Diensten und Assessor am Reichskammergericht, 1778 nassau-oranischer Regierungspräsident (Obser, Papiere, S. 461). – Christian Heinrich Baron Gayling von Altheim (1743–1812), 1767 Hofrat, 1772 Vizepräsident des Hof- und Kirchenrates, 1773 Präsident der Rentkammer (Obser, Papiere, S. 459; Windelband, Verwaltung, S. 220 f.).

ehemalige Oberamtleute befanden, die aufgrund ihrer früheren Tätigkeit mit Frevelgerichtsgeschäften vertraut waren.[22]

Auf eine koordinierte Arbeitsweise des Hofrats bei der Behandlung der Frevelgerichtsakten deutet auch die Beobachtung hin, daß der Hofrat mehrmals Frevelgerichtsakten mehrerer Gemeinden gemeinsam am selben Tag behandelt hat.[23] Spätestens seit November 1775 ist ein engerer Ausschuß des Hofrats für die Behandlung der Frevelgerichts- und der Baumpflanzungsangelegenheiten belegt. Eine ausführlichere Instruktion formulierte die Aufgaben dieses »Senats« bzw. dieser »Deputation« und hielt die Grundsätze fest, an die sich der Ausschuß bei der Erledigung dieser Geschäfte zu halten hatten.[24] Die Hauptaufgaben des Ausschusses bestanden in der Aufsicht über die Befolgung der einschlägigen Verordnungen und in der Einreichung von Vorschlägen zur Verbesserung dieser Verordnungen, wo diese »nicht oder nicht ganz applicable« sein mochten. In monatlichen und nach Bedarf auch häufigeren Sitzungen hatte der Ausschuß auf der Grundlage der bestehenden Gesetzgebung[25] die Akten sowie alle eingehenden Berichte über die Baumpflanzung[26] und Frevelgerichtsprotokolle einzusehen und zu überprüfen, inwieweit dabei den Generalverordnungen und den oberamtlichen Verfügungen Folge geleistet worden war, ob die Oberämter der Verordnung von 1767 gemäß jedes Jahr wenigstens in einigen Gemeinden ein Frevelgericht abhielten und jeweils nachforschten, ob ihre

---

[22] Von Wallbrunn war Oberamtmann im Oberamt Rötteln, bevor er in den Hofrat aufstieg.

[23] Am 9 I 1773 erging ein Reskript sowohl zum Köndringer wie auch zum Teninger Frevelgericht von 1769. Am 27. Mai 1778 lagen gar die Akten von vier Frevelgerichten auf dem Tisch des Hofrats, jener von Haltingen, Tüllingen, Hertingen und Tannenkirch von 1777.

[24] 236/3155 (29 XI 1775). Im Titel ist die Rede von der »Instruction, wornach der die Baum-Pflanzungs und Frevel-Gerichts Angelegenheiten respicirende Senat beiderley Geschäfte zu besorgen für räthlich erachtet«. Im Text wird dieser »Senat« als »Deputatio« bezeichnet. – Dieser engere Ausschuß des Hofrats wird nochmals im Jahre 1802 faßbar; den drei »Respizienten« in Frevelgerichtssachen trug der Hofrat am 23 I 1802 auf, vorzubereiten, was wegen Haltung der Frevelgerichte im Land angeordnet werden sollte. Die drei zuständigen Hofräte waren damals Geheimrat Stösser sowie die Hof- und Regierungsräte Fischer und Mallbrein (236/3155; 23 I 1802). – Die Einrichtung dieser speziellen Abteilung innerhalb des Hofrats fällt zeitlich mit anderen Maßnahmen zur Delegation von bestimmten Geschäften von den Zentralbehörden an niederere Behörden zusammen. So überließ der Hofrat 1773 die Erledigung einer ganzen Reihe von geringen Strafvergehen und von Dispensationsgesuchen zur Entscheidung an die Oberämter (WI I, S. 25–32; 6 XI 1773; RepPO 2475 f.). Diese Entlastung der Zentralbehörden ist im Zusammenhang mit der starken Zunahme der Verwaltungsgeschäfte nach der Integration der Markgrafschaft Baden-Baden 1771 zu sehen.

[25] Die Instruktion gab die Stellen in Gerstlachers Gesetzessammlung an und nannte für die Baumpflanzung GS III, S. 385 ff. [bis S. 424] [RepPO 1583, 1766, 1808, 1830, 1855, 2040, 2176, 2187, 2189, 2244, 2266, 2279, 2361, 2362, 2363, 2364, 2383, 2440, 2487] und für die Frevelgerichte GS III, S. 88 f., 113, 266 und 582 ff. [RepPO 1422, 1492, 1578, 1603, 1832, 1957, 2233] als die einschlägigen Gesetze an.

[26] Zur Berichterstattung über den Stand der Baumpflanzungen in den Oberämtern vgl. Nr. 19 in Tab. 3.1.

Anordnungen bei den Frevelgerichten des vorangegangenen Jahres in den Gemeinden exekutiert worden waren. In einer langatmigen Aufzählung kam die Instruktion auch auf die Hauptgesichtspunkte zu sprechen, die der Ausschuß bei der Durchsicht der Frevelgerichtsprotokolle zu beachten hatte; dabei zeigt sich deutlich, wie sehr die Steigerung der landwirtschaftlichen Produktion – die Hebung des »Nahrungs-Standes« – zu einem Hauptanliegen der obrigkeitlichen Politik geworden war:

> *Und gleichwie bey denen Frevel-Gerichten nebst der Huldigung herangewachsener Unterthanen die Vermeidung derer durch Augenscheine pp. kurz zu berichtigenden Jrrungen, die Erhaltung guter Sitten und Abstellung schlechter Kinder-Zucht, Nacht-schwärmens, Kunkelstuben, Verschwendung und derer in Wirthshäusern vorgehenden Unordnungen, die Obsicht auf Schul- und Kirchenweesen, die Versorgung derer Armen und Abhaltung derer Streifbettler, die Aufrechthaltung der Feuerordnung, die Vollstreckung derer das Bauweesen sowohl überhaupt als vornehmlich die öffentliche Gebäude betreffenden Verordnungen, die Besorgung aller Waisen mit tüchtigen Pfleegern und Conservation deren liegender Güter und Vermögens, die Erhaltung derer nöthigen Weege, Dohlen, Gräben und Brücken, auch Abstellung aller unnöthigen Weege, die Nachforschung nach der Bann- und Gränz-Richtigkeit, die Erhaltung und Vermehrung derer Gemeinds-Einkünften, so fort noch besonders nach der neuern Vorschrift auch die Verbesserung des Nahrungs-Standes derer Unterthanen mittelst Anlegung derer möglichen Hell- und Trüb-Wässerungen, Anlegung neuer Wasser-Gewerbe, Vertheilung derer Almenden, Anbauung derer öden Plätze, Beförderung des Kleebaues, Verbesserung der Vieh Zucht und deren Futters, weich- und hart Holz, ingleichem Castanien- Maulbeer- Nüß- und Obst-Pflanzung an Weegen, Gräben und allen dazu auszufindenden Plätzen, wo solche keinen Schaden, sondern Nutzen bringen, und die Erhaltung oder Anlegung guter Baumschulen und deren gute Besorgung, Also habe Deputatio bey Durchgehung derer Frevel-Gerichts-Protocollen am vorzüglichsten auf die Wässerung, Almend-Vertheilung, Anbauung öder Plätze, Beförderung des Kleebaues, Vermehrung derer Wasser-Gewerber und auf die Baumpflanzung zu sehen.*[27]

Die Zuteilung der Baumpflanzungs- und Frevelgerichtsgeschäfte an denselben Ausschuß machte insofern Sinn, als der Hofrat die Steigerung der agrarischen Produktivität und die Förderung des Holzanbaus als Elemente eines umfassenderen Programms wahrnahm, beide Maßnahmen zielten angesichts der demographischen Entwicklung auf die Ausweitung des enger werdenden Nahrungs- und Energiespielraums. Die Überprüfung der Fortschritte bei der Baumpflanzung war seit dem Reskript von 1767 eine zentrale Aufgabe des Oberamts bei Frevelgerichten, darüber hinaus war beiden Themenbereichen auch gemeinsam, daß die angestrebte Intensivierung der landwirtschaftlichen Produktion einen Wandel in der Wirtschaftsweise und im ökonomischen Verhalten der einzelnen Haushalte bedingte und dieser intendierte Wandel bei den betroffenen Untertanen offensichtlich an mannigfache Grenzen stieß – Grenzen der Gewohnheit, Grenzen aus der Erfahrung sowie auch Grenzen des Machbaren und Möglichen.

---

[27] 236/3155 (29 XI 1775).

In dieser Hinsicht ist es aufschlußreich zu sehen, wie die Instruktion die Hofrats-
deputation mit didaktisch-argumentativen Ratschlägen ausstattete, damit diese den
aus den Gemeinden erhobenen Einwänden gegen die Intensivierung der Landwirtschaft und die Baumpflanzungen im Gemeindebann begegnen konnte. Die Instruktion entpuppt sich gleichsam als kleiner volksaufklärerisch ökonomischer Lehrgang:

– Dem Einwand der Gemeinden, es fehle ihnen der Platz zur Anpflanzung von
  Bäumen, sollte die Deputation entgegenhalten, daß Erlen auf feuchten Allmend-
  stücken angesetzt werden konnten und dort zudem zur Austrocknung des Bodens
  beitrugen, und daß Obstbäume »und besonders [die] den mehresten Nutzen gebenden gelben Weiden« an den Wegen und Gräben wohl Platz fanden. In weniger
  fruchtbaren, kalten Gegenden ließen sich Waldkirschenbäume anpflanzen. Wo
  dies alles nichts helfen mochte, sollten das Oberforstamt und der Landgärtner
  eine Visitation der Gemarkung vornehmen, um Maßnahmen zur Steigerung der
  Holzproduktion und der Obstbaumpflanzung ins Auge zu fassen.

– Offenbar kannte der Hofrat auch den Einwand, an gewissen Orten seien Luft und
  Boden nicht für die Baumpflanzung geeignet. Dem sollte man im Falle von
  Maulbeerbäumen dadurch begegnen, daß man deren ständige Anpflanzung auf
  allen Kirchhöfen anordnete, im Falle von Obstbäumen, indem man die Orte anwies, die überall leicht gedeihenden Kirsch- und Zwetschgenbäume zu wählen,
  und im Fall der Bäume zur Holzversorgung, indem man die Gemeinden anhielt,
  die Weiden sorgfältig in gegrabene Löcher einzupflanzen und eine gute Auswahl
  der jedem Platz angemessensten Holzarten zu treffen.

– Die Beschwerde, der Schatten der Bäume schädige die Feldgüter, ließ sich »durch
  Hochziehung und Ausschneidung, auch weitere Auseinandersetzung und Choi-
  sirung derer an sich schon weniger Schatten gebenden Bäume« entkräften.

– Sollte von einer Seite vorgebracht werden, »daß schon ehender zu viel als zu
  wenig Obst-Bäume in der Markung befindlich« seien, so konnte die Deputation
  einerseits darauf hinwirken, daß die in den Weinbergen und Ackerfeldern wirklich schädlichen Bäume sowie jene, die zu eng beieinander standen, weggeschafft
  wurden, andererseits aber darauf hinweisen, daß dieser Umstand keineswegs dagegen sprach, daß »die ordentliche und nützliche Pflanzung derer Obstbäume,
  besonders solcher aber, welche haltbares, und zwar nahe bey Städten von denen
  besten Gattungen Obst, in entlegenen Gegenden hingegen zum Most und Schnitzen vorzüglich taugliches Obst tragen«, betrieben werde.

– Der Einwand schließlich, daß in den Gemeinden nicht genug Weiden-, Erlen- und
  Nußbaumsetzlinge oder nicht genug junge Obstbäume zum Versetzen vorhanden
  waren, ließ sich dadurch erledigen, daß das Oberforstamt jeweils geraume Zeit
  vor dem Setzen der Weiden und Erlen die benötigten Setzlinge für die nicht
  hinreichend versorgten Orte beschaffen und die Landgärtner junge Obstbäume
  züchten sollten. Zu diesem Zweck hatte die Deputation von der Durlacher Land-

baumschule regelmäßig Bericht über deren Kapazitäten zur Versorgung des Unterlandes mit guten jungen Obstbäumen der nützlichsten Gattung einzufordern, ebenso auf die Forstbaumschulen der Oberämter Karlsruhe, Durlach, Pforzheim, Stein und Münzesheim, Aufsicht zu tragen. Dazu gehörte auch, daß der Durlacher Landgärtner diese Baumschulen visitierte, die »Unterthanen im Baumpflanzen, Schneiden, Pfropfen und Occulirung« unterrichtete und besonderen Fleiß auf die »Bepflanzung aller dazu tauglichen Gegenden besagter OberAemter mit guten Obstbäumen und deren Wartung und Erhaltung« verwandte. Im Oberland schließlich hatte die Deputation darauf zu sehen, daß das Oberamt Badenweiler durch die höhere Besoldung des Landgärtners und die Anlage einer Landbaumschule der Baumpflanzung aufhalf, daß der Landgärtner im Oberamt Hochberg »bey Strafe der Dimission« gezwungen wurde, den Effekt seines versprochenen erhöhten Einsatzes zu beweisen und im Oberamt Rötteln dem Gärtner Ehret zu Basel eine »Douceur« zur Erhaltung seiner bereits angelegten und noch anzulegenden Baumschulen bewilligt wurde sowie auch die als Landbaumschule geeignete »Pepiniere« in Kirchen durch die Anstellung eines qualifizierten Mannes und dessen Besoldung aus der Kirchner Gemeindekasse mehr Auftrieb erhielt.

Die »zu denen Frevel Gerichten und Baum-Pflanzung gehörige Angelegenheiten« sollten fortan allein von diesem »Senat« behandelt werden. Zur Erledigung der eigenen Geschäfte hatte die Deputation »unter sich einen solchartigen Austheiler zu trefen, daß eines jeden Kräften, Zeit und andern Occupationen nicht Abbruch geschehe«. Zur Beschlußfassung sah die Instruktion vor, daß alles, was »in Senatu pro maiora beliebt worden«, sogleich expediert und nur das Nötige »mit rationibus ad marginem (...) in Pleno vorgelegt und von solchem erst genehmiget« werden sollte. Die Deputation war schließlich auch dafür verantwortlich, daß die getroffenen Verfügungen rasch erlassen und befördert wurden.

Die Gesichtspunkte, nach welchen die Hofräte die einkommenden Frevelgerichtsakten durchzusehen hatten, sind in der Instruktion genannt, die 1794 für den Hofrat erlassen worden ist. Wie in den übrigen Punkten der Instruktion, so ist auch hier davon auszugehen, daß die Instruktion keine Neuerungen einführte, sondern die gängige Praxis systematisierte. Die Frevelgerichtsprotokolle waren auf acht leitende Gesichtspunkte hin zu begutachten. Erstens mußten sie mit den vorliegenden Verordnungen verglichen werden, wobei – zweitens – insbesondere darauf zu achten war, daß die Verordnungen in allen Punkten befolgt wurden. Drittens hatte der Hofrat alle vom Oberamtmann vorläufig erteilten Weisungen zu genehmigen, falls sie »sachgemäs« erteilt worden waren, oder aber – viertens -jene Weisungen, die noch vervollständigt oder verbessert werden mußten, zu berichtigen. Der Hofrat hatte fünftens alle noch unerledigten Punkte, »deren Betref ein Gegenstand der Regierungssorge ist«, Punkte also, die nicht in der Entscheidungskompetenz der Oberbeamten lagen, durch separate Bescheide zu bereinigen. Gegenstände, die in die Zuständigkeit der Rentkammer, des Kirchenrats, des Hofgerichts oder einer anderen Zentralbehörde fielen, sollten sechstens diesen Kollegien durch Auszüge aus dem jeweiligen Frevelgerichtsprotokoll mitgeteilt werden. Siebtens sollte der Hofrat niemals dulden, daß im Frevelgerichtsprotokoll oder -bericht eines Oberamts eine Bemerkung darüber fehlte, wie die Bescheide des vorangegangenen Frevelgerichts befolgt worden waren. Achtens hatte der Hofrat eine Resolution zum jeweiligen Frevelgerichtsprotokoll zu fassen, und zwar möglichst kurz, doch so, daß jeder Punkt seiner Resolution »vor sich selbst verständlich sey«.[28]

Im Hofrat löste die Behandlung eines Frevelgerichtsprotokolls je nach Breite und Komplexitätsgrad der darin geschilderten Probleme eine ganze Reihe weiterer Verwaltungsmaßnahmen aus. Dieser administrative Vorgang läßt sich am Beispiel eines bei den Schopfheimer Frevelgerichtsakten liegenden Auszugs aus dem Protokoll des Hofrats beschreiben.[29]

Im Juli 1777 hatte das Oberamt Lörrach in Schopfheim ein Frevelgericht veranstaltet und am 25. Oktober den entsprechenden Bericht nach Karlsruhe gesandt. Dort wurde der Bericht zunächst Hofrat von Schwarzenau »ad votum« zugestellt, der 10 Tage später in der Sitzung vom 29. November einen beschlußfähigen Antrag vorlegte. Der Hofrat faßte dabei vier Entscheidungen, die an unterschiedliche Adressaten ergingen. Das Oberamt Lörrach und Spezialat Sausenberg erhielten ein längeres Reskript, in dem der Hofrat seine allgemeine Zufriedenheit über die Durchführung des Frevelgerichts durch das Oberamt und die dabei getroffenen Anordnungen mitteilte und anschließend zu elf Punkten des Protokolls den Lörracher Oberbeamten konkrete Verhaltensanweisungen erteilte.[30] Aus dem Frevelgerichts-

---

[28] Hofratsinstruktion, S. 196 ff.

[29] 229/94368 (25 X, 29 XI 1777). – Ein zweites Beispiel liefert etwa die Frevelgerichtsakte Vogelbach 1778/1779: Der Hofrat behandelte das Protokoll des Vogelbacher Frevelgerichts vom August/September 1778 an seiner Sitzung vom 23. Januar 1779 und beschloß dabei, zum einen das Reskript an das Oberamt Rötteln, zum andern aber eine Mitteilung an den für Schulfragen zuständigen Kirchenrat ergehen zu lassen, weil das Oberamt in seinem Bericht informiert hatte, daß der Vogelbacher Pfarrer mit dem Lehrer im kleinen Nebenort Kaltenbach unzufrieden war (229/107693; 25 IX 1778, 23 I 1779).

[30] Der Hofrat ging dabei, wie bei allen Reskripten in Frevelgerichtsgeschäften, sehr ins Detail und erwartete insbesondere, daß ihn das Oberamt zu gegebener Zeit darüber informierte, wie die getroffenen Maßnahmen in die Tat umgesetzt worden waren und welche Wirkung sie gezeigt hatten. Hinsichtlich der »allgemeine(n) öffentliche(n) Policey-Anstalten« kritisierte der Hofrat etwa die Tatsache, daß der in Schopfheim »in einige Aufnahme gebrachte Kleebau« durch den Mangel an Kleesamen behindert wurde, »da doch dergleichen an mehreren Orten gut zu erkaufen ist«. Deswegen sollte das Oberamt die Schopfheimer Vorgesetzten wissen lassen, daß der Hofrat die »Futter Kräuter Anpflanzung auf alle erdenkliche Art und Weiße befördert wißen« wollte. Wegen der Berichtigung der Landesgrenze beim Ort Wehr und wegen des Vollsaufens des Chirurgen Völcker wurden dem Oberamt besondere Anweisungen in Aussicht gestellt; zudem erwartete der Hofrat vom Oberamt einen besonderen Bericht wegen der Baumpflanzung im Oberamt. An das Spezialat erging der Befehl, die Schulen zu visitieren und dabei die Fähigkeiten von Lehrern und Schülern zu überprüfen, die Zwistigkeiten in den Haushalten zu untersuchen und zu schlichten so-

bericht aus Lörrach hatte der Hofrat auch erfahren, daß in der Stadt Schopfheim Uneinigkeit zwischen dem Stadtpfarrer und seiner Gemeinde herrschte – »ein Grund, welcher vieles Gute hindert«. Für den Hofrat war diese Information Anlaß zu einem zweiten Beschluß, dem Kirchenrat durch Protokollauszug Kenntnis von diesem Streit zu geben, damit dieser das in seiner Zuständigkeit Liegende vorkehren konnte. Schließlich erhielten die Hofräte v. Günderode, Brauer sowie Hofrat Preuschen noch je einen Auftrag, dessen Inhalt nicht referiert wird.

Die Berichterstattung der Oberämter an den Hofrat hatte nicht allein den Zweck, die Regierungsbehörde über den Ablauf des Frevelgerichts zu informieren und für die dabei getroffenen Anordnungen die Ratifikation einzuholen, Bestandteil der oberamtlichen Berichte war immer auch eine Aufstellung der Kosten, die das Frevelgericht verursacht hatte. Damit war jeweils der Antrag an den Hofrat verbunden, die Begleichung dieser Kosten aus den »fructus jurisdictionis«, den Einnahmen des Oberamts aus der Gerichtsbarkeit, vornehmen zu dürfen. Einige Angaben zu den Kosten, welche Frevelgerichte verursachten, sind in Tabelle 5.3 zusammengestellt.

Tabelle 5.3:
Die Kosten für Frevelgerichte in Gemeinden der Oberämter Röteln und Hochberg

Gemeinde(n)	Oberamt	Datum der Frevelgerichte	Dauer des Frevelgerichts in Tagen	Gesamtkosten
Weil Tüllingen Tannenkirch	Röteln	alle vor IV 1770	?	5 fl. 26 Kr. für Weil u.Tüllingen 5 fl. 26 Kr. für Tannenkirch
Mehrere nicht spezifizierte Orte	Röteln	vor 22 XI 1774	?	39 fl. 36 Kr.
Binzen Rümmingen Kirchen Efringen Wintersweiler	Röteln	10 IV 1775 10 IV 1775 9 V 1775 9 V 1775 9 V 1775	je 1 Tag, wobei z.T. mehrere Gemeinden bei einem Frevel- gericht unter- sucht wurden	12 fl. 52 Kr. insgesamt

dann genaue Aufsicht über bestimmte Sitten- und Aufwandsordnungen zu halten. Die anbefohlene Befolgung der Sitten- und Aufwandsordnungen war eine unmittelbare Reaktion auf die im Frevelgerichtsbericht erwähnte Beobachtung des Oberamts, daß die meisten Einwohner der Schopfheimer Gegend »dem Wohlleben zimlich ergeben« waren, was nicht zuletzt daran abzulesen sein sollte, daß der Schopfheimer Kaufmann Sonntag im letzten Winter innerhalb von fünf Monaten 36 Zentner Kaffee verkauft hatte, wovon nur vier Zentner in die vorderösterreichische Nachbarschaft und den Rest in die Stadt und die umliegenden badischen Gemeinden (229/94368; 29 XI 1777).

Gemeinde(n)	Oberamt	Datum der Frevelgerichte	Dauer des Frevelgerichts in Tagen	Gesamtkosten
Schopfheim Tüllingen Haltingen Tannenkirch Hertingen	Rötteln	VII, IX 1777	je 1 Tag	19 fl. 18 Kr. insgesamt
Schallbach Fischingen Blansingen Welmlingen Kleinkems Vogelbach Feldberg Neuenweg Gersbach	Rötteln	22 IV 1778 22 IV 1778 26 V 1778 26 V 1778 26 V 1778 vor 25 IX 1778 vor 7 VI 1779 vor 7 VI 1779 vor 7 VI 1779	je 1 Tag, wobei z.T. mehrere Gemeinden bei einem Frevelgericht untersucht wurden	59 fl. 20 Kr. insgesamt
Hausen Raitbach Maulburg Dossenbach Fahrnau Eichen Langenau Gündenhausen	Rötteln	vor 11 X 1780 vor 11 X 1780 zw. 23 IV/11 X 1780 vor 6 XII 1780 zw. 23 IV/11 X 1780 zw. 23 IV/11 X 1780 zw. 23 IV/11 X 1780 zw. 23 IV/11 X 1780	?	28 fl. 48 Kr. insgesamt
Tegernau Bürchau Wies	Rötteln	15–18 V 1781	?	26 fl. 24 Kr. insgesamt
Mehrere nicht spezifizierte Orte	Rötteln	1781	?	19 fl. 18 Kr. insgesamt
Nimburg, Bottingen	Hochberg	16–19 VI 1783	4	33 fl. 40 Kr.
Eichstetten	Hochberg	2–13 II 1789	12	94 fl.
Vörstetten	Hochberg	15–18, 21–25, 28–29 IX 1790	11	100 fl. 40 Kr.
Mundingen	Hochberg	7–30 IX 1790, mit Unterbrechungen	6	48 fl. 12 Kr.
Efringen	Rötteln	14–16 II 1791	3	29 fl.

Diese Kostenaufstellungen lassen erahnen, daß der Auftritt bzw. Aufritt der Ober-beamten in den Gemeinden einen ausgesprochen amtlichen, geschäftlichen Charak-ter trug und ohne jede herrschaftliche Pracht vonstatten ging: Neben dem Ober-beamten selber, der je nach ständischer Qualität von einem Diener begleitet wurde, war in der Regel nur noch der Aktuar des Oberamts als Protokollant mit von der Partie; beide kamen zu Pferd. Beide verrechneten die Gebühren für die auswärtigen Mahlzeiten sowie ihre Ausgaben für das Pferdefutter, die ihnen gemäß Tax- und Diätenordnung zustanden (Tab. 5.4).

Ein Generalreskript von 1740 regelte die Frage, wer die Kosten der Frevelgerich-te zu tragen hatte. Die Unkosten für die Frevelgerichte, »welche bestmöglichst zu menagiren sind«, waren »jedesmal ad moderandum [an den Hofrat] ein[zu]schicken und sofort nach deren Remittirung ex fructibus jurisdictionis« zu bezahlen.[31] Da die Gefälle aus der Gerichtsbarkeit der Herrschaft zuflossen, trug diese damit auch die Kosten der Frevelgerichte. An diese Vorschrift haben sich die Zentral- und die Amtsbehörden weitgehend gehalten, bis auf mehrere Ausnahmen im Oberamt Röt-teln, wo in den 1760er und 1770er Jahren bemerkenswerterweise versucht worden ist, die Hälfte der Frevelgerichtskosten zur Entlastung der Herrschaft auf die Ge-meindekassen zu überwälzen. Ein erstes Mal scheint dies ohne weiteren Wider-spruch für die Rötteler Frevelgerichte der Jahre 1769 und 1770 stattgefunden zu haben, als die insgesamt geringen Kosten von 10 fl. 52 Kr. je zur Hälfte auf die »fructus jurisdictionis« und die Gemeindekassen überwälzt wurden.[32] Als der Hofrat im Mai 1778 Kosten in der Höhe von 19 fl. 18 Kr. für mehrere Frevelgerichte im Oberamt Rötteln nunmehr ganz den Gemeindekassen der fünf betroffenen Orte be-lasten wollte, machte das Oberamt Rötteln den Hofrat darauf aufmerksam, daß die Anweisung der Kosten auf die Gemeindekassen wohl ein Versehen darstellte, da diese gewöhnlich aus den Gefällen aus der Gerichtsbarkeit bestritten worden waren. In der Folge kam der Hofrat auf seinen Entscheid zurück und folgte wieder der alten Observanz.[33] Die Tatsache, daß sich dieser Vorgang ein Jahr später aber wiederholte, läßt doch den Verdacht aufkommen, der Hofrat habe damals versucht, eine neue Praxis zu begründen und die visitierten Gemeinden stärker zur Deckung der Un-kosten einer Veranstaltung heranzuziehen, die seiner Überzeugung nach ja auch zum Wohl der Gemeinden eingerichtet war.[34]

---

[31] RepPO 1422 (GS III, S. 582 f.; 19 III 1740).

[32] 120/966 (7 IV 1770).

[33] 120/966 (27 V, 27 VI, 4 VII 1778).

[34] Am 7 VI 1779 beantragte das Oberamt Rötteln die Dekretur der Frevelgerichtskosten für 1778 in der Höhe von 59 fl. 20 Kr. auf die Gerichtsbarkeitsgefälle, worauf der Hofrat am 18 IX die Dekretur auf die Kassen der jeweiligen Gemeinden verfügte; am 11 X 1779 fragte das Oberamt beim Hofrat nach, ob diese Kosten tatsächlich den Gemeinden überwälzt werden sollten, da sie doch immer auf die fructus jurisdictionis dekretiert worden waren.

Tabelle 5.4:
Die Diätenansätze der bei Frevelgerichten anwesenden Beamten

Frevelgericht	Beamter	Gebühr/ Mahlzeit	Diät	Rittgeld, Pferdelohn	Pferde- futter	Trink- geld	Beleg GLAK
Tegernau, Bürchau, Wies (15–18 V 1781)	Wilhelm Heinrich Posselt (Oberbeamter)	1 ½ fl.			10 Kr./ Tag		120/966
"	NN (Aktuar)	½ fl.	1 fl.	36 Kr./ Tag	30 Kr./ Tag		120/966
Nimburg, Bottingen (16–19 VI 1783)	Joh. Georg Schlosser (Ober- beamter)		4 fl.		30 Kr./ Tag		229/ 75379
"	1 Diener Schlossers		40 Kr.				"
"	NN (Aktuar)		1 fl.	45 Kr./ Tag	30 Kr./ Tag		"
Eichstetten (2–13 II 1789)	Roth (Ober- beamter)		3 fl.		1½ fl./ Tag für 3 Pferde	1 fl. 12 Kr.	229/ 23271/I
"	1 Diener Roths		40 Kr.				"
"	Aktuar Hoyer		1 fl.	1 fl./Tag	30 Kr./ Tag	48 Kr.	"
Vörstetten (11 Tage im IX 1790)	Frhr. v. Liebenstein (Ober- beamter)		4 fl.				229/ 107983
"	2 Diener		je 40 Kr.		30 Kr./ Tag		"
"	Teilungs- kommissar Wagner		1 fl.	1 fl./Tag	30 Kr./ Tag		"
Efringen (14–16 II 1791)	Oberamts- assessor Meier		1½ fl. + 4 fl. 12 Kr. Fuhr- lohn			1 fl. 24 Kr.	229/ 22654
"	Knecht		24 Kr.				"
"	Diener		40 Kr.				"
"	Aktuar Kiesel		45 Kr.	45 Kr./ Tag	15 Kr./ Tag	24 Kr.	"

Die Kosten für die Durchführung der Frevelgerichte sind während des ganzen 18. Jahrhunderts ein kontrovers diskutiertes Thema in den Regierungs- und Amtsbehörden gewesen. Umstritten war dabei die Frage, wie viel die Staatsverwaltung im 18. Jahrhundert kosten durfte. Sowohl die Befürworter der Frevelgerichte und der entsprechenden Verwaltungskosten als auch die den Frevelgerichten nicht gewogenen Beamten waren einmütig dem obersten Grundsatz verpflichtet, daß die Staatsausgaben so tief als möglich gehalten und Kosten gespart werden sollten.[35] Der haushälterische Umgang mit den Finanzen war – zumindest in diesem Bereich der Verwaltung – also eine Forderung, denen sich nicht nur Gemeinden und die Haushalte der Untertanen, sondern auch die staatlichen Institutionen selber unterwarfen. Der Staat des Ancien Régime wollte im Bereich der Verwaltung ein billiger Staat sein, gleichzeitig aber baute er seine Ordnungsfunktionen im Inneren aus. Oberbeamte, die sich bei der Durchführung von Frevelgerichten ein »Übermaß« an Kosten zuschulden kommen ließen, mußten deswegen mit einem Tadel und mit der Androhung von Gegenmaßnahmen rechnen.[36]

Am 23 X 1779 entschied der Hofrat, die Kosten sollten tatsächlich von den Gemeinden übernommen werden »nach Vorgang anderer Ober und Aemter, auch selbst des Oberamts Roetteln«; wo Gemeindekassen fehlten, waren die Kosten auf die Gemeindebewohner umzulegen; am 24 XI 1779 wurden die Kosten schließlich durch Entscheid des Landesherrn (?) doch wieder den Gerichtsbarkeitsgefällen angelastet (120/966). So blieb es im Oberamt Rötteln auch in den Jahren 1780, 1781 und 1782 (ebd., 11 X 1780; 17 X 1781; 6 II 1782). – Im Oberamt Hochberg war die Praxis uneinheitlich: Die Kosten des Eichstetter Frevelgerichts 1789 wurden je zur Hälfte auf die Gefälle und das Gemeindeaerarium verteilt (229/23271/I; 6 VI 1789), während bei Denzlingen und Mundingen die Kosten allein den Gerichtsbarkeitsgefällen angewiesen wurden (GA Denzlingen, 1 B–247, fol. 294; 22 II–10 III 1790; 229/70240/III; 1 XI 1790).

[35] Belege für die Aufforderung an die beteiligten Beamten, bei Frevelgerichten möglichst Kosten zu sparen, z. B. indem nur ein Oberbeamter das Frevelgericht leiten sollte: 171/745 (30 V 1699); RepPO 1422 (GS III, S. 582f.; 19 III 1740); 74/3887 (27 I, 9 II 1750); 236/3155 (12 VIII 1758); RepPO 2233 (GS III, S. 586–589; 4 XI 1767). – Mitunter kam es dabei auch zu unrealistischen Vorschlägen: Die Rentkammer schlug 1792 vor, der Aktuar sollte künftig für das Frevelgericht in der »Chaise« auf das Land fahren oder eines der vier bzw. drei Pferde des Landvogts oder Landschreibers reiten, damit die Kosten für ein eigenes Pferd gespart werden konnten. Der Hofrat hielt darauf der Rentkammer vor, sie sei offenbar nicht richtig über die Durchführung der Frevelgerichte im Bild. Bei diesen Anlässen würden zu Pferd 40–100 Augenscheine in der Gemarkung vorgenommen. Dabei werde der oberamtliche Bescheid dem Scribenten direkt in die Schreibtafel diktiert (74/3888; 30 XII 1790; 29 IX 1792).

[36] Der Steiner Amtmann Hugo sandte im Dezember 1747 die Kostenzettel für die im Oktober bis Dezember in vier Gemeinden (Wülferdingen, Nöttingen, Langensteinbach, Ittersbach) durchgeführten Frevelgerichte ein; die vier Veranstaltungen hatten 11 Tage in Anspruch genommen und insgesamt Kosten in der Höhe von 198 fl. 32 Kr. verursacht. Die Karlsruher Behörden bewilligten ausnahmsweise diese Kosten, die anteilsmäßig auf die Gemeinden verteilt werden sollten, für ein nächstes Mal jedoch drohten sie, die Kosten auf die Verursacher zu überwälzen, was möglicherweise ein indirekter Hinweis darauf ist, daß die beanstandeten Kosten besonders durch Zehrungen unter Beteiligung der Ortsvorsteher zustande gekommen waren (74/3887; 13, 18 XII 1747).

Es hat im 18. Jahrhundert immer wieder Oberbeamte gegeben, die das Kostenargument gerne dazu verwendeten, längere Unterbrechungen bei der Durchführung von Frevelgerichten zu rechtfertigen.[37] Sicher ist dieser Faktor bei der Erklärung der Tatsache zu berücksichtigen, daß die Frevelgerichte trotz anderslautender gesetzlicher Vorschriften in manchen Gemeinden während vieler Jahre nicht stattfanden und die Zentralbehörden diese Unterlassungen der Oberämter nicht vehementer monierten. Umgekehrt mußte es ein Anliegen der starken Verfechter der Frevelgerichte in der badischen Beamtenschaft sein, das Kostenargument in seiner Bedeutung zu relativieren. So wies Johann Michael Saltzer 1752 darauf hin, daß die Frevelgerichte weder der Herrschaft noch den Untertanen zur Last fallen mußten, wenn sich die Beamten mit ihren Diäten begnügten und die »Fressereien« bei dieser Gelegenheit unterblieben.[38]

Angesichts des Funktionswandels der Frevelgerichte in der zweiten Hälfte des 18. Jahrhunderts konnte es nicht ausbleiben, daß diese Institution bei einer eng gefaßten finanziellen Kosten-Nutzen-Analyse schlecht abschneiden mußten. Als der strafgerichtliche Charakter der Frevelgerichte bewußt zugunsten einer breit angelegten policeylich-ökonomischen Gemeindevisitation zurückgedrängt wurde, mußte diese Veranstaltung unweigerlich immer höhere Kosten verursachen und immer weniger Einnahmen in Form von Strafgeldern erbringen. In einem Gutachten von 1790 wurde darauf verwiesen, daß die vier Frevelgerichte des Oberamts Hochberg in Denzlingen, Bickensohl, Bahlingen und im Kondominat Prechtal 426 fl. gekostet, aber nur 123 fl. Frevelgelder eingetragen hatten. Der Gutachter lieferte die Begründung für dieses Verhältnis selber mit: Die Absicht der Frevelgerichte ziele ja nicht auf die »Rügung und Bestrafung der Frevler, vielmehr ist es ein äußerst seltener Fall, daß dabei eine Strafe angesezt wird. Ihre Absicht ist auf vollständig erhaltende Localkenntnis gerichtet. Sie zielt auf Beförderung des allgemeinen und besonderen Wohls einer ganzen Gemeinde.«[39]

Die Verwaltungsakten und Hofratsprotokolle der 1770er und 1780er Jahre haben die in der Hofratsinstruktion von 1794 normativ festgehaltene Feststellung klar bestätigt. Der Hofrat nutzte die in Karlsruhe eingehenden Protokolle intensiv zur Information über den Stand der »guten Policey« in den Landorten. Auf dieser Grundlage konnte er den Amtsbehörden Anweisungen zur Behebung von Mißständen und Streitigkeiten und zur Einrichtung neuerlicher Ordnung erteilen. Daß diese policeylichen Visitationen der Gemeinden dennoch nicht häufiger stattgefunden haben, ist nicht der Karlsruher Regierung anzulasten, die sich nachweislich immer wieder bemüht hat, die ins Stocken geratenen Frevelgerichte in den Ämtern wieder in Gang zu setzen. Allenfalls wäre der Hofrat dafür zu kritisieren, daß er seine Befehle bei

---

[37] Holenstein, Gesetzgebung, S. 187 f.
[38] 74/3887 (15 I 1752).
[39] 74/3888 (13 XII 1790).

den Oberbeamten nicht mit mehr Nachdruck durchsetzen konnte. Die individuellen Neigungen und Prädispositionen der einzelnen Oberbeamten sowie deren Alter und physische Leistungsfähigkeit waren wichtige Faktoren, die die Häufigkeit der Durchführung von Frevelgerichten bestimmten. Daneben sind auch strukturelle Ursachen zu nennen, warum diese Veranstaltungen nicht so regelmäßig wie vorgesehen stattgefunden haben. Die funktionale Wandel der Frevelgericht zu breit angelegten Inspektionen der Gemeindepolicey und -ökonomie hielt zwar mit der zunehmenden Komplexität der Policeygesetzgebung Schritt, er befrachtete diese Einrichtung aber auch mit Verrichtungen in steigender Zahl und machte es den Oberbeamten – zumal in den großen Oberämtern des Oberlandes – unmöglich, jedes Jahr mehrere Gemeinden zu inspizieren. Die letzten Hochberger Frevelgerichte im Ancien Régime aus den Jahren 1789 und 1790, die mehr oder weniger vollständig den gesamten Aufgabenkatalog bewältigten, dauerten jeweils eine Woche, 10 Tage oder noch länger, während denen der Oberbeamte nicht am Amtssitz anwesend war. In einem Oberamt mit 20 Gemeinden hatte die gesetzliche Vorschrift, alle drei Jahre mindestens einmal jede Gemeinde mit einem Frevelgericht zu besuchen, zur Folge, daß ein Oberbeamter im Jahr theoretisch mindestens sechs bis sieben Wochen, unter Umständen aber auch 10 Wochen oder noch länger mit der Veranstaltung von Frevelgerichten in den Gemeinden zubrachte, wobei in dieser einfachen Rechnung die Zeit für die Schreibarbeiten noch nicht gerechnet ist, die die Berichterstattung an den Hofrat und an die Gemeindebehörden im Anschluß an das Frevelgericht in Anspruch nahm. Die Verantwortlichen in der badischen Zentralverwaltung des späteren 18. Jahrhunderts haben dieses strukturelle Problem entweder nicht gesehen oder es unterschätzt, damit aber letztlich wohl wesentlich dazu beigetragen, daß diese von ihnen so geschätzte Einrichtung jene Leistungen nicht hat erbringen können, die ihr theoretisch zugedacht waren.

5.2 Frevelgerichte und Schulaufsicht

Die badischen Oberbeamten begannen, bei den Frevelgerichten in der zweiten Hälfte des 18. Jahrhunderts sich intensiver um die Elementarschulen zu kümmern. Die gesteigerte Aufmerksamkeit der Obrigkeit für Schul- und Erziehungsfragen ist vor dem Hintergrund einer auf Reformen und »Verbesserungen« zielenden Politik[40] zu sehen, wobei Baden im Vergleich zu anderen Gebieten möglicherweise in der Mitte des 18. Jahrhunderts noch einen Nachholbedarf im Ausbau des Schulwesens besaß.[41]

---

[40] Zur Geschichte des ländlichen Schulwesens im Ancien Régime vgl. allgem. Neugebauer, Schulwirklichkeit, S. 37, der die Jahre 1770–1830 als Zäsur in der Schulgeschichte bezeichnet; Wolfgang Schmale, Die Schule in Deutschland im 18. und frühen 19. Jh. Konjunkturen, Horizonte, Mentalitäten, Probleme, Ergebnisse, in: W. Schmale, N. L. Dodde (Hgg.), Revolution des Wissens? Europa und seine Schulen im Zeitalter der Aufklärung (1750–1825), Bochum 1991, S. 627–767; P. Albrecht, E. Hinrichs (Hgg.), Das niedere Schulwesen im

Der Befund aus den Frevelgerichtsakten stimmt mit der in der Schul- und Alphabetisierungsgeschichte vertretenen Auffassung überein, wonach »die Aufklärung in ihrer späten, auf Reformen und Volksaufklärung gerichteten Gestalt seit 1770 den Prozeß [der Alphabetisierung und der Entwicklung im Schulwesen, AH] entscheidend vorangetrieben und vertieft« hat.[42]

Der Badenweiler Oberamtmann Johann Michael Saltzer schrieb 1755 neben vielen anderen Anliegen den Oberbeamten auch die Sorge um das Gedeihen des Schulunterrichts in das Pflichtenheft.[43] Neben dem Spezial, dem die eigentliche Aufsicht über die Schulen und Schuljugend oblag, sollte Saltzer zufolge der Oberamtmann darauf sehen, »daß die Jugend (der Pflanz-Gartten des Gemeinen Wesens) Männlich und Weiblichen Geschlechts in guten und höfflichen Sitten, Lesen, Schreiben, Rechnen und andern politischen Wißenschafften und Tugenden zunemmen möge.« Bei Frevelgerichten konnte der Oberbeamte am besten den Zustand der Schule in der

Übergang vom 18. zum 19. Jahrhundert, Tübingen 1995; Ernst Hinrichs, Zur Erforschung der Alphabetisierung in Nordwestdeutschland in der Frühen Neuzeit, in: Conrad u.a. (Hgg.), Volk im Visier, S. 35–56; Winfried Speitkamp, Jugend in der Neuzeit, Göttingen 1998, S. 35–47; Jens Bruning, Das pädagogische Jahrhundert in der Praxis. Schulwandel in Stadt und Land in den preußischen Westprovinzen Minden und Ravensberg 1648–1816, Berlin 1998. Bruning stellt analog zu den hier vorgelegten Ergebnissen die Dynamik der Schulpolitik in der zweiten Hälfte des 18. Jhs. heraus. – Zum Stellenwert von Schul- und Erziehungsfragen in der Policeygesetzgebung allgem. Raeff, Police State, S. 137–142.

[41] Für Baden-Durlach ist für 305 erfaßte Orte der Versorgungsgrad mit Elementarschulen wie folgt berechnet worden: 1558: 8,85 %; um 1700: 15,4 %; um 1750: 18 %. Demgegenüber wiesen andere Gegenden wie etwa Ostfriesland in der zweiten Hälfte des Jhs. bereits eine fast lückenlose Versorgung der Kirchspiele mit Schulen auf (Schmale, Schule, S. 649). Von Schmales Zahlen weichen allerdings die Angaben bei Zimmermann, Reformen, S. 92, erheblich ab: Dieser gibt für das erste Drittel des 18. Jhs. an, die bäuerliche Bevölkerung sei etwa zur Hälfte schulisch erfaßt gewesen. In den beiden Gemeinden Auggen und Vögisheim besuchten zwischen 1665 und 1692 bereits 73,4 % der Kinder die Schule (Zimmermann, Reformen, S. 92). – In Baden(-Durlach) wurden zwischen 1746 und 1789 61 Schulhäuser durch die Gemeinden neu erbaut (Zimmermann, Reformen, S. 94).

[42] Hinrichs, Alphabetisierung, S. 43. – Zu den aufklärerischen Reformen im Schulbereich zählt Hinrichs u. a. die Generalisierung der Sommerschule, die Verbesserung der Schulbauten und Leselernmethoden, die Einführung von Lesebüchern auch mit weltlichem Inhalt sowie die Sicherung der Versorgung der Landschullehrer (ebd.). Mehrere dieser Themen begegnen im folgenden auch in den Frevelgerichtsakten als Anliegen der badischen Schulpolitik. – Zum Zusammenhang von (Volks)Aufklärung und Reform der Elementarschulen s. Holger Böning, Die Entdeckung des niederen Schulwesens in der deutschen Aufklärung, in: P. Albrecht, E. Hinrichs (Hgg.), Das niedere Schulwesen im Übergang vom 18. zum 19. Jahrhundert, Tübingen 1995, S. 75–108; Andrea Hofmeister; Reiner Prass; Norbert Winnige, Elementary Education, Schools, and the Demands of Everyday Life: Northwest Germany in 1800, in: Central European History 31 (1998), S. 329–384.

[43] Zur badischen Schulpolitik vgl. Drais I, S. 200–213, Windelband, Verwaltung, S. 100 f. (zu den »Ökonomieschulen«), S. 135–147 (zu den Elementarschulen); Ludwig, Hochberg, S. 86–108; Schneider, Pfarrer, S. 141–164; Zimmermann, Reformen, S. 92–129; Brunner, Schulordnungen, S. XIX–CXXVIII.

Gemeinde überprüfen und sich Proben von der Qualität des Unterrichts in den verschiedenen Fächern vorlegen lassen. Schülerinnen und Schüler, die sich vor anderen auszeichneten, sollte er mit Lob, Gutheissen und Geschenken aus der Landeskasse ermuntern, die faulen, schlechten und liederlichen aber öffentlich bestrafen und zu verbessern suchen. »Daß dieses großen Nutzen bringe, habe ich [Saltzer, AH] mit eigener Erfahrung geprüfft.«[44]

Mit unterschiedlicher Konsequenz ist Saltzers Anregung später bei den Frevelgerichten in den Oberämtern aufgegriffen worden. Saltzer selber hat als Badenweiler Oberamtmann Vorkehrungen in diesem Sinne getroffen. Im Reskript zur Verbesserung der Landschulen in der Herrschaft Badenweiler vom 3. Mai 1754 wurde den Schulmeistern auferlegt, ihre Schreibart nach den Hallischen Vorschriften zu verbessern und davon dem Pfarrer wöchentlich Proben, dem Spezialat und Oberamt aber bei den Kirchenvisitationen bzw. Frevelgerichten einige »Specimina« vorzuzeigen.[45] Sehr wahrscheinlich hat Saltzer auch die Praxis der Badenweiler Frevelgerichte entsprechend eingerichtet, denn sein Nachfolger im Oberamt, Wielandt,[46] erinnerte bei der Ausschreibung der Frevelgerichte in mehreren Vogteien seines Oberamts im Jahre 1761 die Pfarrer und Vorgesetzten daran, daß die Schulmeister bei dieser Gelegenheit die vorgeschriebenen Schultabellen mit den Schreib- und Leseproben zu übergeben hatten, die alle mit dem Namen und dem Alter des jeweiligen Schulkindes zu versehen waren.[47] Auch in den beiden Oberämtern Rötteln und Hochberg haben sich die Oberamtleute bei den Frevelgerichten von den Schulmeistern Proben aus dem Schulunterricht überreichen lassen und diese der jeweiligen Frevelgerichtsakte zur Ratifizierung durch den Hofrat beigelegt.[48]

Im Oberamt Rötteln, wo die Überlieferung der Frevelgerichtsprotokolle mit dem Jahr 1768 erst spät einsetzt, sind bei den meisten Frevelgerichten aus dem letzten Drittel des Jahrhunderts Schulproben eingefordert worden. Fehlten sie in der Frevelgerichtsakte, so forderte sie der Hofrat nachträglich an.[49]

---

[44] 74/1322 (10 II 1755; Saltzers Entwurf für eine Instruktion für badische Oberbeamte).

[45] RepPO 1806; GS I, S. 299 ff., hier S. 300.

[46] Sohn eines Geheimen Rates und Obervogts von Durlach und Karlsruhe; seit 1760 Oberamtsverweser im Oberamt Badenweiler, »wo er sich besonders in der Kraft seiner Jahre mit Thätigkeit, Ordnungsgeist und Ansehen auszeichnete«; 1777 titulierter Geheimer Rat, Obervogt zu Pforzheim, gest. 1792 (Drais II, Beilagen, S. 119).

[47] GA Badenweiler A/IV/1 (20 VI 1761).

[48] Eine mit den badischen Belegen sehr vergleichbare Probe einer Schülerschrift aus einem württembergischen Dorf von 1817 ist abgebildet und transkribiert bei Andreas Gestrich, Vergesellschaftungen des Menschen. Einführung in die Historische Sozialisationsforschung, Tübingen 1999, S. 173 f. – Allgem. für die Struktur und Entwicklung der Lehrstoffe an den Elementarschulen des 18. Jhs. s. Schmale, Schule, S. 716–724.

[49] Das Frevelgericht über Fischingen und Schallbach hatte am 22 IV 1778 stattgefunden. Im Reskript vom 23 I 1779 forderte der Hofrat die im ersten Bericht nicht enthaltenen Schulproben an und wies das Oberamt Rötteln an, diese Proben beim nächsten Frevelgericht nicht

Diese Schulproben liegen noch heute teilweise bei den Frevelgerichtsakten und geben Einblick in die Schulpraxis der badischen Landschulen im letzten Viertel des 18. Jahrhunderts. Die Unterrichtsinhalte und Lernziele waren je nach Interessen, Neigungen und Können der Lehrer recht verschieden.

In der Binzener Dorfschule war 1785 ein Lehrer tätig, der seine Schüler praktische Texte mit teilweise volksaufklärerischen Inhalten schreiben ließ.[50] In anderen Orten dominierten dagegen noch religiöse, moralische oder erbauliche Inhalte in den Schreibproben der Schüler, so etwa in Tannenkirch 1777, wo der Lehrer Stellen aus dem Alten und Neuen Testament abschreiben ließ, oder in Blansingen 1789, wo der Schüler Johann Jacob Gisin einen Text über die Folgen des Meineids und die nötige Ehrfurcht vor dem Eidschwören verfaßte.[51] Der Schulunterricht scheint allgemein von einem Nebeneinander, bisweilen auch von einer Konkurrenz von religiös-moralischen und von praktisch-politischen Inhalten und Unterrichtsmitteln geprägt gewesen zu sein.[52]

mehr zu vergessen. Im März 1779 gelangten die Proben an das Oberamt und von da an den Hofrat, der bei der Durchsicht befand, diese seien »meist sehr schlecht ausgefallen«; er trug deswegen dem Oberamt auf, mit dem Spezialat dafür zu sorgen, daß sich der Schulmeister »bey sonst zu befahrender Ahndung« mehr Mühe mit seinen Schülern gab (229/28582). – 1778 stellte der Hofrat das Lörracher Oberamt zur Rede, weshalb es dem Frevelgerichtsprotokoll der Gemeinden Welmlingen, Blansingen und Kleinkems keine Schreib-, Rechnungs- und Geometrieproben beigelegt hatte; das Oberamt rechtfertigte sich damit, es habe sich beim Pfarrer und Schulmeister nach dem Stand der Schuljugend erkundigt, doch seien die Schulproben noch nicht fertig gewesen und, da das Schulhaus ziemlich weit entfernt sei, habe man diesen Punkt übergehen müssen (229/112897, fol. 25 f.; 18 XI 1778, 8 II 1779). – 1779 forderte der Hofrat auch von der Gemeinde Vogelbach die Schreib- und Rechnungsproben nach, die dem Frevelgerichtsprotokoll nicht beigelegt worden waren (229/107693; 23 I 1779). In seinem Bericht an den Hofrat hatte das Oberamt in Bezug auf das Vogelbacher Frevelgericht vermerkt, der Pfarrer sei mit dem Schullehrer zufrieden, außer im kleinen Nebenort Kaltenbach, wo der Schulhalter nicht über die nötige »Wissenschaft« verfüge, was aber nicht verwunderlich sei, da er nur 12 fl. für ein Jahr Schuldienst beziehe (229/107693; 25 IX 1778); diese Bemerkung bewog den Hofrat dazu, den Kirchenrat im Hinblick auf eine »womöglich zu treffende Aenderung« über diesen Fall zu informieren (ebd.; 23 I 1779).

50 229/8882, fol. 50–133, hier fol. 72–74 (Frevelgericht über Binzen und Rümmingen, 20 XII 1785). – Die Schreibproben der Binzener Schüler enthielten u. a. eine Weinbestellung, einen Dank für die Mitteilung von Fehlern des eigenen Sohnes oder einen Brief eines Schülers, der seine Erfahrungen im Kleeanbau einem anonymen Adressaten mitteilte (ebd.).

51 229/104371, fol. 5 f. (Frevelgericht Tannenkirch, 9 IX 1777). – 229/9515 (Frevelgericht über Blansingen und Kleinkems, 24 XI 1789). Gisins Text lautete: »Gewöhne deinen Mund nicht zum schwören und Gottes Namen zu führen. Heilig, heilig sey der Eid euch, ihr Christen, wenn ihr schwöret! Furchtbar ist die Heiligkeit eüers Richters, der eüch höret; furchtbar aller Lügner Feind hier und wenn es einst erscheint. / Wenn ihr eine Hand erhebt, dann ergreif ein heilig Schrecken euch vor ihm; o denckt, er lebt! Er wird alles doch entdecken, was Betrug und List verstelt, er der Richter aller Welt.«

52 Im Synodalreskript vom 31 III 1802, welches die Beschlüsse und Anregungen der Synodalberatungen der Jahre 1798 bis 1802 aus den einzelnen Diözesen zusammentrug und im

Neben den Schreibproben wurden auch Rechenproben abgegeben. So berechnete die knapp 13jährige Margaretha Scherrerin aus Brombach, wie sich eine bestimmte Summe auf sieben Erben verteilte.[53] Die Rechenproben zum Haagener Frevelgericht von 1781 enthielten Kosten- und Lohnberechnungen, jene zum Grenzacher Frevelgericht von 1785 Zinsrechnungen.[54]

Manchmal begab sich der Oberbeamte beim Frevelgericht in Begleitung des Pfarrers und der Ortsvorgesetzten selber in die Gemeindeschule und ließ sich vor Ort Proben des Könnens der Schülerinnen und Schüler geben. In Hüsingen visitierte Wilhelm Heinrich Posselt, der spätere Verfasser der Schrift über die Vogt- und Rügegerichte, 1782 die Schule und nahm dabei »an denen Lernenden aus dem vorgenommenen kurzen Examine einen guten Fortgang im Christenthum, Rechnen und Geometrischen Übungen« wahr, wofür er den Schulmeister Schöpflin ausdrücklich lobte und ihn anwies, »den fähigsten Knaben in Nebenstunden auch practischen Unterricht in der Geometrie auf dem Felde zu erstatten«.[55] Der Geometrieunterricht, dessen Qualität die Hofrat ebenfalls anhand von Proben überprüfte[56] oder dessen

Land den Pfarrern allgemein bekannt machte, heißt es, »zur Verbesserung des politischen Unterrichts« sei von einigen Pfarrern, »jedoch gleichfalls mit Widerspruch und nur von einigen Orten, der Vorschlag gethan [worden], statt der Bibel Gesundheits- und AkerCatechismen und geographische LeseBücher zur LeseUebung in die Schulen einzuführen, und den SchulUnterricht (...) auch darauf auszudehnen« (Anzeige des SynodalRescripts von 1802, in: Magazin von und für Baden 1 (1802), S. 359–382, hier S. 363).

[53] 229/13204 (Frevelgericht Brombach v. 11 I 1791; die Schulprobe datiert vom 8 I 1791). – Für Rötteln sind weitere Schreib- und Rechenproben bzw. zumindest Hinweise darauf enthalten in den Frevelgerichtsakten für Kirchen (229/52838; 8 V 1775), Efringen (229/22652, fol. 5 f.; 9 V 1775), Wintersweiler (229/115111; 9 V 1775), Tüllingen (229/106406; 16 VII 1777), Hertingen (229/42806; 9 IX 1777), Tannenkirch (229/104371, fol. 5 f.; 9 IX 1777); Mappach (229/64346; 13 IV 1779), Wittlingen 1781 (229/115325; 24 IV 1781), Hauingen 1781 und 1787 (229/39714; 229/39715; 28 V 1781 bzw. 20 III 1787), Tumringen (229/106477, fol. 5 f.; 26 VI 1781), Ötlingen 1781 (229/81557, fol. 6–16), Wieslet 1781 (229/114053), Wollbach (229/115725), Steinen 1782 (229/100906), aus Kirchen 1783 (229/52840; 11 XI 1783), Wintersweiler 1787 (229/115110).

[54] Beispiel einer Lohnrechnung aus Haagen 1781: Ein Arbeiter verdient 48 Kr. am Tag und muß 24 Kr. Kostgeld geben. Frage: Wieviel verdient er in einem Vierteljahr? »Nota! Am Sonntag verdient er nichts.« (229/37695, fol. 8–23). – Zum Grenzacher Frevelgericht: 229/33917 (21 III 1785).

[55] 229/47590, fol. 11–27', Pkt. 23 (27 VIII 1782). – Das Lob des Lehrers durch den Oberbeamten hallt wider im Ratifikationsdekret des Hofrats. Weil die Hüsinger Schulproben besonders gut ausgefallen waren, sei dem Schulmeister »Unsere [des Markgrafen, AH] gnädigste Zufriedenheit zu eröfnen und denselben zu fernerem Fleiß besonders auch zu Ertheilung des practischen Unterrichts in der Geometrie in Unserm Namen zu ermuntern« (ebd.; 4 XII 1782). – Die Anweisung zum praktischen Geometrieunterricht auf dem Feld hatte Posselt bereits beim Frevelgericht in Steinen dem dortigen Schulmeister erteilt (229/100906; 21 VIII 1782).

[56] Geometrieproben für das Oberamt Rötteln belegt für Kirchen 1775 (229/52838; 8 V 1775), Eichen 1780 (229/23156; 23 XII 1780), Hauingen 1781 (229/39714; 26 IX 1781), Ötlingen 1781 (229/81557), Wieslet 1781 (229/114053), Wittlingen 1781 (229/115325), Steinen 1782 (229/100906), Grenzach 1785 (229/33917; 22 III 1785).

Durchführung er anregte, wenn sich bei den eingesandten Schulproben keine Aufgaben aus der Geometrie befanden,[57] genoß in der Policeygesetzgebung eine besondere Aufmerksamkeit.[58]

Bekam der Hofrat gut geratene Schulproben zu Gesicht, ließ er dem betreffenden Lehrer durch das Oberamt ein Lob aussprechen und ihn zu weiterem Eifer ermuntern.[59] Entdeckte er bei der Durchsicht der Schulproben hingegen Mängel, mußte der betreffende Lehrer mit einem Verweis rechnen. Der Egringer Lehrer wurde 1779 ein halbes Jahr nach dem Frevelgericht vom Hofrat angewiesen, die zurückgehenden

---

[57] So in der Gemeinde Tannenkirch 1777, wo der Hofrat den Schulmeister nach dem Frevelgericht anweisen ließ, nicht nur im Schreiben und Rechnen, sondern auch in der Geometrie zu unterrichten und darüber Proben abzugeben; das Pfarramt sollte über die Durchführung dieser Anweisung wachen (229/104371, fol. 15 f.; 27 V 1778). Der Tannenkircher Vogt sagte in einem späteren Scheiben die Befolgung der Anweisung durch den Pfarrer zu (ebd., fol. 17 f.; 9 VII 1778). – So auch im Fall der Gemeinde Mappach 1779, wo der Hofrat die Schreib- und Rechenproben als »zimmlich wohl geraten« taxierte, zusätzlich aber wissen wollte, ob der Schulmeister nicht auch Geometrie unterrichte und warum er davon keine Proben abgegeben habe (229/64346, fol. 24 f.; 18 IX 1779). Später meldete das Oberamt dem Hofrat, es habe den Schulmeister zu seiner »Incumbenz« wegen des Geometrieunterrichts angewiesen (ebd., fol 27 f.; 2 II 1780). – Die Schreib-, Rechen- und Geometrieproben aus Wieslet von 1781 waren nach Auffassung des Hofrats mittelmäßig ausgefallen, so daß er dem Oberamt den Auftrag erteilte, den Lehrer und die Schüler zu möglichstem Fleiß anzuspornen und dafür zu sorgen, daß vom Frühjahr an der praktische Geometrieunterricht gefördert werde (229/114053; 1 XII 1781). – Wenn es tunlich sei, sollte das Oberamt auch in der Gemeinde Wollbach dafür sorgen, daß Geometrieunterricht erteilt werde (229/115725; 31 X 1781), worauf Pfarrer und Vogt die Auskunft erteilten, Geometrie werde wöchentlich dreimal unterrichtet und es würden Proben davon bei den jährlichen Kirchen- und Schulvisitationen abgegeben (ebd.; 27 XII 1781).

[58] In kurzer Zeit erschienen zahlreiche Vorschriften zum Geometrieunterricht an den Schulen: RepPO 2234 (1767), 2236 (1767), 2252 (1768), 2254 (1768), 2255 (1768), 2261 (1768), 2276 (1768), 2286 (1768), 2301 (1769), 2337 (1769), 2359 (1770). – Der Geometrieunterricht ist vor dem Hintergrund jener Bewegung zu sehen, die die Vermittlung »realistischen« Wissens (Himmels-, Erd- und Naturkunde, Kenntnis der Gerichtsverfassung und der Obrigkeiten, Gebrauch der Maßeinheiten, Grundkenntnisse im Vermessen) im Unterricht fördern wollte. »Der Bezug der ›realistischen‹ Bildung auf das Gemeinwohl und auf die staatliche Perspektive akzentuierte sich im 18. Jh. (...) Der innovative Kern des ›realistischen‹ Bildungskonzepts liegt (...) in der Verlagerung der Vermittlung ›realistischen‹ Wissens vom Alltag in die Schule, sodann natürlich auch in der Erweiterung des Wissensstoffes.« (Zitat Schmale, Schule, S. 676; s. a. Neugebauer, Schulwirklichkeit, S. 553–580; Zimmermann, Reformen, S. 94 f., 96–113, 122–128; für Baden Brunner, Schulordnungen, S. LXXII f.). – Der Geometrieunterricht sollte in Baden neben Schreiben, Rechnen und Zeichnen auch in den Sonntagsschulen für die schulentlassenen Jugendlichen erteilt werden (zu den Sonntagsschulen s. Windelband, Verwaltung, S. 143 f.; Zimmermann, Reformen, S. 113–122).

[59] Lobende Worte des Hofrats für die Qualität des Unterrichts und den Schulmeister gab es für Hauingen 1781 (229/39714; 26 IX 1781); Haagen 1781 (229/37695, fol. 29; 3 X 1781); Tumringen 1781 (229/106477, fol. 35 f.; 3 X 1781); Ötlingen 1781 (229/81557, fol. 24 f.; 27 X 1781); Wollbach 1781 (229/115725; 27 XII 1781); Steinen 1782 (229/100906; 21 VIII, 4 XII 1782); Kirchen 1783/84 (229/52840; 9 X 1784).

»zimlich schlecht gerathene(n) Schreib- und Rechnungs-Proben« verbessern zu lassen und zusätzlich auch Proben von seinem Geometrieunterricht einzureichen.[60] Zehn Jahre später war die Egringer Schule erneut nicht auf dem vom Hofrat erwarteten Niveau; in seinem Ratifikationsreskript wies der Hofrat das Oberamt Rötteln an, dafür zu sorgen, daß der Egringer Pfarrer den dortigen Schulmeister zu mehr Eifer ermahnte und ihm zu erkennen gab, daß der Hofrat die Schreibproben der Egringer Schüler als sehr mittelmäßig bewertet habe. Da der Schulmeister in dieser Gemeinde auch das Kontraktenbuch sehr schlecht führte, wurde ihm eine Frist von acht Wochen eingeräumt, um das Kontraktenbuch vollständig und zweckmäßig zu ergänzen; dabei wurde ihm die Absetzung als Gerichtsschreiber und die Übertragung dieser Stelle an einen Kommissar auf seine Kosten für den Fall angedroht, daß er die Verbesserungen nicht zur Zufriedenheit ausführte.[61] Der Haltinger Lehrer erhielt 1778 eher schlechte Noten vom Hofrat, der ihn durch das Oberamt dazu anwies, den Schülern künftig mehr Fertigkeit im Rechnen zu vermitteln, sie zu lehren, die »Zahlen besser zu formiren« und »endlich auch mit practischen Messungen auf dem Feld zuweilen« an die Hand zu gehen.[62] Das Brombacher Frevelgerichtsprotokoll von 1791 zeigt, daß auch aus der Gemeinde Klagen gegen den Schulmeister laut werden konnten; die dortigen Vorgesetzten klagten über den Schulmeister, dieser besorge den Unterricht der Kinder nicht so, wie sie es wünschten, »indem seine Schüler besonders auch im Rechnen und Schreiben schlecht unterrichtet seyen, so daß man wirkl[ich] schon Mangel an tüchtigen Leuten habe, wann jemand zum Vormund, Gemeinschafner, Bannwart und dergleichen Ämter bestellt werden solle, die gute Kenntnisse im Lesen und Schreiben erfordern«.[63]

Wenige Tage vor dem Hüsinger Frevelgericht hatte Posselt auch in Steinen die Schule besucht und sich dabei von Schulmeister Pauli ein Verzeichnis der die Schule versäumenden Kinder überreichen lassen.[64] In Efringen, wo 1791 52 Mädchen und

---

[60] 229/22945. – Der Hofrat forderte die Verbesserung der Proben am 2 X 1779 an. Am 10 XII 1779 stellte der Egringer Vogt dem Oberamt die Einreichung der Proben in den nächsten vier Wochen in Aussicht, doch mußte der Hofrat am 26 II 1780 die Einsendung der Proben erneut anmahnen.

[61] 229/22946 (24 X 1789). – Der Egringer Schulmeister war ein Trinker, so daß das Oberamt Rötteln Bedenken trug, dem Schulmeister die Berichtigung der Bücher zu übertragen (7 XII 1789). Mehrere Wochen später berichtete der Egringer Vogt, der Schulmeister habe die Kontrakte in das Gerichtsprotokoll eingetragen, Vorgesetzte und Gericht hätten seine Arbeit eingesehen und für richtig befunden (1 II 1790). Das Oberamt beauftragte darauf einen Kommissar mit der Überprüfung der ausgeführten Arbeit bei seinem nächsten Aufenthalt in Egringen (6 II 1790).

[62] Haltingen 1777 (229/38041, fol. 27 ff.; 27 V 1778).

[63] 229/13204 (11 I 1791). – Das Oberamt entschloß sich darauf, ein Gutachten des Spezials einzuholen. Nach einer weiteren Erkundigung bei der Gemeinde trug das Oberamt im März 1791 dem Spezialat auf, bei der nächsten Kirchenvisitation einen tüchtigen Provisor anzustellen.

[64] 229/100906, fol. 69; 21 VIII 1782. – 13 Knaben und 9 Mädchen, deren Eltern im Verzeich-

Knaben die Schule besuchten, fand der Oberbeamte »die Kinder im Buchstabiren, Lesen und Rechnen ziemlich fertig«, was den Bemühungen des gegenwärtigen Schulmeisters Löhler zugeschrieben wurde. In Efringen ließ sich das Oberamt auch über den Besuch der »Sonntagsschule« durch die schulentlassenen Jugendlichen informieren und Schönschreibproben der jungen Leute geben.[65]

Bei seinen Schulbesuchen bekam der Oberbeamte auch Gelegenheit, den baulichen Zustand des Schulhauses zu überprüfen und Wünsche des Schulmeisters für bauliche Maßnahmen entgegenzunehmen.[66] 1782 befand das Oberamt in der Gemeinde Steinen beim Augenschein in der Schulstube und Wohnung des Lehrers, daß diese ziemlich eng waren; der Schulmeister legte denn auch einen konkreten Vorschlag zur Erweiterung des Schulhauses vor, worauf das Oberamt entschied, diese bereits bei der Herrschaft hängige Sache mit Hinweis auf den Vorschlag des Schulmeisters in Erinnerung zu bringen.[67] In der Hüsinger Frevelgerichtsakte findet sich

nis ebenfalls namentlich genannt wurden, versäumten die Schule, wobei bei vier Knaben bemerkt wurde, sie dienten auswärts. Der Vikar bezeugte gegenüber dem Oberbeamten, daß der Schulmeister die säumigen Eltern bereits öffentlich ermahnt und vergeblich vor Strafe gewarnt hatte; darauf verfügte der Oberbeamte, daß die angezeigten Eltern für 24 Stunden in das Häuslein zu stecken seien und ihnen bei 2 fl. bzw. Turmstrafe zu gebieten sei, ihre Kinder fleißiger als bisher zur Schule zu schicken bzw. sie nicht ohne Vorwissen des Pfarrers und Ortsvorgesetzten zu Hause zu behalten. – Der Hofrat genehmigte anschließend diese Anordnungen des Oberamts und wies den Schulmeister an, die Eltern der säumigen Schulkinder weiterhin dem Lörracher Oberamt anzuzeigen (ebd.; 4 XII 1782). – Zahlen für die Frequenz des Schulbesuchs in verschiedenen Territorien liefert Schmale, Schule, S. 679–684. »Der Zusammenhang zwischen« Schulbesuch und Jahreszeit bleibt bis ins 19. Jh. ausgeprägt derselbe: maximale Werte werden in den ländlichen Gebieten im Winter erreicht, und das auch nur in einem Zeitraum von zwei bis vier Monaten.« (Ebd., S. 680; so auch Neugebauer, Schulwirklichkeit, S. 468–482). – Nicht genauer überprüft ist die Aussage bei Windelband, Verwaltung, S. 143 f., im großen und ganzen sei die Abneigung gegen den Schulzwang in der Bevölkerung überwunden worden.

[65] 229/22654 (14–16 II 1791). – Die Schreibprobe des Schülers Johann Jacob Gempp gab den Text von Röm 13,1 wieder. – Eine Abschrift von Röm 13,1 findet sich auch in der Schreibprobe der Magdalena Weißin aus Egringen (229/22946; 27 X 1788).

[66] Die Baulast für die Schulhäuser oblag grundsätzlich den Gemeinden (Brockel, Diözese Rötteln, S. 9 f.). – Auch in der Mark Brandenburg galt seit dem 16. Jh. im Grundsatz die Baupflicht der Gemeinde für das Schulhaus (Neugebauer, Schulwirklichkeit, S. 482–496). – Vgl. dazu unten Kap. 5.9.

[67] 229/100906 (Pkte. 12 und 13 zum Policey- und Haushaltungswesen der Gemeinde). – In Baden-Durlach verdienten rund 75 % der Lehrer zu Beginn des 18. Jhs. maximal 100 fl., inkl. Zusatzeinkommen. Ein Vergleich: In den dieser Berechnung zugrundeliegenden 135 Orten verdienten nur knapp 5 % der Pfarrer weniger als 150 fl. und mehr als 55 % kamen auf mind. 250 fl. (Schmale, Schule, S. 696; Windelband, Verwaltung, S. 141 ff.). Windelband spricht von einer tendenziellen Verbesserung der Lehrergehälter durch die Anstrengungen der Gemeinden und des Staates (Windelband, Verwaltung, S. 94).

das seltene Inventar der Ausstattung und Einrichtung einer Landschule.[68] Vom Wintersweiler Frevelgericht 1787 berichtete das Oberamt nach Karlsruhe, das dortige Schulhaus sei klein und bestehe aus einer Wohn- und Schulstube sowie einer Kammer; die Zimmer seien brauchbar, und der Schulmeister scheine sich mit dem geringen Platz begnügen zu wollen.[69]

Auch im Oberamt Hochberg untersuchten die Oberbeamten aus Anlaß der Frevelgerichte die lokale Schule. Der Köndringer Pfarrer Sander mahnte 1756 die Erweiterung der Schulstube an;[70] 1761 und 1769 beklagte er den schlechten Besuch der Sonntagsschule durch die schulentlassene Jugend sowie säumige Schüler,[71] und 1776 forderte er Oberamtmann Schlosser auf, den Vorgesetzten mehr Ernst »zur guten Policey überhaupt« und besonders auch zur Aufsicht über den Schulbesuch einzuschärfen.[72] Während der Amtszeit Schlossers entwickelten sich die Frevelgerichte im Oberamt Hochberg zu eigentlichen Schulvisitationen durch den Oberbeamten, deren Ergebnisse im Frevelgerichtsprotokoll ausführlich beschrieben wurden.

Das Nimburger Frevelgericht von 1783 gab Schlosser Gelegenheit, bei den Regierungsbehörden grundsätzliche Kritik am aktuellen Schulsystem zu üben und Vorschlägen für Verbesserungen zu unterbreiten.[73] Schlosser resümierte 1783 seinen Eindruck von den Schulen in Nimburg und Bottingen kritisch dahingehend, daß die Kinder »zwar ziml[ich] lesen, auch von Abschriften zimlich reinlich copiren [konnten], das Schreiben auff Dictiren aber nur sehr mittelmäsig gehe. Das auswendig

---

[68] Inventar des Hüsinger Schulmeisters Johannes Schöpflin über die in der Hüsinger Schule befindlichen Inventurstücke (229/47590, fol. 47; 27 VIII 1782).

NAME DES INVENTURSTÜCKS	BEZAHLT DURCH	PREIS
Ein 10 Schuh langer Tisch mit 3 Tintenfässern	Gemeindeaerarium	1 fl. 24 X.
Ein 7 Schuh langer Tisch mit 2 Tintenfässern	"	1 fl. 00 X.
Ein 9 Schuh langer Tisch	"	48 X.
Drei Stühle zu diesen Tischen	"	1 fl. 36 X.
Eine Handbibel	Almosen	1 fl. 36 X.
Ein Gesang-Buch	"	54 X.
Hüb. Hist. Con. [wahrscheinlich Hübners Biblische Historien]	"	32 X.
Malers Geometrie	Gemeindeaerarium	1 fl. 30 X.
Malers Rechenbüchlein	"	44 X.
Schematismus	"	12 X.
Ein alter Schreibtisch	"	1 fl. 12 X.
Ein kleines Messingreißzeug	"	2 fl. 25 X.
Eine neue Rechentafel	"	48 X.
GESAMTWERT DES SCHULINVENTARS		14 fl. 81 X.

[69] 229/115110; 20 XI 1787.
[70] 229/54951/I (15–16 XII 1756).
[71] 229/54951/II (8 IX 1761); 229/54951/III (24–28 I 1769).
[72] 229/54951/IV (17–19 XII 1776).
[73] Schlossers Kritik an den Dorfschulen ist stark geprägt von den pädagogischen Vorstellungen der Aufklärung; vgl. dazu Schmale, Schule, S. 728–733.

hersagen gienge gut, aber man sehe deutl[ich], daß die Kinder weder [auf] des fürstl[ichen] OberAmts noch der Schulmeister Fragen Antworten gaben, die den geringsten Begriff von dem, was sie lesen oder hersagen, verriethen. Im Rechnen sind beide Schulen gleich schlecht, die Nimburger aber vorzüglich, wo die öbersten nicht einmal multipliciren noch nur grose Zahlen ohne Anstos aussprechen konnte[n].«[74]

In seinem Bericht an den Hofrat äußerte sich Schlosser zu den Ursachen der schlechten Leistungen. »Gerne wollten wir bessere Nachrichten von den Schulen geben, gern so gar berichten, daß nur am Fleis der Lehrer der Fehler lige, aber, er liegt an der Einrichtung am wesentl[ichen] und da ist bös helfen!« Schlosser kritisierte die Methoden des Unterrichts: die Kinder mußten zu viel auswendig lernen; in Moral- und Religionssachen wurde ihnen zudem »sehr ungeschickt immer blos der künftige Vortheil des guten nach dem Todt vorgetragen, als wenn das Leben nichts wär; auch ist die Catechisation ein bloses Formular, woher es dann kommt, daß die Kinder, auch wenn sie durchs Cateqisiren zum Denken gewont zu werden scheinen, sie doch in der That wieder nur auswendig lernen«. Der Unterricht litt aber auch an der Einteilung der Klassen. Der Zusammenzug der unterschiedlichen Altersklassen sonderte den Lehrer zu sehr von seinen Schülern ab, so daß er zu wenig mit den einzelnen reden konnte. Schlosser kritisierte auch den Inhalt der Schulbücher. »Hübners Historien liegen den Kindern zu weit aus dem Weg, präsentiren ihnen Dinge, die sie nicht verstehen noch verstehen sollen und der grose Cateqismus samt den Spruch-Büchlein verwandeln die Christl. Religion in lauter Metaphysik.«[75]

In der Gemeinde Eichstetten visitierte Landschreiber Roth im Februar 1789 gemeinsam mit dem Spezial, dem Pfarrer, Vogt, Stabhalter sowie dem Heimburger die beiden Schulen. Dabei fand er »diese sowohl beim Catechisiren als beim Lesen, Schreiben, auswendig hersagen, rechnen und Geometern so fürtreflich und vorzüglich (...), daß man solche den besten Schulen im Land an die Seite zu sezen kein Bedencken tragen würde«. Die beiden Lehrer Schäfer und Gyßin verbanden Fleiß mit einer untadelhaften Aufführung und gewöhnten »ihre Schulkinder neben dem Unterricht auch zu guten Sitten und besonders einem höflichen Betragen gegen fremde und einheimischen, (...), weshalben auch die hiesige Einwohner sich von dieser Seite bei nahe von allen übrigen Unterthanen dieser Marggrafschafft rühmlichst auszeichnen«.[76]

---

[74] 229/75379 (16–18 VI 1783).
[75] 229/75379 (1 VII 1783). – Zu Johannes Hübners »Zweymal zwey und fünfzig auserlesene Bibl. Historien aus dem Alten und Neuen Testament« (1. Aufl. 1714; Neuauflage noch 1813) und deren Verwendung im Unterricht s. Brunner, Schulordnungen, S. CXXIV; Schmale, Schule, S. 722 f.
[76] 229/23271/II (2–13 II 1789).

Das Oberamt äußerte sein Wohlgefallen über den Zustand der Schule und ermunterte zu fernerem Fleiß »unter Versicherung höchster Rücksichtsnahme auf solchen«. Der Gemeindepfarrer und die Vorgesetzten versicherten dem Oberbeamten, daß auch die Sonntags- und Nachtschulen pünktlich abgehalten und gut besucht wurden und sich die jungen Leute dort »so rührig und friedfertig verhalten hätten, daß die Schulmeister selbst die sonstige Aufsicht eines Vorgesezten oder Richters schon seit einiger Zeit ganz überflüsig finden«. Zum äußerst positiven Erscheinungsbild der Eichstetter Schule trug auch bei, daß das untere Schulhaus erst 1777 »sehr meisterhaft« neu erbaut worden war, während beim oberen Schulhaus nach Auffassung der Vorgesetzten Verbesserungen, so etwa die Täfelung der Schulstube und die Versetzung des Ofens in die Mitte der Schulstube, notwendig waren. Das Oberamt überprüfte diese Vorschläge bei einem Augenschein und befand, daß zusätzlich eine ausgetretene Treppe zu Verhütung etwaigen Unglücks ausgebessert werden sollte.[77]

In seinem Bericht zum Eichstetter Frevelgericht war das Oberamt Hochberg des Lobes voll über den Zustand dieser sehr großen Gemeinde von beinahe 400 Bürgern, die das Glück habe mit einem verständigen, entschlossenen und ernsthaften Vogt sowie mit rechtschaffenen Pfarrern und Schulmeistern versehen zu sein. Die beiden Schulmeister wurden zu den brauchbarsten des Landes gezählt. In der Gemeinde lebten keine Reichen, sondern beinahe lauter »Mittel Leuthe« und nur fünf Hausarme, die sich alle »durch frommen Wandel und gute Sitten« auszeichneten; dazu war nach Auffassung Landschreiber Roths »in den Schulen der erste Grund geleget« worden.[78]

Ganz andere Verhältnisse als in Eichstetten fand Landschreiber Roth im Sommer desselben Jahres 1789 im benachbarten Bahlingen vor. Dort bestanden zwei nach Geschlechtern getrennte Schulklassen. Die Mädchen- und Knabenschule verfügten über eigene Lehrer und hatten erst 1780 eigene Stuben erhalten, so wie auch die beiden Lehrer seitdem geräumige Wohnungen besaßen. Nichtsdestoweniger befand

---

[77] Als das Oberamt Hochberg dem Hofrat Ende Dezember 1790 darüber Bericht erstattete, wie seine Anordnungen beim Frevelgericht in der Zwischenzeit in die Tat umgesetzt worden waren, meldete es nach Karlsruhe, daß die Schulstube in der Tat getäfelt und auch die Treppe ausgebessert worden waren, während man den Ofen noch nicht versetzt hatte, weil er noch für gut befunden wurde (229/23271/I; 30 XII 1790).

[78] 229/23271/I (23 III 1789). – Für seine vorbildliche Amtsführung sollte Vogt Wahrer nach dem Rücktritt vom Vogtamt im Dezember 1793 auf Antrag des Oberamts Hochberg beim Hofrat nicht nur mit der Verlängerung der Fronfreiheit, sondern auch mit einem auf Kosten der Gemeinde zu beschaffenden, mit Silber beschlagenen Buch belohnt werden, um so mehr als sich unter seiner Verwaltung das Gemeindevermögen um 4465 fl. vermehrt hatte. Als der Hofrat das silberne Gesangbuch dann im Juli 1795 (!) dem Oberamt zukommen ließ, damit es dem Vogt vor versammelter Gemeinde zur Bezeugung des gnädigsten Wohlgefallens überreicht werden konnte, war Vogt Wahrer allerdings bereits verstorben (229/23272; 11, 24 XII 1793, 19 VI 1794, 18 VI, 14, 15 VII 1795).

Roth, die beiden Schulen, die er gemeinsam mit dem Pfarrer, den Vorgesetzten und dem Gericht besuchte, seien äußerst mittelmäßig und besonders in der Knabenschule herrsche »sehr wenig Zucht und Ordnung«. Zwar waren sich beide Schulmeister auf die entsprechenden Vorhaltungen des Oberbeamten keiner Saumseligkeiten bewußt, allerdings vertraute Roth den Aussagen des Pfarrers und der weltlichen Ortsvorgesetzten mehr Vertrauen. Sie beteuerten, die Schulen öfters besucht und die Versäumnisse auch moniert und bestraft zu haben, sodaß der schlechte Zustand der Schulen allein »in einer Nachläßigkeit beeder Lehrer zu suchen seyn« mußte. Die beiden Lehrer wurden vom Oberbeamten getadelt und zu mehr Fleiß und Eifer, auch zu besserer Zucht und Ordnung in der Schule angehalten; sollte sich der Zustand bei späteren Besuchen nicht verbessert haben, drohte ihnen eine Anzeige »bei höchster Behörde (...) zur nötigen Remedur«. Einen besseren Eindruck erhielt Roth von den Leistungen der schulentlassenen Jugendlichen in der Sonntagsschule, und auch der Gang der sogenannten Real- oder Nachtschule stellte ihn zufrieden, wobei er den Vorschlag von Vorgesetzten und Gericht genehmigte, daß angesichts der sehr zahlreichen Bahlinger Jugend beide Schulmeister zur Haltung der Nachtschule angewiesen werden sollten.[79]

Im Jahre 1790 wurden im Oberamt Hochberg gleich vier Frevelgerichte veranstaltet, die alle Informationen über den Zustand der örtlichen Schulen und des schulischen Unterrichts erhoben.

Im Februar 1790 macht die Gemeinde Denzlingen den Auftakt. Dort visitierte Landschreiber Roth mit dem örtlichen Vikar, den Vorgesetzten und dem Gericht die Schule und stellte, »weil man solche sehr mittelmaesig gefunden [hat], den Schulmeister Giehne desfalls zur Rede«. Dieser wollte die Ursachen hauptsächlich im nachlässigen Schulbesuch der Kinder sehen, mußte aber schließlich zugeben, daß die Schulversäumnisse an den Eltern der Kinder gehörig bestraft wurden. Beim Durchgang vor dem Oberamtmann klagten mehrere Bürger darüber, daß der Schulmeister ihre Kinder in der Schule öfters schlug und diesen »dadurch alle freiwillige Neigung zum Schulbesuch sehr entleidet habe«. Das Oberamt wies einerseits die Schulkinder unter Androhung öffentlicher Züchtigung an, ihrem Lehrer mehr Achtung und Gehorsam entgegenzubringen, andererseits untersagte es dem Lehrer die Mißhandlung der Kinder und trug ihm auf, durch Fleiß und gehörige »Abwartung der Schule« den gegenwärtigen Zustand der Schule baldmöglichst zu verbessern.[80]

---

[79] GA Bahlingen C VIII Nr. 4, fol. 1–179, Pkte. D-F in der Rubrik »Privathaushaltungs und Nahrungs Umstände der Einwohner« (8–20 VI, 10–13 VIII 1789) (Für die freundliche Mitteilung dieses Quellenstücks danke ich Dr. Thomas Lutz, Frenkendorf (CH, Kt. BL) bestens). – Die Sonntagsschule wurde mit den schulentlassenen Jugendlichen abgehalten und sollte zur Übung und Vertiefung der Schulkenntnisse dienen; die Real- oder Nachtschulen dienten der Weiterbildung der Knaben in weltlichen Fächern (Ludwig, Hochberg, S. 105 f.; Zimmermann, Reformen, S. 113–128). Zu den Spinnschulen im Oberamt Hochberg s. Ludwig, Hochberg, S. 103 ff.

[80] GA Denzlingen GA-DE 1 B-247, fol. 289–291 (22 II–10 III 1790).

Roth erkundigte sich auch nach dem Besuch der Nachtschule und der Kinderlehre durch die schulentlassene Jugend und erfuhr dabei vom Vikar, daß erstere viel fleißiger als früher besucht wurde und dabei abwechslungsweise ein Richter die Aufsicht führte. Die schulentlassenen Söhne und Töchter würden aber häufig die Kinderlehre versäumen, und die ledigen Söhne veranstalteten während der Gottesdienste ein ärgerliches Lärmen und Gedränge auf der Empore. Das Oberamt verfügte daraufhin, daß die ledigen Söhne und Töchter bei unnachsichtiger Strafe die Kinderlehre nicht mehr versäumen durften und daß künftig an Sonn- und Feiertagen abwechslungsweise ein Richter auf der Empore die ledigen Burschen beaufsichtigen sollte; dies teilte man den zur Huldigung aufgebotenen Burschen auch gleich mit, nicht ohne ihnen für die Mißachtung dieser Anweisung Stockstreiche vor dem Oberamt anzudrohen.[81]

In Teningen fiel der Frevelgerichtstermin im August 1790 mit dem Termin der Kirchenvisitation zusammen, so daß Landschreiber Roth und der Spezial die Schule gemeinsam visitieren konnten. Sie fanden die Schüler in allem und jedem vorzüglich gut, besonders auch im Schönschreiben, wie die dem Hofrat eingesandten Schreibproben zeigten. Allerdings konnten die Teninger Schüler nicht nur kalligraphisch schön schreiben, der Lehrer scheint auch Wert auf die Vermittlung praktisch nützlichen Wissens gelegt zu haben. So enthielten die Schreibproben auch den Text einer Supplikation um Unterstützung an den Markgrafen. Die Schulproben umfaßten weiter auch Beispiele aus dem Rechen- und Geometrieunterricht. Das Oberamt und später auch der Hofrat gaben dem Schulmeister Bauschlicher ihr Wohlgefallen und ihre Zufriedenheit mit dem guten Zustand der Schule zu erkennen und munterten ihn zu weiterem Fleiß an. In Teningen war auch die Nachtschule im vergangenen Winter fleißig besucht worden, wie Pfarrer und Schulmeister versicherten.[82]

In Mundingen traf Landschreiber Roth im September 1790 ein Schulhaus in gutem Zustand an, das erst 1769 neu erbaut worden war. Die Öfen in der Schulstube waren aber noch vor dem Winter gehörig auszubessern.[83] Bei der Visitation mit dem Pfarrer wurde die Schule allgemein für gut befunden, allerdings fielen die Schreibproben der Schüler »ziemlich schlecht« aus, so daß Schulmeister Bermeitinger ermahnt werden mußte, allen Fleiß auf die Verbesserung der Kinder zu verwenden. Pfarrer und Schulmeister versicherten, daß auch die Nachtschule im letzten Winter von den schulentlassenen ledigen Männern fleißig und mit gutem Erfolg besucht worden sei, doch mußten Vorgesetzte und Richter bei diesem Punkt eingestehen, selber weder der Nacht- noch der Sonntagsschule bisher jemals beigewohnt zu ha-

---

[81] Ebd., fol. 291–293 (22 II–10 III 1790).
[82] 229/105132, fol. 127–138 (Pkte. D, E) (5–13 VIII 1790); 229/105133 (Beilage 7 und 16 X 1790). – Auf Vorschlag des Oberamts honorierte die Gemeinde Teningen den Fleiß und das Geschick des Lehrers, indem sie ihm unentgeltlich die Nutzung eines schönen Feldstücks mit einem jährl. Ertrag von 30 bis 40 fl. überließ (ebd., 1 IX 1790).
[83] 229/70240/III, fol. 47–91' (Pkt. A) (7–30 IX 1790).

ben, was ihnen einen ernstlichen Verweis eintrug und den Befehl, künftig bei Strafe abwechslungsweise bei der Sonntags- und Nachtschule anwesend zu sein.[84]

Als Landschreiber Roth in Mundingen das Frevelgericht abhielt, weilte Landvogt von Liebenstein zum selben Zweck in Vörstetten. Sowohl die eingesammelten Schulproben als auch die beim Augenschein wahrgenommenen Umstände bestätigten dort die schon lange vernommene Klage, daß die Schule »höchst mittelmäsig« sei. Das Oberamt wollte Abhilfe schaffen, indem es dem Schulmeister dessen Sohn als braven Provisor zur Seite stellen wollte, doch lehnte es die Gemeinde ab, dessen Entlohnung zu übernehmen, »da der Schulmeister, der eine artige Besoldung habe, den aufzustellenden Provisor aus seinen Mitteln zu erhalten verbunden seye, indem die Notwendigkeit des Provisors nicht sowol ein Bedürfnis der Gemeinde wegen der Anzal der Schulkinder, sondern des Schulmeisters seye«. Der Landvogt sprach den Vorgesetzten zu, die Gemeinde würde nichts verlieren, wenn sie einem Provisor auf ein paar Jahre ein Wartgeld abgebe, auch sei es nicht die Absicht, einen Provisor ständig aus der Gemeindekasse zu besolden, »sondern daß es nur wegen des dermaligen Bedürfnisses für das Wohl der Gemeinde nötig seye«. Einem späteren neuen Schulmeister würde man die Haltung eines Provisors auf dessen eigene Kosten auferlegen, weshalb ein entsprechender Protokollauszug zu den Vörstetter Schulakten gelegt werden sollte, der dereinst bei einer Dienstveränderung daran erinnern sollte. Auch in Vörstetten fand im Winter die Nachtschule statt, doch erwartete das Oberamt angesichts der Mittelmäßigkeit des Lehrers auch hier einen besseren Erfolg von der Anstellung eines Provisors.[85]

Die Vörstetter Frevelgerichtsakte von 1790 ist dank des beiliegenden Schulberichts des Schulmeisters Wagner von besonderem Interesse. Wagner gab darin für den Zeitraum vom 23. April bis 23. Juli 1790 Auskunft über die Größe und den Stoffplan der Klassen, was einen tieferen Einblick in die Verhältnisse einer badischen Landschule vermittelt, als dies aufgrund der bisher vorgestellten Qualitätsbewertungen durch die Oberbeamten allein möglich war.[86]

In Vörstetten waren die schulpflichtigen Kinder in vier Klassen eingeteilt, wobei offensichtlich nicht allein das Alter über die Klassenzuteilung entschied, sondern auch ein anderes, nicht näher genanntes Kriterium – möglicherweise die schulischen Fähigkeiten und Leistungen des einzelnen Kindes. Meistens waren Kinder aus vier verschiedenen Jahrgängen in dieselbe Klasse eingeteilt; nur die vierte Klasse mit den jüngsten Kindern umfaßte drei Jahrgänge. Das Verzeichnis führt die Namen von

---

[84] 229/70240/III, fol. 93–101' (Pkte. d und e).
[85] 229/107983, fol. 56' f. (15–18, 21–25, 28–29 IX 1790).
[86] 229/107983 (Beilage Lit. D). – Die Überlieferung dieses detaillierten Schulberichts in einer Frevelgerichtsakte ist singulär. Möglicherweise handelt es sich um eine Akte, die der Schulmeister und / oder Pfarrer jeweils im Hinblick auf die reguläre Kirchen- und Schulvisitation durch den Spezial zu verfertigen hatte.

je 47 Schülerinnen und Schülern im Alter zwischen 14 und sieben Jahren auf, die sich in ungleich großen Gruppen auf die vier Klassen verteilten (Tab. 5.5).[87]

Tabelle 5.5:
Klasseneinteilung der Vörstetter Schule nach Geschlecht und Jahrgang, 1790

Klasse 1		Klasse 2		Klasse 3		Klasse 4	
Mädchen 11	Knaben 11	Mädchen 18	Knaben 11	Mädchen 8	Knaben 17	Mädchen 10	Knaben 13
	1776: 2						
1777: 5	1777: 2						
1778: 6	1778: 5	1778: 3					
	1779: 2	1779: 8	1779: 9				
		1780: 5	1780: 2		1780: 4		
		1781: 2		1781: 5	1781: 5		1781: 2
				1782: 3	1782: 7	1782: 8	1782: 7
					1783: 1	1783: 2	1783: 4

Das Verzeichnis registrierte für das Quartal von Ende April bis Ende Juli 1790 insgesamt 322 Schulabsenzen wegen Krankheit.

Der Schulbericht äußerte sich auch zum Schulstoff der vier Klassen. Nach dem Schuleintritt in der vierten Klasse beschränkte sich der Unterricht auf das Lesenlernen; etliche buchstabierten und lasen zugleich, etliche buchstabierten allein im kleinen Katechismus, andere waren noch im Namenbüchlein; die Gebete stammten aus dem ersten Hauptstück im kleinen Katechismus und aus den Sprüchlein. In der dritten Klasse lasen und buchstabierten die Kinder wechselweise in der Kinderlehre; nur ein Teil befaßte sich auch mit Schreiben; gebetet wurde nach den sechs Hauptstücken im kleinen Katechismus. In der zweiten Klasse rechneten und schrieben alle, und die Kinderlehre und der kleine Katechismus wurden hergesagt; der Leseunterricht fand gemeinsam mit der ersten Klasse statt. In der ersten Klasse kam zum Schreiben und Rechnen für alle die Geometrie hinzu; Kinderlehre und kleiner Katechismus mußten hergesagt werden, und gelesen wurde im Neuen Testament und in den »Biblischen Historien«.[88]

---

[87] Bei 16 Namen hat eine unbekannte Hand zu einem unbekannten Zeitpunkt ein Kreuzzeichen hingesetzt. Sollte es sich dabei um die Information handeln, daß das jeweilige Kind gestorben ist, bedeutete dies, daß 17 % der Vörstetter Schulkinder im schulpflichtigen Alter verstorben sind. – Die Vörstetter Schülerschaft zeigt hinsichtlich der Altersschichtung ein vor allem zu den jüngeren Kindern hin ein Bild, das stärker von der generellen Feststellung Schmales abweicht, der Kinder bereits ab drei Jahren in den Elementarschulen feststellt – die Schule als »Kinderbewahranstalt« –, während nach oben hin 14 Jahre offenbar die Grenze bildeten (Schmale, Schule, S. 680).

[88] Nur mit Einschränkungen gilt also die ältere Aussage Schneiders, wonach »das Aus-

5.3 Gesindemangel und Erziehung der Jugend: Die Aufsicht über die schulentlassene Jugend als policeyliches Problem bei Frevelgerichten

Der spezifische Charakter der Policeyordnungen, die – ganz allgemein gesprochen – die gute Ordnung nicht nur durch die Behebung von Mißständen (wieder)herstellen, sondern auch präventiv vor Unordnung bewahren wollten, brachte es mit sich, daß innerhalb der Gemeinden einzelne Personen und Gruppen stärker als andere policeylich beaufsichtigt wurden und – bei entsprechendem Verhalten und Benehmen – der Maßregelung durch die Behörden besonders ausgesetzt waren. Die Gesetzgebung und die administrative Praxis der Behörden identifizierten innerhalb der lokalen Gesellschaft Personen und Gruppen, deren soziales, wirtschaftliches und moralisches Verhalten in der Wahrnehmung der Beamten als potentiell »ungehörig«, »unordentlich« oder gar »liederlich« taxiert und als schädlich für den Einzelnen, dessen Familie oder für die Gemeinschaft angesehen wurde.

Diese Personen und Gruppen wurden relativ oft aufgrund ihrer erhöhten potentiellen Devianz von den positivierten Policeynormen zum Thema der Policeygesetzgebung, ihrer haben sich aber auch die Frevelgerichte in besonderem Maße angenommen. Einen ersten Personenkreis, der besonderer Aufsicht unterlag und zu besonderem Nachfragen bei Frevelgerichten Anlaß gab, bildeten die der Schule entlassenen jungen Frauen und Männer.[89] Das Lebensalter, das Erlangen der vollständigen Arbeitsfähigkeit und die zunehmende Einbindung in die Arbeitswelt der häuslichen und außerhäuslichen Wirtschaft, die noch fehlende wirtschaftliche Eigenständigkeit und Selbstverantwortung, das Hineinwachsen in die Geschlechterrollen und das Erlangen der sexuellen Reife prägten die Erfahrungen der schulentlassenen Jugendlichen.[90] Gemäß den Policeygesetzen bedurfte die Jugend einer be-

wendiglernen des Katechismus (...) von der ersten bis zur letzten Schulstunde die Hauptaufgabe des Schülers« war. Die biblische Geschichte wurde anhand von Hübners »Biblischen Historien« (1714[1]) unterrichtet (Brunner, Schulordnungen, S. CXXIV; Schneider, Pfarrer, S. 152, 157).

[89] Allgem. zur Geschichte der Jugend Speitkamp, Jugend, bes. S. 14–82. – Zur umstrittenen Frage, wie sich die als »Jugend« bezeichnete Lebensphase in der vorindustriellen Gesellschaft definieren läßt, s. ebd., S. 14, sowie Gestrich, Vergesellschaftungen, S. 110ff., der für die traditionale europäische Gesellschaft die Koinzidenz von Jugendzeit und Ledigenstatus sieht.

[90] Speitkamp spricht für die vorindustrielle Zeit von der Jugendphase als einem »Prozeß der langsamen Integration« und der »Halbabhängigkeit«, die vielfach außerhalb der Herkunftsfamilie durchlebt wurde und sich bis zur Heirat und wirtschaftlichen Selbständigkeit, mithin meist über das 25. Lebensjahr hinaus, erstreckte (Speitkamp, Jugend, S. 20f.). Die Jugendzeit war »vom frühen Ausscheiden aus dem Elternhaus und von recht hoher Mobilität« geprägt, »ihr Ziel war die Eingliederung in den Wirtschafts- und Arbeitsprozeß, nicht, wie heute, die Ausreifung der individuellen Persönlichkeit« (ebd., S. 24).

sonderen Anleitung. Einerseits galt es, das potentiell sozial- und moralschädliche Verhalten dieser Altersgruppe (voreheliche Sexualität, spezifische Formen der Geselligkeit wie etwa Kunkel- bzw. Spinnstuben, Nachtschwärmen, Mißachtung der Sonntagsheiligung u. a.) und die »störenden« Auswirkungen der Aktivitäten von besonderen Jugendverbindungen[91] zu verhindern bzw. unter Kontrolle zu halten. Andererseits waren die Jungen geistig und moralisch im Hinblick auf die Heranbildung sozial verantwortlicher, arbeits- und leistungsfähiger, pflichtbewußter und »ordentlicher« Ehegatten, Hausvorstände, Väter und Mütter sowie Nachbarn und Dorfgenossen zu formen und zu erziehen.[92] Jugendliche waren »Gegenstand obrigkeitlicher Politik, Fürsorge und Kontrolle. Auch wenn sich dies noch nicht zu einer eigentlichen Jugendpolitik verdichtete, läßt sich doch, abgesehen von der Schule und Bildungswesen, eine Reihe von Maßnahmen und Regelungen finden, die sich auf die Jugendphase richteten. Diese Normierungsversuche standen im Zusammenhang mit den umfangreichen Bemühungen des absolutistischen Staates, Außenseiter, Randgruppen und Minderheiten zu disziplinieren und zu integrieren«.[93]

Winfried Speitkamp hat in seinem Überblick zur Geschichte der Jugend in der Neuzeit für die sogenannte Reformzeit (1770–1819) wichtige Veränderungen in der der Lebenswelt von Jugendlichen und deren sozialen Wahrnehmung festgestellt. Nach 1770 seien »auf der Basis längerfristiger sozialer Wandlungen in Teilen der Gesellschaft neue Generationenverhältnisse und Generationskonflikte entstanden«, wobei sich »dabei neue Vorstellungen von Jugend und neue Erfahrungen mit Jugendlichkeit herausbildeten«.[94] In den letzten Jahrzehnten des 18. Jahrhunderts verlor die Familie immer mehr »den Charakter eines Betriebs«, die traditionale Jugendphase, die »durch die Lösung von der Herkunftsfamilie und das Hineinwachsen in die Arbeitswelt bestimmt war«, begann sich seit 1770 aufzulösen, und die Jugendzeit wurde vermehrt zu einer »Phase der Bindungslosigkeit, welche die eigene Positionssuche verlangte«.[95] Wichtige Aspekte sowohl der traditionalen Jugendphase als auch der erwähnten Auflösungserscheinungen werden in den Frevelgerichtsprotokollen faßbar.

Die legislativen und administrativen Mittel, die im Hinblick auf die Verhaltenssteuerung der schulentlassenen ledigen Jungerwachsenen gewählt wurden, zeigen

---

[91] Ebd., S. 25–28.
[92] Die Politik der Obrigkeit zielte auf die Mehrung des Produktionsfaktors Arbeit, wobei die Heranwachsenden davon besonders betroffen waren, indem sie »zu obrigkeitstreuen, frommen, sexuell enthaltsamen, fleißigen, dem Staat wie der Wirtschaft nützlichen Untertanen erzogen werden« sollten (ebd., S. 29 f.).
[93] Ebd., S. 24.
[94] Ebd., S. 48. – Als Kennzeichen der staatlichen Jugendpolitik zwischen 1770 und dem Ende des 18. Jhs. sieht Speitkamp »aufklärerische Belehrung und wohlmeinende Normierung mit dem Ziel einer allgemeinen sozialen Verbesserung«. Medizin, Hygiene, Gesundheit, Armenfürsorge und Erziehung waren zentrale Felder dieser Politik (ebd., S. 61 ff.).
[95] Ebd., S. 52 f.

deutlich, daß diese Gruppe einen sozialen und wirtschaftlichen Faktor darstellte, mit dem sich ganz praktische Interessen sowohl der Behörden wie auch gewisser Gruppen in den Gemeinden verbanden.

Eine der frühesten gesetzlichen Bestimmungen zum Status der schulentlassenen Söhne und Töchter findet sich in der badischen Landesordnung von 1622/1715, die es den Kindern untersagte, für ihre Arbeit zu Hause denselben Lohn von ihren Eltern zu fordern, den sie auch in fremden Haushalten erhielten. Die Landesordnung sprach Eltern ausdrücklich von der Pflicht frei, ihre Kinder, die für sie arbeiteten, zu entlöhnen, außer sie taten es aus freiem Willen. Von dieser Bestimmung ausgenommen waren Handwerkersöhne, die nach ihren ausgestandenen Lehrjahren von den Eltern einen gebührlichen Lohn fordern durften. Den Eltern wurde auferlegt, ihre Kinder, »so sie bey sich behalten/ und andern Leuten um den Lohn zu dienen nicht gestatten wöllen«, wohl zu versorgen und ihnen zu gestatten, sich anderwärts zu verdingen und ehrlich zu ernähren, wenn sie ihrer nicht bedurften und ihre Arbeit auch allein verrichten konnten. Letzteres wurde geradezu zur Pflicht erklärt. Aufgrund »mehrfältige(r) Klagen« darüber, daß sich das ledige Gesinde nicht mehr verdingen, sondern »auf das Taglöhnen fast insgemein legen wolle«, trug die Landesordnung nämlich den Oberbeamten auf, die Eltern, die ihrer Söhne und Töchter nicht selber zur Arbeit bedurften, anzuhalten, ihre Kinder »bey Vermeydung Unserer Ungnad und ernstlicher Straff« in Dienste zu schicken. Darum sollten die Oberamtleute jährlich vor Ostern von den Vorgesetzten der Gemeinden Verzeichnisse mit den Namen und dem Alter der Kinder in der Gemeinde einfordern und auf dieser Grundlage jene, die zu Hause nicht benötigt wurden, »an ehrliche/ und sonderlich im Land/ oder sonsten an Lutherische Ort verschaffen«.[96]

Die Bestimmungen der Landesordnung waren hauptsächlich ökonomisch motiviert. Aus zahlreichen Policeyordnungen der Frühen Neuzeit ist die Klage über den Mangel an Gesinde – und insbesondere an billigem Gesinde – in Landwirtschaft und Handwerk bekannt.[97] Damit wird auch etwas von der sozialen Interessenlage sicht-

---

[96] Landesordnung 1622/1715, Teil 9, Tit. 4, S. 298f. (RepPO 709). – Die staatlichen Versuche zur Durchsetzung des Dienstzwangs dürfen nicht darüber hinwegsehen lassen, daß in der vorindustriellen Zeit für viele Junge die Eingliederung in die Arbeitswelt (Eintritt in die Lehre oder Dienste) zwischen 12 und 14 Jahren erfolgte. Die Trennung vom Elternhaus war insbesondere für Angehörige der unteren sozialen Schichten oft unvermeidbar (Speitkamp, Jugend, S. 22f.).

[97] Insofern ist die Darstellung bei v. Drais verkürzt, der den Dienstzwang als eine Maßnahme gegen den Müßiggang und damit »für die Moralität« bezeichnete (Drais I, S. 216f.). – Vgl. zum Stellenwert der Arbeit in der Policeygesetzgebung, wo sie einerseits »Gegenstand einer verhaltensdisziplinierenden policeylichen Arbeitspolitik« war und andererseits den »gesellschaftspolitischen Ordnungskonzeptionen (...) als Leitkategorie« zugrundelag, Schuck, Arbeit und Policey, passim, hier S. 123. – Zur Arbeitsmarkt- und Gesindepolitik s. ebd., S. 129–132; Raeff, Police State, S. 74f.; Rainer Schröder, Das Gesinde war immer frech und unverschämt. Gesinde und Gesinderecht vornehmlich im 18. Jahrhundert, Frankfurt/M.

bar, die den angeführten Klagen zugrundelag, und die diese Verordnungen hervor-
brachte. Der Bedarf an billiger Arbeitskraft von Knechten und Mägden war in größeren bäuerlichen Haushalten sowie auf den Gütern und Eigenwirtschaften adliger
und kirchlicher Grundherren am ausgeprägtesten. 1724 sind die zitierten Bestimmungen aus der Landesordnung bestätigt worden, wobei nun Begründungsmodi
Eingang in die Ordnung fanden, die auf neue Aspekte des Problems verweisen. Der
Gesetzgeber beklagte, daß Untertanen, zumal solche mit geringem Vermögen, ihre
»erwachsene Kinder, ob sie wohl deren Hülfe und Dienste in ihrem Feld- oder
Hauswesen nicht nöthig haben, dannoch zu ihrer eigenen merklichen Beschwerde
ohnnöthiger Weise bei sich über ihrer Kost und Brod behalten, und also dem Müs-
siggang nachziehen lassen, mithin verursachen, daß ihre Mitbürgere, welche zu
Bestreitung ihrer Arbeit Gesindes benöthiget sind, solche von fremden Orten herdin-
gen müssen.« Diesen Zustand taxierte die Verordnung als einen »dem Publico als
auch berührt Unseren Unterthanen selbst höchstschädlichen Mißbrauch«, der dadurch abzustellen war, daß die Oberamtleute die Eltern anwiesen, ihre nicht selber
benötigten Kinder in Dienste zu geben, und zwar in erster Linie bei Landesuntertanen.[98] Ökonomie und Moral reichten sich hier die Hand: Was einerseits die
armen Haushalten wirtschaftlich entlasten und die Gemeinden vor der Zunahme der
Ortsarmut bewahren sollte, konnte andererseits die volle Produktivität der vermö-
genderen Haushalte sichern; gleichzeitig wurde die Jugend durch den Dienst nicht
nur zum eigenen Besten in Lohn und Brot gehalten und vor den angeblich schädlichen Folgen des Müßiggangs bewahrt, sondern sie trug damit auch »zum gemeinen
Wesen« bei.[99] Allerdings verraten diese Bestimmungen auch etwas von den sozialen
Ungleichheiten, die sich im herrschenden Konzept der Hausideologie verbargen:
Dieselbe Obrigkeit, die auf der einen Seite – etwa im Kampf gegen die liederlichen
Haushalter – die Häuser als Lebenseinheiten stützte, griff auf der anderen Seite
massiv in die soziale Zusammensetzung von Häusern ein, um mit dem Dienstzwang
den Forderungen des Marktes bzw. der großen Häuser stattzugeben.

1992; Dürr, Mägde, bes. S. 23–37; Wolfgang von Hippel, Armut, Unterschichten, Randgruppen in der Frühen Neuzeit, München 1995, S. 23 ff., 80 ff. – Für Baden s. Straub,
Oberland, S. 134, 138 ff., der für das Jahr 1780 eine gewaltsame Austreibung dienstfähiger
junge Leute aus der Vogtei Hasel erwähnt. Strobel, Agrarverfassung, S. 156–159, zeigt, daß
die intensive Landwirtschaft der Höfe im Breisgau trotz kleiner Betriebsflächen allgemein
einen hohen Arbeitskräftebesatz erforderte, was dazu führte, daß die Kinder möglichst lange
an das elterliche Haus gebunden blieben; die Ursache für den Mangel an Arbeitskräften
erblickten die Amtleute im angeblichen Müßiggang der unterbäuerlichen Schicht. Zum
Ausgleich der saisonalen Bedarfsspitzen an Arbeitskräften griffen die kleinbäuerlichen
Wirtschaften auf Tagelöhner statt auf Gesinde zurück.

[98] RepPO 1042 (7 VIII 1724; GS III, S. 132 f.). – Zu ähnlichen, wesentlich älteren Bestimmungen in bayerischen Verordnungen s. Schuck, Arbeit und Policey, S. 131.
[99] Zum Kampf gegen den Müßiggang und für die Einpflanzung des Fleißgedankens im 18. Jh.
s. Rudolf Schenda, Die Verfleißigung der Deutschen. Materialien zur Indoktrination eines
Tugend-Bündels, in: U. Jeggle u. a. (Hgg.), Volkskultur in der Moderne, Reinbek b. Hamburg 1986, S. 88–108.

Die Verordnung von 1724 wurde in einem Hofratsdekret von 1754 erneut aufgegriffen und in praktischer Hinsicht präzisiert. Die Oberbeamten wurden daran erinnert, daß sie jährlich vor Georgi (23. April) dem Hofrat Verzeichnisse mit den Namen »derer zum Dienen tauglichen jungen Leute beiderlei Geschlechts« einzusenden hatten, und sie wurden speziell beauftragt, jährlich bei Frevelgerichten oder anderen Gelegenheiten »diejenige, so zum Dienen tüchtig, und ihren Eltern nicht nöthig sind, oder keine Eltern und kein beträchtliches Vermögen haben, auch durch erhebliche Umstände daran nicht verhindert werden, ohne Nachsicht zum Dienen anzuhalten«.[100]

Der Gehalt dieser Konsignationen über die dienstfähige Jugend sollte mit Verordnungen von 1767 und 1768 dahingehend verbessert werden, daß die Pfarrer Berichte von Vorgesetzten, die vorgaben, in ihrem Ort befänden sich »gar keine zum Dienen taugliche Personen«, speziell attestieren mußten.[101] 1768 wurde der Termin für die Einsendung der Tabellen auf Weihnachten verschoben, doch sollten sich die dienstfähigen jungen Leute unter Androhung einer Anzeige beim Oberamt bis spätestens Martini verdingt haben.[102]

Gewisse Aspekte der praktischen Umsetzung dieser Bestimmungen lassen sich für die zweite Hälfte des 18. Jahrhunderts dank der Frevelgerichtsakten beleuchten. Dieses Kapitel stellt die Gruppe der Jungen und der Ledigen als Objekte der policeylichen Aufsicht vor. In den Verwaltungsakten spiegelt sich aber nicht nur dieses bürokratische Anliegen, sondern auch der Wandel der Jugendzeit als einer spezifischen Lebensphase und damit ein eminenter sozialhistorischer Vorgang. In dieser Phase galten die ledigen jungen Leute einerseits als sittlich gefährdete Individuen, andererseits aber auch als Gruppe, deren soziale, ökonomische und moralische Fähigkeiten weiter ausgebildet werden mußten, damit dereinst aus den jungen Ledigen verantwortungsvolle Haushälter, Eheleute und Eltern wurden, die in ihrem häuslichen und kommunalen Wirkungsraum im Sinne einer guten policeylichen Ordnung tätig werden konnten.[103]

Die Verordnung über die Dienstpflicht der jungen Leute war erst wenige Wochen zuvor erneuert worden, als der Hochberger Landvogt von Koseritz in der Gemeinde Teningen im Dezember 1754 das Frevelgericht durchführte. Er ließ bei dieser Gelegenheit nicht nur die neue Verordnung der versammelten Gemeinde verlesen, sondern forderte den Stabhalter auf, bis zum Ende des Frevelgerichts ein Verzeichnis der Jungen in seiner Gemeinde anzufertigen und zu übergeben, damit er – der Landvogt – das Nötige verfügen könne.[104] Stabhalter Knoll und zwei Angehörige

---

[100] RepPO 1831 (30 X 1754; GS III, S. 133 f.; wiederholt am 25 I 1777; WI I, S. 220). – S. oben Tab. 3.1, N 27.

[101] RepPO 2204 (15 VII 1767; GS III, S. 135 f.).

[102] RepPO 2290 (12 XI 1768; GS III, S. 134 f.; WI I, S. 219).

[103] Speitkamp, Jugend, S. 48, 52 f.

[104] RepPO 1831 (30 X 1754; GS III, S. 133 f.; wiederholt am 25 I 1777; WI I, S. 220). – Die

des Gerichts präsentierten dem Landvogt die angeforderte »Consignation« am letzten Tag des Frevelgerichts. Die Liste enthielt die Namen von 9 Hausvorständen und einer Witwe. In diesen 10 Haushalten lebten insgesamt 18 Söhne und Töchter, die grundsätzlich unter die Dienstpflicht fielen; die Hälfte dieser Kinder wurde nach den Angaben der Vorgesetzten zu Hause nicht wirklich gebraucht. Bei den anderen handelte es sich um Söhne oder Töchter, die sich bereits verdingt hatten, ein Handwerk erlernten, zu Hause zur Pflege der kranken Eltern oder zur Versorgung jüngerer Geschwister gebraucht wurden oder die ohne Angabe näherer Gründe zu Hause weilten.[105]

Das Oberamt ordnete allgemein im Sinne der neuesten Verordnung an, daß die Eltern nicht benötigte Kinder in Dienste schicken sollten – eine Anordnung, die auch unmittelbar auf die schriftliche Beschwerde von Pfarrer Posselt Bezug nahm, der die schlechte Kinderzucht der Eltern kritisiert hatte, die ihren Kindern »zu viele Freiheit bey Tag und Nacht« ließen, sie nicht ernsthaft zum Guten anhielten bzw. nicht genügend bestraften und ihnen vor allem, sobald sie konfirmiert waren, Geld zusteckten, das diese in den Wirtshäusern vertranken.[106] Eine Ausnahme von dem allgemeinen Befehl machte das Oberamt: Einem armen Mann erlaubte es, eine Tochter weiterhin zu Hause zu halten, die ihm half, die anderen Kinder zu versorgen.[107] 1777 wurde die Verordnung von 1754 erneuert, welche den Oberamtleuten auftrug, die Befolgung der Dienstpflicht der schulentlassenen Jugendlichen, die zu Hause nicht benötigt wurden, bei Frevelgerichten oder anderen Gelegenheiten zu überprüfen. Diese Kontrollmaßnahme ging bald darauf in die Rügezettel bzw. Policeyfragen ein, welche die Oberbeamten bei Frevelgerichten mit den Vorgesetzten erörterten. Zwar fehlte dieser Punkt noch im Rügezettel von 1767, in der Schlosser'schen Fassung von 1781 aber wurde die Frage nach der Existenz von »Eigenbrödlern« und dienstfähigen Jugendlichen in den Gemeinden gestellt.[108] Bei den beiden Frevelgerichten von Steinen und Hüsingen im Oberamt Rötteln 1782 ging Oberamtsassessor Posselt die ihm überreichten Verzeichnisse der schulentlassenen Jugend durch.[109] Solche Verzeichnisse wurden auch bei den sechs umfassenden Frevelgerichten 1789/90 im Oberamt Hochberg den Oberbeamten überreicht.[110]

Die Aufsicht der Oberbeamten über die schulentlassene Jugend bei Frevelgerichten kam in den verschiedenen Oberämtern nicht gleichzeitig in Gang.[111] Die Initia-

---

Anweisung des Landvogts ist im Teninger Frevelgerichtsprotokoll erwähnt (229/105128; 3–7 XII 1754).
[105] Beilage Nr. 10 in: 229/105128 (3–7 XII 1754).
[106] Protokoll und Beilage 4 in: 229/105128 (3–7 XII 1754).
[107] Beilage Nr. 10 in: 229/105128 (3–7 XII 1754).
[108] Vgl. Nr. 32 in der Tabelle 4.7.
[109] Vgl. Nr. 28 in der Tabelle 4.5.
[110] Vgl. die Rubrik unter Nr. IX in der Tabelle 4.8.
[111] Im badischen Oberland scheint das Oberamt Badenweiler früh mit der Erhebung entspre-

tive von Landvogt von Koseritz, der sich beim Teninger Frevelgericht 1754 nach den dienstfähigen Jugendlichen erkundigt hatte, scheint für längere Zeit ein Einzelfall geblieben zu sein, und ist wohl damit zu erklären, daß die einschlägige Verordnung nur wenige Wochen davor publiziert worden war.

Eine gewisse Dichte erreichen die Informationen in den Frevelgerichtsprotokollen erst in den 1780er Jahren. Für diese Spätzeit haben die Vorgesetzten und Oberbeamten allerdings teilweise bemerkenswertes statistisches Material erhoben, das einige Aussagen über die Kontrollpraxis der Oberamtleute, aber auch über die Zusammensetzung dieser Altersgruppe ermöglicht.

Im Oberamt Rötteln findet sich erstmals in der Akte zum Frevelgericht von Schopfheim 1777 ein Hinweis auf die Beschäftigung mit diesem Thema, wies doch der Hofrat das Oberamt in der Ratifikation des Protokolls an, genau über die Einhaltung der Verordnung wegen des Dienens der jungen Leute zu wachen.[112]

Konkretere Maßnahmen ergriff Oberamtsassessor Wilhelm Heinrich Posselt bei den beiden Frevelgerichten in Steinen und Hüsingen 1782. Posselt konnte sich dabei auf die Verzeichnisse stützen, die die Pfarrer und Vögte im Vorfeld des Frevelgerichts auf seinen Befehl angefertigt hatten und in tabellarischer Form für jedes Kind den Namen, den Namen der Eltern und das Alter nannten und sich in weiteren Rubriken dazu äußerten, ob das jeweilige Kind inner- oder außerhalb der Gemeinde nützlich beschäftigt oder ob es zum Dienen tauglich und zu Hause entbehrlich war, wo das Kind in Diensten stand und wie seine Aufführung beschaffen war, ob die jugendlichen Waisen mit Pfleger versehen waren und schließlich ob bei dem einen oder andern Verbesserungsvorschläge zu machen waren[113] (Tab. 5.6, 5.7).

Aufgrund der tabellarischen Angaben der Vorgesetzten befand der Oberbeamte, daß einzig die 15jährige Tochter des Höllsteiner Bürgers Hans Jörg Herrmann auf Martini oder Weihnachten unfehlbar zum Dienen angehalten werden sollte. Als sich das Oberamt im Dezember 1782 bei den Vorgesetzten nach der Befolgung dieser Anweisung erkundigte, wurde ihm mitgeteilt, Charlotte Herrmann diene als Näherin. Im März 1783 bestätigten die Vorgesetzten gegenüber dem Oberamt bzw. Hofrat diese Angabe und versicherten, das Mädchen verdiene ihr Brot mit Nähen in den Kundenhäusern.[114]

.

chender Informationen begonnen zu haben. Ob hier einmal mehr Oberamtmann Saltzer vorangegangen ist, bleibt unklar. Es fällt jedenfalls auf, daß sein Nachfolger Wielandt im Juni 1761 vor den Frevelgerichten in mehreren Gemeinden die Pfarrer und Vorgesetzten aufforderte, die gewöhnlichen Tabellen über »die politischen Sitten und Wissenschaften derer ledigen jungen Leuthe« männlichen und weiblichen Geschlechts vorzubereiten (GA Badenweiler A/IV/1; 20 VI 1761).

[112] 229/94368 (29 XI 1777).

[113] 229/100906, fol. 50'–52' (14 VIII 1782). – Die Angaben beziehen sich auf die drei Orte Steinen, Höllstein und Hägelberg.

[114] 229/100906, fol. 120–121' (3 XII 1782); ebd., fol. 126–129 (1 III, 3 VI 1783).

Tabelle 5.6:
Anzahl, Geschlecht, Alter, Beschäftigung, Dienstentbehrlichkeit und
Lebenswandel der schulentlassenen Jugendlichen in den Orten Steinen,
Hägelberg und Höllstein, 1782

Rubriken der Tabelle	Steinen	Hägelberg	Höllstein
Anzahl erfaßter Jugendlicher	24	4	27
Geschlecht	10 Burschen 14 Mädchen	4 Burschen 0 Mädchen	12 Burschen 15 Mädchen
Altersspanne von – bis	15 – 30	15 – 20	15 – 25
15jährige	2	1	3
16jährige	2	0	2
17jährige	5	1	1
18jährige	2	1	5
19jährige	0	0	2
20jährige	3	1	3
21jährige	1	0	0
22jährige	2	0	2
23jährige	2	0	2
24jährige	2	0	4
25jährige	1	0	3
26jährige	1	0	0
30jährige	1	0	0
Angaben zur Beschäftigung: – Chirurgen – Beschäftigung außer Orts – Beschäftigung im Ort – Taglöhner – Untauglich – Kann zum Dienen angehalten werden – ohne Angaben	2 8 9 3 1 0 1	0 3 1 0 0 0 0	0 12 13 0 0 1 1
Dienstentbehrlichkeit: – tauglich und entbehrlich – unentbehrlich – ohne Angaben	14 6 4	4 0 0	24 3 0
Aufführung, Lebenswandel: – gut – mittelmäßig – ohne Angaben	19 1 4	4 0 0	26 1 0

Tabelle 5.7:
Anzahl, Geschlecht, Alter, Beschäftigung, Dienstentbehrlichkeit und
Lebenswandel der schulentlassenen Jugend in der Gemeinde Hüsingen, 1782

Rubriken der Tabelle	Hüsingen
Anzahl erfaßter Jugendlicher	21
Geschlecht	13 Burschen – 8 Mädchen
Altersspanne von – bis	15 – 31
15jährige	1
16jährige	0
17jährige	2
18jährige	1
19jährige	1
20jährige	3
21jährige	1
22jährige	2
23jährige	0
24jährige	4
25jährige	0
26jährige	1
27jährige	1
31jährige	1
ohne Angaben	3
Angaben zur Beschäftigung: – Beschäftigung außer Orts[115] – Beschäftigung im Ort – Beschäftigung zu Hause	 13 3 5
Dienstentbehrlichkeit: – tauglich und entbehrlich – unentbehrlich	 17 4
Aufführung, Lebenswandel: – gut – schlecht – ohne Angaben	 15 2 4

---

[115] Bei den außerhalb Hüsingen beschäftigten jungen Leuten gab das Verzeichnis den Arbeitsort und zum Teil die Beschäftigung an: ein Bursche erlernte in Raitbach das Wagnerhandwerk, ein weiterer Bursche arbeitete in Hägelberg, zwei weitere in Wittlingen, ein anderer war Zimmergeselle außer Landes, zwei junge Frau arbeiteten in Brombach, ein Bursche war in Wollbach beschäftigt, zwei Frauen in Basel, und schließlich waren noch ein Bursche in Lörrach, einer als Nagler auf der Wanderschaft und der Aufenthalt des letzten war den Hüsinger Vorgesetzten nicht bekannt.

Auch in der Gemeinde Hüsingen ließ sich Oberamtsassessor Posselt wenige Tage später die vom Vikar und Stabhalter angefertigten Tabellen »über daßige Jugend beyderley Geschlechts, so der Schule entlaßen und welche zum Dienen tauglich oder sonsten nützlich beschäftiget« ist, überreichen. In Hüsingen fand Posselt die in Tabelle 5.7 dargestellten Verhältnisse vor.[116]

Die Anweisungen des Oberamts an die Vorgesetzten hielten sich in Hüsingen in bescheidenem Rahmen. Posselt wies die Gemeindebehörden schlicht an, auf die noch im Ort befindlichen jungen Leute eine genaue Aufsicht zu haben und »die entbehrlichen zum Dienen anzuweisen«.[117] Weil der Vogt von Steinen und der Hüsinger Stabhalter in einem ersten Bericht über die Befolgung der oberamtlichen Frevelgerichtsbescheide im Dezember 1782 sich nicht näher über die Frage des Dienstes der jungen Leute äußerten,[118] hakten Hofrat und Oberamt nach, doch holten sie nicht mehr aus den Vorgesetzten heraus, als daß die zum Dienen tauglichen jungen Leute wirklich angestellt worden waren.[119]

Sporadisch haben sich die Rötteler Oberbeamten noch bei späteren Frevelgerichten nach dem Status der Jugendlichen erkundigt. In Eimeldingen und Märkt bekamen die Oberbeamten Reinhard und Maler[120] 1787 zu hören, in beiden Gemeinden befänden sich »keine zum Dienen tauglich und unbeschäftigte Leute, da man hier und in der Nachbarschaft Verdienst genug bekomme«, womit die Vorgesetzten auf die Dienstmöglichkeiten im nahe gelegenen Basel anspielten.[121] Ähnlich hörte es sich in Egringen 1788 an, wo die Vorgesetzten keine diensttauglichen Jungen kannten, die mit Befehl des Oberamts zum Dienen angehalten werden mußten; sie versicherten vielmehr, bei ihnen seien die Leute alle »arbeitsam, entbehrliche dienten und viele würden zu Handwerken angehalten«.[122] In Wintersweiler entledigten sich die Vorgesetzten ihrer Auskunftspflicht in diesem Punkt, indem sie bald nach dem Frevelgericht einen schriftlichen Bericht an das Oberamt gelangen ließen.[123]

Wenn auch das Rötteler Material insgesamt den Eindruck vermittelt, als wären weder die Oberamts- noch die Gemeindebehörden bei der Umsetzung der Dienst-

---

[116] 229/47590, fol. 51–52 (27–28 VIII 1782).

[117] 229/47590, fol. 27'–30', Pkt. 4 (27–28 VIII 1782).

[118] 229/47590, fol. 67–68 (3 XII 1782).

[119] 229/47590, fol. 69–72 (4 XII 1782); fol. 72 (10 I 1783); fol. 73–74 (29 I 1783).

[120] Reinhard: Sohn des 1772 verstorbenen Geheimen Rats und Reformers Johann Jakob Reinhard; Hofratsassessor 1772, Landschreiber im Oberamt Rötteln 1782, Geheimer Rat 1792 (Drais II, Beilagen, S. 103 f.). – Maler: Sohn des Rektors des Karlsruher Gymnasiums; 1783 Oberamtsassessor im Oberamt Rötteln, 1792 Hofrat, 1799 Oberamtsverweser im Oberamt Badenweiler, 1803 Geheimer Referendär in Karlsruhe (gest. 1809) (Drais II, Beilagen, S. 98).

[121] 229/23739 (2 X 1787). – Zur beherrschenden wirtschaftlichen Rolle Basels für das angrenzende Markgräflerland und die Schwarzwaldgebiete vgl. die Studie von Straub, Oberland.

[122] 229/22946, Frage 22 in Abschnitt II (28 X 1788).

[123] 229/115110, fol. 21–43', Pkt. 13 der Befragung der Vorgesetzten.

pflicht für entbehrliche Jugendliche besonders eifrig gewesen, so zeigen die Angaben aus den Frevelgerichten des nahe gelegenen Oberamts Hochberg, daß in Einzelfällen die betroffenen Jugendlichen sehr wohl mit einschneidenden Maßnahmen rechnen mußten.

Beim Köndringer Frevelgericht 1769 legten die Vorgesetzten und das gesamte Gericht dem Oberbeamten ein Verzeichnis mit den Namen von 16 Männern vor, die entweder als verschuldete üble Haushalter bereits bekannt waren oder im Verdacht standen, sich zu überschulden, weshalb deren Vermögenssituation untersucht werden sollte. Zu diesen 16 Personen zählten auch die beiden ledigen Burschen Caspar Schweiger und Andres Schuhmacher, die ein Jahr zuvor beim örtlichen Müller gedient hatten, sich seitdem aber ungeachtet der Warnung durch die Vorgesetzten nicht mehr in Dienste begeben hatten; das Oberamt befahl ihnen, sich binnen acht Tagen in Dienste zu begeben, widrigenfalls sie vom Oberamt bestraft und aus dem Land gejagt werden sollten.[124]

Kurze Zeit später zeigte beim Frevelgericht im Nachbarort Mundingen der Bürger Michel Haller seinen Pflegsohn Michel Schindler dem Oberamt an, weil dieser bei seinem Vater sitzen blieb und nicht dienen wollte; Haller bat das Oberamt, Schindler zum Dienen anzuhalten, was das Oberamt denn auch unter Androhung einer herrschaftlichen Strafe tat.[125] Bei dieser Gelegenheit kam der Mundinger Vogt Kreyer auf die ledige Catharina Stöhrin zu sprechen, welche vor geraumer Zeit mit dem Maurer Bergdolt aus Emmendingen im Verdacht des Ehebruchs gestanden hatte, sich noch immer bei ihren Eltern aufhielt und »sich nicht zum dienen bequemen« wollte. Vogt Kreyer bat das Oberamt darum, die Stöhrin streng zum Dienen außerhalb des Orts anzuhalten, weil der erwähnte Bergdolt bereits einen Vertrag für den Bau des Schulhauses in Mundingen abgeschlossen hatte und es damit wahrscheinlich erschien, daß »er also seinen verdächtigen Zuwandel fortsezen möchte«. Auch der Stöhrin wurde auferlegt, in acht Tagen das Dorf zu räumen und sich in Dienste zu begeben – eine Anordnung, die einer undatierten, späteren Notiz gemäß befolgt worden ist, denn die Stöhrin hatte dannzumal das Dorf bereits verlassen.[126]

Die Sorge um die Beschäftigung, Erziehung und den Lebenswandel der schulentlassenen Jugend war bei den letzten sechs großen Frevelgerichten im Oberamt Hochberg 1789/1790 ein wichtiger Teil dieser Veranstaltungen. In diesen sechs Gemeinden wurden den Oberbeamten detaillierte tabellarische Angaben über die Zusammensetzung und die Lebensweise dieser Gruppe übergeben, die sich in vier der sechs Akten erhalten haben.[127]

---

[124] 229/54953, Beilage Lit. C (24–28 I 1769).
[125] 229/70240/II, Pkt. 42 des Durchgangs (14, 17–18 II 1769).
[126] 229/70240/II, Pkt. 54 des Durchgangs (14, 17–18 II 1769).
[127] Die beiden in den Gemeindearchiven erhaltenen Frevelgerichtsakten von Bahlingen und Denzlingen enthalten nur die Protokolle ohne die Beiakten. Tabellen über die jungen Leute

In den großen Breisgauer Gemeinden des Oberamts Hochberg lebten zahlreiche Jugendliche und Ledige. Für Eichstetten führte das Verzeichnis des Vogts und Stabhalters vom 1. Februar 1789 die Namen von 155 Männern und 155 Frauen auf (Tab. 5.8).

Die Altersstruktur der ledigen Eichstetter Jugendlichen zeichnete sich durch eine auffallende Ungleichverteilung bei den Geschlechtern aus. Bis zum 18. Lebensjahr waren die Mädchen bzw. jungen Frauen in jedem Jahrgang deutlich stärker vertreten als die Burschen. Vom 19. Lebensjahr bis zum 23./24. Lebensjahr stellten diese hingegen die wesentlich größeren Kohorten, während danach die Jahrgangsgruppen bei beiden Geschlechtern deutlich kleiner wurden. Ledige Frauen, die älter als 26 Jahre waren, gab es in Eichstetten keine mehr, Männer in diesem Alter gab es noch acht. Die auffallende Ungleichverteilung in den tiefen und mittleren Jahren ist mit großer Wahrscheinlichkeit auf das gesetzlich vorgeschriebene Heiratsalter zurückzuführen, das für Frauen bei 18, für Männer bei 25 Jahren lag. Daß bei den Männern bereits vom 23. zum 24. Lebensjahr ein starker Rückgang der Ledigen zu beobachten ist, läßt sich wahrscheinlich mit der gängigen Dispensationspraxis erklären, die Männern in fortgeschrittenerem Alter und mit entsprechendem Leumund, Lebenswandel und ökonomischem Status relativ leicht eine Befreiung vom Mindestalter zubilligte.[128]

Es fällt auf, daß Vogt und Stabhalter nur ganz wenigen Ledigen das Prädikat einer guten Aufführung versagten und daß das Oberamt es auch bei den seltenen Fällen von mittelmäßiger und schlechter Aufführung unterließ, eine Maßnahme gegen diese

sind aber auch in diesen beiden Gemeinden klar belegt. In Bahlingen sprachen die Gemeindevorgesetzten den ledigen Burschen »das besondere verdiente Lob einer stillen und eingezogenen so wohl tag als nächtl. Aufführung« aus; dem »Lob einer eingezogenen, untadelhaften Aufführung« der gesamten Jugend mochte auch der Oberbeamte beipflichten, der im Protokoll bemerkte, es sei beim Oberamt seit zwei Jahren keine widrige Anzeige gegen diese jungen Leute mehr vorgekommen; die Vorgesetzten wurden von ihm angewiesen, diese gute Aufführung der Jugend weiterhin zu unterstützen, damit dadurch der Gemeinde »brave und tüchtige Bürger gezogen werden« (GA Bahlingen C VIII Nr. 4, fol. 1–174', Nr. 25, Abschnitt B. bzw. Pkt. B von Abschnitt C.). – Entschieden schwieriger gestalteten sich die Verhältnisse in Denzlingen, wo verschiedene Söhne und Töchter in der Tabelle wegen begangener Unzucht »übel bezeichnet« waren; da sie wegen ihres Vergehens aber bereits bestraft worden waren, hielt der Oberbeamte »eine weitere besondere Correction« beim Frevelgericht für überflüssig und ließ es dabei bewenden, bei der Publikation des Frevelgerichtsprotokolls allen Vätern und Meistern nachdrücklich zu bedeuten, »daß sie auf ihre Kinder und Gesinde ein wachsameres Auge haben, deren Schlafkammern naechtlicher Weile öfters visitiren und hierdurch dem verdaechtigen Zuwandel moeglichst steuren sollen.« (GA Denzlingen 1 B–247, fol. 286'–287').

[128] »Mannspersonen sollen vor dem 25ten Jahr, Weibspersonen aber vor dem 18ten Jahr, ohne besondere Vergünstigung nicht heurathen, und wenn sie unbemittelt sind, die Mannspersonen 6, die Weibspersonen 4 jahre gedient haben« (RepPO 1180; WI I, S. 258; 3 IV 1730). – Zur Dispensation in Heiratsfragen s. Holenstein, Umstände, S. 13 ff.

Tabelle 5.8:
Anzahl, Geschlecht, Alter, Aufenthalt und Lebenswandel der schulentlassenen
Jugend in der Gemeinde Eichstetten, 1789

Rubriken der Tabelle	Burschen, Männer	Mädchen, Frauen
Anzahl erfaßter lediger Jugendlicher	155	155
Altersspanne von – bis	15–44	14–26
14jährige	nicht gezählt	25
15jährige	4	19
16jährige	16	20
17jährige	7	15
18jährige	11	19
19jährige	25	6
20jährige	17	13
21jährige	18	10
22jährige	15	7
23jährige	14	5
24jährige	9	7
25jährige	4	5
26jährige	7	4
27jährige	1	0
28jährige	3	0
29jährige	1	0
30jährige	2	0
44jährige	1	0
Angaben zum Aufenthaltsort: – befindet sich außer Orts – hält sich in Eichstetten auf	 28 (18%) 127 (82%)	 23 (15%) 132 (85%)
Aufführung, Lebenswandel: – gut – mittel – schlecht – ohne Angaben	 148 0 7 0	 148 3 1 3

zu verfügen und diese in die entsprechende Kolonne der Tabelle (»Oberamtliche
Anordnungen«) einzutragen. Die meisten Ledigen mit schlechter Aufführung befanden
sich ohnehin nicht im Ort, sondern hielten sich auswärts auf, sodaß der Oberbeamte
beim Frevelgericht nur zwei ledige Männer und eine ledige Frau vorlud, um
sie »zur künftigen bessern Aufführung unter Bedrohung nachdrücklicher Corrections
Mittel« zu ermahnen. Der 24jährige Johannes Döbele und der 22jährige
Friedrich Biesele fanden sich zwar ein, die 21jährige Christina Bernatin war jedoch
nicht im Ort aufzufinden. Der Oberbeamte wies in der Folge die Vorgesetzten an,

den Lebenswandel der beiden jungen Männer genau zu beobachten, die Bernatin aber bei ihrer Rückkehr des Orts zu verweisen.[129]

Es fällt weiter auf, daß der Oberbeamte Roth nicht mehr daran interessiert war, ob sich unter den ledigen Bewohnern Eichstettens Personen befanden, die in der Wirtschaft ihrer Eltern entbehrlich waren und deswegen dazu verpflichtet werden mußten, sich in Dienste zu begeben. Dies erstaunt umso mehr, als 82% der ledigen Männer und 85% der ledigen Frauen sich in Eichstetten aufhielten und ein großer Teil von ihnen wahrscheinlich noch im elterlichen Haus lebte. Für die 28 ledigen Männer und 23 ledigen Frauen, die sich nicht in Eichstetten aufhielten, vermerkte die Tabelle den Dienst- bzw. Aufenthaltsort, was Aussagen über den Radius der Mobilität dieser Gruppe ermöglicht (Tab. 5.9).

Tabelle 5.9:
Dienst- und Aufenthaltsorte der schulentlassenen, unverheirateten Männer und Frauen, Eichstetten 1789

Aufenthaltsort	Männer	Alter	Frauen	Alter
Bahlingen (Oberamt Hochberg)	2	22, 21	0	–
Basel (CH)	0	–	1	23
Bischoffingen (Oberamt Hochberg)	0	–	1	21
Bötzingen (Oberamt Hochberg)	0	–	1	16
Elsaß	0	–	1	26
Emmendingen (Oberamt Hochberg)	2	20, 19	1	17
Ihringen (Oberamt Hochberg)	0	–	1	21
Königschaffhausen (Oberamt Hochberg)	1	19	0	–
Lahr	1	17	0	–
Mengen (Oberamt Badenweiler)	2	23, 22	0	–
Mundingen (Oberamt Hochberg)	1	19	0	–
Nimburg (Oberamt Hochberg)	2	26, 20	1	18

[129] 229/23271/II, Pkt. 2 in Abschnitt C (2–13 II 1789). – Als sich das Oberamt knapp zwei Jahre nach dem Frevelgericht im Dezember 1790 auf die Anweisung des Hofrats in Eichstetten nach dem Vollzug seiner früheren Anordnungen erkundigte, erfuhr es, daß Döbele in der Zwischenzeit geheiratet hatte, Biesele sich in Rastatt aufhielt und die Bernatin tatsächlich des Ortes verwiesen worden war (Marginalie zu Pkt. 2 in Abschnitt C. des Protokolls; 30 XII 1790).

Aufenthaltsort	Männer	Alter	Frauen	Alter
Schaffhausen (CH)	0	–	1	23
Straßburg	0	–	1	16
Teningen (Oberamt Hochberg)	1	19	0	–
In kaiserlichen Kriegsdiensten	1	22	0	–
Aufenthaltsort unbekannt	15	26, 25, 2×24, 4×22, 2×21, 3×20, 19, 18	14	26, 25, 24, 5×23, 2×22, 3×21, 16
Total auswärts	28		23	

Die Hochberger Frevelgerichtsakten erlauben es, die detaillierten Angaben zur großen Gemeinde Eichstetten noch mit Angaben zu den Orten Mundingen, Teningen und Vörstetten zu ergänzen. Dort hat 1790 ebenfalls ein Frevelgericht stattgefunden (Tab. 5.10).

Das Oberamt übernahm in Mundingen die Einschätzung von Pfarrer und Vogt und befand, daß es angesichts des guten Zeugnisses über die Sitten und Aufführung der ledigen Leute weiter nichts zu verordnen gab.[130] Diese Einschätzung hatte das Oberamt wenige Wochen zuvor schon in Teningen aufgrund der Angaben der dortigen geistlichen und weltlichen Vorgesetzten geäußert. Dem guten Zeugnis von Pfarrer Lapp, Vogt Heß und Stabhalter Groß in Teningen über ihre ledige Jugend mußte das Oberamt aus eigener Erfahrung beipflichten, weil beim Oberamt selber »gegen die hiesige junge Leute seit einigen Jahren wenig Klagen und Anzeigen vorgekommen sind«.[131] Konsequenterweise blieb die Rubrik der »oberamtlichen Verordnungen« in der Tabelle über die ledige Jugend in beiden Gemeinden ohne jeden Eintrag. Allein in Vörstetten ordnete das Oberamt bei einer Reihe von Personen Näheres an: Zwei bisweilen ausschweifend Lebende sollten von den Vorgesetzten genau beaufsichtigt werden. Der dritte Vörstetter mit einem Hang zu Ausschweifungen sollte von den Vorgesetzten zum Dienen angehalten werden. Bei den Vörstetter Deserteuren vermerkte die Tabelle, ob sie Vermögen besaßen und, wenn ja, ob dieses als Folge der Desertion konfisziert worden war. Im Fall der »simpelhaften« 17jährigen Frau aus Vörstetten, die außerdem noch nicht konfirmiert war, vermerkte die Tabelle, diese befinde sich jetzt beim Teninger Schulmeister, der ihr Unterricht erteile. Bei einer 16jährigen Frau mit mittelmäßiger Aufführung, die »ohne Noth« bei ihrer verwitweten Mutter lebte, machten die Ortsvorgesetzten in der Tabelle die Bemerkung, es wäre für diese Frau »dienlicher«, wenn sie in Dienste einträte; diesen Vorschlag griff das Oberamt mit der Verfügung auf, die Frau sollte bis Weihnachten »unfehlbar« zum Dienen angehalten werden.[132]

---

[130] 229/70240/III, fol. 93–101', Pkt. 8 b. (7–30 IX 1790).
[131] 229/105132, fol. 127–138, Pkt. B in Abschnitt C (5–13 VIII 1790.
[132] Die oberamtlichen Anordnungen zur Tabelle über die Vörstetter Ledigen finden sich alle in der Tabelle selbst (229/107983; Beilage Lit. C; 15–18, 21–25, 28–29 IX 1790).

Tabelle 5.10:
Anzahl, Geschlecht, Alter, Aufenthalt und Lebenswandel der schulentlassenen Jugend in den Gemeinden Mundingen, Teningen und Vörstetten, 1790

Rubrik	Mundingen[133]		Teningen		Vörstetten	
Männer	Männer	Frauen	Männer	Frauen	Männer	Frauen
Anzahl erfaßter lediger Jugendlicher	73	65	135	−[134]	65	53
Altersspanne von – bis	40 – 15	45 – 13	72 – 15		39 – 15	53 – 14
13jährige	0	2	0		0	0
14jährige	0	6	0		0	3
15jährige	4	3	4		3	4
16jährige	7	7	11		7	3
17jährige	4	3	13		4	3
18jährige	4	3	6		9	5
19jährige	4	3	2		1	3
20jährige	4	10	8		4	3
21jährige	6	1	14		7	2
22jährige	3	1	13		4	3
23jährige	7	1	11		4	4
24jährige	2	4	6		2	3
25jährige	6	2	7		3	1
26jährige	4	2	8		2	0
27jährige	0	2	5		2	1
28jährige	2	3	2		2	1
29jährige	3	4	0		4	1
30jährige	3	1	2		0	1
31- bis 35jährige	4	5	12		5	6
36- bis 40jährige	6	1	2		2	3
über 40jährige	0	1	10[135]		0	3
Aufführung:[136] – still u. eingezogen, fleißig, gut, unklagbar, noch nie angeklagt, brav, folgsam, außer dem letzten Vergehen still	42	36	−[137]		37	41

[133] Die Zahlen zu Mundingen enthalten auch die Angaben zu drei Einzelhöfen.

[134] Die ledigen Frauen wurden im Fall dieser Gemeinde ohne nähere Begründung nicht verzeichnet.

[135] Teningen hatte unter seinen Einwohnern eine ganze Reihe alter Junggesellen, so je einen Mann mit Jahrgang 1718 und 1725, je zwei mit Jahrgang 1732, 1740 und 1747, je einen mit Jahrgang 1748 und 1749.

[136] Die Rubrik »Aufführung« und die folgende zum Aufenthalts- und Dienstort müssen im Fall der Gemeinde Mundingen zusammen betrachtet werden. Es sieht so aus, als hätten Pfarrer und Vogt bei den Mundinger ledigen Männern Angaben zur Aufführung bei jenen gemacht, die noch im Ort

Rubrik	Mundingen		Teningen		Vörstetten	
Männer	Männer	Frauen	Männer	Frauen	Männer	Frauen
– mittelmäßige Aufführung	0	0			9	1
– schlechte Aufführung	0	0			1	0
– hat uneheliche Kinder	0	8			0	5
– hat nicht den besten Namen	1	2			0	0
– im Zuchthaus	4	0			0	0
– simpel, halb verrückt	0	2			1	1
– teilweise ausschweifend					3	0
– zweimalige Unzucht					0	1
– auf dem Weg der Besserung					1	0

wohnten, bei den außerhalb dienenden aber nur Angaben zum dermaligen Aufenthaltsort. Bei den Mundinger ledigen Frauen und bei den Vörstetter Ledigen trifft dies tendenziell auch zu, doch finden sich bei mehreren, die auswärts dienten, doch auch Angaben zur Aufführung. Dies führt dazu, daß in der Spalte der Mundinger Frauen und der Vörstetter Ledigen unter diesen beiden Rubriken insgesamt mehr Fälle aufgeführt sind, als die Tabelle Namen nennt.

[137] Was das moralische Verhalten der Teninger ledigen Männer betrifft, so gab der Teninger Pfarrer keine Einzelbewertung ab, sondern ließ es bei einem summarischen Hinweis bewenden, der erhellend ist für die praktischen Schwierigkeiten der Vorgesetzten, Kenntnis von bestimmten Übertretungen zu erlangen: Seines Wissens verdiente keiner der ledigen Männer eine besondere Bemerkung. Die zwei mit der schlechtesten Aufführung hätten sich seit einiger Zeit gebessert. »Wenn wir freilich der schon längst bey einer Censur gethanen Aussage des leztern [der beiden], daß alle andere wie er eben so schlecht wären, hätten Glauben beymessen wollen, so könnten wir doch, da uns hierzu die nöthigen Beweise fehlen, keinen andern mit ihm in die Reihe sezen; besonders da die Schaarwächter gegen Vogt und Staabhalter schon mehrmahlen der Folgsamkeit der gesamten leedigen Leute gutes und daher gebührendes Lob ertheilet hätten, aber nur wegen der vielen fremden Handwerks Gesellen, die sich mehrere Freyheit herausnehmen zu dörffen glauben, und sich weniger untersagen zu lassen sich vor berechtiget halten, nicht ganz zufrieden wären. Wir müssen daher alle andern in so lang vor gut in Sitten und Aufführung erkennen und angeben, so lange wir vom Gegentheil durch specielle Beweißgründe nicht überzeuget worden. Was übrigens an dem schon mehrmahligen Gerede, daß in dem einen und andern Wirthshaus über die Zeit heimlich gezecht und gespielet werde, wahr seye, wissen wir nicht anzugeben und müssen daher nur Gelegenheit und Zeit abwarten, biß sie durch einen günstigen Zufal, der entweder einmahl einem Hatschier oder Schaarwächter glückt, darüber angetroffen werden. Ebenso verhält es sich auch mit dem gemeiniglich damit verknüpften und darauf folgenden, auch schon oft darüber geklagten Nachtschwärmen. Da Eltern und Hausväter aber wissen sollten, ob ihre Kinder oder Dienstboten zur gehörigen Zeit im Hause sind und in ihren Betten liegen, und ihre Hausthüren so verwahren sollten, daß keines derselben ohne zu machendes Geräusch nach der Hand mehr hinausgehen könnte, so wäre unser ohnmaßgeblicher Vorschlag, eine solche geschärfte Verordnung zu veranstalten, krafft deren bey einem sich nächtlicher Zeit ereignenden Exceß oder auch nur erwiesenem Ausbleiben über die bestimmte Zeit nicht nur diejenigen, welche ihn vollbracht oder sich auch nur des überzeitigen Ausbleibens schuldig gemacht, die seyen hernach Kinder oder Dienstboten, sondern auch deren Eltern oder Haußvätter zur gebührenden Strafe gezogen würden, so wie es schon bey denen Wärthern unseres Erachtens gehalten wird, welche mit jenen zur Verantwortung gezogen werden, wenn sie über Spielen bey ihnen und dem über die gesetzte Zeit ihnen gegebenen Aufenthalt angeklagt werden.« (229/105133; Beilage 5). – Den Antrag des Pfarrers auf eine verschärfte Verordnung, die auch Eltern und Dienstherren bei nächtlichem Unfug von jungen Leuten wegen unterlassener Aufsicht bestrafen sollte, wollte das Oberamt allerdings nicht gutheißen, da auch die sorgfältigste Aufsicht und Wachsamkeit nicht jedes Auslaufen und jeden nächtlichen Unfug verhindern konnte (229/105132, fol. 127–138, Pkt. B).

Rubrik	Mundingen		Teningen		Vörstetten	
Männer	Männer	Frauen	Männer	Frauen	Männer	Frauen
Angaben zum Aufenthalts- und Dienstort:						
– dient/arbeitet in der Nachbarschaft	13	17	4		7	11
– dient in Lörrach	1	1	0		0	0
– lehrt in Karlsruhe	1	0	0		0	0
– dient in Pforzheim	0	1	0		0	0
– dient/arbeitet in der Schweiz	1	3	2^{138}		0	0
– ist beim fürstlichen Militär	2	0	2		1	0
– ist beim kaiserlichen Militär	0	0	1		0	0
– dient als französischer Soldat	0	0	1		0	0
– ist auf der Wanderschaft	3	0	19		3	0
– ist in der Fremde	4	0	0		2	0
– dient außerhalb	1	1	11		0	0
– ist »contract« (?)	0	0	2		0	0
– Aufenthalt unbekannt	0	0	0		0	0
– taub und stumm	0	0	1		0	0
– lebt für sich					2^{139}	7^{140}
– lebt bei Mutter/Vater/Eltern					0	9
– Deserteur					3	0

Die drei Tabellen für Mundingen, Teningen und Vörstetten liefern einige bemerkenswerte sozialhistorische Informationen. Nach dem 18. Lebensjahr waren, von wenigen Ausnahmen in einzelnen Jahrgängen abgesehen, auch in Mundingen und Vörstetten die ledigen Männer im Vergleich zu ihren ledigen Genossinnen desselben Jahrgangs tendenziell in der Überzahl. Die Zahl der ledigen Männer ging auch hier erst mit dem Näherrücken des 25. Geburtstages, nach dem Männer ohne weitere Dispensation heiraten durften, zurück. Deutlich wird aber auch, daß 1789/1790 in allen vier untersuchten Hochberger Gemeinden Männer und Frauen lebten, die mit einer gewissen Wahrscheinlichkeit ihr Leben lang ledig bleiben würden und für die somit der Ledigenstand mehr als eine Lebensphase darstellte. Besonders in Teningen lebte 1790 eine auffallend große Zahl von ledigen Männern, die über 30 Jahre alt waren. Die neun ledigen Frauen in Vörstetten, von denen es in der Tabelle hieß, sie lebten noch bei den Eltern oder einem Elternteil, waren Frauen, die das gesetz-

---

[138] Aus Teningen arbeiteten auffallenderweise zwei Geometer im Bernbiet.

[139] Bei den beiden Haushalten von Junggesellen handelte es sich um einen 38jährigen Schneidermeister, der sich ordentlich aufführte, sowie um einen 31jährigen Mann, der angeblich manchmal ausschweifend lebte.

[140] Die sieben Frauen, die für sich lebten, gehörten alle zur Gruppe der ältesten ledigen Frauen.

liche Heiratsalter schon länger überschritten hatten und die freiwillig oder unfreiwillig, so z. B. für die Pflege ihrer Eltern, auf die Gründung eines eigenen Haushaltes verzichtet hatten.[141]

Bemerkenswert ist weiter, daß sich der an der Gemeinde Eichstetten gewonnene Eindruck bestätigt hat, wonach der behördliche Druck auf die jungen Leute, sich auswärts zu verdingen, nicht sehr groß war. Anders wird man die Beobachtung wohl kaum deuten können, daß die zahlreichen noch in der Gemeinde lebenden Ledigen nicht häufiger von seiten des Oberamts zum Dienen angehalten wurden.

Die Mundinger, Teninger oder Vörstetter Ledigen, die ihre Gemeinde verließen, taten dies grundsätzlich aus denselben Gründen und mit ähnlichen Zielen wie ihre Altersgenossen in Eichstetten. Sie suchten eine Dienststelle oder einen Arbeitsplatz häufig in der näheren Umgebung, zuweilen aber auch in größerer Entfernung und im Ausland. Nicht wenige befanden sich auf der gesetzlich vorgeschriebenen Wanderschaft als Weber-, Metzger-, Küfergesellen, einige waren in den badischen Militärdienst getreten (und waren zum Teil wieder desertiert) oder dienten unter fremden Fahnen.

Schließlich verdient hervorgehoben zu werden, daß es häufiger uneheliche Kinder in den Gemeinden gab. Verschiedenen Äußerungen der geistlichen und weltlichen Vorgesetzten ist zu entnehmen, daß man einen recht pragmatischen Umgang mit dem Phänomen der vorehelichen Sexualität und unehelicher Schwangerschaften pflegte. Bei vier ledigen Frauen des Dorfes Mundingen notierten Pfarrer Sprenger und Vogt Zwahl in der Tabelle, sie hätten uneheliche Kinder, führten sich sonst aber gut auf. Und unmittelbar im Anschluß an die Liste der ledigen Mundinger Männer bemerkten die beiden Vorsteher weiter: »P. N. Insofern das fast allenthalben übliche nächtliche Besuchen und Aufsteigen zu den Läden, vielleicht auch wohl manchmal Einsteigen durch die Läden der Schlaf Zimmer der ledigen Dirnen dem den ledigen Söhnen zu ertheilenden Zeugnuß einer guten Aufführung im Weg stehen solte, so würde ich mir solches nicht wohl einem zu geben getrauen, um nicht wider die Wahrheit zu sündigen; dann dießfalß heißts bei ihnen: narra vere patres (?)«.[142]

5.4 Die Sorge um den »Nahrungsstand« in den Gemeinden: Die Agrarreformen als Gegenstand der Frevelgerichte

Die demographische und soziale Entwicklung der badischen Landgemeinden in der zweiten Hälfte des 18. Jahrhunderts machten die Ernährung der Bevölkerung zu einem zentralen Thema »guter Policey«. Die Verbesserung der Einkommens- und

---

[141] Die neun Frauen waren 45, 36, 33, 32, 31, 29, 28, 27 und 24 Jahre alt.
[142] 229/70240/III, Beilage 6.

Ertragslage der Untertanenhaushalte rückte zu einem zentralen Anliegen der Obrigkeit und Reformkreise auf.[143] Die zeitgenössische Bürokratie sprach von der Notwendigkeit zur »Hebung des Nahrungsstandes«[144] und hat dazu verschiedene Mittel ins Auge gefaßt. Einmal waren die Behörden an der statistischen Erfassung der Situation in den Gemeinden interessiert (5.4.1), dann förderten sie seit den 1760er Jahren besonders agrarische Reformprojekte, die eine Steigerung der landwirtschaftlichen Produktion und Produktivität als Grundbedingung zur »Hebung des Nahrungsstandes« bewirken sollten (5.4.2). Sowohl bei der Erhebung der einschlägigen Daten über die Vermögens- und Sozialverhältnisse in den Gemeinden als auch bei der Aufsicht über die Umsetzung der Reformvorhaben in der Landwirtschaft in den Gemarkungen der Landorte spielten die Frevelgerichte eine Rolle.

5.4.1 Die Erhebung des »Nahrungsstandes« in den Gemeinden als sozialstatistischer Vorgang

In den bereits ausführlicher erörterten Gutachten und Instruktionsentwürfen des Rentkammerpräsidenten Reinhard von Gemmingen und des Badenweiler Oberbeamten Johann Michael Saltzer von 1748 und 1755 finden sich die frühesten Anregungen, aus Anlaß der Frevelgerichte Daten über den Nahrungsstand der untersuchten Gemeinde insgesamt und ihrer einzelnen Haushalte zu Verwaltungszwecken zu erheben. Von Gemmingen regte 1748 an, bei Frevelgerichten sollten die Oberbeamten nachsehen, »wie der Nahrungs-Zustand der Vogtey und deren Individuorum sich befinde, wie solcher zu verbeßeren, ob üble Haußhalter in der commun befindlich, und müßte solche zu corrigiren getrachtet werden.«[145] Saltzer schlug

---

[143] Vgl. die Angaben zur demographischen Situation in Baden-Durlach oben in Kap. 1.5.

[144] Zentral zum »Nahrungs«-Begriff Renate Blickle, Nahrung und Eigentum als Kategorien in der ständischen Gesellschaft, in: W. Schulze (Hg.), Ständische Gesellschaft und soziale Mobilität, München 1988, S. 73–93.

[145] Zitiert nach dem Auszug aus dem Gutachten im Dienstinstruktionsentwurf Johann Michael Saltzers von 1755 (74/1322, Beilage Lit. D; 20 II 1748). – Zur Entwicklung der staatlichen Zählung von Personen, Häusern und Vieh in Baden-Durlach vgl. Drais I, S. 196–199, Windelband, Verwaltung, S. 107 f.; Meinrad Schaab, Die Anfänge der Landesstatistik im Herzogtum Württemberg, in den Badischen Markgrafschaften und in der Kurpfalz, in: ZWLG 26 (1967), S. 89–112, bes. S. 98–103; Ders., Bevölkerungsstatistik, bes. S. 180–196. – Für die zeitgleichen Erhebungen in Bayern und in Württemberg s. neuerdings Helmut, Rankl, Landvolk und frühmoderner Staat in Bayern 1400–1800, München 1999, S. 1028–1050 und Wolfgang von Hippel, »Landesbeschreibung« im Zeitalter der Aufklärung. Eine württembergische ›Landesstatistik‹ aus dem Jahr 1769, in: ZGO 147 (1999), S. 537–549. Das Interesse des Markgrafen an der »vollkommenen Kenntnis seines Landes« sowie an der tabellarischen und kartierten Darstellung dieses Wissens zeigt sich auch in dessen persönlichen Aufzeichnungen (s. Obser, Papiere, in: ZGO NF 26 (1911), S. 443–481, hier S. 456 ff.). – Der interaktive Aspekt statistischer Erhebungen, wie er hier an den Frevelgerichten namhaft gemacht wird, steht im Mittelpunkt der Untersuchung von Bulst, Hoock, Bevölkerungsentwicklung. – Die neue Funktion der badischen Frevelgerichte bei

1755 in seinem Entwurf für eine Dienstinstruktion für Oberbeamte vor, daß bei einem Frevelgericht in der jeweiligen Gemeinde »die Vermögens-Beschaffenheit, deßen Verfall, Verbeßerung, samt denen Mitteln, wie etwa zu helffen«, eruiert werden sollten. »Die meiste Bemühung« sollten die Oberbeamten auf die Policey verwenden, »krafft deren man α.) in das Vermögen, die Glücks-Umstände, den Handel und Wandel, den Verfall oder Auffkommen derer Innwohner und junger Leuthe, β.) die Nahrungs-Verbeßerung derselben, (...) auf das genaueste inquiriret, straffet, drohet, ermahnet, belohnet, verbeßert, neue Ordnungen errichtet, Augenschein einnemmet, und alles das besorgt, wordurch die aüßerliche Glückseeligkeit einer Gemeind und ihrer Glieder begründiget und befestiget werden kan«.[146] Die größte Sorge eines Oberbeamten mußte für Saltzer der Frage gelten, wie »denen (...) Unterthanen nach dem Unterschied ihres Standes und ihrer Umstände die Leibes-Nothdurfft, die Nahrung, der Überfluß und Bequemlichkeit verschafft, wie selbe erhallten, wohl angewendet und vermehret werden mögen«.[147] Es war dessen Pflicht, »so viel es in der menschlichen Unvollkommenheit seyn kan, zu verhindern, damit Niemand mit oder ohne Verschulden in Unglück, Armuth und Elend gerathen möge«. Unglückliche, elende und arme Menschen sollte er aus ihrem Verderben, »als weit es geschehen kann«, retten und den Armen ihre »Notdurft« verschaffen. Dazu mußte er sich nach dem Vermögen der ihm untergebenen Städte, Dörfer, Gesellschaften und Personen erkundigen, Mängel untersuchen und mit Verbesserungen in der Landwirtschaft, durch die Ansiedlung von Gewerben und Handwerkern den Nahrungsstand zu verbessern.[148] Je früher sich der Oberamtmann »eine genaue Erkantniß von denen guten und bösen Eigenschafften der ihme anvertrauten Unterthanen, von ihrer Nahrung und Gewerben, von der Fruchtbarkeit und Unfruchtbarkeit ihrer Bänne, von deren Gebrechen und denen Mitteln, solchen abzuhelfen«, anzueignen wußte, desto besser war er imstand, »an ihrer Wohlfahrt nach seiner Schuldigkeit mit Nutzen zu arbeiten«.[149] Der rechte Begriff von Policey schien Saltzer gerade darin zu bestehen, daß »durch selbe den Unterthanen eines Landes Gesundheit, Nahrung, Nothdurfft, Reichthum, Nutzen und Bequemlichkeit verschaffet wird.«[150]

---

der Erhebung von statistischem Material korrespondiert auffällig mit dem Funktionswandel, den Lang für die katholischen Kirchenvisitationen festgestellt hat; Lang konstatiert für die Frühzeit der Visitationen im 16. Jh. ein Übergewicht der Visitationsfragen zu den persönlichen Verhältnissen, dies sei im 18. Jh. durch ein Übergewicht der »Realia« und den »schon fast manischen Hang zum Auflisten statistischer Einzelheiten« abgelöst worden (Lang, Kirchenvisitation, S. 273 f.).

[146] § 99 (74/1322; 10 II 1755).
[147] § 55 (74/1322; 10 II 1755).
[148] § 56 f. (74/1322; 10 II 1755).
[149] § 13 (74/1322; 10 II 1755).
[150] § 48 (74/1322; 10 II 1755). – S. zu diesem Verständnis von Glückseligkeit Meyer, Wirtschaftswachstum, S. 25–59.

Saltzers Vorschläge zur Neukonzeption der Frevelgerichte flossen unmittelbar aus dessen Amtspraxis im Oberamt Badenweiler. Saltzer hatte wenige Monate vor der Niederschrift seines Instruktionsentwurfs im Sommer 1753 in allen Vogteien seines Amts Frevelgerichte im Sinne seines Konzepts durchgeführt und die Ergebnisse 1754 dem Markgrafen in einem umfangreichen Bericht über den inneren Zustand der Badenweiler Vogteien mitgeteilt.[151] Sein policeylich-politisches Selbstverständnis war ganz vom Glückseligkeitsideal der Kameralisten und Policeytheoretiker seiner Zeit geprägt.

Das Land ist glücklich, in welchem eine proportionirliche Anzahl weiser, vernünftiger, tugendsamer, gesund und starcker Unterthanen unter einem huldenvollen und vätterlich gesinnten Herrn im Frieden miteinander lebet und in deme ein jeder zu seiner eigenen wahren Wohlfahrt, Nahrung, Nutzen und Bequemlichkeit durch billige Gesetze und erlaubte Mittel geleitet wird, alle zusammen zu einer ächten Glückseeligkeit alsdann gelangen, wenn die Nahrungs Säffte in einem proportionirlichen Umlauf sich befinden, nicht verschwendet, nicht außer Land gesendet, sondern von auswärts her vermehret werden. Ein erleuchteter Verstand, ein tugendsamer Wille ist das erstere Mittel, die Individua eines aus Geschlechtern, Gemeinden, Städten und Herrschafften bestehenden Gemeinen Weesens, ein jedes aber in seiner Art, in seiner Reyhe, und in seinem unterschiedenen Zirckel glückl[ich] zu machen.[152]

Ganz im Sinne der zeitgenössischen Vorstellungen des Kameralisten Justi, dessen Entwürfe für die Anlage von »Polizeitabellen« ein »umfassendes Konzept der verwaltungsorganisatorischen Aneignung des Wirtschaftsraumes« verrieten,[153] brachte Saltzer die Ergebnisse seiner Beobachtungen zu den Badenweiler Vogteien in tabellarische Form. Wie detailliert und mit welchem Erkenntnisinteresse Saltzer bei den Frevelgerichten 1753 Einblick in die sozialen und wirtschaftlichen Verhältnisse der Gemeinden und ihrer Bewohner genommen hat, zeigt sein Bericht, der für jede Vogtei Angaben über den Zustand von Landwirtschaft, Gewerbe und Handwerk, über die Vermögenslage und die Anzahl der bemittelten, mittleren und der armen Haushalte sowie der »Lumpen« machte.[154] Fluchtpunkt seiner Überlegungen blieb immer die Frage, welche Maßnahmen ergriffen werden konnten, um die Arbeits- und Verdienstmöglichkeiten der Haushalte und die Einkommenslage der Gemeinden zu verbessern.

---

[151] 108/265 (2 IX 1754). – Saltzers Bericht paraphrasiert bei Notheisen, Gemeinden.

[152] 108/265, fol. 22 f. (2 IX 1754).

[153] Sandl, Staatswirtschaft, S. 179 ff.

[154] Saltzers Gruppenbildung entsprach offenbar einem verbreiteten Schema. Als Landschreiber Wild 1760 den Zustand des Oberamts Hochberg beschrieb gliederte er seine tabellarischen Angaben ebenfalls in »reiche«, »mittelbegüterte« und »arme« Haushalte sowie »Lumpen« (Ludwig, Hochberg, S. 29). – Charakteristisch für diese Frühform der statistisch-tabellarisch Erfassung ist das Nebeneinander von quantitativen und qualitativen »Maßeinheiten«, was wesentlich deutlicher als die späteren reinen Zahlenstatistiken den prinzipiell interpretativen und diskursiven Charakter aller Statistik offenlegt.

Saltzers Lob galt jenen Vogteien, wo eine gewisse Gleichheit in den Vermögens-verhältnissen herrschte, so etwa in der Vogtei Opfingen, weil damit »ein Damm wider Mißgunst, Unterdruckung und Gewaltthätigkeit« gegeben war, der Frieden im Ort regierte und der »Process-Geist (...) von da verbannet« wurde.[155] Ähnlich waren die Verhältnisse in der Vogtei Tiengen, wo die 72 Haushalte »zum Hausen gewohnt« waren und auch die Armen, »wann sie wollen, sich mit der Hände Arbeit ernähren können«.[156] Bei gewissen Vogteien erhielten Saltzers Äußerungen geradezu den Charakter volkskundlich-kulturpsychologischer Exkurse, die sich über den Einfluß des sogenannten Volkscharakters auf das Zusammenleben und Wirtschaften der Menschen ausließen.[157] Die Vogtei Mengen pries Saltzer als einen gesegneten Ort, dem es an nichts gebrach. Die Einwohner Mengens unterschieden sich »vollkom-men« von jenen der anderen unteren Vogteien in der Herrschaft Badenweiler:

Sie haben mehr Witz als alle. Sie haben aber auch größten Theils mehrere Boßheit. Sie sind voller Verstellung und von Natur zum Spotten auf eine solche Art geneigt, daß der Neben Mensch ihre Absicht so geschwind nicht mercken kan. Unter sich traut keiner dem andern. Heimlicher Neyd, Haß und Mißgunst sind ihre SchoßSünden, und dahero ist auch immer ein verborgener Saame der Uneinigkeit unter ihnen gewesen, der, wie es vor einigen Jahren in einen offentl. Streit ausgebrochen, noch jetzo also nicht ganz gedämpft ist. Sie dünken sich zu klug, als daß sie den höhern Verord-nungen mit willigem Gehorsam folgen sollten. Sie müßen wie Bauren gezwungen werden. Allein bey all dieser sittlichen Beschaffenheit sind sie treffliche Haußhalter. Es sind unter ihnen viele reiche Bauren. Ihre größte Nahrung ziehen sie zwar von der Frucht. Allein! von der Vieh Mastung machen sie grosen Profit. Sie kaufen im Früh-jahr einige hundert Ochsen ein. Sie bauen damit durch den Sommer ihr geschlachtes Feld. Im Spät-Jahr mästen sie dieses Horn Vieh mit denen Rüben, die in dasigem Bann eben so häufig gebaut werden, so sehr wohl sie darinnen gerathen, fett und verkaufen es im Winter an die aus Straßburg, aus dem Elsaß und von Basel kommen-den Metzger. Auch der Hanf wachse dort am schönsten, und aus dem Kraut werde auch ein Beträchtliches erlöst. Es seien da auch einige »Lumpen« anzutreffen, denen nicht mehr zu helfen sei. In Zukunft aber werden bey den jetzigen Anstalten deren wenige mehr entstehen können. (...) Es ist diesem nach, da alle Unterthanen, die allein hausen wollen, ihre Nahrung finden können, im oeconomischen Weesen nichts zu verbessern. Im sittlichen Zustand aber vorgedachter masen vieles zu desideriren.[158]

Die Vogteien Schallstadt und Wolfenweiler verfügten nur über einen kleinen Bann, viele Güter waren dort im Besitz benachbarter Fremder, so daß die Bewohner ihr Feld nie brach liegen lassen konnten, sondern es jährlich größtenteils mit Gerste anbauten. Hanf, Kraut, Bohnen, Rüben und Kartoffeln wurden da »in der Menge allein zur Nothdurft gebauet«, doch einige vermögende Bauern in Schallstadt und

---

[155] 108/265, fol. 3–4 (2 IX 1754).
[156] 108/265, fol. 4–6 (2 IX 1754).
[157] Das Beispiel belegt, wie früh in der Verwaltungspraxis des 18. Jhs. ein praktisches Interesse an der Kenntnis von »Land und Leuten« vorhanden war. Zum größeren Kontext s. die Bemerkungen zur Entwicklung der Statistik und »Volkskunde« im 18. Jh. oben in Kap. 1.2.
[158] 108/265, fol. 6–7 (2 IX 1754).

Wolfenweiler waren in der Lage, einen Teil ihrer Produktion zu vermarkten. Das Haupteinkommen dieser beiden Vogteien bestand im Verkauf des Weins, der in größeren Mengen und guter Qualität wuchs und in die Nachbarschaft und zum Teil bis nach Schwaben gehandelt wurde. »Es können sich dahero alle Leute, welche schaffen wollen, allda ernähren. Auch sind eben deßwegen wenig ganz arme oder gar unvermögliche Leute alda, dagegen etlich wenige ausgehaußte Burger anzutreffen.« Zwar waren die Einwohner von Wolfenweiler nicht so vermögend wie jene von Schallstadt, dennoch war dort dank der trefflichen Bemühungen rechtschaffener Vorgesetzter »gar viel besser gehauset worden« als in Schallstadt. Den Charakter der Einwohner schilderte Saltzer als friedliebend, gut und folgsam, doch waren einige Untertanen »durch ein unglückliches Schicksal (...) ins Processiren gerathen und haben zum Theil den Lohn ihrer gesuchten Ungerechtigkeit schon empfangen, zum Theil aber noch zu erwarten. Es sind nehml. einige davon gänzlich verdorben, andere auf dem Weeg. Es ist ihnen aber bey ihrem mißtrauischen Eigensinn nicht zu helfen. Die Advocaten gewinnen darbey. Meines Orts habe ich alles, sie zu retten, angewandt.«[159]

Zwar lag Wolfenweiler an der Landstraße von Basel nach Freiburg, wegen der schlechten Wirtshäuser des Orts hielten die durchkommenden fremden Güterwagen öfters nicht und entzogen »dem Dorf dadurch die Nahrung«. »Ex plenitudine potestatis« mußte hier nach Saltzers Vorstellungen Abhilfe geschaffen werden, indem die Gemeindestube und das zweite Wirtshaus mit tüchtigen Wirten besetzt wurden; zudem war auch darauf zu sehen, daß »dem Wein als dem vornehmsten Stück der dasigen Nahrung ein hinlänglicher Debit verschafft werden möge.«[160]

Am prekärsten waren die Verhältnisse in der Vogtei Badenweiler: Sie war unter allen Vogteien des Oberamts wohl die ärmste, und ihre kleinen Dörfer verfügten über fast gar keine sicheren Einkünfte, so daß sie zur Bestreitung ihrer Ausgaben und zur größten Beschwerde der Orte öfters außerordentliche Schatzungen auf ihre Einwohner umlegen mußten.[161] »Hieraus erhellet aber die große Nothwendigkeit, auf die mögliche Verbeßerung der Nahrung derer Unterthanen und der Gemeinds Einkünffte um so ernstlicher zu gedencken, je mehr die Nahrung der gedachten Unterthanen durch den täglichen Abnahm des Eisenbergwercks und Factorie Oberweyler, durch die zusammengehende Waldungen, in welchen es folglich mit der Kohl- und Holz-Arbeit nicht viel mehr zu thun gibt, geschwächet wird. Und dies war eine von meinen [Saltzers, AH] vornehmsten Bemühungen bey letzterm Frevelgericht. Ich habe mit denen Vorgesetzten und Richtern darüber umständlich ge-

---

[159] 108/265, fol. 7–8 (2 IX 1754).
[160] 108/265, fol. 7–8 (2 IX 1754).
[161] 108/265, fol. 8–15 (2 IX 1754). – Nach einer ungefähren Berechnung nahmen die Vogtei 86 fl., die Gemeinden Badenweiler 12 fl., Oberweiler gegen 50 fl., Niederweiler 15 fl., Lipburg 30 fl., Zunzingen 40 fl. und Schweighof 7 fl. im Jahr ein. »Welch ein Bagatell ist nicht das bey denen vielen Nothwendigkeiten eines gemeinen Weesens.

sprochen und die Mittel zu solchem Endzweck zu gelangen beherziget. Sie sind aber schwehr zu finden«, denn die Einwohner vermehrten sich täglich, die Güter wurden »verstücket« und die Nahrung war folglich immer schwieriger zu beschaffen. In der Vogtei hatte man das Schloßwäldlein von ca. 12 J. neu gerodet und stückweise an die Untertanen verkauft, doch jetzt ließen sich keine neuen Äcker, Reben oder Matten mehr anlegen oder große Verbesserungen an diesen vornehmen. Auch die Viehzucht ließ sich nicht mehr weiter vorantreiben, sodaß Saltzers Hoffnungen zur Verbesserung des Nahrungsstandes auf dem Gewerbe- und Dienstleistungsbereich ruhten. Mit einem neuen Betriebskonzept und neuen Angeboten sollten wieder vermehrt auswärtige Gäste in die Bäder von Badenweiler gelockt werden, ebenso sollten wieder Jahrmärkte eingeführt werden, und die Gemeinden sollten ihre Einnahmen vermehren, indem sie Allmendstücke in Mattland umwandelten und den jährlichen Ertrag zum eigenen Nutzen zu Kapital anlegten.[162]

Nach diesem Muster untersuchte Saltzer auch die übrigen Vogteien der Herrschaft Badenweiler, wobei sein Bericht immer das starke Interesse für den Zusammenhang zwischen der örtlichen Sozialstruktur, den Arbeits- und Verdienstmöglichkeiten und dem kulturell-habituellen Charakter der Gemeindebewohner erkennen läßt. In diesem Rahmen suchte er jeweils nach Maßnahmen zur Verbesserung der Ertrags- und Einkommenslage der Gemeinden und Einzelhaushalte. Diese Maßnahmen bewegten sich der Situationsanalyse entsprechend innerhalb eines weiten Spektrums, das sowohl praktische infrastrukturelle und wirtschaftliche Vorkehrungen als auch erzieherische Mittel umfaßte. So befand Saltzer bei den drei Orten Britzingen, Dattingen und Muggardt, die dortigen »Lumpen« könnten »durch scharfe Curen noch gerettet werden«.[163] In den beiden Vogteien Seefelden und Buggingen fand Saltzer sehr reiche, viele vermögende, wenig arme Leute und überhaupt keine »Lumpen« vor. »In beeden kan, wer schaffen will, sich ernehren.«[164] Auch für die Vogtei Müllheim gelangte Saltzer zum Schluß: »Wer schaffen will, hat zu leben«. Die Probleme dieser Vogtei lagen stärker in den gespannten sozialen Verhältnissen, in der allgemeinen Verachtung der Vorgesetzten und in der starken Faktionsbildung in der Bewohnerschaft. »Nicht selten werden heßliche Pasquillen ausgestreut, die Garten, die Felder beraubt und viele Bosheiten ausgeübt.« Saltzer unterließ es deswegen nicht, »mit dem nöthigen Ernst desto mutiger dagegen zu eyfern, je deutlicher man davon den offenbaren Nutzen verspüret, dann es sind viele Boßheiten abgestellet worden«.[165] Auch wenn sich der Nahrungszustand in der Vogtei Müllheim allgemein in guter Verfassung befand, so erblickte Saltzer auch hier noch manche Möglichkeit zur Verbesserung, zur Anlage von Manufakturen und Gewerben, zur Einrichtung von Bauplätzen für Fremde durch landesherrliche Verfügung und besonders zur

---

[162] 108/265, fol. 8–15 (2 IX 1754).
[163] 108/265, fol. 15–15' (2 IX 1754).
[164] 108/265, fol. 16'–18 (2 IX 1754).
[165] 108/265, fol. 19–21' (2 IX 1754).

Ansiedlung jener Professionisten, die in Müllheim noch fehlten und gleichwohl in einem so großen Ort nötig waren (z. B. eines Apothekers).

Zusammenfassend ergab sich für Saltzer ein gemischtes Bild der allgemeinen Verfassung der Herrschaft Badenweiler. Betrachtete man allgemein die Vogteien und Gemeinden, so mußte man nur deren drei (Badenweiler, Britzingen und Haslach) als arm bezeichnen, weil sich ihre meisten Einwohner armselig ernährten. Die andern Vogteien standen besser da, und einige waren gar verhältnismäßig reich. Faßte man hingegen die Einwohner nach ihren unterschiedlichen »Classen« ins Auge, so waren die wenigsten reich, mehrere hatten ein mittleres Vermögen, doch die meisten waren so arm, daß sie ihr Brot säuerlich verdienen mußten.[166] Auf der Grundlage der Konsignationen, die ihm die Vorgesetzten anläßlich der Frevelgerichte überreicht hatten, stellte Saltzer in einer Beilage zu seinem Bericht die Angaben zur Vermögensstruktur der Einzelhaushalte in den Vogteien tabellarisch zusammen (Tab. 5.11).[167]

Tabelle 5.11:
Die Vermögenslage der Haushaltungen in den 13 Vogteien der Herrschaft Badenweiler, 1754

Vogtei	gutes Vermögen	mittelmäßiges Vermögen	schlechtes Vermögen	»Lumpen«	Summa
Müllheim	46 (14,6%)	112 (35,4%)	150 (47,5%)	8 (2,5%)	316
Hügelheim	25 (25,5%)	33 (33,7%)	38 (38,8%)	2 (2,0%)	98
Buggingen	24 (18,8%)	40 (31,2%)	64 (50,0%)	0 (0,0%)	128
Seefelden	16 (15,4%)	42 (40,4%)	46 (44,2%)	0 (0,0%)	104
Laufen	8 (6,3%)	43 (33,6%)	72 (56,2%)	5 (3,9%)	128
Britzingen	6 (3,1%)	46 (23,6%)	135 (69,2%)	8 (4,1%)	195
Badenweiler	25 (9,2%)	74 (27,1%)	170 (62,3%)	4 (1,4%)	273
Wolfenweiler	26 (29,5%)	29 (33,0%)	30 (34,1%)	3 (3,4%)	88
Schallstadt	21 (28,0%)	23 (30,7%)	29 (38,7%)	2 (2,6%)	75
Mengen	31 (25,4%)	32 (26,2%)	54 (44,3%)	5 (4,1%)	122
Tiengen	18 (25,0%)	20 (27,8%)	32 (44,4%)	2 (2,8%)	72
Opfingen	7 (4,7%)	105 (70,0%)	36 (24,0%)	2 (1,3%)	150
Haslach	0 (0,0%)	5 (13,5%)	32 (86,5%)	0 (0,0%)	37
Summa	253 (14,2%)	604 (33,8%)	888 (49,7%)	41 (2,3%)	1786

---

[166] 108/265, fol. 21' (2 IX 1754).
[167] Der Bericht äußerte sich nicht zu den Richtwerten für diese Einteilung, insbesondere fehlt auch eine genauere Qualifizierung der »Lumpen«. – Die tabellarische Darstellung qualitativer verbaler Informationen neben der Vermittlung von quantitativen Daten ist ein Kennzeichen der frühen Statistik des 18. Jhs. (Johannisson, Numbers, S. 345).

Am prekärsten war nach Saltzers Einschätzung die Lage jener Untertanen, »welche man Einspänniger nennet, das ist, solche Leuthe, welche ein oder ein paar Stück Vieh und ein kleines Güthlen haben und sich kaum darmit ernehren können«. Ihr Fortkommen war »beynahe übler« als jenes der Taglöhner, sofern sie nicht noch einem Gewerbe nachgehen konnten, denn der geringe Ertrag ihrer Gütlein ließ keine Ersparnisse zu, sie mußten alles für den Unterhalt ihrer Familien und »auf Schiff und Geschirr« verwenden und waren beim geringsten Unglück (Wetter, Verlust von Vieh etc.) gezwungen, sich zu verschulden, »um nur ihren Feldbau wieder treiben zu können«.[168]

Auf die drei Viertel der Untertanenhaushalte, die »größten Theils in schmahlen Umständen sich befinden«, hatte der Markgraf demnach seine »landesväterliche Obsorge insbesondere zu richten und (...) ihr Schicksaal zu eben der Zeit zu verbessern, da höchst Deroselben Interesse dadurch vermehret wird.«[169] Eine ganze Reihe von Vorschlägen wußte Saltzer dem Markgrafen in dieser Hinsicht zu unterbreiten, die ganz im Sinne der kameralistischen Wirtschaftslehre die »Landes-Oeconomie« so einzurichten suchten, daß die Ausfuhr von Geld aus dem Land verhindert und der Zustrom von fremdem Geld ins Land gefördert wurden. Zu diesem Zweck sollten besonders Tuche, »womit die Bauersleute über ihren Stand sich kleiden und dabei die selbst zu fabrizierenden Zeugen [i. S. von Tuchzeug, AH] verachten«, im Land selbst hergestellt werden; dies schuf Verdienstmöglichkeiten für jene, denen das Brot fehlte. Saltzer beklagte zudem den schlechten Zustand des Handwerks in der Herrschaft; einmal litt das »Publicum« darunter Schaden, dann entgingen dem Land dadurch Tausende von Gulden Einkommen. Es fehlte vor allem an gut qualifizierten Maurern, Steinhauern, Zimmerleuten, Schreinern, Schlossern und Webern. Saltzer erinnerte daran, daß gemäß einer fürstlichen Verordnung alle Gebäude aus Stein gebaut werden sollten, und er wies darauf hin, daß überall tüchtige Brücken gebaut würden und jedermann gewölbte Keller und saubere Häuser haben wolle. »Wie viel Maurer und Steinhauer erfordert nicht ein solches Gesetz?« Statt daß diese Arbeiten aber von tüchtigen einheimischen Handwerkern ausgeführt wurden, wurden die meisten wegen der teuren Pfuscherei der einheimischen Handwerker von Maurern und Steinhauern verrichtet, die jedes Jahr aus Tirol, aus dem Allgäu und anderswoher ins Land kamen und nach der Arbeit das Geld aus dem Land zogen. Saltzer verlangte deshalb nach einer Verordnung des Fürsten, mit der viel mehr Untertanen, besonders die in der Landwirtschaft entbehrlichen, auf die Handwerke angesetzt und zum Wandern »in diejenige Gegend, wo diese oder jene Profession besonders trefflich betrieben wird«, angehalten wurden.[170] »So wird ein natürliches, ein nützliches, ein ungezwungenes Commerce gepflanzt, darauf die LandesHerrschafft lediglich nichts zu verwenden hat, als etwa denen, die was be-

---

[168] 108/265, fol. 21' f. (2 IX 1754).
[169] 108/265, fol. 22 (2 IX 1754).
[170] 108/265, fol. 24–25 (2 IX 1754).

sonders vor andern in ihrer Art gethan eine Belohnung, eine Distinction und dergleichen wiederfahren oder allenfalls vor den allerersten Anfang sorgen zu lassen.«[171] Mit der Suche nach Steinkohlevorkommen und und dem Torfgraben sollte
Ersatz für den Holzkonsum gewonnen werden. Als ein »so nothwendiges Stück der
Nahrung« verdiente schließlich auch der Obstbau eine deutliche Verbesserung; zwar
wurde in der Herrschaft viel Obst angepflanzt, doch war es von schlechtesten Sorten, so daß man im Unterschied zu anderen Gegenden, »wo aus gutem Obst gar viel
Nutzen an Schnitzen, Most und dergleichen in denen benachbarten Städten bezogen
wird«, keinen Profit aus dem Obstbau schlugen.[172] Saltzer hat mit seinem Vorgehen
die weitere Praxis der Frevelgerichtsveranstaltungen im Oberamt Badenweiler geprägt,[173] er hat damit aber auch eine Vorreiterfunktion ausgeübt, denn die beiden
anderen Oberländer Oberämter sind ihm, wenn auch mit erheblicher Verzögerung,
darin gefolgt.

Im Oberamt Rötteln hat der eifrige Oberamtsassessor und spätere Verfasser des
Plädoyers für die Vogt- und Rügegerichte Wilhelm Heinrich Possert als erster Oberbeamter die Frevelgerichte dazu benützt, von den lokalen Vorgesetzten statistische
Daten über den Zustand der besuchten Gemeinden zu erheben. Für die Veranstaltungen in Steinen, Höllstein und Hägelberg sowie jene in Hüsingen im August 1782
sind umfangreiche Tabellen über die Größe der verschiedenen Einwohnerklassen,
deren Beschäftigung (»Hantierung«), den Vermögensstand der einzelnen Haushalte
und eine allgemeine Einschätzung ihrer Haushaltsführung angelegt worden. Für die
als »Übelhauser« taxierten, schlechten Haushalter gab die Tabelle auch an, wer für
sie als Vormund bestellt war und wie dieser seine Pflicht erfüllte.[174] Die sozialstatistischen Angaben ergeben ein recht detailliertes Bild der sozialen und wirtschaftlichen Struktur dieser vier Orte und läßt deren spezifische Problemlagen erkennen
(Tab. 5.12–5.17).

---

[171] 108/265, fol. 25' (2 IX 1754).

[172] 108/265, fol. 27' f. (2 IX 1754). – Möglicherweise haben Saltzers Vorschläge in diesem
Punkt unmittelbar Folgen in der Gesetzgebung gezeigt. Bereits am 26 X 1754 erließ der
Hofrat ein Generaldekret, wonach überall Maulbeer- und Obstbäume, Weiden und Erlen
angepflanzt werden sollten und jährlich auf Pfingsten und Weihnachten ein Bericht über den
Fortgang dieser Bemühungen einzureichen war (RepPO 1830; GS III, S. 385 f.; 26 X 1754).

[173] Saltzers Amtsnachfolger im Oberamt Badenweiler, Wielandt, teilte im Juni 1761 den Pfarrern und Vorgesetzten der Orte Müllheim, Hügelheim, Buggingen, Seefelden, Laufen, Dattingen und Niederweiler mit, welche Unterlagen er bei den angekündigten Frevelgerichten
von ihnen einforderte. Die weltlichen Vorgesetzten hatten für jede Vogtei neue Haushal-
tungs- und Vermögenstabellen ohne »Ansehn der Persohn« auszufüllen und diese vor dem
Frevelgericht an das Oberamt einzusenden. Weiter hatten sie auf gebrochenem Papier vorzuschlagen, »auff was Weiße etwa die Gemeindseinkünfften zu vermehren oder die Auß-
gaben zu mindern oder auch das Privat Intresse derer Unterthanen zu verbeßern« seien. (GA
Badenweiler A/IV/1; 20 VI 1761).

[174] Die von Vikar Stahl und Vogt Grether am 14 VIII 1782 erstellte Tabelle für die Gemeinde
Steinen und die Teilgemeinden Höllstein und Hägelberg in: 229/100906, fol. 44'–49'. Die
Tabelle für Hüsingen wurde von Vikar Stahl und Stabhalter Senger am 27 VIII 1782 erstellt
und weist eine identische Rubrizierung auf (229/47590, fol. 48–50).

Hinsichtlich des personenrechtlichen Status der Ortsbewohner war die Zusammensetzung der drei Orte Steinen, Höllstein und Hägelberg sehr homogen. Die Bürger waren gleichsam unter sich, und Haushalte von Hintersassen gab es praktisch keine[175] (Tab. 5.12).

Tabelle 5.12:
Die Haushaltungen von Steinen, Höllstein und Hägelberg nach Bürgern, Witwen und Hintersassen, 1782

Gemeinde	Bürger	Witwen	Hintersassen	Total
Steinen	69	4	2	75
Höllstein	39	7	1	47
Hägelberg	38	0	0	38
Total	146 (91,2%)	11 (6,9%)	3 (1,9%)	160

Allerdings verdeckt diese rechtliche Einheitlichkeit eine höchst differenzierte wirtschaftliche und soziale Gliederung der Ortsbevölkerung, so daß man füglich behaupten kann, daß die Zugehörigkeit zur Bürgergemeinde kein relevantes Kriterium für die Binnengliederung der Einwohnerschaft bildete. Wesentlich aussagekräftiger erscheint in dieser Hinsicht die Aufschlüsselung der unterschiedlichen Beschäftigungen der Haushalte (Tab. 5.13).

In Steinen gaben zwei Haushalte zwei Beschäftigungen an (Fischer/Bäcker, Wirt/Bauer), in Hägelberg war dies bei einem Haushalt der Fall (Wirt/Bauer), so daß die Gesamtwerte dieser Tabelle von jenen in Tab. 5.12 abweichen.

Gruppiert man die Beschäftigungsarten nach den drei wirtschaftlichen Sektoren, so tritt einmal die sehr große wirtschaftliche Bedeutung des Landhandwerks in einzelnen Orten hervor, dann zeigen sich markante Unterschiede in der Sozial- und Wirtschaftsstruktur der drei Orte (Tab. 5.14). In Steinen und Höllstein, den beiden im Talboden des Wiesentals gelegenen Orten, lebte die Mehrzahl der Haushalte nicht mehr von der Landwirtschaft, sondern ging handwerklichen Beschäftigungen nach (Steinen: 49.4%; Höllstein: 46.8%), wobei die Detailanalyse einerseits zahlreiche Weber, andererseits eine größere Zahl von Handwerkern und Gewerbetreibenden aus den Bereichen Bekleidung (Schuhmacher, Schneider), Versorgung (Müller, Bäcker, Metzger) und Bau (Maurer) nachweist. Der hoch über dem Talboden an einem sonnigen Hang gelegene Ort Hägelberg hingegen war 1782 noch stark von der bäuerlichen Landwirtschaft geprägt (84.6%); dort lagen die meisten Bauernhöfe,

---

[175] Die Hintersassen waren im badischen Oberland allgemein eine ausgesprochen kleine Minderheit: Im Oberamt Hochberg wurden 1760 3366 Haushaltungen gezählt, davon waren 141 (4,2%) Haushaltungen von Hintersassen (Ludwig, Hochberg, S. 29). Die soziale Differenzierung der Haushalte verlief quer zu den rechtlichen Kategorien.

Tabelle 5.13:
Die Berufe der Haushaltsvorstände von Steinen, Höllstein und Hägelberg, 1782

	Steinen	Höllstein	Hägelberg	Total
1. Bauern	14	6	22	42
2. Taglöhner	14	9	11	34
3. Weber	9	6	1	16
4. Schuhmacher	5	3	1	9
5. Schneider	3	3	0	6
6. Müller	3	2	0	5
7. Maurer	2	1	1	4
8. Bäcker	3	0	0	3
9. Fischer	3	0	0	3
10. Nagler	1	1	1	3
11. Schmid	3	0	0	3
12. Wagner	2	0	1	3
13. Bader	1	0	0	1
14. (Rot)Gerber	1	1	0	2
15. Metzger	1	1	0	2
16. Musikus	0	2	0	2
17. Schreiner	1	1	0	2
18. Wirt	1	0	1	2
19. Zimmermann	0	2	0	2
20. Chirurg	1	0	0	1
21. Dreher	1	0	0	1
22. Färber	1	0	0	1
23. Hafner	0	1	0	1
24. Küfer	0	1	0	1
25. Maler	1	0	0	1
26. Säger	0	1	0	1
27. Sattler	1	0	0	1
28. Spengler	1	0	0	1
29. Steinbrecher	1	0	0	1
30. Wannenmacher	1	0	0	1
31. ohne Angabe	2	6	0	8
Total	77	47	39	163

Bemerkungen:
In Steinen gaben 2 Haushalte zwei Beschäftigungen an (Fischer/Bäcker, Wirt/Bauer), in Hägelberg war dies bei einem Haushalt der Fall (Wirt/Bauer), so daß die Gesamtwerte dieser Tabelle von jenen in Tabelle 5.12 abweichen. – Der Hinweis auf fehlende Angaben (in Zeile 31) bezieht sich ausschließlich auf Witwen.

Tabelle 5.14:
Die Beschäftigungsstruktur der Haushaltungen von Steinen, Höllstein und
Hägelberg nach Wirtschaftssektoren, 1782[176]

Sektoren	Steinen	%	Höllstein	%	Hägelberg	%	Total
1. Landwirtschaft, Fischerei	31	39,2	15	19	33	41,8	79
% Sektor im jew. Ort	*40,3*		*32*		*84,6*		
2. Handwerke	38	58,5	22	33,8	5	7,7	65
% Sektor im jew. Ort	*49,4*		*46,8*		*12,8*		
3. Dienstleistungen	6	54,5	4	36,4	1	9,1	11
% Sektor im jew. Ort	*7,8*		*8,5*		*2,6*		
4. ohne Angabe[177]	2	25	6	75	0	0	8
% o.A. im jew. Ort	*2,5*		*12,7*		*-*		
Total	77		47		39		163

dort lebten auch, gemessen an der Zahl der Haushalte, die meisten Tagelöhner, die ihre Arbeit wohl zu einem guten Teil auf den Höfen der örtlichen Bauern fanden.[178]

Neben der differenzierten Beschäftigungsstruktur erfaßten die Tabellen mit den Prädikaten »gut«, »mittelmäßig«, »gering« und »schlecht, nichts« den Vermögens-zustand der einzelnen Haushalte in qualitativer Hinsicht (Tab. 5.15). Die Extrem-positionen nahmen die beiden im Talgrund gelegenen Orte Steinen und Höllstein ein: Während Steinen noch über einen relativ ansehnlichen Anteil gut vermögender Haushalte verfügte und dort mehr als 40% der Haushalte nur geringe Vermögen besaßen, verhielt es sich in Höllstein genau umgekehrt: Hier lebte nur knapp ein Fünftel der Haushalte in guten Vermögensverhältnissen, während mehr als die Hälfte

---

[176] Die Tabelle liefert zwei verschiedene Reihen von Prozentwerten, wie das folgende Beispiel zeigt: In der Gemeinde Steinen lebten 31 Haushalte von der Landwirtschaft oder Fischerei, das waren 39,2% aller in diesem Sektor tätigen Haushalte aus allen drei Gemeinden; in-nerhalb von Steinen waren 40,3% der Haushalte in diesem Bereich tätig. Steinen bewegte sich damit etwa im Durchschnitt, während in Höllstein (32%) und Hägelberg (84,6%) dieser Sektor deutlich unter- bzw. überrepräsentiert war.
[177] Betrifft ausschließlich Witwen.
[178] Die fließende Abgrenzung zwischen Bauern und Tagelöhner betont für das württembergi-sche Neckarhausen Sabean (Neckarhausen I, S. 62f.). Dort arbeiteten einerseits auch Bauern und Handwerker gegen Lohn in der Landwirtschaft, während andererseits viele Taglöhner genug Land erwerben konnten, um in die unteren Ränge der Subsistenzbauern einzurücken.

Tabelle 5.15:
Vermögenszustand der Haushaltungen in Steinen, Höllstein und Hägelberg, 1782

Qualifizierung des Vermögens	Steinen	Höllstein	Hägelberg	Total
gut, nicht übel	25 (32,5%)	9 (19,0%)	15 (38,5%)	49
mittelmäßig	16 (21,0%)	11 (23,5%)	9 (23,0%)	36
gering	33 (43,0%)	25 (53,0%)	14 (36,0%)	72
schlecht, nichts	3 (4,0%)	2 (4,5%)	1 (2,5%)	6
Total	77	47	39	163

nur ein geringes Vermögen besaß. In Hägelberg hielten sich die gut und die gering bemittelten Haushalte in etwa die Waage. In allen drei Orten lag der Anteil der Haushalte mit mittleren Vermögen etwas über der Marke von 20 Prozent, und die schlecht bemittelten machten überall relativ wenige Einzelfälle aus.

Führt man die Bewertung des Vermögenszustands mit den Angaben über die Beschäftigung der Haushalte zusammen, so läßt sich genauer ermitteln, in welchen »Hantierungen« die besseren und schlechteren Vermögenslagen konzentriert waren (Tab. 5.16).

Die Bauern stellten überall den größeren oder gar den überwiegenden Anteil an den gut bemittelten Haushalten. Spiegelbildlich dazu verhält sich die Beobachtung, daß in allen drei Orten die Haushalte der Tagelöhner von Ausnahmen abgesehen nur in geringen oder schlechten Vermögensverhältnissen lebten. Dieses Los teilten sie weitgehend mit den Webern. Stärkere Ungleichheiten gab es innerhalb der Handwerkerhaushalte. Berücksichtigt man alleine jene Berufe, die mit mehreren Haushaltungen vertreten sind, so standen Handwerker- und Gewerbeberufe mit tendenziell besserer Vermögenslage (Bäcker, Müller) solchen mit einer relativ schlechten Lage gegenüber (Schneider, Maurer). Die übrigen Handwerker- und Gewerbehaushalte mit einer stärkeren Verbreitung zeigten keine eindeutige Tendenz, sondern verteilten sich mehr oder weniger auf alle Vermögensklassen (Schuhmacher, Schmiede, Wagner, Nagler). Die Haushalte der Witwen bewegten sich in einer mittleren Lage. »Haushaltung, wie sie beschaffen?« – unter dieser Rubrik firmierte in der Tabelle eine qualitative Bewertung der Führung des einzelnen Haushalts, wobei anzunehmen ist, daß hier mit Ausnahme der Witwenhaushalte primär das Verhalten des männlichen Hausvorstands beurteilt wurde. Welche Kriterien bei dieser Qualifizierung der einzelnen Haushalte zur Anwendung gelangten, läßt sich nicht mehr ermitteln. Anzunehmen ist, daß sowohl wirtschaftliche als auch moralische Gesichtspunkte in die Bewertung einflossen, zumal bei den Behörden die Vorstellung geläufig war, daß sich der sittliche Lebenswandel im wirtschaftlichen Erfolg oder Mißerfolg – oder zumindest in der Beschaffung der eigenen »Nahrung« –

Tabelle 5.16:
Vermögenszustand der Haushaltungen in Steinen, Höllstein und Hägelberg nach Beschäftigungsart, 1782

Bemerkungen:
In Steinen geben 2 Personen zwei Berufe an (Fischer/Bäcker, Wirt/Bauer).
In Hägelberg gibt 1 Person zwei Berufe an (Wirt/Bauer).

Beschäftigungen	Vermögen				
	gut, nicht übel	mittel-mäßig	gering	schlecht, nichts	Total
Bauern					
– Steinen	9	3	2	0	14
– Höllstein	4	2	0	0	6
– Hägelberg	14	5	3	0	22
Taglöhner					
– Steinen	2	1	9	2	14
– Höllstein	0	0	9	0	9
– Hägelberg	0	3	7	1	11
Weber					
– Steinen	1	3	5	0	9
– Höllstein	0	1	5	0	6
– Hägelberg	0	0	1	0	1
Schuhmacher					
– Steinen	1	2	2	0	5
– Höllstein	1	0	2	0	3
– Hägelberg	0	0	1	0	1
Bäcker					
– Steinen	2	1	0	0	3
– Höllstein	0	0	0	0	0
– Hägelberg	0	0	0	0	0
Fischer					
– Steinen	1	1	1	0	3
– Höllstein	0	0	0	0	0
– Hägelberg	0	0	0	0	0
Schmid					
– Steinen	1	1	1	0	3
– Höllstein	0	0	0	0	0
– Hägelberg	0	0	0	0	0
Schneider					
– Steinen	0	0	2	1	3
– Höllstein	0	0	3	0	3
– Hägelberg	0	0	0	0	0

Beschäftigungen	Vermögen				
	gut, nicht übel	mittel-mäßig	gering	schlecht, nichts	Total
Müller					
– Steinen	2	1	0	0	3
– Höllstein	1	0	1	0	2
– Hägelberg	0	0	0	0	0
Maurer					
– Steinen	0	0	2	0	2
– Höllstein	0	0	1	0	1
– Hägelberg	0	0	1	0	1
Wagner					
– Steinen	1	0	1	0	2
– Höllstein	0	0	0	0	0
– Hägelberg	0	1	0	0	1
Hafner					
– Steinen	0	0	0	0	0
– Höllstein	0	1	0	0	1
– Hägelberg	0	0	0	0	0
Bader					
– Steinen	0	1	0	0	1
– Höllstein	0	0	0	0	0
– Hägelberg	0	0	0	0	0
Chirurg					
– Steinen	0	0	1	0	1
– Höllstein	0	0	0	0	0
– Hägelberg	0	0	0	0	0
Dreher					
– Steinen	1	0	0	0	1
– Höllstein	0	0	0	0	0
– Hägelberg	0	0	0	0	0
Färber					
– Steinen	0	1	0	0	1
– Höllstein	0	0	0	0	0
– Hägelberg	0	0	0	0	0
(Rot)Gerber					
– Steinen	0	1	0	0	1
– Höllstein	1	0	0	0	1
– Hägelberg	0	0	0	0	0
Maler					
– Steinen	1	0	0	0	1
– Höllstein	0	0	0	0	0
– Hägelberg	0	0	0	0	0

Beschäftigungen	Vermögen				
	gut, nicht übel	mittel- mäßig	gering	schlecht, nichts	Total
Metzger					
– Steinen	1	0	0	0	1
– Höllstein	0	0	0	1	1
– Hägelberg	0	0	0	0	0
Nagler					
– Steinen	0	0	1	0	1
– Höllstein	0	0	1	0	1
– Hägelberg	1	0	0	0	1
Sattler					
– Steinen	1	0	0	0	1
– Höllstein	0	0	0	0	0
– Hägelberg	0	0	0	0	0
Schreiner					
– Steinen	0	0	1	0	1
– Höllstein	1	0	0	0	1
– Hägelberg	0	0	0	0	0
Zimmermann					
– Steinen	0	0	0	0	0
– Höllstein	0	1	0	1	2
– Hägelberg	0	0	0	0	0
Säger					
– Steinen	0	0	0	0	0
– Höllstein	1	0	0	0	1
– Hägelberg	0	0	0	0	0
Spengler					
– Steinen	0	0	1	0	1
– Höllstein	0	0	0	0	0
– Hägelberg	0	0	0	0	0
Steinbrecher					
– Steinen	0	0	1	0	1
– Höllstein	0	0	0	0	0
– Hägelberg	0	0	0	0	0
Küfer					
– Steinen	0	0	0	0	0
– Höllstein	0	0	1	0	1
– Hägelberg	0	0	0	0	0
Wannenmacher					
– Steinen	0	0	1	0	1
– Höllstein	0	0	0	0	0
– Hägelberg	0	0	0	0	0

Beschäftigungen	Vermögen				
	gut, nicht übel	mittel- mäßig	gering	schlecht, nichts	Total
Musikus					
– Steinen	0	0	0	0	0
– Höllstein	0	2	0	0	2
– Hägelberg	0	0	0	0	0
Wirt					
– Steinen	1	0	0	0	1
– Höllstein	0	0	0	0	0
– Hägelberg	0	0	1	0	1
ohne Angabe[179]					
– Steinen	0	0	2	0	2
– Höllstein	0	4	2	0	6
– Hägelberg	0	0	0	0	0
Total					
– Steinen	25	16	33	3	77
– Höllstein	9	11	25	2	47
– Hägelberg	15	9	14	1	39
– Alle Orte	*49*	*36*	*72*	*6*	*163*

niederschlug. Solche Tabellen verraten jedenfalls etwas von der Definitionsmacht über die Ortsbewohner, die den lokalen Vorgesetzten in solchen Situationen zuwuchs, waren doch sie es, die für den Oberbeamten diese Einteilungen vornahmen.

Die geistlichen und weltlichen Vorgesetzten von Steinen stellten dabei der Einwohnerschaft von Steinen, Höllstein und Hägelberg insgesamt ein gutes Zeugnis aus (Tab. 5.17). Auch wenn man die errechneten Prozentwerte angesichts der nicht eben großen Mengen nicht überstrapazieren sollte, so fällt doch auf, daß der Ort Höllstein, der bereits hinsichtlich der Vermögensverteilung an letzter Stelle gestanden hatte, einerseits den geringsten Anteil gut geführter Haushalte und andererseits den relativ größten Anteil schlecht geführter Haushalte aufwies. Die Bauern- und Taglöhnergemeinde Hägelberg wies demgegenüber den höchsten Anteil guter Haushalter bzw. den niedrigsten Anteil schlechter Haushalter auf, bei denen es sich meistens um »Übelhauser« handelte, um Personen also, die aufgrund ihres moralisch-wirtschaftlichen Fehlverhaltens unter Pflegschaft gestellt worden waren.[180]

---

[179] Betrifft ausschließlich Witwen.

[180] Zur Behandlung der »Übelhauser« bei Frevelgerichten s. unten Kap. 5.5.1. – Die Tabelle nennt auch die Ursachen für die schlechte Beschaffenheit der Haushalte. Dabei werden viermal »Leichtsinnigkeit«, zweimal »Trunkenheit«, einmal Uneinigkeit und einmal Trunkenheit und Leichtsinn als Ursachen der Schwierigkeiten angeführt.

Tabelle 5.17:
Die »Beschaffenheit« der Haushalte in den Gemeinden Steinen, Höllstein und Hägelberg, 1782

	Steinen	Höllstein	Hägelberg	Total
gut, nicht übel	61 (77,0%)	35 (74,5%)	33 (87,0%)	129 (78,5%)
mittelmäßig	6 (7,5%)	3 (6,5%)	0	9 (5,5%)
gering	1 (1,5%)	3 (6,5%)	3 (8,0%)	7 (4,0%)
schlecht	8 (10,0%)	6 (13,0%)	2 (5,0%)	16 (10,0%)
keine Angabe	3 (4,0%)	0	0	3 (2,0%)
Total	79	47	38	164

Wenige Tage nach seinem Besuch in Steinen, Höllstein und Hägelberg weilte Posselt im benachbarten Ort Hüsingen, wo er die gleiche Untersuchung über die rechtliche Zusammensetzung der Gemeinde sowie über die Berufsstruktur, die Vermögensverhältnisse und die Führung der Haushalte vornahm. Aus dem Frevelgerichtsprotokoll erfährt man, daß auch hier der Vikar und Stabhalter die von Posselt so genannte »Vogt Gerichts Tabelle«[181] angefertigt hatten; auf ihrer Grundlage untersuchte Posselt den »Privat Haußhaltungs und Nahrungs Zustandt der Bürgerschafft«. Posselt ging zusammen mit den beiden Vorgesetzten die Tabelle durch und ließ sich von diesen mitteilen, daß jeder im Ort, der arbeiten wollte, hinreichend Nahrung finden konnte. In der Tabelle waren drei Personen genannt, deren Haushaltsführung als schlecht beurteilt wurde und die aus diesem Grund von Posselt zitiert wurden. Posselt befragte sie sowie die Vorgesetzten nach deren Lebenswandel und Aufführung und ordnete in allen drei Fällen besondere Maßnahmen an:

1. Der Tagelöhner Franz Gebhardt figurierte bereits in der Liste der »Übelhauser«, und die Vorgesetzten zeigten an, daß er nach wie vor sein Geld gerne ins Wirtshaus trage und sich sonst mit Fluchen und Schwören vergehe. Der Oberbeamte trug ihnen auf, Gebhardt beim ersten Anzeichen von Wirtshausbesuchen und von Fluchen bei Wasser und Brot ins Bürgerhäuslein zu stecken und bei ausbleibender Besserung eine Anzeige beim Oberamt einzureichen.[182]
2. Im Fall des Bauern Jacob Bauert zeigten die Vorgesetzten an, dieser saufe und ziehe herum, weshalb sie die Bestellung eines Vogtmanns und die »Mundtotmachung« (Bevormundung) Bauerts beantragten. Der verheiratete Bauert wurde dazu befragt und konnte diese Anzeige nicht in Abrede stellen, versprach aber Besserung und fügte zu seiner Entschuldigung an, er sei häufig »kränklich«. Dem

---

[181] Die Tabelle findet sich in der Frevelgerichtsakte (229/47590, fol. 48–50).
[182] Laut einer Marginalie des Oberamts im Frevelgerichtsprotokoll vom März 1784 gaben die Vorgesetzten nunmehr an, Gebhardts Aufführung habe sich gebessert (229/47590, fol. 27'–30, Pkt. 1).

widersprach aber ein Vorgesetzter, für den Bauert seine Krankheit nur vortäuschte und auswärts herumzog, sobald seine Frau und seine zwei Töchter aufs Feld zur Arbeit gingen. Hier verfügte das Oberamt, daß sogleich ein Vogtmann aus der Gemeinde für Bauert bestellt werde, »damit sein Vermögen erhalten und vor dessen Frau und Kinder gesorgt werden könne«. Wegen der Mundtotmachung war die höhere Entscheidung der Regierung abzuwarten. Vorerst aber hatten die Vorgesetzten dafür zu sorgen, daß Bauert jedesmal, wenn er sich betrank oder dem Müßiggang hingab, bei Wasser und Brot ins Häuslein gesteckt und bei ausbleibender Besserung dem Oberamt zur härteren Bestrafung gemeldet wurde.[183]

3. Der dritte schlechte Haushalter Martin Lindemann war aufgrund einer nicht genauer lokalisierbaren Anzeige aus der Gemeinde vor den Oberbeamten zitiert worden, weil er in seiner Haushaltung leichtsinnig verfuhr und sich dem Trinken hingab. Lindemann leugnete zwar die Beschuldigungen, konnte aber gegen die Bestätigung der Anzeige durch die Vorgesetzten nichts ausrichten, so daß auch ihm eine Häusleinstrafe und bei ausbleibender Besserung die weitere Anzeige beim Oberamt angedroht wurde.[184]

Tabelle 5.18:
»Hantierung« und Vermögenszustand der Hüsinger Haushalte, 1782

»Hantierung«	Anzahl Haushalte	Vermögenszustand				
		gut bis recht gut	ziemlich	mittel-mäßig	wenig bis zieml. gering	gar gering
Bauern	29	17	2	8	1	1
»Bäuerlich«[185]	3	0	0	0	3	0
Tagelöhner	6	0	0	0	4	2
Hirte	1	0	0	0	1	0
Wirt	1	1	0	0	0	0
Schuhmacher	2	1	0	0	1	0
Schmied	1	1	0	0	0	0
Wagner	1	0	0	1	0	0
Taugenhauer (?)	1	0	0	0	1	0
Nagler	1	0	0	1	0	0
Zimmermann	1	0	0	0	0	1
Total	47[186]	20	2	10	11	4

---

[183] 229/47590, fol. 27'–30, Pkt. 2. – Zur Mundtoterklärung in Württemberg (Sabean, Neckarhausen I, S. 214–222).
[184] 229/47590, fol. 27'–30, Pkt. 3.

Wie in Steinen, Höllstein und Hägelberg waren in der Gemeinde Hüsingen die Gemeindebürger sozusagen unter sich. Neben 43 Bürgerhaushaltungen gab es gerade einen einzigen Hintersassenhaushalt. Hüsingen lag am Rand des südlich des Wiesentals gelegenen Plateaus gegenüber Hägelberg und besaß wie dieser Ort einen ausgesprochen bäuerlichen Charakter, was sich einmal an der hohen Zahl der Haushalte von Bauern, dann aber auch an der sozial und wirtschaftlich dominanten Rolle dieser Gruppe ablesen läßt (Tab. 5.18 [oben] – 5.19).

Neben dem Wirt, dem Schmied und einem Schuhmacher verfügten 1782 in Hüsingen nur Bauern über gut bemittelte Haushalte. Auch in Hüsingen stellten die Tagelöhnerhaushalte einen relativ hohen Anteil an den armen Haushalten; anders als in den Nachbarorten Steinen, Höllstein und Hägelberg erreichte in Hüsingen kein einziger Tagelöhnerhaushalt die Qualifizierung »mittelmäßig«.

Noch einseitiger als in den drei Nachbarorten fielen in Hüsingen die Beurteilungen der Haushaltsführung durch die Vorgesetzten aus. Ganze drei Bürger erhielten das Prädikat einer schlechten Haushaltsführung und wurden deswegen durch den Oberbeamten zur Rede gestellt und für den Fall der ausbleibenden Besserung mit gestaffelten Sanktionen bedroht. Allen übrigen – bis auf drei Bauern – attestierten sie eine gute bis recht gute Haushaltsführung (Tab. 5.19).

Diese statistischen Daten zu einigen Rötteler Gemeinden sind wohl dank des besonderen Engagements des Oberbeamten Posselt zustandegekommen. Im Oberamt Rötteln sind auffallenderweise bei späteren Frevelgerichten keine vergleichbar umfassenden sozialstatistischen Erhebungen einzelner Gemeinden mehr durchgeführt worden, wenn auch hier und da das Interesse an der Beschaffenheit des »Nahrungsstandes« in der Gemeinde über rein qualitative Bewertungen hinausreichte.

Beim Wintersweiler Frevelgericht von 1787 ging der Oberbeamte Reinhard die Schatzungstabellen der Gemeinde durch und mußte dabei feststellen, daß der Gemeindebann bei 451 J. Ackerland nur 49 J. Mattland umfaßte. Auch wenn man die 20 mit Klee angebauten Jucharten noch zum Mattland zählte, so erachtete Reinhard dieses Verhältnis von Acker- und Grünland als völlig unzureichend, um das Ackerland und die Reben genügend zu düngen. Mit einer gewissen Resignation hielt Reinhard an die Adresse des Hofrats im Protokoll fest, es fehle der Gemeinde nicht an der Bereitschaft, wohl aber an der Möglichkeit, mehr Wieswachs anzulegen.[187]

---

[185] Diese Bezeichnung deutet möglicherweise an, daß die Ausstattung und das Ansehen dieser Haushalte für die Einreihung unter die Bauern zu gering waren. Die Vermögensumstände dieser 3 Haushaltungen wurden mit »ziemlich gering« bzw. »ziemlich wenig« bewertet.

[186] Diese Summe ist höher als die Anzahl der Haushaltungen, weil in einem Fall 3 »Hantierungen«, in einem anderen deren 2 angegeben wurden.

[187] 229/115110, fol. 40'–41' (20 XI 1787).

Tabelle 5.19:
»Hantierung« und »Beschaffenheit« der Hüsinger Haushalte, 1782

»Hantierung«	Anzahl Haushalte	»Beschaffenheit« (Lebens- und Wirtschaftsführung) der Haushalte		
		gut bis recht gut	recht	(zieml.) schlecht
Bauer	29	25	3	1
»Bäuerlich«[188]	3	3	0	0
Tagelöhner	6	5	0	1
Hirte	1	1	0	0
Wirt	1	1	0	0
Schuhmacher	2	2	0	0
Schmied	1	1	0	0
Wagner	1	1	0	0
Taugenhauer (?)	1	0	0	1
Nagler	1	1	0	0
Zimmermann	1	1	0	0
Total	47[189]	41	3	3

Eine Besonderheit stellt schließlich die Statistik dar, die der Oberbeamte Reinhard im Hinblick auf das Frevelgericht von Grenzach durch den dortigen Pfarrer Sander anfertigen ließ.[190] Der Ort Grenzach umfaßte 1785 110 Bürgerhaushalte, von denen nicht weniger als 77 Haushalte von sogenannten Künstlern, Professionisten oder Handwerkern waren – eine Dichte an Gewerben und Handwerkern, die mit der Nähe des Orts zur Stadt Basel erklärt werden muß. In Grenzach lebten in jenem Jahr 17 Seidenweber, »von denen 2 vor sich und 15 nach Basel schaffen«, 14 Schneider, sieben Schuhmacher, je vier Küfer und Metzger, je drei Indiennedrucker und Ziegler, je zwei Bandmacher, Barbiere, Goldschmiede, Schlosser, Schreiner, Leinweber und Zimmermeister sowie je ein Bäcker, Hufschmied, Knopfmacher, Maurer, Nagler, »Schaidwasser-Brenner«, Schwertfeger, Schwefelholzmacher, Uhrenmacher, »der zugleich Graveur, Vergolder p. ist«, ein Wagner und ein Wollenschuhmacher. Alle diese Meister arbeiteten angeblich ohne Gesellen und Jungen.

---

[188] Diese Bezeichnung deutet möglicherweise an, daß die Ausstattung und das Ansehen dieser Haushalte für die Einreihung unter die Bauern zu gering waren. Die Vermögensumstände dieser 3 Haushaltungen werden als »ziemlich gering« bzw. »ziemlich wenig« bezeichnet.

[189] Diese Summe ist größer als die Anzahl der Haushaltungen, weil in einem Fall 3 »Hantierungen«, in einem anderen deren 2 angegeben sind.

[190] 229/33917 (22 III 1785). – Wenig später, in den Jahren 1789–91, kam es zu breiteren statistischen Erhebungen über die »Professionisten« im Land (Schremmer, Ländliches Gewerbe, S. 316).

Bemerkenswert ist der hohe Anteil von Handwerkern aus der Textil- und Bekleidungsbranche, deren Abhängigkeit von Basler Verlegern explizit genannt wird. Die Nähe der Handelsstadt und des Marktes Basel dürfte auch für die Existenz der Goldschmiede, des Schwertfegers und des Uhrenmachers verantwortlich gewesen sein.

Möglicherweise hatte Wilhelm Heinrich Posselt bei der Abfassung seiner Darstellung über die Vogt- und Rügegerichte einige Jahre später Kenntnis von diesem Grenzacher Verzeichnis, schlug er dort doch vor, daß sich die Oberbeamten für die Untersuchung des Policeywesens und der Ökonomie der Gemeinden von dem Vorgesetzten u. a. eine Liste der angesessenen »Professionisten und Handwerker« aushändigen lassen sollten.[191]

Die Untersuchung des »Nahrungsstandes« einzelner Gemeinden konnte bei Frevelgerichten aus Zeit- und Kostengründen nicht weiter vertieft werden. Die Oberbeamten ließen es bei der Aufnahme statistischer Angaben bewenden und erteilten im Einzelfall ihre Anweisungen, wenn der Lokalaugenschein Probleme der Gemeindeökonomie zu Tage förderte.

Wenn sich in einem Ort allerdings die wirtschaftlichen Verhältnisse so weit verschlechtert hatten, daß die Behörden erhebliche Schwierigkeiten bei der Versorgung der lokalen Bevölkerung befürchten mußten, so trafen die badischen Zentral- und Amtsbehörden gezieltere Maßnahmen und veranstalteten eigentliche »ökonomische Untersuchungen« mit dem Ziel, den Niedergang der betroffenen Gemeinde und den Ruin einer größeren Zahl von Haushalten zu verhindern.

Ohne in dieser Frage ins Detail gehen zu wollen, rechtfertigt sich ein kurzer Hinweis auf eine dieser Veranstaltungen – die ökonomische Untersuchung der Rötteler Gemeinde Eichen 1773/74, 1776 ff.[192] –, weil sie gewissermaßen die direkte Fortsetzung jener Bemühungen darstellte, die auch das Geschäft der Frevelgerichte bestimmten. Die »ökonomische Untersuchung« des Orts Eichen zeigt zudem, wie sich in Baden mehrere Institutionen und staatliche Initiativen derselben Problematik annehmen konnten.

Im Frühjahr 1773 gelangten Nachrichten über den »armseeligen« Nahrungszustand des hinter Schopfheim gelegenen Dorfes Eichen über den Lörracher geistli-

---

[191] Posselt, Vogt- oder Rügegerichte, S. 68.
[192] Die entsprechenden Akten finden sich in: 229/23154, 23155. – Eichen war kein Einzelfall. Das Protokoll zum Frevelgericht von Welmlingen (Oberamt Rötteln) vom Frühjahr 1778 erwähnt die Durchführung einer Ökonomie- und Policeyuntersuchung in dieser Gemeinde kurz davor (229/112897, fol. 10–13, ad § 13; 26 V 1778). Die Rentkammer teilte am 28 I 1777 dem Hofrat mit, sie habe im Oberamt Rötteln in den Orten Hasel, Eichen, Feuerbach, Wies und Sitzenkirch eine solche Untersuchung vornehmen lassen (229/23155, fol. 20–22; 28 I 1777). – Allgem. zu den ökonomischen Untersuchungen einzelner Gemeinden s. Straub, Oberland, S. 131–134.

chen Verwalter und das Oberforstamt Kandern an das Oberamt in Lörrach. Die Lörracher Oberbeamten von Berckheim und Hugo erstatteten darauf den Karlsruher Zentralbehörden Bericht und analysierten die Ursachen für die prekäre Situation: Schuld an den geringen Ackererträgen und am armseligen Zustand vieler Haushalte in Eichen waren demnach die seit langem nachlässige Bebauung und die mangelhafte Düngung des Ackerfelds, die beide wiederum eine Folge des Viehmangels waren Weil aber die Matten zur Erzeugung des Grünfutters fehlten, konnten die Bauern in Eichen nicht so viel Vieh halten, wie nötig war. Agrarspezialisten sollten berechnen, wie viel Wiesen für den Unterhalt der benötigten Stückzahl Vieh im Ortsbann angelegt werden sollten. In der Zwischenzeit mochte die Landesherrschaft dem Ort mit Vorschüssen an Geld- und Lebensmitteln unter die Arme greifen, damit genügend Vieh angeschafft sowie Matten und Kleeäcker angelegt werden konnten.[193] In einer späteren Mitteilung an den Hofrat verlautete aus dem Oberamt Rötteln zusätzlich, daß auch die Trägheit der Einwohner, die häufigen Felddiebstähle, die Aufnahme fremder, unbemittelter Leute in die Gemeinde und der öftere Wechsel unter den Vorgesetzten Gründe für den Niedergang Eichens waren. Ein knappes Jahr später erteilte der Hofrat seine Anweisungen an das Oberamt und trug ihm auf, Maßnahmen zur Versorgung der Hausarmen, zur Steuerung des Bettels und Müßiggangs, gegen die Nachlässigkeit im Güterbau, für die Bestellung tüchtiger Feldstützler und Vorgesetzter zu treffen und weitere Vorschläge zu machen, wie das Mattfeld in Eichen verbessert und der Kleeanbau gefördert werden konnten; er erwartete auch einen Voranschlag darüber, wie hoch der Vorschuß der Herrschaft zur Beschaffung von Vieh und zur Anlage künstlicher Matten und Kleefelder bemessen sein sollte.[194]

Offensichtlich fruchteten diese Maßnahmen, sollten sie überhaupt ernsthaft realisiert worden sein, nicht genug, denn im Juni 1776 trug die Rentkammer dem Lörracher Burgvogt Sonntag[195] – dem für die landesherrlichen Güter und die Finanzverwaltung zuständigen Kameralbeamten im Oberamt Rötteln – auf, eine eingehende Untersuchung des Eichener Nahrungszustandes vorzunehmen. Sonntags Befragungen in Eichen ergaben die Präzisierung, daß die Eichener Bauern ein Opfer der starken Teuerung der 1770er Jahre geworden waren: Das fehlende Heu konnten sie nicht mehr wie früher im Wiesental und bei Schopfheim zukaufen; kam noch hinzu, daß das Weideland durch den starken Anstieg der Tagelöhner im Ort, die alle auch Kleinvieh halten wollten, knapper geworden war.[196] Sonntag schlug zur Ab-

---

[193] 229/23154 (19 IV, 7 V 1773). – Zum breiteren Kontext dieser Vorschläge s. Kap. 5.4.2.

[194] 229/23154 (14 IX 1773, 3 VIII 1774).

[195] Erst Forstverwalter in Kandern, dann 1766 Burgvogt zu Lörrach, »einer unserer beßten und denkenden Landöconomen. Er wirkte bei den Landleuten ungemein auf die Verbreitung des Kleebaues und der Stallfütterung« (Drais II, Beilagen, S. 114).

[196] Sonntag weilte Ende September 1776 mit dem Schopfheimer Statthalter in Eichen und befragte bei dieser Gelegenheit den dortigen Stabhalter, den Altvogt und Fridli Meyer – allesamt Bauern aus der ersten Klasse –, drei Bauern aus der zweiten Klasse und einen aus der dritten Klasse. Bei dieser Gelegenheit wurde auch eine Tabelle über die »Nahrungs Art«

hilfe vor, daß niemand den Sommer hindurch mehr Vieh halten durfte, als er im Winter gehörig durchfüttern konnte; auch waren die Eichener Taglöhner anzuhalten, sich in auswärtige Dienste zu begeben, statt die Tage in Eichen mit Müßiggang und Felddiebstahl zuzubringen,[197] und die Frauen waren zum Spinnen und damit zur Abkehr von ihrem bisherigen »schlechten Wandel« und Felddiebstahl zu bewegen. Einen Ansatz zur Hebung des Eichener Nahrungsstandes erblickte Sonntag in der Ausdehnung des Kleeanbaus: Der Kleebau schuf Abhilfe beim Futtermangel für das Vieh, ermöglichte damit die Stallfütterung des Viehs auch den Sommer über, führte zu einer Erhöhung des Dunganfalls und damit letztlich zur Verbesserung der Akkererträge. Durch die Abstellung der Viehweide bestand auch die Hoffnung auf eine

und den Viehstand angelegt, die für jeden Haushalt den Namen des Vorstands, die Anzahl Personen im Haushalt, den Besitz an Zug-, Melk- und Zuchtvieh, den Pflugbesitz, den Umfang des Besitzes an Acker- und Mattland, den jährlichen Ertrag an eßbarer Frucht und Hafer, den Umfang des Verbrauchs der Haushaltung, den Umfang des jährlichen Verkaufs von Frucht und Hafer, die Schatzungsanlage in Geld und die Nahrungsart (vom Gut, vom Gut und Taglöhnern, Handwerk, Taglohn) sowie Vorschläge zur Verbesserung der Nahrungsart aufführte. In Eichen lebten demnach in 63 Haushalten 233 Personen. Die meisten Haushalte waren Zwei-, Drei- und Vierpersonenhaushalte (15, 13, 10), während Haushalte mit sechs und mehr Personen vergleichsweise selten waren (6 Personen: 6; 7 Personen: 3; 8 Personen: 2; 9 Personen: 1). Über einen Pflug verfügten 26 Haushalte. In den 19 wohlhabendsten Haushaltungen Eichens (knapp $1/3$) lebten 92 der 233 Dorfbewohner (knapp 40 %); sie besaßen 74 der insgesamt 98 Zugtiere (75 %), 27 von 56 Melk- und Zuchttieren (48 %), 19 der insgesamt 26 Pflüge (73 %), 226 $1/4$ J. Ackerland von insgesamt 380.625 J. (knapp 60 %), 64.75 J. Matten von insgesamt 95.875 J. (67.5 %). Die 18.25 Malter Frucht, die jährlich aus dem Ort verkauft wurden, stammten allein aus diesen 19 Haushaltungen, die zudem knapp 70 % des verkauften Hafers produzierten und für etwa 58 % der Schatzung aufkamen (229/23155, fol. 5–8', 9–15; 27 IX 1776).

[197] Sonntag wollte den Lebenswandel der Taglöhner überprüfen lassen, indem der Stabhalter sie jede Woche befragte, »wie und wo sie jeden Tag zugebracht haben«. Sonntag hatte erhoben, daß sich in Eichen 40 Personen niedergelassen hatten, »die nicht nur entbehrlich wären«, sondern größtenteils auch noch der Gemeinde zur Last fielen. Diese sollten zu einer anständigen Beschäftigung angewiesen und damit die ohnehin stark verschuldete Gemeinde entlastet werden (229/23155; 4 X 1776). – Sonntag hatte sich bei seiner Untersuchung auch nach den Ursachen für die hohe Zahl der Taglöhner im Ort erkundigt. Die Befragten erklärten dies damit, daß Eichener Bürgerstöchter in auswärtigen Diensten arme auswärtige Bürgerssöhne kennenlernten und um deren Annahme als Hintersassen in Eichen nachsuchten. Die Gemeinde habe sich immer erfolglos gegen deren Aufnahme gewehrt. Vermutlich supplizierten aber die abgewiesenen Bewerber um das Hintersassenrecht bei der Herrschaft um die Annahme als Hintersassen in Eichen nach. Dazu paßt jedenfalls die Anregung der Rentkammer beim Hofrat, künftig die Aufnahme von Leuten, gegen die die Gemeinde Einwände erhob, zu unterlassen. Im März 1778 wollte der Hofrat vom Oberamt wissen, ob es nützlich wäre, auf eine gewisse Zeit das Mindestvermögen für die Aufnahme nach Eichen heraufzusetzen (229/23155, fol. 20–22, fol. 54–55, fol. 56–57'; 28 I 1777; 9 I 1778; 18 III 1778). Der Vorwurf des Felddiebstahls richtete sich primär gegen die Tagelöhner, denen aber nach Aussage der Befragten selbst angesichts ihrer Not »nichts anderes als das Stehlen übrig bleibe, wann sie nicht Hunger sterben wollen« (229/23155, fol. 5–8'; 27 IX 1776).

wesentliche Verbesserung der Erträge aus dem Wald, der in Eichen einträglich war, sofern er nicht durch den Weidgang beschädigt wurde. Für die Rentkammer rührte der Zerfall Eichens daher, daß sich zu viele Haushalte von der Landwirtschaft ernähren wollten und die Güter zu sehr geteilt wurden.[198]

In der Zwischenzeit mischte sich auch das Oberamt in die Untersuchung ein, weil die Probleme über den engeren Bereich des Wirtschaftlichen hinausgingen und das »Policeyfach« berührten.[199] Wie bereits Burgvogt Sonntag kam auch das Oberamt zum Schluß, daß die Ursachen des Zerfalls der Gemeinde in der zu hohen Bevölkerungszahl, in der Untätigkeit der Bevölkerung, in der schädlichen Viehzucht der Tagelöhner, in der nachteiligen Nutzung der Weide und in weiteren Unordnungen lagen. Als Maßnahmen schlug Posselt vor, den Tagelöhnern die Viehhaltung zu

---

[198] 229/23155, fol. 20–22; 28 I 1777). – Aufschlußreich in dieser Hinsicht der Vortrag des Rentkammerassessors Junker an die Rentkammer, in dem dieser die Meinung der meisten Lehrer der Staatswirtschaft, wonach die Bevölkerung »der erste und allgemeinste Grund von der Flor der Länder seye«, als unrichtig zurückwies. Sollte der Satz zutreffen, daß die »Industrien«, die Produktion und der Reichtum zunahmen, je größer die Bevölkerung und die Güterverteilung waren, so hätte der Nahrungsstand in Eichen der beste sein müssen, doch war das Gegenteil der Fall. Die Ursache für Junker klar: »Jeder, der nur ein paar Morgen Feld besizt, will Bauer heißen. Nun muß er einen eigenen Zug haben und keine TaglohnsArbeit annehmen, wenn er auch kein Brod im Hauß habe.« Seinen Zug erborgt er im Frühjahr und verkauft ihn im Herbst wieder, um seinen Gläubiger zu bezahlen. Wenn es hoch kommt, so hat er noch einige Gulden Profit, die aber nur der Wert der Fütterung sind, womit er dem Vieh vor dem Verkauf ein gutes Ansehen gegeben hat. Im Sommer ist das Vieh auf der Weide oder bei der Arbeit und nur nachts im Stall. Es ist also unmöglich, daß ein solcher armer Bauer den erforderlichen Dung für seine wenigen Güter machen kann. Bei schlechter Fütterung ist auch die Arbeit schlecht und damit auch die Produktion. Berechnet man den Aufwand einer solchen Kultur gegen die Produktion, so kommt in den meisten Fällen Verlust statt eines Reinertrags heraus, und das ist der Grund, warum ein Bauer von dieser Gattung ärmer ist und schlechter lebt als ein Tagelöhner. »Was soll und kann nun ein solcher Unterthan zum gemeinen Besten beytragen? Von seiner Produktion kommt wenig oder nichts ins Commerz. Seinen Mitbürgern ist er mehr zur Last als zur Erleichterung. Was von den herrschaftlichen Abgaben nicht herausgepreßt und gleichsam aus dem Brodkasten genommen wird, kommt in Ausstand und muß endlich nachgelassen werden. In diesem Elend werden seine Kinder schlecht erzogen, zu keiner ordentlichen Nahrungsart gewöhnt und fallen endlich aus Müßiggang und Brodmangel in die grösten Ausschweifungen. Wenn die Güterverteilungen noch weiter wie bisher um sich greifen, so werden viele Gemeinden weniger Frucht bauen, als ihre eigene Bedürfnis erfordert und die Bauart die schlechteste und mit viel zu großem Aufwand verbunden seyn.« (229/23155, fol. 16–19'; 26 I 1777).

[199] Das Oberamt Lörrach hatte im Dezember 1777 seinen Assessor Wilhelm Heinrich Posselt nach Eichen gesandt, der dort auch die Tagelöhner einvernommen hatte und 14 Tage nach seinem Besuch dem Oberamt ein Gutachten ablieferte (229/23155, fol. 48–53; 31 XII 1777). – In der Folge ergab sich eine Diskussion zwischen der Rentkammer und dem Hofrat, ob und wie sich das »Oeconomicum und Camerale« von den »Policey Sachen« trennen und damit die jeweiligen Zuständigkeiten von Rentkammer und Hofrat klären ließen (229/23155, fol. 54–55, 56–57'; 9 I 1778, 18 III 1778).

verbieten und sie zur Beschäftigung außerhalb des Orts anzuhalten, wobei er besonders an die »Fabrique« in Schopfheim dachte, zudem sollte die Aufnahme von Fremden beschränkt werden.[200]

Die Bemühungen von Burgvogt Sonntag, den Kleebau in der Gemeinde zu intensivieren, schienen im Frühjahr 1778 erste Erfolge zu erzielen. Nach einer Gemeindeversammlung supplizierte die Gemeinde beim Burgvogt um die unentgeltliche Abgabe von Kleesamen; die Befragung jedes Einzelnen hatte ergeben, daß insgesamt 237 Pfund Kleesamen benötigt wurden, doch waren die wenigsten Bewohner in der Lage, die Unkosten zu übernehmen. Bereits 10 Tage nach Einreichung des Gesuchs beim Burgvogt behandelte die Rentkammer die Bitte und legte sie anfangs Mai dem Markgrafen zur Entscheidung vor, der der Burgvogtei erlaubte, für ca. 70 fl. Kleesamen zu kaufen und an die Gemeinde abzugeben.[201]

Allerdings zeigen die Akten, daß die Besserung in Eichen nicht nachhaltig gewesen ist, obwohl sich die Verhältnisse kurzzeitig verbessert zu haben schienen. Zwar stellte das Rötteler Oberamt 1780 beim Frevelgericht in Eichen fest, der Kleebau werde in diesem Ort ungemein intensiv betrieben und die Waldweide sei abgestellt worden.[202] Zehn Jahre später, 1788, klagte das Rötteler Oberforstamt jedoch wieder, Eichen sei die einzige Gemeinde im Amtsbezirk, die nach wie vor keinen »rechten Geschmack am Kleebau« habe und sich nicht von der Waldweide abbringen lasse.[203] Das Oberforstamt war erneut auf dieses Problem gestoßen, weil mehrere Bürger Eichens 1787 beim Markgrafen um die Milderung ihrer Forstfrevelstrafen suppliziert hatten, die ihnen wegen des verbotenen Weidens in den Holzschlägen angesetzt worden war.[204]

Das Oberamt Rötteln sah im Frühjahr 1789 den Moment gekommen, die Eichener von ihrer Anhänglichkeit an die Waldweide abzubringen und den Kleebau zu forcieren; Anlaß zu diesem neuen Anlauf gab der Wechsel bei den Ortsvorgesetzten in der Gemeinde: Der alte Stabhalter, der bisher gegen die Kleepflanzung eingestellt gewesen war, hatte sich durch eigenen Augenschein im Bann der Gemeinde Wiechs von deren Nützlichkeit überzeugen lassen, und der bisherige Stabhalter – auch ein Gegner des Kleebaus – war von seinem Amt zurückgetreten; als Kandidaten für seine Nachfolge waren aber zwei dem Kleebau günstig gesinnte Männer vorgeschlagen worden. Als der Schopfheimer Stadtschreiber in der Gemeinde die Haus-

---

[200] 229/23155, fol. 48–53; 31 XII 1777.
[201] 229/23155, fol. 59f., 60, 61f.; 8 IV, 10 IV, 18 IV, 7 V 1778.
[202] 229/23156 (23 XII 1780).
[203] 229/23155, fol. 82–83', fol. 90–93'; 4 I 1788, 21 IV 1789.
[204] 229/23155, fol. 80–81, 82–83'; 4 I 1787; 4 I 1788. – Die Rentkammer lehnte das Gesuch der Eichener vorläufig ab, stellte aber einen partiellen Strafnachlaß für den Fall in Aussicht, daß die Eichener auf die Waldweide verzichteten und den Kleebau intensivierten (229/23155, fol. 88; 28 III 1788).

vorstände vernahm, ob und wieviel Klee sie anbauen wollten, erklärten 15 der 61 Bürger, daß sie kein Feld zur Kleepflanzung übrig hatten, 12 hatten eigenen Klee und 29 verlangten Samen dazu; somit verblieben noch 11, die keinen Klee anpflanzen wollten, »wovon aber« – wie der Schopfheimer Stadtschreiber Ziegler meinte – »gewis noch mehrere andern Sinnes werden«.[205] Auf Antrag der Rentkammer bewilligte der Markgraf der Gemeinde Eichen einen Vorschuß zur Anschaffung des benötigten Kleesamens und stellte bei gutem Erfolg des Anbaus den Nachlaß eines Drittels am Ersatz in Aussicht.[206] Die Akte über die ökonomische Untersuchung des Ortes Eichen schließt mit einem optimistischen Bericht des Oberamts und der Burgvogtei Rötteln an die Rentkammer vom Februar 1791, wonach in Eichen der Kleesamen gut ausgefallen sei und die Gemeinde großen Nutzen davon habe; die Gemeinde hatte ebenfalls bereits einen Drittel des Vorschusses zur Anschaffung des Samens an die Burgvogtei zurückbezahlt und versprach die Bezahlung des nächsten Drittels auf Martini.[207]

Das Fallbeispiel Eichen zeigt mehreres: Die Untersuchung des Nahrungsstandes einer Gemeinde bei Frevelgerichten reihte sich in ein ganzes Spektrum von Initiativen der Behörden ein, die zur Steigerung der Produktivität der Landwirtschaft und zur Lösung von Versorgungs- und Ordnungsproblemen in den betroffenen Gemeinden führen sollten. Diese Bemühungen zogen sich mitunter über längere Zeiträume hin; aufgrund der Gemengelage der Ursachen waren sowohl auf Amts- wie auf Zentralebene die für Wirtschaft und Finanzen (Burgvogtei, Rentkammer), den Forst (Oberforstamt) und auch die für die Policey (Oberamt, Hofrat) zuständigen Behörden an der Untersuchung der Probleme beteiligt. Die Schwierigkeiten, die einer raschen Durchführung der obrigkeitlichen Hilfsmaßnahmen entgegenstanden, waren aber beträchtlich und im Fall von Eichen maßgeblich auf den Widerstand der einflußreicheren Gemeindebewohner gegen die einschneidenden Umstellungen ihrer Wirtschaftsweise zurückzuführen. Während die Behörden eine Verbesserung der Lage v. a. auf dem Weg des klassischen Intensivierungszyklus Futterkräuterbau → Stallfütterung (Düngeranfall)/Aufhebung der (Wald)Weide → Übergang zu intensiveren Anbausystemen anstrebten,[208] favorisierten die maßgeblichen Gemeindebürger soziale Maßnahmen, die die hohe Zahl der Tagelöhner in der Gemeinde verringern sollten. Der Einfluß und der Vorbildcharakter der Ortsvorgesetzten auf die übrigen Bürger, d. h. deren Funktion als lokale Multiplikatoren, scheinen – zumindest in der Konzeption der Behörden – ebenfalls ein wichtiger Faktor für die Ablehnung von bzw. die Empfänglichkeit für Agrarinnovationen gewesen zu sein.

---

[205] 229/23155, fol. 89 f., 90–93', 98; 21, 22 IV 1789.
[206] 229/23155, fol. 99–100'; 25 IV, 11 V 1789.
[207] 229/23155; 3 II 1791.
[208] Zum »klassischen Intensivierungszyklus« s. u. a. Reiner Prass, Reformprogramm und bäuerliche Interessen. Die Auflösung der traditionellen Gemeindeökonomie im südlichen Niedersachsen, 1750–1883, Göttingen 1997, S. 28–37.

Die administrativen Anstrengungen zur Erhebung sozialstatistischer Daten sind im Oberamt Hochberg noch etwas später als im Oberamt Rötteln in Gang gekommen. Bei den groß angelegten Frevelgerichten in den sechs Hochberger Gemeinden Bahlingen, Eichstetten, Denzlingen, Mundingen, Teningen und Vörstetten in den Jahren 1789 und 1790, die mit einer Ausnahme alle unter der Leitung des initiativen Oberbeamten Roth standen,[209] wurden dann aber Daten erhoben, die im Vergleich zu den oben geschilderten Datenaufnahmen in Steinen/Höllstein/Hägelberg und in Hüsingen 1782 nochmals eine Steigerung in der Quantifizierung und in der Feingliederung der Angaben erkennen lassen.

Im Hinblick auf die Durchführung des Frevelgerichts im Februar 1789 verzeichneten in Eichstetten Vogt Wahrer und Stabhalter Rinklin alle Eichstetter Bürger und deren »Vermögens- und Nahrungs Umstände«. Wahrer und Rinklin trugen darin die Namen der Haushaltsvorstände, deren »Handthierung« und »Vermögenszustand« in Gulden ein; mit einem qualitativen Prädikat gaben sie an, wie gut der jeweilige Haushalt »sich nährt«, wobei bei allen Haushalten mit einer »schlechten Nahrung« die Ursachen dieser Lage und Vorschläge zu deren Verbesserung mitgeteilt wurden. Das Verzeichnis führte insgesamt 367 Hausvorstände auf, von denen sechs Witwen- und nur gerade zwei Hintersassenhaushalte waren.[210]

Eichstetten war eine sehr große Landgemeinde, deren Bevölkerungszahl jene des Amtsstädtchens Emmendingen überstieg.[211] Die Gemeinde war sozial und wirtschaftlich stark differenziert. Nicht weniger als 31 unterschiedliche Beschäftigungsarten sind im Verzeichnis aufgeführt, wobei der vergleichsweise hohe Anteil und die starke Gliederung der handwerklichen und gewerblichen Berufe zentralörtliche Funktionen des Fleckens Eichstetten erkennen lassen (Tab. 5.20).

[209] Zu Rolle des Oberbeamten Friedrich August Roth als Verfasser einer »General-Jauner-Liste« im Jahr 1800 vgl. Eva Wiebel, Andreas Blauert, Gauner- und Diebeslisten. Unterschichten- und Randgruppenkriminalität in den Augen des absolutistischen Staates, in: M. Häberlein (Hg.), Devianz, Widerstand und Herrschaftspraxis in der Vormoderne. Studien zu Konflikten im südwestdeutschen Raum (15.–18. Jahrhundert), Konstanz 1999, S. 67–96, hier S. 91–96.
[210] 229/23271/I, Beilage Nr. 8. – Vgl. die Auswertung dieser Angaben bei Strobel, Agrarverfassung, S. 206 f. – Die Ortsvorgesetzten waren in der Lage, über die Vermögensverhältnisse der einzelnen Haushalte Auskunft zu geben, weil sie für die Verteilung der jährlichen Schatzungsbeträge in der Gemeinde zuständig waren (Windelband, Verwaltung, S. 56 f.).
[211] In Emmendingen wohnten 1804 1480 Einwohner (Michaela Schmölz-Häberlein, Zwischen Integration und Ausgrenzung: Juden in der oberrheinischen Kleinstadt Emmendingen 1680–1800, in: R. Kießling, S. Ullmann (Hgg.), Landjudentum im deutschen Südwesten während der Frühen Neuzeit, Berlin 1999, S. 363–397, hier S. 368). – Die Bevölkerungszahl Eichstettens wird für das Jahr 1786 mit 1848 Einwohnern angegeben (Ludwig, Hochberg, S. 30).

Tabelle 5.20:
»Hantierungen« der Haushalte in Eichstetten, 1789[212]

Beruf	Anzahl	Beruf	Anzahl
Bauer	194	Maurer	3
Taglöhner	58	Fischer	2
Weber	15	Hafner	2
Schuhmacher	14	Bannwart	1
Küfer	12	Bote	1
Schneider	12	Chirurg	1
Wirte	8	Dreher	1
Bäcker	7	Grenadier	1
Leibdingsleute	6	Hatschier	1
Metzger	6	Krämer	1
Müller	6	Nagelschmied	1
Wagner	6	Säckler	1
Zimmerleute	5	Sattler	1
Färber	4	Seifensieder	1
Schmiede	4	Stricker	1
Schreiner	4	ohne Angabe[213]	1
Total			381

Eine ausgesprochen starke Ungleichverteilung prägte die Vermögensstruktur der Haushalte in Eichstetten, wo einer Masse von schlecht und gering bemittelten Haushalten eine kleine Minderheit von Haushaltungen mit sehr großen Vermögen gegenüberstand, während die Haushalte mit mittleren Vermögen ebenfalls eine Minderheitsposition einnahmen (Graphik 5.1, Tab. 5.21). Die hier aus analytischen Gründen schematisch eingeteilten Vermögensgruppen verteilten sich in aufschlußreicher Weise auf die verschiedenen Beschäftigungen. Die sehr großen Vermögen über 8000

---

[212] Die tabellarische Aufstellung übernimmt die Angaben zur »Hantierung«, wie sie im Verzeichnis aufgeführt sind. – Die Summe der Angaben übertrifft die Summe der im Verzeichnis genannten Personen, weil in 13 Fällen eine Person mehreren Beschäftigungen nachging und diese in der Tabelle auch einzeln gezählt wurden. Mehrere Beschäftigungen gaben insbesondere die Wirte und die Vertreter aus dem Nahrungsgewerbe an: drei Personen waren Wirt und Metzger, drei waren Wirt und Bauer, je zwei kombinierten die Tätigkeit als Küfer und Bauer sowie als Metzger und Bauer, je einmal kamen die Verbindungen Wirt – Bäcker, Schreiner – Grenadier vor und in einem Fall wurden gar die drei »Hantierungen« Wirt, Metzger und Bauer von einer Person ausgeführt. – Diese Zählweise erklärt auch die Unterschiede zur Aufstellung der Eichstetter Berufs- und Vermögensstruktur bei Strobel, Agrarverfassung, S. 206 f.

[213] Diese Rubrik bezog sich auf eine Witwe, die keine eigene Tätigkeit, sondern die Hantierung des verstorbenen Mannes angab (Schlosser). Die übrigen 5 Witwen gaben als Hantierung an: Bäuerin (3x), Weber(in) und Taglöhnerin.

Graphik 5.1:
Vermögensverteilung der Eichstetter Haushaltungen in Gulden, 1789

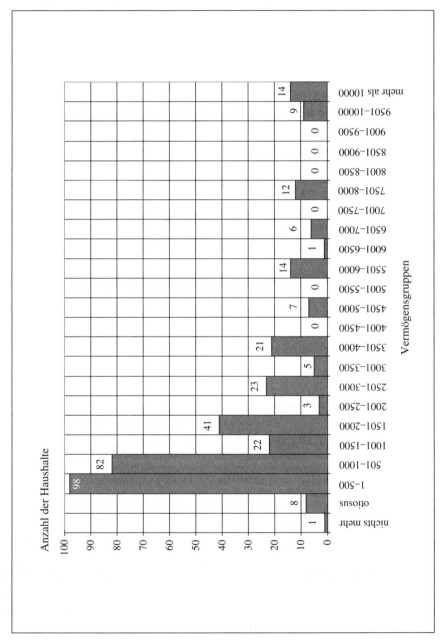

Tabelle 5.21:
Vermögensstruktur der Eichstetter Haushalte nach »Hantierungen«, 1789

Beruf	nichts mehr	ots [otiosus]	1– 500	501– 1000	1001– 1500	1501– 2000	2001– 2500	2501– 3000	3001– 3500	3501– 4000	4001– 4500
Bauer	0	1	12	34	18	31	1	19	5	18	0
Taglöhner	0	5	32	20	0	1	0	0	0	0	0
Weber	0	1	11	2	0	0	0	1	0	0	0
Schuh-macher	0	0	3	8	1	0	0	0	0	0	0
Küfer	0	0	1	2	0	3	0	1	0	2	0
Schneider	0	0	10	2	0	0	0	0	0	0	0
Wirte	0	0	0	1	0	1	0	0	0	0	0
Bäcker	0	0	1	2	0	1	1	0	0	0	0
Leibdings-leute	1	0	4	1	0	0	0	0	0	0	0
Metzger	0	0	0	0	0	1	0	0	0	0	0
Müller	0	0	1	1	0	0	1	1	0	1	0
Wagner	0	0	3	2	0	1	0	0	0	0	0
Zimmer-leute	0	0	5	0	0	0	0	0	0	0	0
Färber	0	0	2	0	1	1	0	0	0	0	0
Schmiede	0	0	1	1	0	1	0	1	0	0	0
Schreiner	0	1	1	1	0	1	0	0	0	0	0
Maurer	0	0	1	1	1	0	0	0	0	0	0
Fischer	0	0	1	1	0	0	0	0	0	0	0
Hafner	0	0	1	1	0	0	0	0	0	0	0
Bannwart	0	0	1	0	0	0	0	0	0	0	0
Bote	0	0	1	0	0	0	0	0	0	0	0
Chirurg	0	0	0	1	0	0	0	0	0	0	0
Dreher	0	0	1	0	0	0	0	0	0	0	0
Grenadier	0	1	0	0	0	0	0	0	0	0	0
Hatschier	0	0	1	0	0	0	0	0	0	0	0
Krämer	0	0	0	0	1	0	0	0	0	0	0
Nagel-schmied	0	0	1	0	0	0	0	0	0	0	0
Säckler	0	0	1	0	0	0	0	0	0	0	0
Sattler	0	0	0	1	0	0	0	0	0	0	0
Seifensieder	0	0	0	1	0	0	0	0	0	0	0
Stricker	0	0	1	0	0	0	0	0	0	0	0
ohne Angabe[214]	0	0	1	0	0	0	0	0	0	0	0
Total	1	9	98	83	22	42	3	23	5	21	0

[214] Eine Witwe gibt die Hantierung des verstorbenen Mannes an (Schlosser).

4501–5000	5001–5500	5501–6000	6001–6500	6501–7000	7001–7500	7501–8000	8001–8500	8501–9000	9001–9500	9501–10000	mehr 10000	Total
4	0	12	1	5	0	11	0	0	0	9	13	194
0	0	0	0	0	0	0	0	0	0	0	0	58
0	0	0	0	0	0	0	0	0	0	0	0	15
1	0	1	0	0	0	0	0	0	0	0	0	14
1	0	0	0	0	0	1	0	0	0	1	0	12
0	0	0	0	0	0	0	0	0	0	0	0	12
1	0	0	0	1	0	2	0	0	0	1	1	8
0	0	0	0	0	0	1	0	0	0	0	1	7
0	0	0	0	0	0	0	0	0	0	0	0	6
1	0	0	0	1	0	0	0	0	0	1	2	6
0	0	1	0	0	0	0	0	0	0	0	0	6
0	0	0	0	0	0	0	0	0	0	0	0	6
0	0	0	0	0	0	0	0	0	0	0	0	5
0	0	0	0	0	0	0	0	0	0	0	0	4
0	0	0	0	0	0	0	0	0	0	0	0	4
0	0	0	0	0	0	0	0	0	0	0	0	4
0	0	0	0	0	0	0	0	0	0	0	0	3
0	0	0	0	0	0	0	0	0	0	0	0	2
0	0	0	0	0	0	0	0	0	0	0	0	2
0	0	0	0	0	0	0	0	0	0	0	0	1
0	0	0	0	0	0	0	0	0	0	0	0	1
0	0	0	0	0	0	0	0	0	0	0	0	1
0	0	0	0	0	0	0	0	0	0	0	0	1
0	0	0	0	0	0	0	0	0	0	0	0	1
0	0	0	0	0	0	0	0	0	0	0	0	1
0	0	0	0	0	0	0	0	0	0	0	0	1
0	0	0	0	0	0	0	0	0	0	0	0	1
0	0	0	0	0	0	0	0	0	0	0	0	1
0	0	0	0	0	0	0	0	0	0	0	0	1
0	0	0	0	0	0	0	0	0	0	0	0	1
0	0	0	0	0	0	0	0	0	0	0	0	1
0	0	0	0	0	0	0	0	0	0	0	0	1
8	0	14	1	7	0	15	0	0	0	12	17	381

Gulden befanden sich ausschließlich in den Händen von Bauern, zweier Metzger, eines Wirts, eines Küfers und eines Bäckers. Auch unter den Besitzern mittlerer Vermögen waren die Bauern fast alleine unter sich; zu ihnen gesellten sich noch wenige Schuhmacher, Wirte, Metzger, Bäcker und Müller, während alle übrigen Haushalte in wenigen Fällen in die Gruppe der Vermögen zwischen 2501 und 3000 Gulden gehörten, in der großen Überzahl aber nur sehr geringe Vermögen auswiesen. Darunter fiel auch eine nicht unbeträchtliche Zahl von Bauern, sodaß diese Gruppe in sich sehr stark differenziert war.

Charakteristisch für den policeylichen Blick der Oberbeamten auf die von ihnen verwaltete Gesellschaft war, daß auch in Eichstetten die Erkundigungen auf die Ermittlung der Haushaltsführung zielten. Mit der Frage, wie sich der betreffende Haushalt ernährte, ging es dem Oberbeamten Roth nicht um den Vermögensstand an sich, über den er ja präzise Angaben erhielt, sondern mehr darum, ob der jeweilige Hausvorstand sein Haus ordentlich führte oder ob er in seinem Lebenswandel und in seiner Wirtschaftsführung ein Verhalten an den Tag legte, das entweder für den schlechten Vermögensstand verantwortlich war oder das ohne Korrekturen eine Verschlechterung der Vermögenslage befürchten ließen. Wäre der Vermögenszustand allein für die Klassierung der Haushaltsführung relevant gewesen, so hätten wesentlich mehr Haushaltungen unter die mittelmäßigen oder schlechten Haushalter eingereiht werden müssen. Um aber als schlechter Haushalter bewertet zu werden, mußten bei einem Hausvorstand moralische Defizite hinzukommen. 32 Haushaltungen wurde in der Eichstetter Tabelle das Prädikat einer »guten« Nahrung verwehrt. Die »Nahrungsumstände« der Taglöhner waren am stärksten gefährdet, sie stellten 16 der hier registrierten 32 Haushaltungen, d. h. mehr als ein Viertel der Taglöhnerhaushalte fiel in dieser Hinsicht auf. Immerhin figurierten auch acht Bauern im Verzeichnis, wobei es von einem Bauern mit einem Vermögen von 8000 fl. hieß, er ernähre sich und sein Haus zwar gut, doch könnte es noch besser sein, wenn er von seiner Zanksucht abließe. Als Ursache für die schlechte Nahrung dieser Haushalte nannte das Verzeichnis am häufigsten mangelnden Arbeitsfleiß, übermäßiges Trinken, Unordnung in der Familie sowie Streit- und Verschwendungssucht.

Die für die Frevelgerichte von Mundingen und Teningen 1790 angefertigte Tabellen über alle Bürger, Bürgerswitwen und Hintersassen folgten dem Schema, das in Eichstetten angewandt wurde, mit einem gewichtigen Unterschied allerdings: Die Angaben zu Beruf und Beschäftigung fehlten.[215] Die Rubriken gaben für die einzelnen Haushalte den Namen des Hausvorstands, dessen Vermögensumstände, Aufführung und Haushaltungsführung, die allfälligen Ursachen des Vermögenszerfalls sowie die Vorschläge der Vorgesetzten zu dessen Korrektur an.

---

[215] Mundingen: Die Tabelle findet sich als Beilage Nr. 5 in der Akte zum Mundinger Frevelgericht (229/70240/III; 7–30 IX 1790). – Teningen: Beilage Nr. 4 der Frevelgerichtsakte (229/105133; 6 VIII 1790).

Mundingen und Teningen waren wesentlich kleiner als Eichstetten. Teningen umfaßte 224 Haushaltungen – 185 Bürger-, 34 Bürgerswitwen- und fünf Hintersassenhaushalte –, während die 130 Haushaltungen Mundingens sich aus 102 Bürger-, 23
Bürgerswitwen- und 5 Hintersassenhaushalte zusammensetzten. Auch in Mundingen
und Teningen, wo wieder eine qualitative Bewertung des Vermögensstands der
Haushalte vorgenommen wurde, übertrafen die geringen Vermögen die mittleren
und guten deutlich (Tab. 5.22, 5.23). Weil die Mundinger und Teninger Vorgesetzten
im Unterschied zu ihren Eichstetter Amtskollegen keine Angaben zur Beschäftigung
der Haushalte mitgeteilt haben, ist eine soziale Zuordnung der Vermögensangaben zu den einzelnen Berufen und Beschäftigungen nicht möglich. Dafür verraten
die beiden Verzeichnisse etwas über die bescheidenen Verhältnisse, in denen in
Mundingen fast drei Viertel der recht zahlreichen Witwen lebten.

Tabelle 5.22:
Vermögensumstände der Mundinger Haushalte, 1790

Vermögensumstände	arm	gering	mittel	gut	Total
Bürger	0	64	24	14	102
Bürgerswitwen	1	16	3	3	23
Hintersassen	0	5	0	0	5
Total	1 (0,8%)	85 (65,3%)	27 (20,8%)	17 (13,1%)	130

Tabelle 5.23:
Vermögensumstände der Teninger Haushalte, 1790

Vermögensumstände	nichts	arm, wenig, gering	mittel	gut	Leibge-ding	Bes. Fälle[216]	Total
Bürger	8	79	43	38	11	6	185
Bürgerswitwen	0	7	5	3	16	3	34
Hintersassen	1	3	0	0	0	1	5
Total	9	89	48	41	27	10	224

Ein überwiegend günstiges Zeugnis stellten die Mundinger und Teninger Vorgesetzten ihren Mitbewohnern hinsichtlich der Art und Weise ihrer Haushaltsführung
aus (Tab. 5.24, 5.25).

---

[216] Unter die besonderen Fälle sind Angaben über das Bestehen einer Ehesteuer (5 Fälle), über
Hausarbeit (2 Fälle), Dienst und Vermögen (je 1 Fall) rubriziert.

Tabelle 5.24:
Haushaltsführung der Mundinger Haushalte, 1790

Haushaltführung	gut	mittel	böse	in Diensten	Total
Bürger	80	12	8	2	102
Bürgerswitwen	18	4	0	1	23
Hintersassen	1	4	0	0	5
Total	99 (76,2%)	20 (15,4%)	8 (6,1%)	3 (2,3%)	130

Tabelle 5.25:
Haushaltsführung der Teninger Haushalte, 1790

Legende zu den Prädikaten zur Haushaltsführung:
1: gut, fleißig, arbeitsam
2: (den Umständen entsprechend) in Ordnung
3: mittelmäßig
4: nicht in den besten Umständen, schlecht, nachlässig, unüberlegt
5: ist noch zu erwarten
6: alt, gebrechlich, kränklich
7: besondere Fälle (unter Pflegschaft, erhält ein Gnadengehalt, Bettelwächter)
8: ohne Angabe. Darunter fallen besonders die Haushalte, die von einem Leibgeding lebten (Witwer, Witwen).

Haushalts-führung	1	2	3	4	5	6	7	8	Total
Bürger	94	36	9	20	5	4	7	11	186
Bürgers-witwen	9	5	1	1	0	1	0	18	35
Hinter-sassen	2	2	0	0	1	0	0	0	5
Total	105 46,5%	43 19%	10 4,4%	21 9,3%	6 2,7%	5 2,2%	7 3,1%	29 12,8%	226

Gewisse Variationen zu dem Teninger und Mundinger Tabellenschema weist schließlich das Verzeichnis aller Bürger, Bürgerswitwen und Hintersassen auf, das Vogt, Stabhalter und die sieben Richter von Vörstetten Landvogt von Liebenstein beim Frevelgericht 1790 überreichten.[217] Als neue Rubriken finden sich hier Angaben zum Alter und zur Kinderzahl[218] der einzelnen Hausvorstände. Sie erlauben

---

[217] 229/107983, Beilage Lit. B (15–18, 21–25, 28–29 IX 1790).
[218] Wie weit der Begriff »Kinder« zu verstehen ist, bleibt unklar. Handelte es sich nur um die Kinder bis zur Entlassung aus der Schule mit 15 bzw. 13 Jahren oder wurden die schulentlassenen Jugendlichen, soweit sie noch zu Hause wohnten, auch mitgezählt.

Auswertungen von sozialen Parametern, die für die anderen Gemeinden nicht überliefert sind; ansonsten enthielt die Tabelle die bekannten Angaben zum Vermögen
der Haushalte – hier wiederum in Gulden ausgedrückt –, zu ihrer Beschäftigung in
einem bestimmten Handwerk, zur Haushaltsführung der Vorstände und zu deren
sittlichem Charakter und Aufführung.

In Vörstetten und in dem zu dieser Gemeinde gehörenden Weiler Schupfholz gab
es 1790 142 Haushaltungen (Vörstetten: 128; Schupfholz: 14), wobei auch hier die
überwiegende Mehrheit (mehr als 90%) Haushalte von Bürgern waren; in Vörstetten existierte ein einziger Hintersassenhaushalt, in den übrigen 21 Haushalten lebten
Witwen. Insgesamt wurde die Bevölkerungszahl nach der jüngsten Zählung mit 588
angegeben.[219]

Graphik 5.2:
Altersstruktur der 142 Haushaltsvorstände, Vörstetten 1790

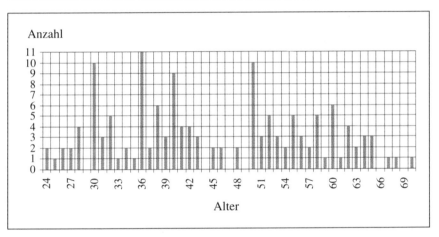

Auffallende Ausschläge charakterisieren die Altersstrukur der Vörstetter und
Schupfholzer Hausvorstände (Graphik 5.2). Es gab auffallend viele 30jährige, 36jäh-
rige, 40jährige und 50jährige Männer, während mehrere Jahrgänge überhaupt keine
Hausvorstände stellten. Markant sind die beiden »Täler« bei den Männern in der
Mitte der dreißiger Jahre und bei jenen in den vierziger Jahren. Die 44 bis 49jäh-
rigen Männer stellten nur sechs Hausvorstände. Ohne genauere Kenntnis der demographischen Entwicklung Vörstettens zu besitzen, kann man zumindest hypo-
thetisch fragen, ob die beiden auffallend kleinen Kohorten eine Folge der jeweils
unmittelbar vorangehenden, starken Jahrgänge gewesen sein könnten. Die Chancen,

---

[219] Die Angabe der »Seelenzahl« nach dem Frevelgerichtsprotokoll (229/107983, fol. 48).

einen Zugang zum Heiratsmarkt zu erlangen, waren jedenfalls für die einzelnen Jahrgänge sehr ungleich. Der Generationenwechsel an der Spitze der Haushalte wickelte sich keineswegs gleichmäßig ab, gewisse Jahrgänge scheinen hier vielmehr wesentlich bessere Aussichten besessen zu haben, die Nachfolge eines Hausvorstandes anzutreten, als andere vor und nach ihnen.

Die beim Vörstetter Frevelgericht erhobenen Daten lassen sich noch in weiterer Hinsicht als Quellen für die Sozial- und Familiengeschichte eines Breisgauer Dorfes am Ende des 18. Jahrhunderts nutzen (Tab. 5.26). In Vörstetten lebten 1790 324 Kinder. Die meisten Haushalte waren ausgeprägte Kleinfamilien mit einem bis höchstens drei Kindern. Familien mit mehr als fünf Kindern waren selten, deutlich seltener jedenfalls als kinderlose Haushalte. Die meisten Witwen hatten ein bis zwei Kinder zu betreuen, drei Witwen aber immerhin noch deren fünf.

Tabelle 5.26:
Die Kinderzahl der Vörstetter Haushalte und deren Verteilung auf Bürger- und Witwenhaushalte, 1790

Anzahl im Haushalt	Haushalt von Bürgern und Hintersassen	Haushalt von Witwen	Total der Haushalte mit der jeweiligen Kinderzahl	Total der Kinder in Vörstetten
0	13	2	15	0
1	31	6	37	37
2	30	5	35	70
3	23	3	26	78
4	10	2	12	48
5	9	3	12	60
6	4	0	4	24
7	1	0	1	7
Total	121	21	142	324

Die Angaben über die Vermögensbestände der Vörstetter Haushaltungen lassen sich in zweifacher Hinsicht auswerten. Zum einen zeigt sich für diesen Ort die in allen bisherigen Fallbeispielen festgestellte markante Ungleichverteilung der Vermögen zwischen einer kleinen Minderheit mit großen bis sehr großen Vermögen und einer sehr starken Gruppe mit geringen Vermögen. Zum andern lassen sich die Angaben zum Vermögen auch mit dem Status bzw. mit dem Beruf der Haushaltungen korrelieren. Da zeigt sich einmal die starke Vertretung der Handwerker und Witwen in den Klassen mit geringen Vermögen, wobei die Witwenhaushalte insgesamt über das gesamte Vermögensspektrum streuten. Eine weitere Beobachtung betrifft die Tatsache, daß unter den Vorgesetzten und Richtern der Gemeinde keine Hausvorstände mit kleinen Vermögen vertreten waren, sondern diese sich vielmehr aus den mittleren und v.a. den großen Vermögen rekrutierten (Graphik 5.3).

Graphik 5.3:
Vermögensstrukur der Vörstetter Haushalte nach Vermögensgruppen, 1790

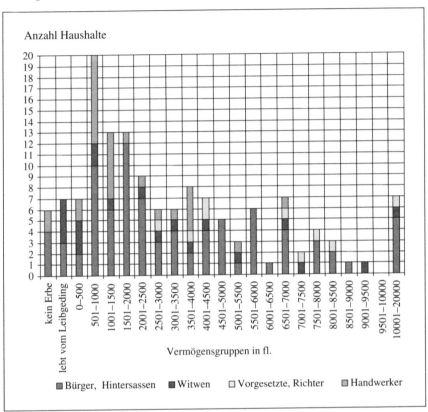

Nicht nur die Vermögen waren sehr ungleich über die Vörstetter Bürgerschaft verteilt, ebenso verhielt es sich mit der Kinderzahl der einzelnen Haushaltungen. Die Zahl der Kinder und das Vermögen eines Haushalts scheinen in einem unmittelbaren Zusammenhang gestanden zu haben (Tab. 5.27). Die Kleinfamilien waren eine Erscheinung vorab der Haushaltungen mit geringen Vermögen, während kinderreiche Familien zwar nicht exklusiv, aber doch tendenziell in den reicheren Häusern zu finden waren.

Aus dem Bürgerverzeichnis entnahm der Oberbeamte die Auskunft, daß in Vörstetten außer den für den Landmann unentbehrlichen Handwerken wie Bäckern, Schmieden, Schneidern, Schustern, Zimmermann, Maurer und Leinwebern keine weiteren Handwerker vorhanden waren. Besonders die beiden Schneider wurden als »geschickte Arbeiter, die ihr Handwerk gut verstehen und die beständigen Verdienst

Tabelle 5.27:
Vermögenslage und Kinderzahl der Vörstetter Haushalte 1790

Vermögen in Gulden	Anzahl Kinder im Haushalt								
	Ohne Kind	1 Kind	2 Kinder	3 Kinder	4 Kinder	5 Kinder	6 Kinder	7 Kinder	Total
Noch nicht geerbt[220]	0	3	2	1	0	0	0	0	6
Lebt vom Leibgeding[221]	4	1	0	1	0	1	0	0	7
0– 500	1	4	1	0	1	0	0	0	7
501– 1000	1	5	4	4	4	2	0	0	20
1001– 1500	2	1	7	2	0	0	1	0	13
1501– 2000	0	6	3	1	1	1	1	0	13
2001– 2500	1	3	3	0	1	1	0	0	9
2501– 3000	0	2	2	1	1	0	0	0	6
3001– 3500	1	3	1	1	0	0	0	0	6
3501– 4000	1	0	2	3	0	2	0	0	8
4001– 4500	1	1	2	3	0	0	0	0	7
4501– 5000	0	1	2	2	0	0	0	0	5
5001– 5500	0	1	0	1	1	0	0	0	3
5501– 6000	2	1	1	1	0	1	0	0	6
6001– 6500	0	1	0	0	0	0	0	0	1
6501– 7000	0	0	2	1	1	2	1	0	7
7001– 7500	0	1	0	0	1	0	0	0	2
7501– 8000	1	1	1	1	0	0	0	0	4
8001– 8500	0	1	0	0	0	0	1	1	3
8501– 9000	0	0	0	0	0	1	0	0	1
9001– 9500	0	0	1	0	0	0	0	0	1
9501–10000	0	0	0	0	0	0	0	0	0
10001–20000	0	1	1	3	1	1	0	0	7
Total Haushalte	15	37	35	26	12	12	4	1	142

haben,« beurteilt. Zwar fehlte zur Zeit ein Krummholzer im Dorf, ein Handwerker, den angeblich jedes Dorf benötigte, doch ging der junge Georg Leimenstoll gegenwärtig bei einem geschickten Krummholzer im Föhrental in die Lehre, und sein Meister stellte diesem ein gutes Zeugnis aus. Bei der Durchsicht der Liste stellte der

---

[220] Haushaltsvorstände, die noch nicht geerbt haben.
[221] Haben ihr Vermögen an die nächste Generation übergeben und leben von einem Leibgeding.

Oberbeamte auch fest, daß nur zwei Leinweber im Ort ansässig waren, und befand, daß dies für den Ort nicht genug sei. Zwar erfuhr er, daß Mattias Deutsch bald aus der Wanderschaft zurückkommen und Christian Jauch nächstens in die Fremde gehen würden, dennoch gab er den Vorgesetzten auf, darauf zu sehen, daß ein paar Leinweber nachgezogen wurden. Als das Oberamt Hochberg ein gutes Jahr nach Durchführung des Frevelgerichts dem Hofrat über den Vollzug seiner Frevelgerichtanweisungen Bescheid gab, konnte es in diesem Punkt vermerken, unterdessen seien ein paar Junge in die Lehre gegeben worden.[222] Im Ort betrieb Christoph Bösinger eine Krämerei, und sein Laden war nach Auskunft der Vorgesetzten mit allem versehen, was in Vörstetten nötig war.[223]

Auch in Vörstetten bewerteten die Vorgesetzten und Richter für den Oberbeamten die Haushaltsführung der Haushaltungen. Die überwiegende Mehrheit bewerteten sie als »gut« (104 Haushalte), die übrigen als »ziemlich gut« (4), »nicht gar gut« (2), »mittelmäßig« (5), deren fünf aber als schlecht. Im Protokoll hielt der Oberbeamte fest, er habe den »sittlichen Character« der Haushalte »im Grund nicht übel« befunden. Über einige habe man sich beschwert, »daß sie grob seyen und diese sind beim Durchgang sowol als die andern, bei denen etwas zu bemercken gewesen, erinnert und nach Befinden der Umstände ermahnt worden«.[224]

Wie die Oberbeamten und die Karlsruher Zentralbehörden die Tabellen und Verzeichnisse in den Frevelgerichtsakten konkret genutzt haben, läßt sich nur ansatzweise beantworten. Für den Oberbeamten, der vor Ort das Frevelgericht leitete, waren die Tabellen zunächst einmal Unterlagen, die er bei der Durchführung dieser Veranstaltung heranzog. Weiter unten wird noch zu zeigen sein, daß insbesondere die Überprüfung der lokalen Armenfürsorge sowie des Verhaltens der »Übelhauser« auf der Grundlage der Angaben in den Tabellen vorgenommen wurde. Welchen Nutzen Hofrat und Rentkammer aus den Verzeichnissen zogen, ließe sich nur über die systematische Auswertung der Protokolle eruieren. Immerhin hat der Fall der ökonomischen Untersuchung über die Gemeinde Eichen gezeigt, daß die badischen Behörden bei akutem Handlungsbedarf im letzten Viertel des 18. Jahrhunderts ihr konkretes Vorgehen systematisch planten und ihre Eingriffe nicht nur auf die Angaben aus den Anhörungen der lokalen Bevölkerung stützten, sondern diesen auch die statistische Erfassung bestimmter sozialer Parameter zugrundelegten. In dieser Hinsicht sind die Erhebungen bei Frevelgerichten, unabhängig vom jeweils konkreten Gebrauch der erhobenen Daten, nicht zuletzt ein Beleg für eine neuartige Konzeption von Verwaltung und Politik und für den Versuch der Behörden, politische Entscheidungen rationaler zu gestalten, indem diese auf Ursachenanalysen auf wissenschaftlicher und gleichsam »objektiver« Grundlage zurückgeführt wurden.

---

[222] 229/107983 (21 XII 1791).
[223] 229/107983, fol. 48–49.
[224] 229/107983, fol. 48.

Gleichzeitig ist die Anlage solcher sozialstatistischer Daten ein Indikator für das Bewußtsein der verantwortlichen Stellen für den hohen Komplexitätsgrad, den die politisch-administrativen Probleme erreicht hatten, und für deren Bedürfnis nach sachadäquaten Problemlösungsstrategien.

5.4.2 Agrarreformen als policeyliches Anliegen der Frevelgerichte

Die nähere Betrachtung der in den Rügezetteln aufgeführten Policeyfragen hat deutlich erkennen lassen, mit welchen Maßnahmen die Obrigkeit den sogenannten Nahrungsstand der Haushalte zu verbessern und damit die Finanzkraft der Gemeinden zu stärken gedachte. Wichtigster Ansatzpunkt war die Landwirtschaft, deren Produktivität entscheidend gesteigert werden sollte. Wenn auch Maßnahmen zur Förderung von Gewerbe und Handwerk im Einzelfall nicht ausblieben – die Frevelgerichtstournee des Oberamtmanns Saltzer durch die Herrschaft Badenweiler 1753 hat dies verdeutlicht –,[225] so wurde dieser Aspekt von den Rügezetteln doch nicht systematisch thematisiert, was möglicherweise als Reflex der traditionellen Trennung von ländlicher Agrarwirtschaft und städtischem Handwerk bei den badischen Behörden gedeutet werden kann. Obwohl also faktisch das Landhandwerk in der Markgrafschaft eine zentrale Rolle für die Beschäftigung der ländlichen Bevölkerung spielte,[226] behielten Agrarreformen, die in Baden relativ früh einsetzten, eindeutig den Vorrang unter den wirtschaftlichen Reformmaßnahmen.[227]

---

[225] S. Kap. 5.4.1.

[226] Eckart Schremmer, Zu wenig städtisches und zu viel ländliches Gewerbe in Baden um 1790? in: H. Kellenbenz u. a. (Hgg.), Historia socialis et oeconomica. Festschrift f. W. Zorn zum 65. Geb., Stuttgart 1987, S. 316–329; Ders., Zünftige und nicht-zünftige Gewerbetreibende in der Markgrafschaft Baden-Durlach im Jahr 1767, in: H. Henning u. a. (Hgg.), Wirtschafts- und sozialgeschichtliche Forschungen und Probleme. Festschrift f. K. E. Born zum 65. Geb., St. Katharinen 1987, S. 48–84.

[227] Vgl. dazu bereits Drais I, S. 103–143; Moericke, Agrarpolitik; Windelband, Verwaltung, S. 103–106; Liebel, Bureaucracy, S. 40–54 und besonders Zimmermann, Reformen, passim, bes. S. 130–170; s. a. Ders., Wirtschaftsreformen, passim, wobei Zimmermanns Zuordnung der badischen Agrarreformen sowie der badischen Regierungsbeamten J. J. Reinhard und J. G. Schlosser zur Physiokratie nicht einsichtig ist (ebd., S. 163, 166). – Für eine detaillierte Schilderung des Reformvorgangs auf der Ebene einer einzelnen Gemeinde im benachbarten Württemberg s. Sabean, Neckarhausen I, S. 148–159. – Für eine Auseinandersetzung mit dem aufklärerischen Vorwurf des Traditionalismus der Bauern vor dem Hintergrund der spezifischen Anforderungen des kommunal-bäuerlichen Nutzungssystems s. Clemens Zimmermann, Bäuerlicher Traditionalismus und agrarischer Fortschritt in der frühen Neuzeit, in: J. Peters (Hg.), Gutsherrschaft als soziales Modell, München 1995, S. 219–238; Werner Troßbach, Beharrung und Wandel »als Argument«. Bauern in der Agrargesellschaft des 18. Jahrhunderts, in: Ders., C. Zimmermann (Hg.), Agrargeschichte. Positionen und Perspektiven, Stuttgart 1998, S. 107–136. – Zur Agrarpolitik in den Policeyordnungen allgem. s. Raeff, Police State, S. 111–116. – Zum Stellenwert von Agrarfragen in der Literatur der »Volksaufklärung« s. Böning, Volksaufklärung, S. XXIII–XXXII, XXXVI–XLIII. –

Die Maßnahmen zur Erhöhung der agrarischen Produktivität sind vor dem Hintergrund einer für die Agrarproduzenten langfristig günstigen Entwicklung der Agrarpreise seit den 1730er Jahren zu sehen.[228] Nicht zuletzt dank dieser Agrarkonjunktur waren die Innovationen im Bereich der Landwirtschaft auf die Dauer erfolgreich. Die höhere Belastung von Kapital und Arbeit lohnte sich. Das badische Oberland ist als Beispiel für eine erfolgreiche Transformation einer regionalen Entwicklung vor der Industrialisierung bezeichnet worden. Die agrarische Produktion konnte stabilisiert und gesteigert, die Eigenversorgung der Bevölkerung verbessert werden; dabei veränderte die Landwirtschaft auch ihren sozialen Charakter: Die Tagelöhner wurden tendenziell aus der Landwirtschaft verdrängt und gaben ihre unrentablen Gütlein auf.[229]

Vom reformierten Rügezettel des Jahres 1767 über Schlossers Neufassung des Rügezettels für das Oberamt Hochberg 1781 bis hin zu den Fragepunkten der groß angelegten Frevelgerichte im Oberamt Hochberg 1789/90 behauptete ein bestimmter Maßnahmenkatalog hohe Priorität im staatlichen Programm zur Reform der Landwirtschaft. »Im ganzen gewinnt man den Eindruck, daß ökonomische Teilmodernisierung trotz rechtlicher Schranken durch die aufgeklärt-absolutistischen Verwaltungsstaaten des 18. Jahrhunderts stark gefördert wurde, wenn die Abgaben- und Herrschaftsordnung nicht gefährdet war und wenn der fiskalische Aufwand dabei begrenzt blieb.«[230]

Die Oberbeamten erkundigten sich nach der Verbesserung der Wiesen durch Wässerungen oder Austrocknungen von Mattfeldern,[231] nach der Öffnung der Wässerungs- und Abzugsgräben,[232] nach der Möglichkeit, Weiden in Wiesen umzuwan-

---

Moericke und Zimmermann betonen, daß die Landwirtschaft in Baden »der bei weitem bedeutendste wirtschaftliche Sektor« war und sich die Reformpolitik auf sie konzentrierte (Moericke, Agrarpolitik, S. 3 f.; Zimmermann, Reformen, S. 7). – Die sozialpolitischen Implikationen der Agrarreformen, die letztlich ja eine Steigerung der landwirtschaftlichen Produktivität im Hinblick auf die bessere »Nahrung« der Bevölkerung bezweckte, werden ausgeblendet, wenn Olivia Hochstrasser die »vorrangig ökonomistische(n) Zielsetzung« der staatlichen Reformtätigkeit gegenüber deren sozialpolitischen Zielen betont (Olivia Hochstrasser, Armut und Liederlichkeit. Aufklärerische Sozialpolitik als Disziplinierung des weiblichen Geschlechts – das Beispiel Karlsruhe, in: U. Weckel u. a. (Hgg.), Ordnung, Politik und Geselligkeit der Geschlechter im 18. Jahrhundert, Göttingen 1998, S. 323–343, hier S. 324 f.).

[228] Zur Agrarkonjunktur am Oberrhein s. Straub, Oberland, S. 45 ff.

[229] Ebd., 143–154.

[230] Zimmermann, Traditionalismus, S. 231. – Zimmermann unterscheidet zwei Wege, auf denen die agrarischen Innovationen propagiert wurden: die informationelle Verbreitung volksaufklärerischer Inhalte und die konkrete mikropolitische Durchsetzung einzelner Reformschritte (ebd., S. 231–236). – Die Einrichtung der Frevelgerichte verknüpfte beide Wege: die Oberbeamten konnten agrarreformerische Ideen auf dem Platz zu den Adressaten bringen.

[231] Rügezettel 1767, Fragen 1, 2 (RepPO 2233; 4 XI 1767; GS III, S. 586–589).

[232] Rügezettel 1767, Frage 1 (ebd.). – Auf der Öffnung der Abzugsgräben im Frühling und

deln sowie Weiden und Allmendwiesen unter die Bürger aufzuteilen,[233] sie wollten wissen, wie verbreitet der Anbau von Futterkräutern war,[234] ob im Gemeindebann noch öde oder ungenügend kultivierte Flurareale vorhanden waren,[235] weiter auch, ob die Frühjahresweide abgestellt[236] und das Verbot der Nachtweide durchgesetzt waren.[237] Alle diese Maßnahmen waren Bestandteil eines kohärenten Programms, das in der Agrargeschichtsschreibung als »klassischer Intensivierungszyklus« firmiert:[238] Der Anbau von Futterkräutern sollte einerseits die Einführung der Stall-

---

Herbst insistierte noch Posselts Denkschrift von 1801, weil nur so feuchte, tiefliegende Wiesen und Äcker verbessert werden konnten. Mit der Wässerung der Wiesen und Matten ließ sich der Grasertrag verbessern (Posselt, Vogt- oder Rügegerichte, S. 104–110). Zur Verbesserung der Wiesen Moericke, Agrarpolitik, S. 29–36; Zimmermann, Wirtschaftsreformen, S. 168 f.

[233] Rügezettel 1767, Frage 3 (RepPO 2233; 4 XI 1767; GS III, S. 586–589). – Zu den Individualisierungsstrategien im Prozeß der Agrarreformen s. Clemens Zimmermann, Entwicklungshemmnisse im bäuerlichen Milieu: Die Individualisierung der Allmenden und Gemeinheiten um 1780, in: T. Pierenkemper (Hg.), Landwirtschaft und industrielle Entwicklung. Zur ökonomischen Bedeutung von Bauernbefreiung, Agrarreform und Agrarrevolution, Stuttgart 1989, S. 99–112.

[234] Rügezettel 1767, Frage 4 (RepPO 2233; 4 XI 1767; GS III, S. 586–589). – Zur Aufsicht über den Anbau von Futterkräutern bei Frevelgerichten s. Posselt, Vogt- oder Rügegerichte, S. 124 f. Zur Förderung des Anbaus schlug Posselt die unentgeltliche Abgabe von Samen an unbemittelte Bauern auf Kosten der Herrschaft oder Gemeinde vor, bemittelte Bauern sollten hingegen mit Prämien für die Menge guter Futterkräuter oder durch Abgabenminderung auf mehrere Jahre belohnt werden (ebd., S. 125). Zu den staatlichen Bemühungen um den Kleebau s. a. Zimmermann, Reformen, S. 132–135.

[235] Rügezettel 1767, Frage 5 (RepPO 2233; 4 XI 1767; GS III, S. 586–589). – Zur Urbarisierung sumpfiger oder trockener Flächen vgl. Moericke, Agrarpolitik, S. 26 f.; Zimmermann, Reformen, S. 139–44. – Von Drais bezifferte die Fläche der allein im Oberamt Hochberg von 1746 bis 1789 zu Acker, Wiese oder Rebland urbarisierten Areale auf 1698 J. (mehr als 813 ha). Für die Oberämter Badenweiler und Rötteln lauten die entsprechenden Angaben 296 J. bzw. 783 J. Die »Summe der neuen Aeker, Wiesen und Reben im Oberland« belief sich damit auf 2777 J., jene in ganz Baden-Durlach auf 6116 J. (Drais II, S. 309; Beilage, S. 38).

[236] Rügezettel 1767, Frage 6 (RepPO 2233; 4 XI 1767; GS III, S. 586–589). – Zur Einschränkung der Frühjahresweide vgl. Zimmermann, Reformen, S. 145 ff. – Der Rugzettel von 1767 zeigt, daß staatliche Eingriffe in die gewohnheitsmäßige Praxis der Frühjahresweide nicht – wie Zimmermann meint – erst »seit Beginn der siebziger Jahre« des 18. Jhs. erfolgten.

[237] Rügezettel 1767, Frage 7 (RepPO 2233; 4 XI 1767; GS III, S. 586–589). – Das Verbot der Nachtweide wurde in zahlreichen territorialen Policeyordnungen festgelegt (s. Jutta Nowosadtko, Die policierte Fauna in Theorie und Praxis. Frühneuzeitliche Tierhaltung, Seuchen- und Schädlingsbekämpfung im Spiegel der Policeyvorschriften, in: Härter (Hg.), Policey und frühneuzeitliche Gesellschaft, S. 297–340, hier S. 311 f.).

[238] Prass, Reformprogramm, S. 36; s. a. ebd., S. 93 ff. Prass bezeichnet diesen Zyklus als das gleichbleibende Schema der Agrarschriftsteller des späten 18. und frühen 19. Jhs.; vgl. dazu für das badische Oberland Strobel, Agrarverfassung, S. 145–149; zu den Maßnahmen zur Hebung der »Landeskultur« in Bayern in den 1760er Jahren s. Rankl, Landvolk, S. 930–939. – Eine geradezu euphorische Schilderung der Fortschritte, die der »Kampf gegen die Brache

fütterung des Viehs auch im Sommer, andererseits die Aufhebung der Gemeinweide ermöglichen; mit der Aufstockung des Viehbestands und der Stallhaltung des Viehs ließ sich die Produktion von Dung steigern, der nun gezielter auf die Felder gebracht werden konnte und nicht mehr auf den Weiden liegen blieb, was wiederum die Produktivität des Ackerbaus verbesserte. Das mit der Aufhebung der Gemeinweide gewonnene Land sollte ebenfalls intensiver genutzt werden: das frühere Weideland sollte zu Wies- oder Mattland »aptiert«, gedüngt und bewässert werden, so daß Grünfuttererträge erzielt werden konnten, die die Stallfütterung des Viehs im Sommer überhaupt ermöglichten. Diese Projekte wurden von Überlegungen begleitet, wie sich die Qualität der Viehzucht verbessern ließ.[239] Das Programm zu den badischen Agrarreformen umfaßte somit sowohl Innovationsreformen, die sich noch im Rahmen des herkömmlichen Agrarsystems realisieren ließen, als auch Strukturreformen, die bereits strukturelle Elemente des feudal-genossenschaftlichen Systems der bäuerlichen Wirtschaft tangierten.[240]

Dieser Intensivierungszyklus ist in der Markgrafschaft Baden(-Durlach) relativ früh ein wichtiges Thema der Gesetzgebung und dank des Rügezettels von 1767 zu einem zentralen Anliegen administrativer Bemühungen geworden, weil Johann Jacob Reinhard ein prominenter Agrarschriftsteller seiner Zeit und zugleich badischer Geheimrat war und als solcher erheblichen Einfluß auf die Landespolitik ausgeübt hat.[241] Reinhard befürwortete insbesondere die Wässerung der ehemaligen Weiden und deren Umwandlung zu Wiesland sowie die Verteilung der Weide zu Eigentum an die einzelnen Bürgerhaushalte.[242] Übergeordnetes Ziel der badischen Reform-

---

und gegen die Weidgänge« ermöglichte, bei Drais I, S. 109–121; II, S. 254–264). – Auf einen entscheidenden Aspekt der Agrarinnovationen, der mitunter eine rasche Adaptation der Projekte durch die lokale Bevölkerung behinderte, haben Straub, Oberland, S. 152 und Sabean, Neckarhausen I, S. 21, 51 ff., 158 f., aufmerksam gemacht: Die neuen Agrartechnologien und Anbaumethoden, die Einführung neuer Kulturen, die neuen Düngemethoden und die Nutzung von Neuland waren ausgesprochen arbeitsintensiv; dabei verfügten die Oberländer Familienwirtschaften kaum über Gesinde (Straub, Oberland, S. 152). Die Agrarschriftsteller haben diesem Faktor nur geringe Beachtung geschenkt, weil sie die Arbeitskraft für gegeben hielten (Sabean, Neckarhausen I, S. 158 f.).

[239] Kap. 4.5.2.2. – Zur Verbesserung der Viehzucht im Rahmen der Agrarreformen s. Strobel, Agrarverfassung, S. 149–155.

[240] Die Unterscheidung nach Zimmermann, Reformen, S. 132–168, der die Ausbreitung des Kleebaus oder Kultivierungsprojekte zu den Innovationsmaßnahmen, die Einschränkung und Abschaffung der Weide zu den Strukturmaßnahmen rechnet. – Straub, Oberland, S. 116 f., hält die Einführung des Kleebaus für die »erfolgreichste und folgenreichste Innovation«, die zudem mit der herkömmlichen Dreizelgenwirtschaft kompatibel war.

[241] Zu Reinhards Bedeutung als Agrarschriftsteller und -politiker vgl. Prass, Reformprogramm, S. 32 f., Windelband, Verwaltung, S. 214 und bes. Zimmermann, Reformen, S. 47–52.

[242] Zimmermann, Reformen, S. 48 f.; Prass, Reformprogramm, S. 32 f. – Eine leicht ironisierende Bemerkung zu der in der Literatur vielfach sehr hoch eingeschätzten Bedeutung der Agrarschriftsteller bei Sabean, Neckarhausen I, S. 21: »Our argument suggests that a certain population pressure was necessary for carrying out the kinds of innovation associated with

politik im Agrarsektor war nach Clemens Zimmermann die Transformation der subsistenzwirtschaftlichen Produktionsweise der Bauern zur marktwirtschaftlich orientierten Produktion; darob sollte aber der Grad der Marktintegration nicht übersehen werden, den gerade die badische Landwirtschaft im 18. Jahrhundert schon vor dem Einsetzen der Reformen erreicht hatte.[243]

Die Fragen aus dem Rügezettel haben zwar nicht automatisch die Umsetzung des Reformprogramms in den Landgemeinden, aber zumindest eine kontinuierliche Auseinandersetzung mit diesen Themen in der ländlichen Bevölkerung bewirken können. Die Vorgesetzten mußten sich den Fragen aus dem Rügezettel stellen und sich bei lokalem Widerstand gegen die Reformen dazu äußern, woran die Umsetzung des Programms in ihrer Gemeinde scheiterte.[244]

Auf diesen argumentativen Austausch zwischen den lokalen Vorgesetzten und dem Oberamtmann bzw. ist im folgenden näher einzugehen. Die Frevelgerichtsprotokolle lassen sich in diesem Stück als Quellen für die Geschichte des praktischen Vollzugs von Agrarreformen in der ländlichen Gesellschaft des Ancien Régime nutzen, mithin als Quellen für die Erhellung der Praxis von Aufklärung und Volksaufklärung im späteren 18. Jahrhundert. Der Übersichtlichkeit halber sollen zwei zentrale Aspekte des Intensivierungszyklus getrennt betrachtet werden. Ein erstes Unterkapitel schildert, wie die Frevelgerichte den Anbau von Futterkräutern, die Wiesenwässerung und die Umwandlung der Weide zu Mattland als Maßnahmen zur Steigerung der Grünfutterproduktion und als Voraussetzungen für die Einführung der Stallfütterung und für die Aufhebung der Gemeinweide behandelt haben (5.4.2.1). Ein zweites Unterkapitel weist auf die Anläufe zur Aufteilung der Gemeinheiten hin, zu der sich die lokale Bevölkerung bei Frevelgerichten äußern konnte (5.4.2.2). Es bleibt auch im folgenden in Erinnerung zu behalten, daß eine Betrachtung dieser Fragen aus der Sicht der Frevelgerichtsquellen allein keine umfassende Darstellung der Agrarreformen in der ländlichen Gesellschaft ermöglicht, der Gewinn des hier gewählten Frageansatzes liegt aber darin, Licht auf die kom-

---

the agricultural revolution. And villages did not wait to be told what to do by agricultural experts.«

[243] Zimmermann, Reformen, S. 14. – Die bereits bestehende Marktintegration betont Straub, Oberland.

[244] Es verdient hier hervorgehoben zu werden, daß auch in den Augen des Staates die rigorose Durchsetzung des Gesetzes keineswegs als einziges, ja mitunter überhaupt nicht als primäres Mittel zur Erreichung der politischen Ziele verstanden wurde. Wie sich Hindernisse bei der Verbesserung der Landwirtschaft überwinden ließen, zeigt schön ein von J. M. Holtzmann, dem Bruder des badischen Hofrats Philipp Holtzmann, in das Magazin von und für Baden eingerückter Artikel »von einer Culturverbesserung in Graben«. Der Verfasser dieses ganz im Sinne eines Lehrstücks publizierten Textes setzte ganz auf die Überzeugungskraft des praktischen Erfolgs, auf den Eifer der Oberbeamten sowie vor allem auf das Vorbild lokaler Vorreiter (J. M. Holtzmann, Nachricht von einer Culturverbesserung zu Graben, in: Magazin von und für Baden 2,2 (1802), S. 81–99).

munikativ-diskursiven Aspekte und auf die praktischen Schwierigkeiten bei der Realisierung dieses Vorhabens werfen zu können.

5.4.2.1 Der Kleeanbau und die Verbesserung des Mattlandes

In den meisten Gemeinden, in denen nach Erlaß des neuen Rügezettels 1767 ein Frevelgericht durchgeführt worden ist, ist es zu Versuchen mit dem Anbau von Futterkräutern gekommen.[245] Diese Gemeinden erhielten dafür das ausdrückliche Lob des Hofrats.[246] Wo die Behörden diese Bemühungen als allzu bescheiden ta-

---

[245] Zum Kleeanbau, zur Verbesserung der Wiesenkultur im Hinblick auf die Einführung der Stallfütterung s. allgem. Sabean, Neckarhausen I, S. 55–58; für Baden s. Moericke, Agrarpolitik, S. 29–36; Straub, Oberland, S. 116–210; Zimmermann, Reformen, S. 132–135; Otto Ulbricht, Englische Landwirtschaft in Kurhannover in der zweiten Hälfte des 18. Jahrhunderts, Berlin 1980, S. 302 ff. – Zimmermann weist darauf hin, daß viele Gemeinden schon vor dem Eingreifen des Staates auf kleinen Flächen im Brachland Klee angebaut hatten, daß sich der Anbau von Futterkräutern aber erst im Zusammenhang mit den staatlichen Aktivitäten verstärkt ausgebreitet hat (Zimmermann, Reformen, S. 132). Seine Beobachtungen zur Ausbreitung des Kleebaus werden durch die Beobachtungen zu den Frevelgerichtsprotokollen weitgehend bestätigt: Für die Ausbreitung förderlich waren sowohl die staatliche Unterstützung (Kleeanbau auf Kammergütern, Verteilung von Druckschriften, günstige Abgabe von Saatgut) als auch die Vorbildfunktion von »Multiplikatoren« – so etwa von innovativen Vorgesetzten in den Gemeinden. (Ebd., S. 132–135; Straub, Oberland, S. 118). Im Vergleich zur Untersuchung von Ulbricht zeigt die vorliegende Studie, wie wichtig verwaltungshistorische Forschungen für die präzise Datierung agrarischer Innovationen sind. – Auf der Basis von Zahlen bei v. Drais geht Zimmermann von einem Zuwachs der landesweiten Kleeanbaufläche von 1,4 % 1778 auf 2,4 % 1782 aus (Zimmermann, Reformen, S. 132 f.). Im Oberamt Rötteln gab Burgvogt Sonntag 1773 Kleesamen an einzelne Gemeinden ab; in den Reborten des Oberamts war der Klee angeblich 1777 schon fast überall eingeführt, in den Orten im Schwarzwald (Waldorte) war der Widerstand wegen des Wildschadens größer. Burgvogt Sonntag berichtete 1782 nach Karlsruhe, daß der Klee fast in allen Ortsorten eingeführt war (Straub, Oberland, S. 117 f.).

[246] Efringen 1775 (229/22652; 22 VII 1775); Kirchen 1775 (229/52838; 19 V, 15 VII 1775, 25 IV 1776); Teningen 1776 (229/105131; 11, 27 VI 1776). – Haltingen, Hertingen 1777: Anpflanzung von 15 bzw. 12 J. Klee in der Gerste; im Juni 1778 berichteten die Haltinger Vorgesetzten an das Oberamt Lörrach, die Kleepflanzung werde bei ihnen immer stärker betrieben; auch in Hertingen wurde der Anbau von Esparsette und Klee angeblich emporgebracht (Haltingen: 229/38041; 16 VII 1777; 27 V 1778; Hertingen: 229/42806; 9 IX 1777; 26 VIII 1778). – Tannenkirch 1777: Kleepflanzung auf ca. 24 Morgen (229/104371; 9 IX 1777). – Welmlingen 1778: Anbau von »viel« Klee und Esparsette, und zwar besonders auf Äckern, die sonst nicht viel Frucht erbrachten (229/112897; 26 V 1778). – Egringen 1779: Anbau von ca. 30 J. breiten Klees, um so mehr auf diesen Bau gesehen, da sie einen Mangel an Futter hätten«. Der Egringer Vogt Gempp versicherte im Dezember 1779, der Kleebau werde alljährlich mit dem größten Nutzen der Bürgerschaft stärker fortgesetzt (229/22945; 13 IV, 10 XII 1779). – Haagen 1781: Anbau von gegen 15 J. Klee (229/37695; 29 V 1781). – Tumringen 1781: Kleebau auf ca. 18 J. und von Esparsette auf ca. 1 1/2 J.; wo die Frucht nicht geriet, wurden die Futterkräuter angeblich mit Nutzen angebaut (229/106477; 26 VI 1781). – Hüsingen 1782: 12 J. Kleeäcker (229/47590, fol. 11–27', Pkt. 11; 27, 28 VIII 1782). – Steinen, Höllstein, Hägelberg 1782: insgesamt un-

xierten, befahlen sie den örtlichen Vorgesetzten »scharf«, den Kleeanbau in ihren Gemeinden zu fördern. Damit ergab sich für die Vögte die Gelegenheit, in der Gemeinde mit gutem Beispiel voranzugehen und sich dafür bei den Behörden einen guten Namen zu machen.[247] In den Antworten der Vorgesetzten auf die Policeyfragen des Rügezettels klangen bisweilen die Argumentationsmuster der Agrarschriftsteller bzw. der Policeyordnungen durch: In Welmlingen ließen sie sich 1778 vernehmen, das Verbot der Nachtweide werde bei ihnen beachtet, wozu der starke Kleebau vieles beitrage. Die Blansinger Kollegen meinten bei derselben Gelegenheit, der Nutzen von Klee und Esparsette zeige sich daran, daß sie keinen Mangel an Futter mehr hätten, und die Kleepflanzung würde noch vermehrt werden, wenn die Düngung der Felder mit Gips weiter so gut anschlage wie bisher.[248]

Die Einführung des Kleebaus verlief nicht überall reibungslos. Die Teninger Vorgesetzten gaben an, es werde bei ihnen ziemlich Klee angebaut, doch wegen des vielen Unkrauts und der lokalen Bedeutung des Hanfanbaus, sei ihr Feld dazu zu klein und nicht gar wohl dazu zu gebrauchen.[249] Gewisse Entschuldigungen der

---

gefähr 20 J. Kleeäcker. – Kirchen 1783: Die Untertanen befänden sich »beym Kleebau wol«, er werde stark betrieben und nehme »nach und nach immer noch etwas weniges« zu (229/52840; 18 XI 1783). – Grenzach 1785: ansehnlicher Kleebau wegen Mangels an Wiesen; die Stallfütterung ist eingeführt (229/33917; 22 III 1785, 5 VII 1786). – Welmlingen 1786: Man pflanze von Jahr zu Jahr mehr Esparsette »und spüre merklichen Nutzen davon, der breite Klee komme aber in ihrer Gegend nicht wohl fort« (229/112899; 22 VIII 1786). – Eimeldingen 1787: ungemein starker Kleeanbau (229/23739; 2 X 1787). – Hauingen 1787: starker Anbau des dreijährigen Klees, doch nehme der Anbau nicht zu (229/39715; 20 III 1787). – Wintersweiler 1787: Klee- und Esparsetteanbau auf ca. 20 J. (229/115110; 20 XI 1787). – Egringen 1788: Anbau von Esparsette und Klee auf ca. 80 J. (229/22946; 28 X 1788). – Blansingen 1789: Anbau von Esparsette auf ca. 100 J., von dreijährigem Klee auf 20 Morgen (229/9515; 24 XI 1789).

[247] In Wintersweiler waren 1775 erst 3 J. mit Klee angesät. Im Jahr darauf berichtete der Vogt, es werde jedes Jahr mehr Klee angebaut; angeblich waren es 1776 bereits 16 J. Der Vogt hatte angeblich selber zu seinem besten Nutzen 2 J. angeblümt und sprach seinen Bürgern sehr zu, Klee anzusäen (229/115111; 9 V, 19 VII 1775, 28 II, 4 IV 1776). – Weil der Tüllinger Vogt beim Frevelgericht 1777 keine bestimmte Fläche angeben konnte oder wollte, die mit Klee angepflanzt war, forderte ihn der Hofrat später auf, seine Angaben zu präzisieren. Im Juli 1778 teilte dieser dann mit, der eine habe hier, der andere dort etwa 40 oder 50 Ruten, mitunter auch ganze Viertel oder zwei Viertel Klee angeblümt, und insgesamt belaufe sich die Fläche auf 5 1/2 J. (229/106406; 16 VII 1777; 27 V, 21 VII 1778,). Der Hofrat erachtete diese Fläche als zu gering und trug deshalb dem Oberamt Rötteln auf, »durch dienliche Vorstellungen von deßen [des Kleeanbaus, AH] Nuzen auf den Viehstandt und gehörige Aufmunterung solchen immer mehr und mehr empor zu bringen« (229/106406; 28 X 1778).

[248] 229/112897, fol. 10–13, ad § 7; fol. 14–18, ad § 4 (26 V 1778). – Der Blansinger Vogt Kibiger gab später gegenüber dem Oberamt an, die Verbesserung der sauern Matten und die Verbesserung des Nahrungsstandes seien in seiner Gemeinde »Haupt Sachen«, weshalb er alles mögliche unternehme, um den Anbau von Futterkräutern zu fördern (ebd., fol. 31 f.; 1 II 1779).

[249] 229/105131 (11, 27 VI 1776).

Vorgesetzten, warum der Kleebau bei ihnen nicht größere Fortschritte machte, wies der Hofrat bisweilen als zu wenig triftig zurück. So sah er es nur »ungern, daß der so vortheilhaffte und dem Vernehmen nach zu Schopfheim in einige Aufnahme gebrachte Kleebau durch den vorgeblichen Mangel des Kleesaamens behindert werden will, da doch dergleichen an mehreren Orten gut zu erkaufen ist«; das Oberamt hatte die Schopfheimer Vorgesetzten deshalb zu »avertiren«, daß der Hofrat die »Futter Kräuter Anpflanzung auf alle erdenkliche Art und Weiße befördert« haben wollte.[250]

An andern Orten setzten äußere Bedingungen dem Kleeanbau Grenzen. In der Hochberger Gemeinde Nimburg sagten die Vorgesetzten 1783 aus, man baue bei ihnen wohl Klee an, aber nicht so viel, wie sie selber wünschten, weil ihnen der Acker dazu fehlte.[251] In Kandern, wo nach Aussage der Vorgesetzten viel Klee und auch etwas Esparsette angepflanzt wurden, konkurrierten der Holzbedarf und die Notwendigkeit, neuen Wald anzulegen, mit dem Futtermittelbedarf, denn das Brachfeld stand für die Anlage von Wald nicht mehr zur Verfügung, seitdem man auf Befehl des Oberamts die Brache fast vollständig mit dem Anbau von Klee, Hanf, Kartoffeln, Bohnen, Rüben, Flachs und anderem Gewächs nutzte.[252]

In der Gemeinde Bickensohl am Kaiserstuhl wirkte sich der Mangel an Vieh und Dung 1789 vor allem darin aus, daß der Rebbau nicht mehr ausgeweitet werden konnte. Im Ortsbann fehlten die Wiesen für die Viehhaltung, und der Heumangel ließ sich hier trotz des starken Anbaus von Esparsette auch durch Futterkräuter nicht kompensieren, weil der Bann zu klein war. Die Bickensohler mußten ihr Heu deswegen teuer in der Umgebung von Freiburg kaufen, wodurch »jährlich von dem Kaiserstuhl eine große Menge Geldes ausser Landes« ging. Um Bickensohl und den benachbarten Orten zu helfen und »sie nicht der Willkühr der Fremden [zu] überlassen und ihnen Gelegenheit zu Ausbreitung des Reebbaus [zu] geben«, regte das Oberamt Hochberg an, den Gemeinden mit Mangel an Wiesen die bei Nimburg gelegenen herrschaftlichen Seematten zu verkaufen oder zu verleihen.[253]

Da waren die Voraussetzungen in anderen Gemeinden doch wesentlich günstiger: Teningen etwa wies sich 1790 über den Besitz von ca. 700 J. teilweise sehr guten Mattlandes aus; Klee wurde auch so viel als möglich angebaut, so daß die Viehzucht florierte und nach dem Dafürhalten der Vorgesetzten und Richter gegen 600 Stück Zug- und Melkvieh gehalten wurden.[254] Vörstetten besaß 1790 450 J. Matten und

---

[250] 229/94368 (29 XI 1777).
[251] 229/75379 (16–18 VI 1783).
[252] 229/50919 (18 XII 1784). – Für Eimeldingen 1787 wurde angezeigt, daß der Kleebau auf der Brache ungemein stark betrieben werde und kaum noch der sechste oder siebte Teil der Brachäcker ungebaut bleibe (229/23739; 2 X 1787). – Egringen 1788: Anbau der Esparsette auf geringem Land und von Klee auf der Brache (229/22946; 28 X 1788).
[253] 229/8089 (18 ff V 1789).
[254] 229/105132, fol. 47–126, Pkt. A. a. (5–13 VIII 1790).

eine Weide im Umfang von 24 J.; der Kleebau war hier weniger als in anderen Oberamtsorten verbreitet, weil die Vörstetter Bauern noch (zu) sehr für das Weiden eingenommen waren, was wiederum damit zu erklären war, daß die Gemeinde von der Stadt Freiburg einen großen Weidedistrikt im angrenzenden Mooswald günstig pachtete. Dank dieser Weide konnten die Vörstetter mehr Vieh halten, als ihr Bann allein ertrug. Wollte man also in Vörstetten die Viehweide abschaffen, »so würde [auch] die Freiburger Waide cessiren und der bisherige Nuzen dem Dorf entgehen«; unter diesen Umständen befand das Oberamt: »man mus demnach hier allerdings eine billige Ausname machen«.[255]

Öfters gab es Klagen darüber, daß der Klee das Wild anzog, welches die Klee-felder heimsuchte.[256] An anderen Orten ruinierte das unbeaufsichtigte Weiden von Pferden das Kleefeld, und die Strafen der Vorgesetzten fruchteten nichts.[257] Teil-weise herrschte auch Unsicherheit über die längerfristigen Auswirkungen des Kleeanbaus auf das Verhältnis von Ackerbau und Viehwirtschaft. So schrieb der Tüllinger Vogt Friedlin Höferl an das Oberamt Rötteln, es sei zwar ein jeder Un-tertan vom Nutzen des Kleeanbaus überzeugt »auf den Vie Standt insonderheit, wan es von langer Thaur sein solte in Rücksicht auf die Pflanzung derer Früchten, da man aber mehrerers Vie halte und mehr Dung macht, daß mann die Güter beseren kan, wann es aber denen Früchten solte einen grosen Nachteil bringen, so müste mann denselben hiesigen Orts wiederum zurück lasen aus Mangel des Feldes, weil es meisten theils gar schlecht Feld ist«.[258]

---

[255] 229/107983, fol. 46'–47' (15–18, 21–25, 28–29 IX 1790). – Der Viehstand in Vörstetten 1790: 80 Pferde, 126 Ochsen, 170 Kühe, 16 Kälber, 145 Schweine (ebd.).

[256] Für Hauingen ordnete der Hofrat 1768 deshalb an, daß das Oberamt für die Einhegung der Kleeäcker besorgt sein sollte (229/39713; 11 XI 1769). – Die Vorgesetzten von Binzen und Rümmingen gaben 1775 an, der im Vorjahr auf gutem Acker angebaute Klee sei bei ihnen ein Raub des Wilds geworden; die saure Matte am Waldrand könne wegen des Wilds nicht mit Klee angebaut werden und die Einzäunung des Kleefelds verursache zu hohe Kosten (229/ 8882; fol. 36, 37 f., 41 f.; 24 IV, 29 V, 22 VIII 1775). – Das Oberamt berichtete nach dem Frevelgericht von Wieslet 1781, der Kleeanbau würde stärker betrieben werden, wenn das Wild nicht den erhofften Nutzen verderben würde (229/114053; 22. Oktober 1781). – Die Vorgesetzten von Wittlingen zeigten 1781 an, es werde bei ihnen so viel Klee angebaut, als ein jeder zu seiner Fütterung benötige, insgesamt 15 J. Wegen des Wildschadens könn-ten sie nicht mehr Klee anbauen (229/115325; 24 IV 1781). – In Wollbach 1781 schätzten die Vorgesetzten die Kleefläche auf 20 bis 30 J. Auf den schlechtesten Gütern gegen den Wald zu würde der Kleebau zudem nur Schaden bringen, weil er das Wild anziehe (229/115725; 24 IV 1781).

[257] Köndringen/Landeck 1769 (229/54953; 24–27 I 1769). Das Oberamt untersagte deshalb das freie Weiden bei 3 fl. Strafe pro Stück Vieh. In den beiden Vernehmungen durch das Oberamt 1769 und 1772 gaben die Vorgesetzten hierzu an, man achte genau auf die Über-treter bzw. das Verbot werde beachtet.

[258] 229/106406 (12. April 1779).

Wo der Hofrat und die Oberbeamten schlechte Erfahrungen der Bauern mit dem Kleebau zu hören bekamen oder gar deren Desinteresse bzw. Skepsis gegenüber dieser neuen Kultur verspürten, wurden sie nicht müde, die Untertanen zu neuen Anläufen zu ermuntern oder sie zu einer Ausweitung des Kleebaus anzutreiben, wobei den Einwohnern »der für sie daraus entspringende Nuzen (...) bestens begreiflich zu machen« war.[259] Immer wieder mußten die Behörden allerdings die Erfahrung machen, daß ihre Befehle und Ermunterungen an lokalen Hindernissen scheiterten. Die Einzäunung der Kleefelder in Binzen und Rümmingen zum Schutz vor dem Wild mußte selbst das Oberamt Rötteln in einem Bericht an den Hofrat als eine allzu teure Investition bezeichnen, die sich nicht einmal nach vielen Jahren ausbezahlt machen würde, weil die ausgewählten Güter rauh und öd waren.[260]

Die Anstrengungen zur Ausbreitung des Futterkräuteranbaus gingen aber nicht allein von obrigkeitlicher Seite aus. Es kam durchaus vor, daß Gemeindevorgesetzte die Obrigkeit um Unterstützung beim Kleebau baten. Die Köndringer Vorgesetzten und Richter etwa erklärten 1776, »sie sezten so zimmlich auf den Kleebau, wenn nur sie den Gipps etwas wohlfeiler bekommen könnten«; darauf sagte das Oberamt den Köndringern eine Intervention bei der Landesherrschaft zu, um günstigen Gips aus der Herrschaft Badenweiler zu beschaffen. Immerhin erwirkte das Oberamt mit seiner Anfrage bei der Rentkammer, daß auch für das Hochbergische die günstige Abgabe von Gips für den Fall in Aussicht gestellt wurde, daß die in Grenzach (Oberamt Rötteln) entdeckte Gipsgrube ergiebig genug ausfiel.[261] In Ottoschwanden wollte das Oberamt all jenen, die in künftigen Jahren Klee im Saatfeld anbauten und sich deswegen beim Oberamt anmeldeten, mit der unentgeltlichen Abgabe von Kleesamen behilflich sein.[262]

Offenbar vermochte der Kleeanbau in relativ kurzer Zeit eine spürbare Entspannung in der Futterversorgung herbeizuführen. Jedenfalls gaben die Egringer Vorgesetzten 1779 an, die jährlichen Einkünfte der Gemeinde aus den Gemeindematten betrügen zur Zeit nicht mehr als 30 fl. »wegen des durch den Klee Bau sich verminderten Futer Preises«.[263] In Mappach waren 1779 über 30 J. mit Klee angesät,

---

[259] Binzen/Rümmingen 1775 (229/ 8882; fol. 37 f., 39 f.; 29 V, 22 VIII 1775). – Zur staatlichen Unterstützung mittels verbilligter Abgabe von Saatgut durch die Kammergüter s. Zimmermann, Traditionalismus, S. 230 f.

[260] 229/8882, fol. 49 f.; 28 X 1776.

[261] 229/54951/III (18, 24 II 1777). – Das Oberamt Hochberg hatte sich bei der Rentkammer danach erkundigt, ob nicht etwa ein Lager von Gips aus dem Badenweilerischen oder Röttelischen in Hochberg angelegt werden könnte, wobei »Übelhauser«, Vaganten und andere Sträflinge zum Stampfen und Zerstoßen des Gipses gebraucht werden sollten.

[262] 229/82169 (13–16 X 1783).

[263] 229/22945 (13 IV 1779). – Der Heupreis war 1778 im Oberamt Rötteln als Folge des höheren Futterangebotes durch den Klee auf 48 Kr./Zentner gesunken, während der Zentner in der Hochpreisphase in den Jahren davor bis 96 Kr. gegolten hatte. Die hohen Heupreise hatten den Viehbestand bedroht (Straub, Oberland, S. 119 f.).

was den Hofrat zur optimistischen Prognose veranlaßte, die Stallfütterung des Viehs werde die Nacht- und Frühjahresweide von allein zum Verschwinden bringen.[264]

In Egringen scheint der Anbau von Futterkräutern in wenigen Jahren tatsächlich stark ausgeweitet worden zu sein. Hatten die Vorgesetzten beim Frevelgericht 1779 die angebaute Fläche noch auf 30 J. geschätzt, so waren es 1788 angeblich 80 J., wobei die Esparsette auf schlechterem Land und der Klee auf der Brache angebaut wurden; durch den starken Kleebau hätten sich die Einwohner in neueren Zeiten besonders gut geholfen, der Viehstand habe verdoppelt und die Stallfütterung zur Vermehrung des Dungs ungemein befördert werden können.[265]

Allerdings konnte es in gewissen Gemeinden auch zu Rückschlägen kommen, so in Eichen, wo das Oberamt aus Anlaß des Frevelgerichts 1780 zwar bemerkte, der Kleebau werde dort »ungemein stark betrieben«, die Waldweide sei abgestellt und die Einwohner seien immer mehr von den Vorteilen der Stallfütterung überzeugt, 1788 aber beklagte sich das Rötteler Oberforstamt erneut darüber, daß Eichen die einzige Gemeinde im Amtsbezirk sei, die nach wie vor keinen »rechten Geschmack am Kleebau« habe und sich nicht von der Waldweide abbringen lasse.[266]

An gewissen Orten mochte dies auch mit negativen Erfahrungen zu tun haben, wie etwa in Wintersweiler, wo die Vorgesetzten 1787 anzeigten, daß der Kleebau zwar noch »stark« fortgesetzt werde, doch »befänden sich (...) die Leute besser beim Esparsett als beim ordinairen Klee, welcher ihre Felder in einem gewissen District ausgemergelt und zu der darauf gesäheten Frucht untüchtig gemacht habe.«[267]

Örtliche Faktoren spielten in den Berichten der Behörden eine große Rolle als Motive für die Adaptation des Kleebaus. Hauingen baute 1781 18 Morgen mit Klee an mit offenbar steigender Tendenz, weil in diesem Ort der Wiesenfluß öfters über die Ufer trat und die Matten der Bewohner beschädigte.[268] Für die kleine Weinbauerngemeinde Ötlingen, die aufgrund ihrer Lage an einem Hügel Mangel an Matten,

---

[264] 229/64346 (18 IX 1779). – Der Anbau von Fütterkräutern galt als Voraussetzung für die Aufhebung der Weide. In diesem Sinne schrieb auch noch v. Drais: Mit der Ausdehnung der Anbaufläche von Futterkräutern »war der Zeitpunct gekommen, da das im Vollzug schwere Verbot des übermäsigen Weidens mehr Eingang fand. Man konnte einstweilen schärfer auf der Verordnung von 1775 bestehen, daß die Weide nicht länger als bis zum 1ten April genossen werden soll, viele Gemeinen aber verabredeten sich jetzt selbst, sie noch mehr einzustellen« (Drais II, S. 258). Von Drais' Bemerkung zeigt, wie sich der Vollzug der Policeygesetze für die damalige Bürokratie wesentlich an den konkreten Verhältnissen orientieren mußte. – Nach v. Drais konnte die mit Futterkräutern angebaute Fläche im ganzen Land zwischen 1778 und 1782 von 5007 Morgen auf 8834 Morgen erweitert werden (ebd.).

[265] 229/22946 (28 X 1788). – Die Egringer Zahlen auch bei Zimmermann, Reformen, S. 132, wobei Zimmermann die Anbaufläche von 30 J. bereits für das Jahr 1730 angibt.

[266] 229/23156 (23 XII 1780); 229/23155, fol. 82–83', fol. 90–93' (4 I 1788, 21 IV 1789).

[267] 229/115110 (20 XI 1787).

[268] 229/39714 (29 V 1781).

Holz und Wasser hatte und das Viehfutter aus benachbarten Gemarkungen beziehen mußte, waren Klee und Esparsette eine Möglichkeit, ihren Mangel an Wiesen zu kompensieren.[269] Auch Dossenbach hatte nach Auskunft des Rötteler Oberamts 1780 nicht genügend Matten in seinem Bann, welchen Mangel »aber die Innwohner durch fleissige Pflanzung der Futter-Kräuter zu ersetzen sich rühmlich angelegen seyn lassen.«[270]

Mitunter wagten einzelne Gemeindebewohner auch Experimente. In Wollbach sagten die Vorgesetzten 1781 aus, in ihrer Gemeinde werde der ordentliche Kleebau immer stärker betrieben, und einige Bewohner hätten nun auch damit begonnen, »eine Probe mit dem sonst nicht gut thuenden Esparcette zu machen, (...) um in der That zu erfahren, ob er dann in hiesigen Gegenden nicht gut thue«.[271]

Die Förderung des Kleebaus bildete in den Augen der Obrigkeit ein pädagogisch-erzieherisches Anliegen, dessen Vermittlung in gewissen Orten bereits auf der Ebene der schulischen Sozialisation ansetzte. Unter den Schulproben, die beim Frevelgericht von Binzen 1785 dem Oberbeamten abgegeben wurden, findet sich auch die Schreibprobe des Schülers Johann Jacob Koger, der mit schön verzierter Anrede, Initiale und Unterschrift einem anonymen Herrn schilderte, wie er seinen Klee anbaute:

HochEdler Gebohrner Hochgeehrter Herr!
Ihrem Rath zufolge verwalte meinen Kleeh so: im Spath-Jahr, wan die Gersten weg ist, gips ich den Kleeh aber einer Feuchte nach, nur ein wenig. Wird solcher groß, das ich ihn noch mehen könte, so thue ichs nicht, sondern deke solchen übern Winter mit etwas Strohdung, ists Früh Jahr gut, so kan ich den Kleeh gleich nuzen und das ist die beste Art. Ich beharre mit aller Hochachtung.
Euer Hoch Edler gebohrn
gehorsamster Diener
Johann Jacob Koger.[272]

Neben dem Anbau von Futterkräutern war die Bewirtschaftung des Wiesen- und Mattlands das zweite Standbein der Grünfutterproduktion und Viehzucht.[273] Bei den

---

[269] 229/81556 (18 VIII 1781).
[270] 229/19810 (6 XII 1780).
[271] 229/115725, fol. 45–46' (27 XII 1781).
[272] 229/8882, fol. 72 (20 XII 1785).
[273] Die Ziele und Maßnahmen der obrigkeitlichen Gesetzgebung zur Verbesserung des Wiesenbaus sind in einem Generaldekret vom 21 X 1778 zusammengefaßt: 1. Austrocknung von Sümpfen durch Abzugsgräben. 2. Wo keine Gräben angelegt werden können, ist das nasse Gelände durch Anpflanzung von Weiden auszutrocknen. 3. Anlage von Wasserlöchern oder Teichen, wo die Maßnahmen 1 und 2 nicht hinreichend wirken. 4. Trübwässerung (Schlamm) der Wiesen und Weiden, die Dung oder eine Erhöhung brauchen. 5. Hellwässerung trockener Wiesen und Weiden. 6. Planierung der Wiesen und Einebnung der Maulwurfshügel. 7. Ausrottung der Maulwürfe. 8. Bestreuung der Wiesen mit Heublumen. 9. Düngung und Befeuchtung durch Mist, Asche und Ruß. 10. Umwandlung entbehrlicher

Frevelgerichten in der zweiten Hälfte des 18. Jahrhunderts haben sich zahlreiche Gemeindebewohner wegen Beeinträchtigungen in der Nutzung des Mattlands beklagt: Einbußen an der Nutzung von Matten rührten häufig daher, daß die Besitzer benachbarter Güter Wege und Fußpfade über Matten anlegten, um zu ihren Gütern zu gelangen oder um die schlecht unterhaltenen Güterwege umfahren zu können.[274] Anlaß zu Beschwerden war sodann nicht selten die Nutzungsweise der neben den Matten gelegenen Gütern, die von den Mattenbesitzern als schädlich betrachtet wurde.

Die von den Agrarreformern und der badischen Bürokratie angestrebte Ausweitung und Verbesserung der Grünfutterproduktion hing wesentlich von der Bewässerung des Mattlandes ab, dem damit Feuchtigkeit und mit der sogenannten Trübwässerung auch Dünger zugeführt wurden.[275] Die Matten wurden mit einem komplizierten, im Unterhalt aufwendigen System von Wuhren und Gräben gewässert. Sie führten das Wasser in ausreichender Menge auf das Wiesland, sorgten aber auch wieder für den Abfluß und verhinderten so, daß anstoßende Güter durch angeschwelltes Wasser beschädigt wurden. Das Wasser wurde an Flüssen oder Bächen gefaßt, in Hauptgräben zu den Feldern geführt, die Hauptgräben verzweigten sich in Nebengräben, und mit Stellbrettern und Schließen wurde dafür gesorgt, daß die einzelne Matte an das Bewässerungssystem angeschlossen war. Der Unterhalt der Wuhren, Gräben, Dämme, von Schließen und Stellbrettern, die Säuberung und Offenhaltung der Gräben, die Wässerungsordnung unter den vielen Mattenbesitzern

Weiden zu Wiesen. 11. Verteilung der gemeinen Güter zu Eigentum an die Bürger. 12. Ausbreitung des Kleeanbaus durch die Anschaffung des Samens aus der Gemeindekasse, Ermunterung zu Proben und Anweisung zum vorteilhaften Anbau unter die Gerste, den Hafer und Dinkel (RepPO 2603; WI I, S. 677ff.; 21 X 1778). – S. dazu Strobel, Agrarverfassung, S. 129–133 und Zimmermann, Reformen, S. 139–144, der aufgrund der Angaben bei v. Drais für das gesamte Land die bis 1789 entwässerte Fläche auf 9000 Morgen und für das Oberamt Hochberg allein auf 1698 Morgen beziffert (ebd., S. 139).

[274] Ein Beispiel unter vielen: Im Bann der Gemeinde Märkt waren die öffentlichen Wege und Brücken nach Aussage der Vorgesetzten in gutem Stand, doch sollte ein bestimmter Weg, auf dem man Dung auf die Matten brachte und das Futter wegführte, zurecht gemacht werden, weil die Matten sehr »verkarret« worden seien. Der Oberbeamte verfügte, daß ein solcher Weg sofort ausgesteckt, überführt und von den angrenzenden Mattenbesitzern unterhalten werden sollte; im nächsten Frühjahr meldeten die Vorgesetzten, der Weg sei ausgesteint worden (229/23739, fol. 5–22', Pkt. 8; fol. 57–58'; 2 X 1787; 17 IV 1788).

[275] Zur aufwendigen Technik sowie zum wirtschaftlichen Hintergrund der Wiesenwässerung vgl. Fred Scholz, Künstliche Bewässerung im Nordschwarzwald. Ein einzig noch historisch-geographisch interessantes Thema? in: Alemannisches Jahrbuch 1989/90, S. 105–126, bes. S. 107ff. sowie Konold, Wasserwirtschaft. – Das Wasser brachte Feuchtigkeit, Wärme und Nährstoffe auf die Wiesen und trug damit zur Einsparung des wertvollen Düngers, zur Ertragssicherheit der Wiesen und zum Schutz vor Frösten im Frühjahr bei. Die Einrichtung und der Unterhalt von Wässerungen erforderten viel Arbeit und ein hohes Maß an gegenseitiger Absprache unter den Teilhabern (Konold; Popp, Wiesenwässerung, S. 378, S. 381–385).

und die Verteilung des Wassers und der Unterhaltslasten zwischen Mattenbesitzern und Müllern[276] machten die Mattenwässerung aber zu einem der häufigsten Streitgegenstände bei Frevelgerichten.[277] Wo das Wässerungssystem einer Gemeinde mit jenem benachbarter Gemeinden verbunden war, wirkten sich Mängel im Unterhalt der Gräben im einen Bann auch auf die Nachbarn aus.[278] Zwar traten Ordnungsprobleme bei der Regulierung der Mattenwässerung keineswegs erst mit dem Einsetzen der Bemühungen um die Wiesenverbesserung ein,[279] doch ist anzunehmen, daß Konflikte um die Wiesenwässerung zugenommen haben werden, als die Viehhaltung und die Futterproduktion im Rahmen des agrarischen Intensivierungszyklus zu einem Schlüssel der Agrarreformen wurde.

[276] Ein solcher Konflikt bestand in Binzen zwischen einem Müller und der Gemeinde. Der Müller beschwerte sich beim Frevelgericht 1785, die Gemeinde trage nicht zum Wuhrbau bei, obwohl »doch das Wuhr sowol zur Wässerung als zu seiner Müle dienen müsse.« Der Landkommissar wurde darauf beauftragt, den Anteil beider Parteien zu bestimmen und ein Gutachten für die bessere Einrichtung des Wuhrbaus einzureichen. Im November 1787 war alles zum Bau vorbereitet, der dann aber doch unterblieb, denn im März 1790 (!) teilten die Vorgesetzten mit, daß der Wuhr zwar nicht neu gebaut, aber doch so weit ausgebessert worden sei, daß er seinen Dienst tue, bis sich die Mühlen- und Mattenbesitzer unter Vermittlung der Vorgesetzten über ihren Beitrag an die Kosten vereinigt haben würden. Während sich das Oberamt auf den Standpunkt stellte, daß die Binzener Mattenbesitzer einen Beitrag an die Herstellung des Wuhrs leisten sollten, »da der Regel nach diejenigen, welche Nuzen von einer Sache haben, auch an den Kosten teilnehmen müßen«, waren die Mattenbesitzer der Auffassung, sie hätten bis dahin freiwillig und ohne rechtliche Verpflichtung einen Beitrag geleistet. Wie die Kosten zu bezahlen waren, wollte das Oberamt in der Folge erst nach der tatsächlichen Herstellung des Wuhrs bekanntgeben (229/8882, fol. 54–71, Pkt. 4, fol. 101 f., 117–119', 130–132, 133; 20 XII 1785; 5, 23 XII 1786; 6 XI 1787; 12 III, 29 IV 1790).

[277] Vgl. die hohe Zahl von Wässerungsstreitigkeiten bei den Frevelgerichten in Denzlingen und Teningen 1790 (Tabelle 4.2). – Ein exemplarischer Fall aus dem Frevelgerichtsprotokoll von Teningen 1790: Jacob Markstaler, Andreas Gebhard, Richter Jacob Knoll und Jung Jacob Rieß Beck klagten für sich und andere Mattenbesitzer über Mangel an Wässerung und baten um die Hilfe des Oberamtmanns. Beim Augenschein machten die Vorgesetzten Vorschläge, wie der Wässerungsgraben verändert werden könnte, um das Wasser auf die Matten der Kläger zu leiten. Das Oberamt entschied, es sollte ein Versuch unternommen und beim Mißerfolg noch ein zweiter Vorschlag der Vorgesetzten erprobt werden; zeigten sich auch dann noch Anstände, so war dem Oberamt sofort eine Anzeige zu erstatten (229/105132, fol. 2–46', Pkt. 18 der Privatbeschwerden; 5–13 VIII 1790).

[278] Klage der Efringer, daß die Gemeinde Kirchen schon einige Jahre ihre Wässerungsgräben im Spätjahr nicht säubere und damit die Wässerung hemme. Das Oberamt erließ die »geschärfteste« Verfügung an die Adresse der Vorgesetzten zu Kirchen, nachdem diese sich zunächst mit anderweitigen Arbeiten entschuldigt und die Verrichtung des Befehls in Aussicht gestellt, aber dann doch nicht besorgt hatten (229/22654, fol. 3–58, Pkt. 40 der Policeyfragen; fol. 99; 14–16 II 1791; 22 III 1791; 4 III 1793). – Nimburg/Bottingen 1783: die Einrichtung einer Wässerungsordnung in Bottingen war schwierig, weil die ausländischen Nachbargemeinden Reute und Holzhausen so viele Wuhren an ihre Bäche legten; das Oberamt wollte daraufhin in dieser Sache bei der Ortsherrschaft von Reute vorstellig werden (229/75379; 16–19 VI 1783).

[279] S. für Langensteinbach 1747 oben Tab. 4.3, Nr. 11 (229/58080, fol. 1–19, Pkt. 12; 8, 10 XI 1747); Teningen 1754 (229/105128, Pkt. 12; 3–7 XII 1754).

Ein grundsätzliches Problem der alten Landwirtschaft lag im Mißverhältnis zwischen Ackerland und Grünland. Für die einzelnen Höfe führte dies zu dem von den Agrarreformern des 18. Jahrhunderts vielfach beklagten Mangel an Vieh und Dung und zu geringen Erträgen im Ackerbau.[280] In den Hochberger Gemeinden äußerte sich dieses Mißverhältnis in der nur scheinbar paradoxen Klage der Behörden und Ortsvorgesetzten, daß gewisse Höfe in Relation zu ihrem Wiesenbesitz zu viel Vieh unterhielten, das sie auf die Weide treiben mußten, was wiederum zur Übernutzung der Gemein- und Waldweide führte.[281] Nicht minder problematisch erachteten die Behörden den Besitz von Pferden als Zugtiere durch »arme und mittelmässige Burger«, die den Unterhalt dieser Tiere nicht vermochten, diese gewöhnlich von Juden auf Borg nahmen »und hierdurch sich und ihre Familien zu Grunde richteten, wo denselben durch das Fahren mit Kühen nach dem Beyspiel anderer Orthschaften

---

[280] In welche Richtung sich die Verhältnisse im 18. Jh. allerdings bewegten, zeigen die Angaben zur Verteilung der landwirtschaftlichen Nutzfläche für das Städtchen Emmendingen: Im Jahre 1699 waren 67,2 % der Nutzfläche Ackerland und nur 22,1 % Wiese, 1798 belegte das Ackerland 44,3 % der Nutzfläche, das Wiesenland machte nun 40,8 % aus (Foglemann, Auswanderung, S. 125). – In Reiseberichten der späten 1770er und 1780er Jahre wurde der gute Zustand der Wiesen sowie der hohe Stand der Wässerungseinrichtungen in den Oberämtern Hochberg und Rötteln ausdrücklich bemerkt (Wilhelm Heinsius, J. Fr. Oberlins ›Schul- und Erziehungsreise‹ in die Markgrafschaft Hochberg, in: Schau-ins-Land 70 (1951/52), S. 88–99, hier S. 93 f.).

[281] Beim Frevelgericht in Teningen 1754 stellten das Oberamt und das Oberforstamt fest, daß die Teninger allzu viel Vieh hielten, besonders jene, die keine Matten besaßen. Den Vorgesetzten wurde deshalb befohlen, in vier Wochen ein Verzeichnis über das Teninger Vieh und den Mattenbesitz der Viehbesitzer einzureichen. »Inmaßen man von Seithen des Ober- und Forstambts vor ohnbillig ansiehet, diejenigen fürohin Vieh halten oder wenigstens auf die Wayd treiben zu lassen, die keine Matten haben« (229/105128; 3–7 XII 1754). Die Klage der Vorgesetzten über zu großen Viehbesitz der ärmsten Dorfbevölkerung erneut in Teningen 1772 (229/105130; 18 III 1772). – In Bötzingen beklagten die Vorgesetzten den Waldschaden durch die Waldweide, der daher rührte, daß Bauern mehr Vieh hielten, als sie mit ihren Matten durchfüttern konnten (137/170; 28 VII 1767). – Der Mundinger Vogt schilderte das Problem beim Frevelgericht 1769: Leute mit wenig oder gar keinem Mattfeld hielten Vieh oder kauften solches im Frühjahr auf Borg von Juden, konnten es aber im Herbst nicht bezahlen. Der Vogt wünschte, daß das Oberamt Personen mit weniger als 4 J. Güter untersagte, eigenes Vieh zu halten; »hierdurch würde dem Mangel an Taglöhnern abgeholffen werden und man nicht nöthig haben, solche mit großen Costen aus andren Orten herkommen zu lassen, vielmehr würde ein jeder vermöglicherer Burger, der sein Vieh zu halten nöthig habe, denen Taglöhnern vor das Arbeiten ihre Güther besorgen und also einer dem andern eine Hand bieten« (229/70240/II, ad Pkt. 22; 14, 17–18 II 1769). – Beim Mundinger Frevelgericht 1790 wurde die schlechte Haushaltsführung des Ehepaars Mücke untersucht: Die Ehefrau gab als Grund des ehelichen Unfriedens hauptsächlich den Besitz der zwei Ochsen an, die sie nicht durchfüttern konnten. Da sie nur 4 J. Güter besaßen und neben einer Kuh angeblich keinen besonderen Zug dazu benötigten und von dieser Fläche keine drei Stück Vieh erhalten werden konnten, wies das Oberamt die Eheleute an, die Ochsen wegzugeben, ihre Güter gegen Lohn anbauen zu lassen und selber als fleißige Tagelöhner ihre Haushaltungsumstände zu verbessern (220/70240/III, fol. 93–101', Pkt. 4; 7–30 IX 1790).

weit besser geholfen wäre«; um die Verwendung von Kühen als Zugtiere zu fördern, schlugen die Bahlinger Vorgesetzten 1789 vor, den vier ersten Bauern, die ihren Feldbau wenigstens ein ganzes Jahr lang mit Kühen besorgen würden, eine Belohnung aus der Gemeindekasse sowie ein Jahr Befreiung von der Gemeindefron zukommen zu lassen.[282]

Die Nutzung und der Unterhalt des Mattlandes waren bei den Frevelgerichten nicht nur vielfältiger Gegenstand individueller Beschwerden von seiten der Bürger, die entsprechenden Policeyfragen in den Rügezetteln sorgten dafür, daß die Förderung der Wiesenkultur in den Gesprächen zwischen den Oberbeamten und den lokalen Vorgesetzten eine große Rolle spielte. Zwei Anliegen kehren leitmotivisch in den Protokollen wieder: Die Vergrößerung des intensiv genutzten Mattlandes auf Kosten der extensiv genutzten Allmend- und Weideflächen und der sogenannten öden Plätzen, die bis dahin noch nicht regelmäßig genutzt wurden, zum einen und die Steigerung des Grünfutterertrags auf den Wiesen durch die Verbesserung der sogenannten sauren Matten (Düngung, Entsumpfung) und durch den Unterhalt der Wässerungen zum andern. Beides war keineswegs ohne Schwierigkeiten zu erreichen, zumal besonders die Viehweide ein Grundelement des alten Nutzungssystems darstellte, an der die verschiedenen Gruppen im Dorf unterschiedlich, bisweilen gegensätzlich interessiert waren.

Der Vogt von Bötzingen war gegenüber dem Oberbeamten 1767 der Meinung, die Matten in Bötzingen könnten durch die Öffnung genügender Abzugs- und Wässerungsgräben stark verbessert werden und bat diesen, »Verordnungen dißfalls« zu erlassen. Weiter befürwortete er auch die Umwandlung der Gemeinweide, der Viehweide und der Allmende zu Mattland und dessen Verteilung unter die Bürgerschaft, was offenbar auch von einer Mehrheit der Bürgerschaft unterstützt wurde, so daß das Oberamt den Vorgesetzten auftrug, vorderhand einen Teil der Gemeinweide zu Matten anzulegen und sie stückweise »nach Proportion unter die Burgerschaft auszutheilen«.[283] In zahlreichen Gemeinden der Oberämter Rötteln und Hochberg ist es seit den späten 1760er Jahren zur Umwandlung von Weide- zu Wiesland und zu Maßnahmen zur Verbesserung des Mattlandes gekommen.[284]

---

[282] GA Bahlingen C VIII Nr. 4, fol. 1–174', Abschnitt B, ad Pkt. 10 (8 VI 1789). – Das Oberamt genehmigte unter Vorbehalt der Ratifizierung durch den Hofrat den Vorschlag der Vorgesetzten, nicht ohne diesen aufzugeben, die Taglöhner und anderen Einwohner, die ebenfalls Pferde zu ihrem Nachteil hielten, durch vernünftige Vorstellungen davon abzubringen.

[283] 137/170 (28 VII 1767).

[284] Vgl. die Zusammenstellung in Tab. 5.28. – *Oberamt Rötteln*: Kirchen 1775: Auftrag an Geometer Enkerlin, bestimmte Matten im Hinblick auf deren Trockenlegung in Augenschein zu nehmen (229/52838; 9 V 1775). – Haltingen 1777: Die Gemeinde arbeitete nach Auskunft der Vorgesetzten täglich an der Verbesserung ihrer sauren Matten (229/38041; 16 VII 1777). – Welmlingen 1778: Die Vorgesetzten befürworten die Anlage weiterer Matten (229/112897; 26 V 1778). – Märkt 1787: Die Gemeinde plante, nach der mit Landkom-

Der Hofrat hat dabei mitunter mit Nachdruck auf die Realisierung dieser Projekte hingewirkt und sich nicht mit Absichtserklärungen der Vorgesetzten zufrieden gegeben,[285] wenn auch bei dieser Frage die Auskunft der Vorgesetzten lautete, sie seien »so viel möglich« um die Verbesserung ihrer Matten besorgt.[286] Diesen Möglichkeiten waren an gewissen Orten enge Grenzen gesetzt. Verschiedentlich zeigten Vorgesetzte bei der Befragung an, die Weideflächen, die sie zu Wiesen »aptieren« sollten, fehlten ihnen ganz.[287] Andernorts lag die Weide an exponierter Stelle – in Kirchen etwa am Rhein –, so daß dieses Land angesichts der Überschwemmungsgefahr die Investitionen zur Anlage von Acker- oder Wiesland nicht lohnte.[288]

Matten, die nur schlechtes Futter trugen, suchte man durch Entwässerung und Trockenlegung, durch das Ausbringen von Gips oder Schlamm zu verbessern.[289] Die Gewinnung von Schlamm aus den Wässerungsgräben war allerdings daran geknüpft, daß die Gräben von den anstoßenden Güterbesitzern und von der Gemeinde gut

---

missar Enderlin vereinbarten Abtrocknung oder Vertiefung des Altwassers die jenseits des Altwassers gelegenen sumpfigen Matten trockenzulegen und sie durch gutes Quellwasser mit einem über das Altwasser zu legenden Kanal zu wässern; Enderlin war aber noch im Dezember 1788 mit seinem Bericht im Verzug (229/23739, fol. 5–22', Pkte. 1, 2, fol. 61; 2 X 1787, 4 XII 1788). – Die Gemeinde Kleinkems war 1788/89 beim Oberamt vorstellig geworden, um einen am Rhein liegenden Distrikt von sechs J., der bisher zum Holzen und Weiden genutzt worden war, aufzubrechen und zu Matten anlegen zu dürfen; gegenüber dem Oberbeamten äußerten die Kleinkemser nun Zweifel, ob sie die Matten nicht lieber auf einem anderen Stück Gemeindeland anlegen wollten und auf dem Distrikt am Rhein ihr Gemüse anbauen sollten (229/ 9515; 24 XI 1789). – *Oberamt Hochberg:* Mundingen 1769: die Gemeinde habe schon vor einigen Jahren 8 J. 6 Mannshauet Gemeinweide in Matten umgewandelt, mehr ließ sich nicht bewerkstelligen, da die übrige Gemeinweide Überschwemmungsgebiet war und zur Stellung des Hanfs gebraucht wurde (229/70240/II; 14, 17, 18 II 1769). – Eichstetten 1789: Die Frühjahrs- und Sommerweide sind im ganzen Bann schon längstens abgestellt, weil alle gemeinen Weidgänge zu Matten angelegt und unter die Bürgerschaft verteilt worden sind (229/23271/II; 2–13 II 1789). – Teningen 1790: Antrag des Vogts zur Verlegung einer Brücke und eines Wegs, um ein Stück ödes Gemeindefeld zu Matten anlegen zu können. Das Oberamt ordnete an, den Vorschlag bald auszuführen (229/105132, fol. 47–126, Pkt. G. g. g der Policeyfragen).

[285] »Wollen Wir [Markgraf bzw. Hofrat, AH] es bey der bloßen Versicherung derer Orts Vorgesezten, daß sie die habende schlechte Matten, worauf die Farren gefüttert werden, und welche doch nur saures Futter geben, möglichst verbessern würden, nicht bewenden lassen, sondern es sind zu einer tüchtigen Abänderung dieser 6 Juchert alsbald und noch dieses Jahr des Wiesenbaus Verständige zu consultiren, diese Pläze jedoch mit möglichster Kostenersparhung besser zu aptiren.« (Haltingen 1777/78: 229/38041, fol. 27 ff.; 27 V 1778).

[286] Haltingen (229/38041, fol. 23 f.; 29 VIII 1777). – Tannenkirch (229/104371; 9 IX 1777).

[287] Egringen (229/22945; 13 IV 1779); Hauingen (229/39714; 29 V 1781); Welmlingen (229/112899, fol. 3–14, Pkt. 3; 22 VIII 1786).

[288] 229/52840 (18 XI 1783).

[289] Welmlingen (229/112897; 26 V 1778). – Blansingen (229/112897; 26 V 1778). – Egringen (229/22945; 13 IV 1779). – Eichen (229/23158; 16 I, 24 VII, 21 X, 4 XII 1782). – Wollbach (229/115725, fol. 43 f., 45–46'; 31 X, 27 XII 1781). – Hüsingen (229/47590, fol. 11–27' Pkt. 12, fol. 57–59', 73 ff.; 27–28 VIII, 21 IX 1782, 29 I 1783).

unterhalten wurden und daß die Versorgung mit Wasser hinreichend war, was nicht überall der Fall war.[290]

Auf die Frage der Oberbeamten nach dem Zustand der Abzugs- und Wässerungsgräben und nach deren regelmäßiger Säuberung (Frage 1 des Rügezettels von 1767)
hatten viele Vorgesetzte nichts anzuzeigen und ließen sich vernehmen, daß in ihrer
Gemeinde die Gräben im gehörigen Zustand erhalten und diese wenn nötig auch
geöffnet wurden.[291] Bisweilen wurden einzelne Gräben genannt, die noch geöffnet
werden mußten, worauf das Oberamt den Vorgesetzten auftrug, die Gräben im Gemeindefrondienst säubern zu lassen, sobald das Mattfeld abgeerntet und die Gräben
wieder zugänglich waren.[292] In Hauingen waren 1781 die Wässerungsgräben offenbar in gutem Zustand, nicht jedoch die Abzugsgräben, weshalb einige Matten nur
saures und schlechtes Futter erbrachten; der Oberbeamte befahl den Vorgesetzten
deshalb, die fraglichen Mattenbesitzer anzuweisen, die nötigen Arbeiten zu besorgen, die renitenten aber zur Buße anzuzeigen; die Ableitung eines weiteren Grabens
trug er der gesamten Gemeinde auf.[293] Die gemeinschaftliche Öffnung der Abzugsgräben im Spätjahr war dort besonders nötig, wo das Mattland an tief gelegenen
Stellen im Bann lag und deshalb besonders der Austrocknung bedurfte.[294]

An anderen Orten mußten die Vorgesetzten wohl zugeben, daß die Gräben bei
ihnen sehr in Unordnung geraten waren. In Köndringen zeigte Stabhalter Hans Michel Engler 1769 an, daß der Hauptabzugsgraben auf der Hintermatte sehr verwach-
sen war und beim Anlauf des Wassers großer Schaden auf den Matten entstand.

[290] Die Vorgesetzten von Tannenkirch beklagten sich 1777, sie suchten zwar ihre Matten »so
gut möglich« zu verbessern, doch seien sie in der üblen Lage, nur Regenwasser und sonst
kein anderes laufendes Wasser als nur das Brunnenwasser zu haben (229/104371; 9 IX
1777).
[291] Keine Anzeige zu Frage 1 in: Binzen/Rümmingen (229/8882, fol. 33–34'; 10 IV 1775);
Efringen (229/22652, fol. 1–2; 9 V 1775); Wintersweiler (229/115111, fol. 2 f.; 9 V 1775). –
Die Gräben waren angeblich ordentlich unterhalten in: Haltingen (229/38041, fol. 5–7'; 16
VII 1777); Tüllingen (229/106406; 16 VII 1777); Tannenkirch (229/104371, fol. 7–9; 9 IX
1777); Hertingen (229/42806; 9 IX 1777); Fischingen/Schallbach (229/28582, fol. 5–8'; 22
IV 1778); Welmlingen/Blansingen/Kleinkems (229/112897, fol. 14–18; 26 V 1778);
Egringen (229/22945, 13 IV 1779); Mappach (229/64346, fol. 13–17; 13 IV 1779); Dossenbach (229/19810; XI/XII 1780); Wollbach (229/115725, fol. 28–32'; 24 IV 1781); Haagen (229/37695; 29 V 1781); Hauingen (229/39714; 29 V 1781); Tumringen (229/106477;
26 VI 1781); Wittlingen (229/115325; 24 IV 1781); Wollbach (229/115725; 24 IV 1781);
Steinen (229/100906; 20–22 VIII 1782); Hüsingen (229/47590; 27–28 VIII 1782); Kandern
(229/50919; 28 IX 1784); Binzen 1785 (229/8882, fol. 50–133, ad 1, 2; 20 XII 1785);
Hauingen 1787 (229/39715; 20 III 1787).
[292] Wittlingen (229/115325, fol. 23–26'; 24 IV 1781).
[293] 229/39714; 29 V 1781. – In Egringen 1788 ließen die Vorgesetzten die Beständer der
Gemeindematten durch den Oberbeamten dazu anhalten, die fast ganz ausgefüllten Abzugsgräben zu öffnen. Im Frühsommer des folgenden Jahres war diese Arbeit ausgeführt
(229/22946, Pkt. 1; 28 X 1788; 5 VI 1789).
[294] Tumringen (229/106477; 26 VI 1781).

Beim Augenschein mußte das Oberamt »mißliebig ansehen«, daß weder die Haupt-
abzugs- noch die Nebenabzugsgräben gehörig geöffnet und Dohlen zur Wässerung
zum Teil zu niedrig angelegt waren; darauf verfügte es die Öffnung der Gräben
durch Friesen – bezahlte Kräfte für Erdarbeiten – auf Kosten der Matteninhaber
sowie die Höherlegung der Dohlen.[295] In Kirchen mußte das Oberamt den Wiesen-
besitzern eine Frist zur Ausräumung der Gräben setzen, nach deren Ablauf Lohnar-
beiter die Ausräumung auf Kosten der saumseligen Mattenbesitzer besorgen sollten.
Dadurch ließen sich die dortigen Wiesen merklich verbessern, weil nicht nur das
Wasser wieder seinen gehörigen Abzug erhielt, sondern auch die Wiesen zur rechten
Zeit gewässert werden konnten, »welches jedoch nur bey trübem Wasser bey dergl.
sumpfigten Wiesen geschehen dörfte«.[296] An anderen Orten brachte die geologische
Beschaffenheit der Erde besondere Schwierigkeiten mit sich: Die Hertinger warfen
nach Angabe ihrer Vorgesetzten ihre Abzugs- und Wässerungsgräben jährlich mehrmals aus, weil sich Erzschlamm darin absetzte; dieser Erzschlamm war aber auch
dafür verantwortlich, daß bei ihnen die Wässerung der Matten schädlich war.[297]

Je nach topographischer Situation und Bodenbeschaffenheit eines Ortsbanns war
nicht zu viel, sondern im Gegenteil zu wenig Feuchtigkeit das Problem der Matt-
landbewirtschaftung. In Kandern konnte nach Angaben der Vorgesetzten ein Drittel
der Matten wegen Wassermangels nicht gewässert werden, weshalb die Leute dieses
trockene Land von Zeit zu Zeit umbrachen und es mit Kartoffeln anpflanzten.[298] Die

---

[295] 229/54953, Pkt. 32 (24–27 I 1769). Gemäß der Vernehmung der Vorgesetzten im Mai waren
die Befehle ausgeführt worden (229/54953; 11 V 1769). – Auf den Vorschlag des Stabhalters, daß aufgrund der »sehr unordentlichen« Wässerung der Leute eine proportionelle
Abteilung der Wässerung verordnet werden sollte, erteilte das Oberamt den Vorgesetzten
den Auftrag, ein ganzes Mattfeld in »Canton« einzuteilen und die Wässerung so einzurichten, daß jeder zu einer bestimmten Zeit seine Wässerung erhalten und Zuwiderhandelnde
mit 10 Rtlr. bestraft werden sollten. Aufgrund einer Klage unterblieb diese Einteilung aber
bis 1772; da ließen sich die Vorgesetzten vernehmen, die Einteilung sei nicht mehr nötig,
weil jeder so viel Wasser bekomme, wie er brauche und es zu keinen Klagen mehr komme
(229/54953, Pkt. 33 (24–27 I 1769; 18 III 1772)). – Klagen des Vogts über Mißstände in der
Wiesenwässerung auch in Teningen 1769 (229/105130; 10, 11 X 1769).
[296] 229/52840 (18 XI 1783). – Erhebliche Unordnung im Wässerungssystem auch in Mundingen 1790, wo die Gräben nicht richtig geöffnet waren. Die vom Oberamt zur Rede gestellten Vorgesetzten gaben an, sie hätten den Mattenbesitzern schon oft aufgegeben, die anstoßenden Gräben aufzutun, doch sei dies nicht von allen gebührend befolgt worden. Sie
wünschten also selbst, daß deswegen eine nachdrückliche Weisung an sie ergehen möchte.
Das Oberamt verordnete darauf, daß die Vorgesetzten Termine zur Öffnung der Gräben
bestimmen sollten, zu denen jeder Mattenbesitzer mit einer Spatenschaufel zu erscheinen
hatte; wer nicht erschien, sollte mit 1 fl. bestraft und zur Bezahlung eines Taglöhners verurteilt werden. Erwiesen sich alle oder die meisten Mattenbesitzer saumselig, so sollten die
Gräben in Lohnarbeit aufgetan und die Kosten auf die Mattenbesitzer verteilt werden. Die
Hauptgräben waren jährlich in der Gemeindefron zu öffnen (229/70240/III, Pkt. X der
Policeyfragen; 7–30 IX 1790).
[297] 229/42806 (9 IX 1777).
[298] 229/50919 (28 IX 1784).

Wintersweiler Gemarkung lag größtenteils erhöht und war somit eher zu trocken als zu naß. Aus diesem Grund konnten die Wintersweiler große Teile nicht bewässern; zudem besaßen sie zu wenig Wiesen im eigenen Bann; sie besaßen deshalb in der tiefer gelegenen Nachbargemeinde Welmlingen acht bis zehn J. Matten, um deren Verbesserung durch Trübwässerung sie beim vorjährigen Frevelgericht in Welmlingen gebeten hatten.[299] Wassermangel war auch ein Hauptproblem für die auf dem Berg gelegene Gemeinde Ötlingen, für welche das Oberamt Rötteln in seinem Bericht an den Hofrat wünschte, die bisherigen Mühen und Kosten zur Entdeckung weiterer Quellen würden endlich zum Erfolg führen; in trockenen Jahren waren die Ötlinger öfters gezwungen, das Wasser aus ihren vier Brunnen allein für das Vieh zu verwenden und jenes für den Hausgebrauch eine halbe Stunde entfernt in Binzen zu holen.[300]

Wie bereits beim Kleebau ergab sich für besonders eifrige Vorgesetzte auch bei der Verbesserung des Mattlandes die Gelegenheit, sich durch entsprechende Anweisungen in der Gemeinde bei der Obrigkeit zu profilieren. Der Tumringer Vogt Fünfschilling berichtete mit vernehmbarem Stolz dem Rötteler Oberamt im November 1781, die Matten seien in seiner Gemeinde, »ohne Ruhm zu melden, sowohl unter meinem seel. Vatter wie nicht weniger unter mir, dem jezigen Vogt, durch vielen Zuspruch an die Leuthe dergestallten verbessert [worden], daß anstatt, wie es ehedessen auf unserm Mattfeld bereits die Helfte saures Futter gegeben, jezunder fast lautter gutes wächst und also wenig saures Futter mehr bey uns giebt, welches pur allein durch unsere Mühe und Sorgfalt, nehml. durch fleissiges Aufthun der Ablas Gräben und Überführung oder Verhöhung dieser Matten geschehen«.[301]

Waren die Anstrengungen einer Gemeinde zur Verbesserung ihrer Matten fruchtlos geblieben, so schaltete das Oberamt bisweilen den Landkommissar ein – einen im Oberamt zur Planung und Realisierung von Infrastrukturmaßnahmen angestellten, in der Geometrie und Ingenieurskunst versierten Beamten –,[302] der nach einer

---

[299] 229/115110, fol. 21–43', Pkte. 1, 2 auf die Fragen des Reskripts von 1767 (20 XI 1787).

[300] 229/81557, fol. 24 (26 VI 1781). – Auch Wollbach vermochte nur seine im Tal gelegenen Matten hinreichend zu wässern, nicht aber jene auf der Höhe (229/115725; 24 IV 1781). – So auch in Blansingen und Kleinkems (229/ 9515; 24 XI 1789).

[301] 229/106477, fol. 36 f. (5 XI 1781).

[302] Windelband, Verwaltung, S. 293 f. bezeichnet – nicht ganz vollständig – als Hauptaufgaben der Landkommissare die Sorge für den Zustand der Straßen, die Gewerbepolicey und die Rechnungsrevisionen. – In Teningen war ein Landkommissar bereits 1759 mit der Ausarbeitung einer Wässerungsordnung beauftragt, weil dort die Wässerung auf den Matten »in der größten Confusion« war und einer dem andern das Wasser wegnahm (229/105129; 28, 29 VIII 1759). – Bötzingen 1767: Weil die Matten durch die Eröffnung genügender Abzugs- und Wässerungsgräben verbessert werden könnten, erhielt Landkommissar Seuffert den Auftrag zur Nivellierung der Matten; nach der Nivellierung sollten die Marcher der Gemeinde die Matten wieder richtig ausmarchen und in Wässerung legen (137/170; 28 VII 1767). – Landkommissar Enkerlin erhielt einen Auftrag in Wieslet, wo alle bisherigen

genaueren Untersuchung der örtlichen Verhältnisse neue Vorschläge einreichen soll-te. Der Landkommissar legte Projekte zur Neueinrichtung oder Verbesserung be-stehender Wässerungssysteme vor, deren Realisierung er vor Ort anleitete und überwachte.[303] Allerdings hing letztlich die Durchführung solcher Projekte doch wieder vom Einsatz der jeweiligen Gemeinde ab. In Eichstetten hatte Landkommis-sar Winter schon einige Jahre vor dem Frevelgericht von 1789 einen Abzugsgraben quer über ein Mattfeld ausgesteckt, womit dieses ausgetrocknet und zu einem hö-heren Ertrag gebracht werden sollte; der Augenschein beim Frevelgericht aber zeig-te, daß nicht das Mindeste an diesem Abzugsgraben gemacht worden war, ja »viel-mehr hätten sich manche, um dem stehenden Wasser Abzug zu verschaffen, sogar den Damm von dem neuen Canal zu durchstechen beigehen lassen«. Ein betroffener Mattenbesitzer ließ sich darauf vernehmen, er sei immer bereit gewesen, das Seinige zur Aushebung des ausgesteckten Grabens beizutragen, die übrigen Besitzer hätten aber nie alle zur gleichen Zeit dazu gebracht werden können, und so sei das ganze Geschäft bis jetzt unterblieben. Das Oberamt verordnete darauf, daß die Vorgesetz-ten sogleich nach der Endzeit einen Tag zur Anlage des Grabens bestimmen sollten, wobei allen Mattenbesitzern, die sich dann nicht einfanden, die Kosten für die Er-öffnung des Grabens durch angestellte Arbeiter überbürdet werden sollten.[304]

Überhaupt stellte das Oberamt seine amtliche Hilfe all jenen in Aussicht, die durch ihre Nachbarn oder durch Geldmangel daran gehindert wurden, ihren Gü-terertrag zu verbessern.[305] Die »Hilfe« des Oberamts erhielt dann bisweilen den Charakter eines obrigkeitlichen Befehls, mit dem der Widerstand einzelner Interes-sengruppen in der Gemeinde gegen bestimmte Projekte gebrochen werden sollte.[306]

Versuche zur Verbesserung der Matten gescheitert waren. Der Hofrat genehmigte bald dar-auf die Vorschläge und wies das Oberamt Rötteln an, deren Realisierung umgehend an die Hand zu nehmen und die saumseligen Mattenbesitzer nötigenfalls mit Strafen zur Erfüllung ihrer Pflicht anzuhalten (229/114053; 22 X 1781, 28 I, 20 II 1782). – Ein Landkommissar war 1781 auf Wunsch der Gemeinden Wittlingen und Wollbach an der Abteilung eines Bächleins zwischen den beiden Orten beteiligt, wodurch mehr Wasser auf deren Matten geführt werden konnte (229/115325, fol. 23–26', 31 f.; 24 IV, 29 XII 1781). – In Grenzach war im Anschluß an die beim Frevelgericht 1785 vorgetragene Klage der Bürgerschaft, daß sie keine Wässerordnung habe, ein Landkommissar mit deren Ausarbeitung betraut (229/33917; 23 X 1786, 1 V 1787).

[303] Welmlingen 1786 (229/112899, fol. 3–14, Pkt. 2, fol. 61 ff., 72 f., 73 f., 82 f.; 22 VIII, 30 XI 1786, 8 VIII, 8 XI 1787, 5 I 1788).

[304] 229/23271/I (22 VII 1789). Eine undatierte spätere Marginalie im Protokoll des Augen-scheins vermerkt, der Graben sei angelegt worden.

[305] Kandern (229/50919; 28 IX 1784): »Da es nun würklich an dem ist, daß hiesige Unter-thanen den Wiesenbau zu einem vorzüglichen Grad der Vollkommenheit gebracht haben, so wußte man von Oberamtswegen hierbey nichts zu thun, als daß man denen Vorgesezten auftrug, der Burgerschaft bekannt zu machen, daß wann ein Eigenthümer eintweder durch seinen Nachbar oder durch Geldmangel gehindert werden sollten, seine Güter zu verbes-sern, sich solche der Ober-Amtl. Hülfe zu gewärttigen haben sollten.«

[306] Welmlingen (229/112899, fol. 3–14, ad Pkt. 2; nach 27 XII 1787): Der Oberbeamte Rein-

Die Anwesenheit des Oberamtmanns wurde von Gemeindebürgern dazu benutzt, auf reparaturbedürftige Wässerungseinrichtungen hinzuweisen, damit der Amtmann deren Ausbesserung anordnete.[307] In Gemeinden mit erheblichen Problemen bei der Einrichtung der Wiesenwässerung baten immer wieder auch einzelne Bürger um den Erlaß oder die Verbesserung der Wässerungsordnung.[308]

Andere Gemeindebewohner verfolgten bei dieser Gelegenheit durchaus eigennützige Ziele, die sie unter dem Siegel des gemeinen Nutzens zu befördern trachteten. Beim Kirchener Frevelgericht 1783 wurde ein älteres Gesuch des dortigen Schulmeisters, die Gemeinde möge ihm ein Stück Weideland zu einer Wiese überlassen, behandelt. Möglicherweise rechnete sich der Schulmeister bessere Chancen zur Erlangung dieser realen Besoldungserhöhung aus, wenn er gegenüber dem Oberamt versprach, dieses Land intensiver als bisher zu nutzen. Nach einer Bedenkzeit ließen sich die Vorgesetzten dazu vernehmen, die Gemeinde habe diesen Platz bisher als Weide genutzt, doch wollten sie darauf bedacht sein, die Bürgerschaft dahin zu bringen, daß das Land zu Eigentum verteilt und zu Wiesen angelegt werden konnte; alsdann sollte auch der Schulmeister seinen Teil erhalten, bis dahin aber,

---

hard berichtete an den Hofrat, wenige Bürger hätten sich gegen die Vertauschung ihrer bisherigen Matten gegen andere von gleichem Wert gewehrt, dadurch sei aber die Neueinrichtung einer Wässerung ins Stocken geraten, »so hielte man sich für befugt, nach dem Rechtssatz quod tibi non nocet & alteri prodest etc. und weil jeder Einwohner schuldig ist, sich die auf das gemeine Wohl abgehende Anordnungen, bey welchen er nicht in Schaden versetzt wird, gefallen zu lassen, ihres Widerspruchs ohngeachtet die Umsetzung auch dieser Matten zu verfügen«.

[307] Fridle Öhlwang aus Maugenhard zeigte die Mängel an einem Wuhr an, das zur Bewässerung von 30 Tauen Matten diente. Der Vogt bestätigte die Anzeige und rechtfertigte die bisher unterlassene Wiederherstellung des Wuhrs mit dem Kostenaufwand von 200 fl. Der Oberbeamte sollte den Mattenbesitzern die Übernahme der Kosten befehlen, »sonsten würde das nöthige nicht geschehen.« (229/64346; 13, 26 IV 1779).

[308] In Teningen trug 1776 Jörg Zimmerlen diesen Wunsch vor, worauf das Oberamt verfügte, daß die bereits für andere Matten gemachten Ordnungen nochmals verkündet und die Übertreter mit 50 Kr. bestraft werden sollten. Die geringe Beachtung der Wässerungsordnung führte das Oberamt auf den Umstand zurück, daß die zuständigen Bannwarte zugleich Nachtwächter waren und deshalb beide Dienste nur schlecht versehen wurden. In der Folge ordnete das Oberamt die Bestellung besonderer Nachtwächter an und übertrug den Bannwarten die Aufsicht über die Wässerordnung, wozu sie »als einem dem Gemeinen Weesen sehr wichtigen Dienst besonders verpflichtet« werden sollten; dafür sollten sie ein besonderes Gehalt von den örtlichen und fremden Mattenbesitzern erhalten (229/ 105131, Pkt. 36; 11, 27 VI 1776). – In Bahlingen wiederholte Vogt Bek beim Frevelgericht 1789 frühere Vorschläge zur Verbesserung der Matten. Durch das Ausstechen von Wässerungsgräben an der Dreisam ließen sich demnach etliche hundert J. Matten verbessern. Damit sei auch der größte Teil der Bürgerschaft einverstanden, doch falle es den Mattenbesitzern äußerst schwer, die ersten Einrichtungskosten allein zu tragen. Das Oberamt genehmigte darauf die vorgeschlagene Wässerung und wollte bei der Regierung beantragen, daß die Hälfte der ersten Einrichtungskosten aus der Gemeindekasse bestritten werden dürften (GA Bahlingen C VIII Nr. 4, Pkt. 61 der Policeyfragen; 8–20 VI, 10–13 VIII 1789).

fügten sie mit drohendem Unterton bei, sei es für ihn ratsam, die Gemeinde, »die ihm schon viele Gefälligkeiten erwiesen habe, durch seine Forderung nicht unwillig zu machen, er habe eine Besoldung, bei der er schon jezo wohl bestehen könne«. Der Oberbeamte teilte gegenüber dem Hofrat die Ansicht der Gemeinde, obwohl der Hofrat in einer früheren Resolution der Meinung gewesen war, das Gesuch verdiene durchaus eine Begünstigung.[309]

Die Frevelgerichtsakten wissen auch im Bereich der Wiesenkultur von merklichen Verbesserungen zu berichten. In Wollbach gaben die Vorgesetzten 1781 an, im »Moos«, das vor etwa 30 Jahren reiner Sumpf gewesen sei, sei der Boden nun so gut zubereitet worden, daß dort jetzt eines ihrer besten Felder sei.[310] Beim Grenzacher Frevelgericht 1785 kam die Rede auf eine Wiese, deren Anlegung beim letzten »Rüge-Gericht« erörtert worden war und die nun tatsächlich eingerichtet und »zum Besten der Gemeinde« verlehnt war.[311] Die beim Frevelgericht in Welmlingen 1786 vorgeschlagene Verbesserung der sogenannten Wasenmatten war ein älteres Anliegen der Vorgesetzten selber, das diese angeblich schon vor mehreren Jahren dem Oberamt vorgetragen hatten und das sie aus Anlaß des Besuchs des Oberbeamten in Erinnerung brachten.[312] Wintersweiler vermeldete beim Frevelgericht 1787, die Gemeinde habe kein Land, das nur als Weide genutzt werde und sich »mit Nutzen zu Mattland anlegen« lasse; nur in einem kleinen Wald hätten sie noch die Weide gemeinsam mit Welmlingen; ihr Vieh bleibe das ganze Jahr im Stall, sie hätten nicht einmal einen Hirten, und die Matten würden weder im Früh- noch im Spätjahr geweidet; da konnte das Oberamt nurmehr an die Adresse des Hofrats notieren, die Ortseinwohner würden bestimmt Hand anlegen, wenn es tatsächlich noch Möglichkeiten gäbe, mehr Wieswachs anzulegen.[313]

5.4.2.2 Weiden oder Verteilen? Die Behandlung der Weiden und Allmenden

Die Vergrößerung des Mattlandes sollte nach dem Programm der Agrarschriftsteller und der staatlichen Gesetzgebung in erster Linie zu Lasten der extensiv genutzten Allmend- und Weideflächen gehen, in zweiter Linie zielte man auf die Urbarisierung der »öden Plätze« in den Gemarkungen, jener Flächen also, die bis dahin nur wenig oder gar nicht in die agrarische Nutzung einbezogen worden waren. Die Einschränkung bzw. Aufhebung der Weideflächen mußte aber zwangsläufig auf erhebliche Schwierigkeiten in den Gemeinden stoßen, weil die Viehweide einerseits ein Grundelement des alten Nutzungssystems darstellte, andererseits aber aufgrund des agrarischen Wandels Gruppen mit unterschiedlichen, wenn nicht gegensätzlichen Inter-

---

[309] 229/52840 (1 V, 18 XI 1783; 9 X, 15 XI 1784).

[310] 229/115725 (24 IV 1781).

[311] 229/33917 (22 III 1785). – Wann das erwähnte frühere Frevelgericht stattgefunden hatte, geht nicht aus dieser Stelle hervor.

[312] 229/112899, fol. 3–14, Pkt. 2; fol. 55 f., 79 ff. (22 VIII 1786, 27 XII 1787).

[313] 229/115110; fol. 21–43', Pkt. 3 der Fragen aus dem Reskript 1767 (20 XI 1787).

essen an der Viehweide und Allmendnutzung entstanden.[314] Für den südwestdeutschen und schweizerischen Raum gelangte die Forschung zum Ergebnis, daß die landarmen und -losen Gruppen, sofern sie im Besitz von Gemeinderechten waren, die treibenden Kräfte hinter der Allmendteilung waren.[315] »Dieses Nutzenkalkül bei Allmendteilungen unterscheidet sich nun grundlegend von den Konstellationen, die eintraten, wenn es um die Abschaffung von Frühjahrs- und Herbstweiden ohne eine Entschädigung der Kleinbesitzer ging. Da die Viehhaltung der unterbäuerlichen Schicht von solchen Kollektivnutzungen abhing und ihr ein Übergang zur Wiesenwirtschaft und zur Stallfütterung allein aus materiellen Gründen nur schwer möglich war, leistete sie gegen solche von Bürokratie, ›Gemeinds‹-Vorstehern und begüterten Untertanen‹ getragenen Individualisierungsvorhaben anhaltenden und erbitterten Widerstand.«[316]

Es lassen sich mehrere Weidearten unterscheiden, die von den zeitgenössischen Agrarschriftstellern als schädlich angesehen wurden:[317]

1. Das »Privatweiden«, bei dem die Bauern ihr Vieh auf eigenen Gütern weideten. Problematisch war dabei, daß das Vieh ohne Hirten unbeaufsichtigt blieb und auf bebaute Nachbargüter auszubrechen drohte.
2. Die »Nachtweide«, die aufgrund der »nassen ungesunden Witterung bei diesem Vieh zerschiedene Krankheiten und Schäden« herbeiführte.[318]
3. Die Dorfweide, bei der das Vieh der Gemeindebürger gemeinsam von einem Hirten über die Felder und Wiesen des Banns getrieben wurde, wobei die Weiderechte im Oberamt Hochberg klassenweise abgestuft waren.[319] Das staatlich

---

[314] Auf die langsame und schwierige Abstellung des Weidgangs verwies bereits Drais I, S. 116; Bd. 2, S. 258 f. – Allgem. zur Behandlung der Allmenden und zur Abschaffung der Weide s. Strobel, Agrarverfassung, S. 64, 112, 148; Zimmermann, Reformen, S. 42 f., 51, 145–168; Ders., Entwicklungshemmnisse; Prass, Reformprogramm, passim, bes. S. 95–143; Albrecht, Landesausbau, S. 205–211.

[315] Strobel, Agrarverfassung, S. 148; Zimmermann, Reformen, S. 42 f.; Ders., Entwicklungshemmnisse, S. 105–109; Ders., Wirtschaftsreformen, S. 169.

[316] Zimmermann, Wirtschaftsreformen, S. 169.

[317] Vgl. Strobel, Agrarverfassung, S. 145–149; Zimmermann, Reformen, S. 145–168.

[318] Die Nachtweide wurde mit der zitierten Begründung 1765 gesetzlich verboten (RepPO 2121, 2128; GS III, S. 426 f.; 5 I, 17 IV 1765). – Auf lokaler Ebene wurde die Nachtweide durchaus schon früher untersagt: Beim Frevelgericht zu Langensteinbach 1747 beschwerte sich der Richter Johann Crafft Kirchenbauer, das Nachtweiden werde so »gemein, daß man nichts mehr davon bringe«, worauf der Oberamte das Nachtweiden bei 1 fl. Strafe von jedem Stück Vieh verbot (229/58080, fol. 1–19, Pkt. 3; 8, 10 XI 1747). – Das Verbot der Nachtweide wurde in zahlreichen territorialen Policeyordnungen festgelegt (s. Nowosadtko, Policierte Fauna, S. 311 f.).

[319] Ein Wagenmeier trieb drei bis vier Stück Vieh auf die Weide, ein Karrenmeier zwei bis drei und der Tagelöhner noch ein Stück Vieh (Strobel, Agrarverfassung, S. 146 f.). Zu den Frondienstklassen der Wagenmeier, Karrenmeier sowie der Tagelöhner, die auch soziale Kategorien darstellten, s. Strobel, Agrarverfassung, S. 122 f.

forcierte Verbot der Weide im Frühjahr – zu Beginn der Vegetationsperiode – und im Herbst – nach der Ernte – bezweckte die Verlängerung der Schonzeit der Wiesen und Felder zu einem Zeitpunkt im jährlichen Agrarzyklus, da die Bauern die Weide zur Kompensation der allgemein knappen Winterfütterung oder zur Verkürzung der Fütterungsphase am dringendsten brauchten.[320] Die Frage stellte sich hier, wie genau sich die einzelnen Viehbesitzer an die Vorschrift hielten, ihr Vieh erst nach der Ernte aufzutreiben.[321]

4. Die Waldweide, bei der das Vieh zur Mast in den Wald getrieben wurde, wo es besonders an jungen Bäumen Schaden anrichtete.[322]

Nach der Aufhebung der Weide sollte das Land intensiver als Mattland genutzt werden können. Die Aufhebung der Weide war häufig mit dem Projekt verknüpft, das Mattland zu Eigentum an die Bürger der Gemeinde zu verteilen, sofern es davor gemeinsam genutzt worden war. Die Allmende und gemeinschaftlich genutzte Güter besaßen aufgrund der extensiven Nutzungsweise in den Augen der Agrarautoren und in der von ihnen beeinflußten staatlichen Gesetzgebung einen ausgesprochen

---

[320] Rindvieh und Schafe sind im Unterland nur bis Georgi (23 IV) auf den Wiesen zu dulden (RepPO 583; GS III, S. 359; 8 IV 1712). – Verbot der Frühjahrsweide der Matten oder Wiesen bei Strafe von 10 fl. (RepPO 1292; WI I, S. 677; 19 IV 1738). – Das Oberamt Hochberg verbot auf Antrag der Vorgesetzten beim Bötzinger Frevelgericht 1767 die Früh- und Spätjahrsweide auf den Matten (137/170; 28 VII 1767). – Eine eindrückliche Schilderung des Futterproblems der Dorfarmen im Frühjahr findet sich in der heimlichen Anzeige des Köndringer Richters Grether, der beim Oberamt u.a. die Frühjahrsweide denunzierte: Die meisten Leute hielten zu viel Vieh und seien im Frühjahr gezwungen, auf das Gras-rauben auszugehen, sie packten jedes Gräslein in Reben und Rainen und griffen mit Jäten auch in der Frucht zu. Solange dies ordentlich geschehe, sei es durchaus nützlich, doch die Leute wühlten wild im Feld herum und verderbten mehr, als sie nützten; Grether mochte dieses Grassammeln »der lieben Armuth gerne gönnen, wan sie darum fragte und allen Unrath hinweg nähme«, doch sollten sie zuvor die Erlaubnis des Feldbesitzers einholen. Grether schlug vor, ihnen jeweils ein »Erlaubnus Bilet« auszuhändigen, mit dem sich die Armen bei den Bannwarten über ihr Jätrecht in einem bestimmten Feld ausweisen konnten (229/54951/III; 3 VI 1775). – Über das unerlaubte Jäten in Reben und Feldern im Frühjahr zur Futterbeschaffung beschwerten sich 1776 bei den Frevelgerichten von Köndringen und Emmendingen einzelne Bürger: In beiden Orten verfügte das Oberamt, daß das Grasen und Jäten in fremden Reben und Feldern bei Strafe von 1/2 fl. bzw. 2 fl. nur gegen Erlaubnis des Eigentümers geschehen sollte (229/54951/III, ad Pkt. 44; 17–19 XII 1776 bzw. StadtA Emmendingen B 1a/Fasz. 9, ad § 5; 9–10, 12–13 I 1776).

[321] Beim Frevelgericht von Mundingen 1761 beschwerte sich Michel Brombacher über die mangelhafte Aufsicht der Bannwarte über das schädliche Weiden. Auch andere Bürger beklagten sich bitter über das Weiden, und es stellte sich heraus, daß die Bannwarte mit der Aufsicht auf das zwischen den Äckern weidende Vieh überfordert waren. Das Oberamt ordnete deswegen an, daß alle mit dem Weiden bis nach der Ernte zuwarten mußten und dann erst die gesamte Herde aufgetrieben werden sollte. (229/70240/I; 1 VII 1761).

[322] Frevelgericht Bötzingen 1767: Klage der Vorgesetzten wegen des Waldschadens durch das Vieh jener Bauern, die zu wenig Matten zur Versorgung ihres Viehs besaßen; das Oberamt befahl den Vorgesetzten, eine Viehordnung auszuarbeiten und die Übertreter dem Oberamt zur Bestrafung anzuzeigen (137/170; 28 VII 1767).

schlechten Ruf, während die Verteilung zu individuellem Eigentum allgemein als »eine bessere Cultur hernach bewirkende« Maßnahme betrachtet wurde.[323]

In mehreren Gemeinden sind während des letzten Drittels des 18. Jahrhunderts bei Frevelgerichten Projekte zur Aufteilung von Allmendland und Weideflächen an die Gemeindebürger vorgeschlagen und teilweise danach auch realisiert worden[324] (Tab. 5.28).

Bei den Frevelgerichten erkundigten sich die Oberbeamten auch nach der Befolgung des Verbots der Nachtweide sowie des Verbots der Frühjahrsweide auf den Wiesen.[325]

Trotz des gesetzlichen Verbots von 1765 kam es noch längere Zeit vor, daß in Gemeinden die Nachtweide praktiziert wurde, wobei es sich dabei überwiegend um Einzelfälle gehandelt zu haben scheint. Nachtweide kam 1769 noch in Hauingen vor, wenn auch auf einem begrenzten Grundstück; das Oberamt untersagte dies auf Befehl des Hofrats wegen der Gefahr von Viehseuchen.[326] In Kandern zeigten die Vorgesetzten 1784 an, es gebe in ihrer Gemeinde dann und wann Klagen über das Nachtweiden einzelner Einwohner, worauf das Oberamt ihnen auftrug, bei jenen, »welche sie deßwegen im Verdacht hätten, dann und wann ohnvermuthet bey Nacht die Ställe zu visitiren und wann das Vieh nicht zu Haus gefunden würde, zu untersuchen, wo es hingebracht worden seye«.[327] Die gleiche Anweisung erging 1787

---

[323] Das Zitat aus dem Generaldekret zur Verbesserung der Wiesen und Vermehrung des Futters (RepPO 2603; WI I, S. 677 f.; 21 X 1778). – Zum Zusammenhang von Produktionsintensivierung und Individualisierung der bäuerlichen Wirtschaft s. Zimmermann, Entwicklungshemmnisse; zur Haltung der agronomischen Autoren bes. ebd., S. 101–105. – Die schwierige Durchsetzung des Verbots der Frühjahrsweide schildert Zimmermann, Reformen, S. 145 ff., wobei er wenig konkrete Angaben zur Durchsetzung des Verbots macht. Berichte aus den 1780er Jahren zeigen, daß die Frühjahrsweide damals vielerorts noch üblich war; die Obrigkeit stellte den Gemeinden auf deren Bitten hin auch Ausnahmebewilligungen aus, um die angeblich in den 1780er/90er Jahren immer seltener nachgesucht wurde (Straub, Oberland, S. 120; Zimmermann, Reformen, S. 145 ff.).

[324] Zimmermann hat nachgewiesen, daß das Weideverbot innerhalb der Gemeinden sehr gegensätzlich aufgenommen worden ist und die Weidefrage als komplizierender Faktor die soziale Konfliktlage in den Gemeinden stark berührte und bisweilen zu Gewaltaktionen führte. Mehrheitlich befürworteten die Bauern die Beibehaltung der Weide. Anhänger wie Gegner des Weideverbots artikulierten ihre Interessen in zahlreichen Supplikationen an den Hofrat, der in vielen Fällen Ausnahmeregelungen bewilligte (Zimmermann, Reformen, S. 147–168; s. a. Strobel, Agrarverfassung, S. 148). – Zeitlich fallen diese Maßnahmen mit den frühen, in Niedersachsen von der Celler Landwirtschaftsgesellschaft geförderten Gemeinheitsteilungen in Niedersachsen zusammen (Prass, Reformprogramm, S. 57).

[325] Der Rügezettel von 1767 stellte diese beiden Fragen unter Nummer 6 und 7, der Schlosser'sche Rügezettel aus dem Oberamt Hochberg von 1781 stellte nur die Frage nach der Abstellung der Frühjahrsweide.

[326] 229/39713 (5 X 1768, 10, 29 IV 1769).

[327] 229/50919 (28 IX 1784).

Tabelle 5.28:
Vorgeschlagene und realisierte Projekte zur Umnutzung von Allmendland und Weiden[328]

Legende:
R = zum Oberamt Rötteln – H = zum Oberamt Hochberg
V = Vorschlag – B = Beschluß beim Frevelgericht – R = realisiertes Projekt.

Zeitpunkt	Gemeinde	Projekte	vorge-schlagen von	Beleg
28 VII 1767	Bötzingen (H)	Umwandlung der gemeinen Weide zu Mattland und dessen Verteilung an die Bürger (V) Umwandlung der Viehweide zu Mattland (V) Umwandlung der Allmende zu Mattland (V) Umwandlung einer der besten gemeinen Weiden zu Matten und proportionale Verteilung an die Bürger (B)	Vogt, unter Zustimmung der Mehrheit der Bürger	137/170
vor 1769	Märkt (R)	Manche Weide wurde schon zu Wiesen gemacht.		229/39713
einige Jahre vor 1769	Mundingen (H)	Einschlagung von mehr als 8 J. gemeine Weide zu Matten (R)	?	229/70240/II
1769	Teningen (H)	Probeweise Aufteilung des gemeinen Grüns unter die Bürger (R). Wegen zu starker Unruhe in der Gemeinde Rückkehr zur Weide durch Mehrheitsbeschluß der Gemeinde 1770	?	229/105130
1775	Efringen (R)	Anlage von 13 J. Matten auf ehemaligem Allmend-land (V)	Vorgesetzte	229/22652
1776	Emmen-dingen (H)	Verteilung der gemeinen Stadtweide auf 6 Jahre an die Bürgerschaft (V)	Mehrere Ratsherren und Bürger	StadtA Emmen-dingen B 1a/9

[328] Diese Tabelle kann keine vollständige Darstellung dieses fundamentalen agrargeschichtlichen Vorgangs im badischen Oberland liefern, sondern zeigt lediglich auf, inwiefern dieser Vorgang bei Frevelgerichten zur Sprache gekommen ist. – Die Angaben dürften aber ausreichen, um das dezidierte, nicht ganz zu Recht auf Zimmermann gestützte Urteil Prass' zurückzuweisen, wonach in Baden die Bemühungen zu tiefergehenden Agrarreformen »auf Grund der widersprüchlichen bis indifferenten Haltung der Bürokratie und der Ablehnung der Reformen durch einzelne Gruppen und Schichten innerhalb der Gemeinden« scheiterten (Prass, Reformprogramm, S. 138).

Zeitpunkt	Gemeinde	Projekte	vorge-schlagen von	Beleg
1783	Kirchen (R)	Einzäunung eines Teils des Weidelandes zur Anlage von Wald (V)	Vorgesetzte	229/52840
		Bepflanzung von Weideland mit mehreren 1000 Weiden (R)		
1783	Ottoschwanden (H)	Umwandlung eines Weidfelds zu Matten (V)	Abraham Becherer (Bürger, Wirt)	229/82169
		Verkauf oder Verleihung eines Stücks Gemeinweide (V)	Vorgesetzte	
1784	Kandern (R)	Untersuchung der Möglichkeiten, einen Weidedistrikt von 80–90 J. zu Wald anzulegen (B)	Oberamt	229/50919
1786	Mundingen (H)	Umwandlung des gemeinen Grüns zu Mattland.	Oberamt	229/70240/III
vor 1789	Eichstetten (H)	Alle gemeinen Weidgänge wurden zu Matten angelegt und an die Bürger verteilt. (R)	?	229/23271/II, Pkt. ee der Policeyfragen
1787/88	Märkt (R)	Umwandlung eines großen Weidedistrikts zu Ackerfeld und dessen Verteilung an die Bürger (R)	?	229/23739
		Umwandlung von 4–5 J. Weide zu Acker oder Matten und Verteilung an die Bürger (V, B)	Vorgesetzte	
1788/89	Kleinkems (R)	Umwandlung eines Holz- und Weidebezirks von 6 J. zu Mattland (V)	Gemeinde	229/9515, fol. 2–12, Pkt. 3
1790	Teningen (H)	Verlegung einer Brücke und eines Wegs zur Anlage von Matten auf ödem Gemeindefeld (V)	Vogt	229/105132, fol. 47–126, Pkt. G.g.g der Policeyfragen
		Anlage einer J. des gemeinen Grüns zu Matten	?	ebd., Pkt. V.v. der Policeyfragen

auch an den Vogt von Hauingen, wo sich der Bürger Hans Schöchlin verdächtig machte, seine zwei Pferde nachts in den Rebwegen unbeaufsichtigt weiden zu lassen. Die Anzeige des Hauinger Vogts beim Oberamt verrät, was einzelne Bürger zur Nachtweide zwang: Schöchlin besaß offenbar »kein Pletzlin Matten«, so daß der Vogt ihm schon öfters auferlegt hatte, seine Rösslein wegzuschaffen. Der Vogt zeigte den Verdacht beim Oberamt an, nicht ohne eigens darauf hinzuweisen, Schöchlin habe keine Güter, die einen Zug erforderlich machten, »er könte sich mit Handt Arbeit nehren, dann weilen er keine Matten hat, so mus er sich ja auf das Futter Stehlen und Nacht Weiden begeben«.[329]

Das Privat- und Frühjahresweiden war nach Auskunft der Vorgesetzten im hochbergischen Köndringen 1769 noch weit verbreitet, obwohl Vogt und Richter dies angeblich scharf verboten hatten; auf ihre Bitte untersagte das Oberamt das Privatweiden nochmals und drohte Zuwiderhandelnden eine Strafe von einem Reichstaler pro Stück Vieh an; in den späteren Vernehmungen 1769 und 1772 beteuerten die Vorgesetzten dann, dieses Weiden sei nunmehr abgestellt worden.[330] Auch in Mundingen und Teningen mahnte das Oberamt 1769 die Abstellung des Privatweidens auf Feldern und an Rainen, »was nicht durch den Hirthen geschiehet«, an; die Vorgesetzten sollten bei schwerer Verantwortung nicht gestatten, daß die Leute das Vieh im Frühjahr zur Weide auf die Matten trieben. Statt die Raine zu beweiden, sollten die Bürger diese besser aufschlagen und mit Esparsette bestecken.[331]

In Teningen beklagten sich die Bürger beim Frevelgericht von 1769 über die große Unordnung, daß viele Leute ihr Vieh und ihre Schweine ohne Hirten auf die Weide trieben. Zwar hatte der Vogt dieses schädliche Weiden bei der Gemeindeversammlung angeblich verboten und auch viele Übertreter bestraft, doch blieb dies fruchtlos. Er bat das Oberamt deshalb, »diesfalls seine Authoritaet [zu] interponiren und ein Reglement im Wayden [zu] machen, sofort aber die Leute zu dessen pünctlichen Nachgelebung ernstlich und bei Strafe an[zu]weißen«. Letztlich rührte die Unordnung aber daher, daß die Gemeinde keinen Ochsen- und Schweinehirten mehr unterhielt, seitdem ihr Weidgang in den Wäldern der Herrschaft ziemlich eingeschränkt worden war; dadurch waren die Leute gezwungen worden, mit ihren Ochsen und Pferden auf die Güter zu fahren. Eine Lösung des Problems erblickte das Oberamt darin, den Teningern auf Vorschlag der Vorgesetzten und Richter in einem herrschaftlichen Allmendwald einen besonderen Weidedistrikt zuzuweisen, was ihnen wieder ermöglichte, einen Hirten zu halten.

---

[329] 229/39715 (14, 21 V 1787). – Sollte Schöchlin das Nachtweiden gestehen oder dessen durch Zeugen überwiesen werden können, sollte der Vogt ihn laut Befehl des Oberamts zur Bestrafung nach Lörrach überstellen; wenn nicht, so hatte der Vogt künftig von Zeit zu Zeit Schöchlins Stall bei Nacht visitieren zu lassen.

[330] 229/54953 (24–27 I 1769; 11 V 1769; 18 III 1772).

[331] Mundingen: 229/70240/II (14, 17, 18 II 1769). – Teningen: 229/105130 (10–11 X 1769).

Das Privatweiden war 1776 in Köndringen erneut ein Thema des Frevelgerichts, wobei in der Anzeige der Vorgesetzten präzisiert wurde, jeder lasse nach dem Herbst sein Vieh laufen, wie er wolle; das Oberamt erneuerte das Verbot bei 5 fl. Strafe.[332] Beim Teninger Frevelgericht 1790 mußten die Vorgesetzten dem Oberamt gar melden, daß das Privatweiden wieder zunahm; das Vieh wurde nur von kleinen Kindern gehütet und fraß die entlang der Elz angepflanzten Erlen und Weiden ab; eine verschärfte Aufsicht der Vorgesetzten auf die Übertreter des Verbots war die Antwort des Oberamts.[333]

Nicht immer sah eine Gemeinde noch Möglichkeiten, Weide- und Allmendland in neues Wiesland umzuwandeln. So äußerten sich die Vorgesetzten von Kirchen 1775, sie hätten zwar in ihrem Bann Weideland, doch könne dieses nicht besser als zur Weide benutzt werden.[334] Anders hörte es sich dann allerdings beim Frevelgericht von 1783 an, als die Kirchener Vorgesetzten vorschlugen, auf dem gemeinen Weidgang am Rheinufer einen Eichenwald einzuzäunen und von der Beweidung auszunehmen. Hier trat nun die Schwierigkeit auf, daß die Gemeinden Fischingen und Eimeldingen Weidgenossen im Kirchener Wald waren und sich gegen die Einschränkung zur Wehr setzten, zumal sie selber in ihrem Wald nicht genügend Weide besaßen.[335] In Grenzach sahen die Vorgesetzten 1785 keine Möglichkeit mehr, weitere Wiesen anzulegen, weil sie in ihrem Bann kein Land mehr besaßen, das sie nur noch zur Weide nutzten.[336]

[332] 229/54951/III, ad NN 42, 64 (17–19 XII 1776).
[333] 229/105133 (1 IX 1790).
[334] 229/52838 (9 V 1775).
[335] In einem Schriftwechsel zwischen dem Oberamt und dem Oberforstamt wurden diese Probleme erörtert, wobei das Oberforstamt das traditionelle Weiderecht der Ausmärker stützte, während das Oberamt eine forschere Politik gegenüber den auswärtigen Gemeinden forderte, die im fraglichen Wald nur die Weide und damit eine »Nebensache« verfolgten, während es für die Gemeinde Kirchen mit der Holzpflanzung um eine Hauptsache beim Wald ging. Fischingen und Eimeldingen konnten somit »blos wegen des Rechts der Mitwaide (...) vernünftiger weise nicht verlangen, daß die Haupt Sache, nehmlich die Holzpflanzung, dem weniger beträchtlichen Waidrecht nachgesezt werde, sondern sie muß zufrieden sein, wenn ihnen nur die Waide gestattet wird, in so weit es mit der Holz Pflanzung bestehen kan.« Das Oberamt fand es billig, wenn vorerst nur ein Teil des Waldes eingezäunt wurde. Auf die Einwilligung der Ausmärker von Fischingen und Eimeldingen zu warten, hielt es aber nicht für »thunlich«, weil es in diesem Fall nie zur Einzäunung kommen würde. Kirchen wurde schließlich die Einhängung eines Walddistrikts erlaubt (229/52840; 15, 26 XII 1783, 30 I 1784, 9 X 1784). Auf dem Weideplatz am Rhein waren offenbar rasch etliche 1000 Weidesetzlinge gepflanzt worden, von denen im trockenen Sommer 1784 viele bereits wieder eingingen, doch sagte der Kirchener Vogt deren Ersetzung zu (229/52840; 15 XI 1784).
[336] 229/33917 (22 III 1785). Auch in Welmlingen gaben die Vorgesetzten 1786 an, sie hätten keine Weiden oder Allmendplätze, die zu Wiesen zurecht gemacht und unter die Bürgerschaft verteilt werden könnten (229/112899, fol. 3–14, ad 3; 22 VIII 1786). – In Wintersweiler hieß es 1787, die Gemeinde habe kein Land, das nur zur Weide benutzt werde und sich »mit Nutzen zu Mattland anlegen ließe« (229/115110, ad 3; 20 XI 1787). – Ebenso in

Die Frevelgerichtsakten verraten auch einiges über die Voraussetzungen für die Durchsetzung der erlassenen Weideverbote. Offensichtlich ließ sich das Verbot der Frühjahresweide nicht überall rigoros handhaben.

Beim Emmendinger Frevelgericht 1776 hielt Ratsherr Leppert dafür, daß das Frühjahresweiden spätestens 14 Tage vor Georgi abgestellt werden sollte, weil sonst die Matten sehr verdorben würden. Das Oberamt gestattete daraufhin die Frühjahresweide in Emmendingen nicht länger als bis zum 8. April,[337] so wie Ende 1776 auch in Köndringen, obwohl doch in dieser Gemeinde ein Richter in einer heimlichen Anzeige beim Oberamt den Schaden denunziert hatte, den das verbotswidrige Frühjahresweiden an den Samenfeldern verursachte.[338]

Die Verbote des Privatweidens und die Einschränkungen der Frühjahres- und Herbstweide mußten so lange einen schweren Stand haben, als es in den Gemeinden Bürger mit einem dringenden Bedarf an der Weide gab. Beim Teninger Frevelgericht 1776 forderte Daniel Breisacher, daß die so sehr benötigte Weidefläche durch die Öffnung eingezäunter Schläge wieder erweitert wurde, weil dort das Holz schon so hoch gewachsen war, daß das Vieh keinen Schaden mehr anrichten konnte. Eine vollständige Abstellung der Frühjahresweide war für die Teninger Vorgesetzten ganz unmöglich, weil sie so großen Futtermangel hatten; zudem glaubten sie, daß bei trockenem Wetter die Weide bis Georgi mehr nützlich als schädlich seie, während sie bei nassem Wetter die Weide von selbst unterließen.[339]

In den Frevelgerichtsakten der 1770er und 1780er Jahre häufen sich die Aussagen von Vorgesetzten und Oberbeamten, die Früh- und Spätjahresweide in den Gemeinden sei ganz abgestellt worden und es finde auch keine Nachtweide mehr statt.[340]

Egringen 1788, wo keine Weideplätze zu Matten eingerichtet werden konnten (229/22946; 28 X 1788).

[337] StadtA Emmendingen B 1a/9, ad § 38 (9–10, 12–13 I 1776).

[338] 229/54951/III (17–19 XII 1776). Das heimliche Schreiben von Richter Grether ebd. (3 VI 1775).

[339] 229/105131, ad N 33 der Privatbeschwerden und Pkt. 6 der Policeyfragen (11, 27 VI 1776).

[340] Haltingen 1777 (229/38041). – Hertingen 1777: Die Frühjahresweide war nie üblich, die Spätjahresweide wurde vor 2 Jahren von der Gemeinde selber mit großem Nutzen abgestellt (229/42806). – Tannenkirch 1777: Die Frühjahresweide sei schon längst abgestellt, die Spätjahresweide hätten sie vor einigen Jahren »mit Bewilligung des meisten Theils derer Burgere mit vielem Nuzen abgestelt« (229/104371). – Tüllingen 1777; Welmlingen/ Blansingen 1778: Frühjahres- und Herbstweide sind abgestellt (229/106406; 229/112897). – Egringen 1779: Die Frühjahresweide ist abgestellt; später gibt der Vogt noch an, die Bürgerschaft wolle im eigenen Bann auch auf die Herbstweide verzichten, nicht jedoch auf das Recht zur Herbstweide im Bann der Gemeinde Mappach (229/22945; 13 IV, 4 VI 1779). – Mappach 1779: Frühjahres- und Nachtweide sind abgestellt, das Verbot der Herbstweide zieht aber besonders wegen benachbarter Gemeinden, die Weiderechte im Bann besäßen, allerhand Verdrießlichkeiten und Händel nach sich (229/64346; 13 IV 1779). – Dossenbach 1780: das Verbot der Früh- und Spätjahres- sowie der Nachtweide werde befolgt (229/19810; vor 6 XII 1780). – Eichen 1780: das Oberamt bestätigt die Befolgung

Allerdings blieben die Behörden auch hier je nach lokalen Verhältnissen auf die Realisierung des Möglichen beschränkt: Noch in seinem Ratifikationsdekret zum

der Weidevorschriften (229/23156; 23 XII 1780). – Haagen 1781: Die Frühjahres- und Nachtweide seien abgestellt, die Herbstweide nutzten sie nur im Rahmen der fürstl. Verordnung, wonach höchstens ein Drittel der Matten beweidet werden durfte (229/37695; 29 V 1781). – Hauingen 1781: Frühjahres- und Nachtweide sind abgeschafft (229/39714; 29 V 1781). – Ötlingen 1781: die Weideverbote spielen hier keine Rolle, weil die Gemeinde keine Weide besitzt (229/81557; 26 VI 1781). – Tumringen 1781: Frühjahres- und Nachtweide sind abgestellt, die Herbstweide wurde 1780 wegen der Trockenheit und des großen Futtermangels benutzt, man werde sich künftig aber nach der fürstl. Verordnung richten (229/106477; 26 VI 1781). – Wittlingen 1781: Alles Weiden ist abgestellt (229/115325; 24 IV 1781). – Wollbach 1781: Frühjahres- und Nachtweide sind abgestellt, die Herbstweide wünschen sie beizubehalten (229/115725; 24 IV 1781). – Hüsingen 1782: keine Frühjahresweide, die Herbstweide wird gemeinsam mit Höllstein befahren (229/47590; 27, 28 VIII 1782). – Steinen 1782: Die Frühjahresweide ist abgestellt, die Herbstweide dauert bis Gallus (229/100906; 20–22 VIII 1782). – Kirchen 1783: Die Frühjahresweide auf den Wiesen ist schon lange abgestellt, die Herbstweide wurde 1782 nach Vorschrift des Oberamts nur auf der Hälfte der Wiesen und bis Gallus betrieben (229/52840; 18 XI 1783). – Nimburg 1783: Die Frühjahresweide findet fast gar nicht mehr statt, höchstens bei trockenem Wetter (229/75379, ad 19; 16–19 VI 1783). – Kandern 1784: Die Frühjahresweide ist fast ganz abgestellt (229/50919; 28 IX 1784). – Binzen 1785: Die Herbstweide wurde 1784 14 Tage lang betrieben, die Frühlingsweide ist schon lange abgestellt; das Vieh komme das ganze Jahr über nur wenig aus den Ställen (229/8882, fol. 54–71, ad 6; 20 XII 1785). – Grenzach 1785: Frühjahres- und Herbstweide sind abgestellt; es weidet kaum mehr jemand, die Gemeinde habe keinen Hirten mehr, und nur im Notfall treibe jemand sein Vieh in den Wald (229/33917, ad 6, 7; 22 III 1785). – Welmlingen 1786: Die Frühjahres- und Herbstweide sind abgestellt, das Nachtweiden verursacht keine Klagen (229/112899, ad 6, 7; 22 VIII 1786). – Eimeldingen/Märkt 1787: Frühjahres- und Nachtweiden sind unbekannt und die Herbstweide werde »nach der Vorschrift behandelt« (229/23739, ad 6, 7; 2 X 1787). – Hauingen 1787: Die Frühjahresweide auf den Wiesen sei schon lange ganz abgestellt, und im Herbst werde nur ein Teil der Wiesen beweidet; über die Nachtweide gibt es keine Klagen (229/39715, ad 6, 7; 20 III 1787). – Wintersweiler 1787: Das Weiden auf den Wiesen sei ganz abgestellt, und man höre nichts von Nachtweiden (229/115110, ad 6, 7; 20 XI 1787). – Egringen 1788: Die Frühjahres- und Nachtweide seien ganz aus der Gewohnheit, die Herbstweide »werde nur nach der herrschaftl. Verordnung benutzt« (229/22946, ad 3; 28 X 1788). – Blansingen 1789: Keine Frühjahres- und Herbstweide durch die gemeine Herde, doch dürfe jeder im Herbst sein Vieh auf seine eigenen Matten treiben. Keine Klagen über die Nachtweide (229/9515 ad 6, 7; 24 XI 1789). – Eichstetten 1789: Frühjahres- und Herbstweide sind schon lange abgestellt, weil alle gemeinen Weidgänge zu Matten angelegt und für 10 Jahre an die Bürger verteilt worden sind (229/23271/II, ad Pkt. ee der Policeyfragen; 2–13 II 1789). – Teningen 1790: Die Frühjahresweide ist seit mehreren Jahren eingegangen, die Herbstweide aber halte man »allgemein hier für vorträglich« und sei bisher beibehalten worden. Die Matten würden aber nur bei trockenem Wetter beweidet. Vorgesetzte und Gericht beharrten aller oberamtlichen Remonstrationen zum Trotz auf der Beibehaltung der Herbstweide, so daß das Oberamt die Herbstweide noch weiter gestattete, aber nur bei trockener Witterung und mit Ausnahme der Pferde (229/105132, ad Pkt. H. h. der Policeyfragen; 5–13 VIII 1790). – Efringen 1791: Die Frühjahresweide ist abgestellt »und werde hier nicht einmal eine allgemeine SpatJahrs Waide zugelassen« (229/22654; 14–16 II 1791).

Kirchener Frevelgericht von 1783 trug der Hofrat dem Oberamt Rötteln nicht etwa die unnachsichtige Durchsetzung des Herbstweideverbots auf, es sollte bloß danach trachten, daß die für das Vieh und den Graswuchs schädliche Herbstweide auf den Wiesen nach und nach »so viel möglich gänzlich abgestellt werde«.[341] Seine Erfahrungen mit der Durchsetzung des Herbstweideverbots faßte der Rötteler Oberbeamte Reinhard dahin zusammen, daß die Herbstweide in den Gemeinden, wo auswärtige Wiesenbesitzer nur sehr wenig oder gar keinen Anteil hatten, freiwillig abgestellt wurde, in andern Gemeinden aber, wo die Ausmärker viele Wiesen besaßen, war »mit Güte nichts auszurichten. Ein klarer Beweis, daß die Unterthanen das Herbstweiden selbst vor schädlich erkennen!«[342]

Belege aus mehreren Hochberger Gemeinden zeigen jedoch, daß man sich die zunehmende Abschaffung der Früh- und Spätjahresweide nicht als geradlinigen Prozeß vorstellen darf.

In Eichstetten hatte das Oberamt aus Anlaß des Frevelgerichts im Februar 1789 angeordnet, daß während einer Probezeit von sechs Jahren das Weiden auf den Privatweiden im Herbst unterbleiben und die Kühe nur auf der früheren, nunmehr an die Bürger verteilten Gemeinweide durch den Hirten ordentlich geweidet werden sollten. Diese Regelung war zustande gekommen, nachdem es in der Gemeinde in der Frage der Herbstweide zu einem tiefen Zerwürfnis zwischen zwei Parteien gekommen war: Ein großer Teil der Bürgerschaft opponierte gegen die einige Jahre zuvor vorgenommene Abstellung der Herbstweide und trug ihre Beschwerden beim Frevelgericht dem Oberamt erneut vor. Die Vorgesetzten der Gemeinde favorisierten dagegen die Abschaffung der Herbstweide. Der Kompromiß bestand 1789 darin, daß die unter die Bürgerschaft ausgeteilte gemeine Weide im Umfang von ca. 180 J. für eine Probezeit von sechs Jahren für Kühe und Ochsen zur Beweidung unter einem Hirten nach dem Emd wieder geöffnet werden sollte. Jeder Bürger sollte ein Stück Vieh auftreiben dürfen. Die übrigen Matten aber sollten von der Beweidung frei bleiben. Nach dieser Probezeit wollte man sehen, »ob das Waiden im Spat Jahr den Matten verträglich seie oder nicht, in welch ersterem Fall sie sodann selbsten darauf antragen würden, daß auch die übrige Matten zur Herbst Zeit bewaidet werden sollen«.

---

[341] 229/52840 (9 X 1784).

[342] 229/52840, Marginalie zu Policeyfrage 6 (wahrsch. nach dem 15 XI 1784). – Ähnlich ließ sich Reinhard in einer Notiz zum Grenzacher Frevelgerichtsprotokoll vernehmen: Der Verzicht auf die Frühjahres- und Herbstweide erfolge in Grenzach freiwillig, und dies sei »ein sicherer Beweis, daß die Landleute hier von der Schädlichkeit des Weidens überzeugt sind«. Reinhard schildert dann eine interessante Maßnahme, mit der gewisse Bauern die Beweidung ihrer Wiesen zu behindern suchten. »Vermögliche Leute« würden nämlich »gerade zu der Zeit, wenn die Wiesen beweidet werden sollen, solche mit Dung bedecken, da dann das Vieh solche nicht beweiden mag« (229/33917, ad 6; 22 III 1785). – Die Ausmärker wurden wegen ihres großen Wiesenbesitzes im Binzener Bann auch dort als Haupthindernis bei der Abstellung der Herbstweide angesehen (229/8882, fol. 54–71, ad 6; 20 XII 1785).

Diese Regelung stieß aber bei verschiedenen Bürgern auf Widerstand; es kam jährlich zu Mißhelligkeiten in der Gemeinde, und im September 1793 ließen sechs Eichstetter Bürger in einer demonstrativen Aktion ihre Pferde auf eine Matte fahren, »blos um Gewalt zu ueben und Aufwieglung zu Stand zu stellen«. Landschreiber Roth nahm darauf in Eichstetten einen Augenschein vor und befragte Mann für Mann, ob er die Beweidung aller Matten im Spätjahr begrüßte oder für schädlich hielt, weil »man von Oberamtswegen keineswegs gemeint ist, einem Eigenthümer in Benuzung seines Eigenthums Geseze vorzuschreiben, die seiner eigenen Erfahrung nach ihm mehr schaedlich als nüzlich waeren«. Eine große Mehrheit (184:7) äußerte sich dabei für die Beweidung sämtlicher Matten im Herbst bei trockener Witterung. Zur Klärung aller strittigen Fragen erließen gleichzeitig die Vorgesetzten, Richter und ein Ausschuß aus 10–12 Bürgern gemeinsam mit dem Oberamt eine Mattenordnung, die bis zu einer allfälligen Revision durch die Mehrheit der Mattenbesitzer gelten sollte.[343]

In Denzlingen waren noch 1790 sowohl die Frühjahres- als auch die Herbstweide auf den Matten gebräuchlich.[344] Als das Oberamt die Vorgesetzten und das Gericht wenigstens zur Abstellung der Frühjahresweide zu bewegen suchte, gaben diese zur Antwort, ihre Mattfelder seien sehr unterschiedlich, der eine Distrikt naß, der andere trocken; auf ersteren gestatteten sie keine Frühjahresweide, auf letzteren aber hielten sie die Weide für nützlich, weil das Vieh den Boden und besonders die Maulwurfhaufen und Löcher zusammentrete. Streit gab es in der Gemeinde in der Frage des Privatweidens auf Äckern und Matten, was ein Teil der Bürger verlangte, andere aber wegen der Schäden ablehnten. Das Oberamt fügte sich der Ansicht der Gemeinde und gestattete »bis auf gutfindende Abaenderung« weiterhin die Frühjahres- und Herbstweide, erstere allerdings nur auf trockenen Matten und unter Aufsicht eines Hirten. Das Privatweiden hingegen untersagte das Oberamt ausnahmslos sowohl auf eigenen als auch fremden Äckern und Matten zu jeder Jahreszeit bei einer Strafe von 5 Rtlr. für jedes Stück Vieh.[345]

Auch in Mundingen war 1790 die Gemeinde in der Frage der Frühjahres- und Herbstweide auf den Matten gespalten. Wenige Jahre zuvor hatte der frühere Oberbeamte Schlosser die Mehrheit der Gemeinde dazu bewegen können, das gemeine

---

[343] Die Schilderung folgt dem Bericht des Vogts an das Oberamt (229/23271/I; 21 IX 1793). Das Protokoll des Augenscheins ebd., 23 IX 1793. – Die Mattenordnung ließ für sechs Jahre die Beweidung aller Matten im Herbst bei trockener Witterung zu; Pferde, Ochsen und Stiere sowie die Kühe sollten jeweils eine eigene Weide erhalten und nur unter einem Hirten geweidet werden. Niemand durfte mehr Vieh auf die Spätjahresweide treiben, als er zuvor gehalten hatte. Das Privatweiden blieb verboten, die Juden durften nicht mehr als eine Nutzkuh, aber keine Handelskuh auf eine besondere Allmend auftreiben (229/23271/II, ad Pkt. ee der Policeyfragen; 2–13 II 1789).
[344] GA Denzlingen 1 B–247, fol. 241 ff. (22 II–10 III 1790).
[345] GA Denzlingen 1 B–247, fol. 243 ff. (22 II–10 III 1790).

Grünland zu Matten anzulegen. Bei der Realisierung dieses Projekts war es 1789 aber beinahe zu einem Aufstand in der Gemeinde gekommen. Durch Interzession des Oberamts war diese Unruhe zwar beigelegt und die Umwandlung zu Matten bewerkstelligt worden; allerdings erachtete es das Oberamt »zu Beybehaltung der hergestellten Ruhe nicht für rathsam«, diese Matten sogleich auch von der Weide zu befreien,« es hoffte aber, »daß die Mundinger nach und nach den Nachtheil, den ihnen diese Waide an ihren Matten verursachet, selbst einsehen, also zu deren gänzl. Abstellung sich willig bequemen werden«.[346] Beim Durchgang im Frevelgericht 1790 beantragte nun ein großer Teil der Gemeinde die Weide, andere protestierten dagegen. »Da die auf dem zu Matten angelegten Grün abgestellten Weiden unter der hiesigen sonst ruhigen Burgerschaft seit einigen Jahren sehr viele kürzlich jedoch beigelegte Mishelligkeiten veranlasset hat«, so verordnete das Oberamt nach Anhörung der Vorgesetzten und des Gerichts, daß die Herbstweide auf den Matten unter einem Hirten und bei trockener Witterung gestattet werden, die Frühjahresweide aber schlechterdings verboten bleiben sollten. Mit dieser Entscheidung verstieß das Oberamt zwar gegen den Wortlaut der Gesetzgebung, doch wog im Moment die Beibehaltung der Ruhe in der Gemeinde stärker, und das Oberamt hoffte darauf, mit der Zeit werde auch die Mehrheit der Bürger, die »nach der gewöhnlichen Denkungsart dieser Leute auch die schlechteste gemeine Waide den besten Matten vorziehet«, auf das Weiden verzichten wollen.[347] In Bahlingen wurde die Spätjahresweide auf Privatmatten noch 1812 praktiziert, obwohl man nach Auskunft des Oberbeamten deren Schädlichkeit allgemein anerkannte; angesichts der allgemein eingeführten Stallfütterung verordnete er deren Aufhebung.[348]

Die Umnutzung und Verteilung der Weideflächen war in den einzelnen Gemeinden ein durchaus kontrovers beurteiltes Projekt, wobei die Konfliktlinie zwischen jenen Bauern verlief, die den größeren Nutzen aus der traditionellen Nutzung der Weiden zogen, und jenen, die aus der Neuregelung eine Verbesserung ihrer Lage erhofften. Letzteres waren nicht zwangsläufig die reicheren Bauern im Dorf, wie das Bittgesuch des Kirchener Bauern Jacob Ludwig Zandt und weiterer 14 Mitunterzeichner an das Oberamt Rötteln zeigt.[349]

---

[346] 229/70240/III (1 XI 1790).
[347] 229/70240/III (1 XI 1790).
[348] GA Bahlingen C VIII Nr. 4, fol. 181–254, § 50 (3, 14, 19, 20, 22, 26, 27, 28 V. 1812).
[349] In diesem Sinne ist die Bemerkung v. Drais' aufschlußreich. »Der alte Rechtszweifel: ob, wenn Gemeinsglieder auf solch eine Allmend-Theilung klagen, die Grösse der Portionen nach dem Güterbesiz, oder nach der Zahl der Bürgerköpfe zu machen sey«, sei allmählich von den meisten »teutschen Gerichten, und so auch von den badischen«, zugunsten einer Teilung nach Köpfen entschieden worden. Interessant auch die Begründung: »Es ist zwar richtig, daß der Reiche mit 20 Stück Vieh die Weide befährt, auf welche der Arme nur sein einziges schicken kann, und es hat den Schein der Rechtlichkeit für sich, wenn Ersterer nun auch bei der Theilung in einem verhältnismäsigen Genuß für sein vieles Vieh bleiben will (...). Aber die meisten Gesezausleger schlugen dennoch das gleiche Bürgerrecht des Armen

Zandt und Konsorten reagierten mit ihrer Supplikation auf einen Bericht ihres Vogts und Stabhalters, mit dem diese das Oberamt bzw. den Hofrat über den Stand bei der Umsetzung der Frevelgerichtsresolutionen informierten. Der Hofrat hatte aus früheren Berichten über die Ergebnisse des Frevelgerichts von 1783 vernommen, daß die Kirchener Vorgesetzten die Gemeinde dazu bewegen wollten, die Weide in Mattland umzuwandeln und zu Eigentum an die Bürger zu verteilen. Das Oberamt wurde deswegen vom Hofrat angewiesen, sich diese »Culturverbesserung möglichst« angelegen sein zu lassen.[350] Ob die früheren Berichte über die Gesinnung der Kirchener Vorgesetzten mißständlich gewesen waren oder ob bei diesen in der Zwischenzeit ein Meinungswandel stattgefunden hatte, ist nicht zu klären, jedenfalls ließen sich die Vorgesetzten nunmehr vernehmen, daß die fragliche Weide im Umfang von 90 J. auf 20 J. mit Weiden bepflanzt war und der Rest zur Anlage von Matten gar nicht taugte, weil das Gras auf dem dortigen Sand- und Kiesboden verdorren mußte. Eine Wässerung des Geländes erachteten die Vorgesetzten als unmöglich.[351]

Ganz anderer Ansicht waren in dieser Frage Zandt und seine Gesinnungsgenossen. Sie zogen beim Oberamt die Aussage der Vorgesetzten, dieser Platz könne nicht bewässert werden, in Zweifel und fragten maliziös an, »ob man diese Probe von einem der Geometrie Unerfahrenen als Probatum annehmen solle und ob es nicht beser wäre, wann die Probe von Herrn Land Comissar als der Geometrie erfahrenen gemacht würde«. Mit dem Nutzen, den das dort angepflanzte Weichholz alle sechs bis sieben Jahre eintrug, verglichen sie den weit höheren, jährlichen Nutzen, den die Bürger aus dem Wiesland ziehen würden. Vor allem aber war der Nutzen aus der Weide ganz ungleich verteilt, denn er kam allein jenen Bauern zugute, die Vieh hielten, »der Arme hingegen, so kein Vieh halten kann, muß diese Nuzung mit dem Rücken ansehen und ist jedoch ein Bürger in der Gemeinde«. In diesem Sinne konnten die Gesuchsteller durchaus das Bemühen des Landesherrn, »das allgemeine Beste des Landes und eines jeden Orts zu befördern«, zu Gunsten ihres Anliegens anrufen und fordern, daß »unser Weidgang ausgeteilt und sodann der Ertrag davon dem einen wie dem andern zu Nuz kommen und das Hochfürstl. Interese befördert werden« sollten.[352]

---

höher an, ausgehend von dem Saz, daß dasselbe nicht nach der Erscheinung des gegenwärtigen Augenblicks sich bemessen lasse, da es fortdaure, und dem armen Bürger durch Zufälle ebenfalls noch sein besseres Glück, wie dem Andern Unglück, offen stehe.« (Drais II, S. 259 f.). – Zimmermann hat für den südwestdeutschen Raum die Forschungslage dahin zusammengefaßt, daß hier allgemein die unterbäuerlichen Schichten im Besitz des Gemeinderechts die treibenden Kräfte hinter der Allmendteilung waren (Zimmermann, Entwicklungshemmnisse, S. 105–109).
[350] 229/52840 (13 VIII 1785).
[351] 229/52840 (26 IX 1785).
[352] 229/52840 (o. D.; nach 26 IX 1785).

5.4.2.3 »Nahrung«, Holzknappheit und Seidenbau: Die Policey der Bäume

In den weiteren Zusammenhang der staatlichen Politik zur Hebung der »Nahrung« gehörte in den 1760er und 1770er Jahren auch die legislatorisch und administrativ ungemein stark geförderte Baumpflanzung durch Private und Gemeinden.[353] Die Obrigkeit zielte mit ihren Projekten auf die Verbesserung der lokalen Ernährungslage und Holzversorgung. Diese Maßnahmen standen unter dem Eindruck der drohenden Verknappung von Ressourcen, insbesondere unter dem Zwang, die Versorgung der Haushalte mit Bau- und Brennholz als den wichtigsten Energieträgern sicherzustellen.[354] Mit der Anpflanzung von Lebhägen um die Güter und Gärten sowie mit dem forcierten Anbau von »Weichholz« (Weiden, Erlen), dessen Hauptvorzug im raschen Wachstum lag, sollten Engpässe in der Holzversorgung und hohe Holzpreise vermieden werden.[355] Dasselbe Ziel verfolgte auch die Bauordnung, die nicht nur aus feuerpoliceylichen Gründen, sondern zunehmend auch aus Gründen der Holzversorgung für Neubauten die Verwendung von Stein statt Holz zumindest für gewisse Partien des Gebäudes vorschrieb.

Eine Verbreiterung der Nahrungsbasis versprach sich die Obrigkeit von der Förderung des Obstbaus, wobei der Anbau von guten Sorten und die Veredelung der bestehenden Kulturen vorangetrieben und die Gemeinden angehalten wurden, im Hinblick auf die Versorgung der Haushalte mit guten, jungen Bäumen eigene Baumschulen zu betreiben.[356] Die »Hebung der Nahrung« stand schließlich auch im Mittelpunkt eines dritten Projekts, das die Obrigkeit nach der Mitte des 18. Jahrhunderts

---

[353] Die Vorzüge der Weichholzpflanzung sah Posselt darin, daß sie Material für den Flußbau und Überschwemmungsschutz lieferte. In Reborten lieferten die Weiden das Holz für die Rebstöcke (Posselt, Vogt- oder Rügegerichte, S. 111 ff.). – Von Drais hat die Bäume als eine »Lieblingsneigung« des Markgrafen bezeichnet (Drais I, S. 51). Zur Förderung des Obstbaus s. a. Ders. II, S. 252 f.

[354] Allgem. zum Hintergrund der Holzknappheit im 18. Jh. Joachim Radkau, Holzverknappung und Krisenbewußtsein im 18. Jahrhundert, in: GG 9 (1983), S. 513–543; dort auch der Hinweis, daß mit Justi 1760 erstmals ein führender Kameralist die Einsparung von Holz »nachdrücklich zum Gegenstand staatlicher ›Policey‹« erklärt habe (ebd., S. 522). – Radkau behandelt die Behandlung der Holznot durch die zeitgenössischen Obrigkeiten und Autoren v. a. im Hinblick auf Sparmaßnahmen und -innovationen im Bereich der energieintensiven Industrien, geht aber auf die Auswirkungen der Diskussion im Rahmen der ländlichen Ökonomie kaum ein. – Zur zeitgleichen Intensivierung der Baumpflanzung im württembergischen Neckarhausen, die eine Veränderung des Landschaftsbildes herbeiführte und der Gemeinde steigende Einnahmen aus dem Obstverkauf von der Allmende eintrug s. Sabean, Neckarhausen I, S. 57 f.

[355] RepPO 1014 (GS III, S. 383; 1 VIII 1723); RepPO 1310 (22 VII 1736); RepPO 1649 (GS III, S. 384 f.; 24 XII 1749); RepPO 1830 (GS III, S. 385 f.; 26 X 1754); RepPO 2266 (WI I, S. 55; 25 VI 1768); RepPO 2440 (GS III, S. 402 f.; 30 IX 1772); RepPO 2441 (WI I, S. 56; 30 IX 1772); RepPO 2488 (WI I, S. 56 f.; 19 I 1774).

[356] RepPO 1830 (GS III, S. 385 f.; 26 X 1754); RepPO 2363 (GS III, S. 400 f.; 28 III 1770); RepPO 2374 (WI I, S. 56; 22 IX 1770); RepPO 2487 (WI I, S. 56; 19 I 1774).

mit viel Engagement lancierte, eines Projekts, das hinsichtlich der Verknüpfung mehrerer Zwecke auf eine optimistisch-idealistische Zielsetzung hin, aber auch hinsichtlich der Gründe seines Scheiterns ganz ein Kind seiner Zeit war: Mit der Anpflanzung von Maulbeerbäumen sollte die Basis für den Aufbau der Seidenproduktion und -verarbeitung und damit für eine Diversifizierung der agrarischen und gewerblichen Beschäftigungslage gelegt werden.[357]

Es spricht wiederum für die funktionale Bedeutung der Frevelgerichte im staatlichen Konzept »guter Policey«, daß die Baumpflanzung als Thema in die reformierten Rügezettel aus dem letzten Drittel des 18. Jahrhunderts eingegangen ist.[358] Die Gemeindevisitationen durch die Frevelgerichte waren auch in diesem Bereich nur eine administrative Maßnahme unter mehreren, mit denen die Zentralbehörden über den Gesetzesvollzug in den einzelnen Lokalitäten auf dem laufenden gehalten werden wollten. In den Oberämtern waren Landgärtner angestellt, die gemäß einer Verordnung von 1769 verpflichtet waren, vierteljährlich den Stand der Baumpflanzung in ihrem Amtsbezirk zu untersuchen und dabei besonders auf den Zustand der örtlichen Baumschulen ein Auge zu haben.[359] Der Gesetzgeber schrieb daneben eine periodische Berichterstattung durch die Verantwortlichen in den Gemeinden und Oberämtern vor[360] und unterstellte den Baumfrevel an Obst- und Maulbeerbäumen einer besonderen Anzeigepflicht bzw. Bestrafung.[361]

Während in den frühen dokumentierten Frevelgerichten die Holzversorgung allenfalls wegen Verstößen gegen die lokale Holzordnung ein Gegenstand der Beratungen war,[362] nehmen seit den späten 1760er Jahren die Belege zu, die auf eine

---

[357] In der zweiten Hälfte des 18. Jhs. wurde ironisch von der Anzahl gepflanzter Maulbeerbäume auf den Grad der »Polizierung« eines Territoriums geschlossen! (Beleg bei Nowosadtko, Policierte Fauna, S. 297). – RepPO 1649 (GS III, S. 384f.; 24 XII 1749); RepPO 1830 (GS III, S. 385f.; 26 X 1754); RepPO 2040 (GS III, S. 388f.; 11 VIII 1762); RepPO 2176 (GS III, S. 389f.; 23 VIII 1766); RepPO 2187 (GS III, S. 390f.; 28 I 1767); RepPO 2189 (GS III, S. 387; 11 II 1767); RepPO 2244 (GS III, S. 394f.; 27 II 1768); RepPO 2361 (GS III, S. 387f.; 28 III 1770); RepPO 2652 (WI I, S. 516; 27 I 1781).

[358] Vgl. Tab. 4.7, NN 11, 17 (Rügezettel 1767), N 23, 28 (Rügezettel 1781); Tab. 4.5, Policeyfrage 11; Tab. 4.8, IV. Baumpflanzung.

[359] Zur Anstellung besonderer Landgärtner s. die Ausführungen bei GS III, Ziff. 411; Drais I, S. 127f. – Zur Visitationspflicht der Landgärtner s. Tab. 3.4, Nr. 9.

[360] WI I, S. 55 (RepPO 2266; 25 VI 1768). – Zur Berichtspflicht der Behörden wegen der Baumpflanzung s. Tab. 2.4, N 1; Tab. 2.5, NN 1, 2, 3; Tab. 3.1, N 19, Tab. 3.2, N 13.

[361] S. Tab. 3.6, NN 20, 21, 24. – Zu ähnlichen Problemen mit dem Baumfrevel in Württemberg am Beginn des 19. Jhs. s. Kaschuba, Aufbruch, S. 103f.

[362] In Köndringen wurde 1756 Andres Engler mit 1 1/2 fl. bestraft, weil er das ihm von der Gemeinde abgegebene Holz nicht zur Reparation seines Hauses, sondern zum Neubau eines Schopfs verwendet hatte. Gleich hoch wurde ein anderer Bürger bestraft, der Eichenholz in seinem Hof verfaulen ließ (229/54951/I, Anzeige 3 des Stabhalters; 15–16 XII 1756). – In Köndringen zeigte der Vogt 1761 drei Bürger an, die ihr Bürgergabholz verkauft hatten; zwei gestanden ihr Vergehen und wurden pro Klafter mit 1 fl. gebüßt (= 8 fl. bzw. 4 1/2 fl.), der dritte konnte nicht überführt werden. Ein Richter beklagte sich zudem, daß die Vorge-

zunehmende Verknappung des Holzangebots und auf entsprechende Bemühungen, Abhilfe zu schaffen, hinweisen.

Beim Bötzinger Frevelgericht 1767 wurde von unbekannter Seite die Klage laut, arme Leute holten im Gemeindewald viel Holz zum Schaden des Waldes, was das Oberamt abstellen sollte; das Oberamt ordnete darauf an, daß die Gemeinde den armen Leuten jeweils einen Tag in der Woche bestimmen sollte, an dem sie im Wald Fallholz sammeln durften, während sie dies an den übrigen Tagen bei Strafe unterlassen sollten.[363]

Erstmals ist in den Protokollen der Frevelgerichte des Jahres 1769 im Oberamt Hochberg eindeutig die Klage über Schwierigkeiten bei der Holzversorgung der breiteren Bevölkerung zu vernehmen. In Mundingen hatte man ein Verbot erlassen, Brunnentröge und -säulen weiterhin aus Holz statt aus Stein anzufertigen. Um Holz zu sparen war auch verboten worden, Güter und Gärten mit Zaunstecken einzumachen. Bei den Gütern an der Dorfstraße sollten sich die Leute durch die Anpflanzung von »lebendigen Hägen«, Lebhägen, behelfen. In der späteren Vernehmung durch das Oberamt erklärten die Vorgesetzten, das Verbot werde im Dorf beachtet, allerdings würden sie für Krautgärten nach wie vor Holz für Zaunstecken abgeben, weil sonst das Kraut nicht genug Luft bekomme und ersticke, wo doch Kraut ihre Hauptnahrung sei.[364]

Auch im Nachbarort Köndringen zeigte der Vogt dem Oberamt 1769 an, ein Verbot hölzerner Brunnen, Brunnenschalen und -säulen wäre zur »Menagierung« des Holzes ratsam; der Oberbeamte griff in seinem Bescheid diesen Vorschlag auf und bestimmte, daß niemandem mehr bei Strafe Holz zu diesem Zweck abgegeben werden durfte; die Brunnen, aber auch alle Brücken im Bann und sogar die Stellbretter in den Wässerungsgräben sollten aus Stein hergestellt werden. Die Vorgesetzten nannten im weiteren zwei »öde« Plätze im Besitz der Gemeinde, die nach ihrer Auffassung mit Kastanien oder Eichen bepflanzt werden konnten; das Oberamt ordnete die Durchführung eines Versuchs mit Kastanienholz an. Bei der Vernehmung der Vorgesetzten über die Befolgung der Frevelgerichtsbefehle im Jahre 1772 hieß es dann aber von seiten der Vorgesetzten, die Kastanienbäume kämen wegen des schlechten Bodens nicht fort, und 1773 mußte das Oberamt dem Hofrat gegenüber selber eingestehen, die Anpflanzung von Kastanien sei wegen der hohen und steilen Lage des Distrikts »nicht wohl thunlich«.[365]

---

setzten Holz aus dem Gemeindewald ohne Konsens des Gerichts verkauften (229/54952, Anzeige 3 des Vogts; Anzeigen von Richter Limberger; 8 IX 1761). – Beim Mundinger Frevelgericht von 1761wurde Wirt Bonert wegen unerlaubten Verkaufs seines Bürgerholzes an den Emmendinger Engelwirt zu 1 1/2 fl. verurteilt, der Vogt hingegen zu 3 fl. wegen Wegführens von zu viel geschlagenem Holz (229/70240/I, Anzeige des Richters Friedr. Mück; Anzeige 3 von Wirt Bonert; 1 VII 1761).

[363] 137/170, Pkt. 24 (28 VII 1767).
[364] 229/70240/II, Pkte. 63, 66 (14, 17–18 II 1769).

Das Beispiel der Gemeinde Köndringen macht deutlich, wo die praktischen Schwierigkeiten bei der Umsetzung solcher Vorschläge lagen. Das Oberamt Hochberg führte sieben Jahre später – 1776 – erneut ein Frevelgericht in diesem Ort durch, und es mußte bei dieser Gelegenheit wahrnehmen, daß mehrere Anweisungen zur Holzersparung von 1769 – so jene zum Neubau einer steinernen Brücke über den Mühlenbach – nicht vollzogen worden waren; dem Oberamt blieb nichts anderes übrig, als seine früheren Bescheide zu wiederholen und den Vorgesetzten einzuschärfen, bei Neubauten »so viel immer möglich« darauf zu sehen, daß in Stein und nicht in Holz gebaut wurde.[366] Die Befolgung behördlicher Anweisungen scheiterte auch hier, wie in manchem anderen Bereich, an der Finanzierung der nötigen Ausgaben. Daß die Vorgesetzten bei Neubauten »so viel immer möglich« ein Auge auf die Befolgung der Bauordnung hatten, war nur die Umschreibung des Sachverhalts, daß die Vorschrift in manchen Fällen eben nicht durchsetzbar war, weil es den Betroffenen an den entsprechenden finanziellen Möglichkeiten fehlte.

Die Möglichkeiten waren aber von den Preisen für Holz und Stein abhängig. Die Holzpreise stiegen stark, und so konnten die Vorgesetzten mehrerer Gemeinden im Oberamt Lörrach wenige Jahre später dem Oberbeamten gegenüber die allgemeine Beachtung der Vorschriften aus der Bauordnung mit dem Argument bestätigen, es werde mittlerweile »so viel möglich alles von Stein« gebaut, weil dies bei den hohen Holzpreisen ohnehin wohlfeiler sei als das Bauen in Holz.[367] Der Holzmangel trieb die Amts- und Gemeindebehörden dazu an, sogenannte öde Gemeindeparzellen wenigstens für die Anpflanzung von Holz zu nutzen; hier handelte es sich offensichtlich um Parzellen, die aufgrund ihrer Lage im Bann oder wegen der Bodenbeschaffenheit nicht in die intensivere Nutzung als Acker-, Reb- oder Mattland einbezogen waren und nun wenigstens für solche Vorhaben besser genutzt werden sollten.

In Ötlingen hatten das Oberamt und der Hofrat 1781/82 die Aussaat von Birkensamen auf einem öden Stück Gemeindegut angeordnet, »da diese Gattung Holz

---

[365] 229/54953, Pkte. 24, 41 (24–28 I 1769, 18 III, 25 IV 1772, 23 II 1773). – Konkrete Vorschläge zur »Holzmenage« hatte bei diesem Frevelgericht auch der Richter Friedrich Grether vorgebracht: Die Gärten im Dorf sollten statt mit Zäunen mit Mauern und Lebhägen eingefaßt werden; armen Leuten sollten andere Bürger mit Steinfuhren an die Hand gehen (ebd., Pkt. 49; 24–28 I 1769).

[366] 229/54951/III, Pkte. 17, 73 ad 17 (17–19 XII 1776). – Auffallenderweise war es 1776 erneut Richter Grether, der sich wie 1769 mit eigenen Vorschlägen und insbesondere auch mit dem Hinweis auf die Nichtbefolgung der früheren oberamtlichen Anweisungen hervortat. Grether war Müller, und offensichtlich konnte er persönlich Nutzen aus dem Neubau der Brücke über den Mühlenbach ziehen, die näher an seine Scheune zu stehen kommen sollte (ebd., Pkt. 65).

[367] Blansingen 1778 (229/112897, ad § 17; 26 V 1778). – Hauingen 1781 (229/39714, ad § 17; 29 V 1781). – Hauingen 1787 (229/39715, ad Frage 17; 20 III 1787; ebd. das Zitat). – Brombach 1791 (229/13204, ad Frage 17; 11 I 1791). – Offenbar verfügte Hauingen über die Möglichkeit, in Ortsnähe gute Mauersteine zu gewinnen.

schnell zum Nuzen heran wächst und überall fortkommt«.[368] Die Gemeinden Blansingen und Kleinkems, die 1789 ebenfalls über Mangel an Bau- und Brennholz klagten, waren in der vergleichsweise glücklichen Lage, daß sie neben dem Holz aus dem Gemeindewald noch über Weichholz verfügten, das auf den Rheininseln wuchs und von dem jeder Bürger ein bis zwei Wagen erhielt.[369] In einer besonders prekären Situation befand sich 1789 die große Gemeinde Eichstetten, wo sowohl der Gemeinde- als auch der Privatwald vergleichsweise klein war (20 bzw. 50 J.) und das Holz über eine Wegstrecke von drei bis vier Stunden herbeigeführt werden mußte. Eichstetten sah angeblich im ganzen Bann keine Möglichkeit zur Anlage eines Steinbruchs zur besseren Versorgung des Orts mit Baumaterialien. Das Oberamt erteilte in dieser Situation dem Oberforstamt den Auftrag, bei Holzabgaben aus der herrschaftlichen Teninger Allmend künftig auf die Eichstetter besonders Rücksicht zu nehmen.[370]

Ein Indiz für die Knappheit zeigt sich auch darin, daß mehrere Gemeinden gegenüber dem Oberbeamten beteuerten, ihre Bürger könnten nicht ihren gesamten Holzbedarf unentgeltlich von der Gemeinde beziehen: In Brombach erhielten die Bürger 1791 das Brennholz aus dem Gemeindewald, das Bauholz mußten sie aber zur Hälfte bezahlen, und wer es nicht zu dem bestimmten Zweck verwendete, mußte es ganz bezahlen und zudem eine Strafe als Forstfrevler gewärtigen.[371] Die Vorgesetzten der Gemeinde Efringen ließen sich 1791 vernehmen, außer dem als Gabholz an die Bürgerschaft verteilten Hagenbuchholz werde kein Holz gratis an die Bürger abgegeben.[372]

Um die Holzversorgung der Haushaltungen sicherzustellen, trieben die Behörden die Gemeinden insbesondere zum Anbau des rasch wachsenden Weichholzes (Weiden, Erlen) an. Die Antworten der Vorgesetzten auf die Fragen der Oberbeamten nach dem Stand der Weichholzpflanzung lassen zum einen tatkräftige Anstrengungen der Gemeinden in diesem Bereich erkennen, zum andern aber zeigen sie eine Reihe von strukturellen Schwierigkeiten, die die Realisierung der Weichholzpflanzung im erwünschten oder erforderlichen Ausmaß behinderten.

---

[368] 229/81557 (16 I 1782).

[369] 229/9515, ad Frage 18 (24 XI 1789).

[370] 229/23271/II, Abschnitt B, Pkte. cc, vv (2–13 II 1789). – Aufgrund eines Augenscheins des Oberamts im Bann wurde aber dennoch neben einem früher abgegangenen Steinbruch der Gemeinde eine Gelegenheit zur Anlage eines neuen Steinbruchs ausfindig gemacht; nach Anweisung des Oberamts sollte sich die Gemeinde unter Zuziehung des Landbaumeisters mit dem Besitzer der fraglichen Parzelle um eine Entschädigung einigen und dort einen Steinbruch anlegen; nach einer späteren Information ist der Steinbruch tatsächlich angelegt und für sehr gut befunden worden. Offensichtlich erleichterte die neuerliche Eröffnung des Steinbruchs der Gemeinde auch den Ersatz abgegangener Holzbrücken durch Steinbrücken (ebd., Pkt. qq).

[371] 229/13204, ad Frage 18 (11 I 1791).

[372] 229/22654, Pkt. 37 (14–16 II 1791).

Einmal fällt auf, wie sehr der Anbau von Weichholz den Charakter einer Nischenkultur besaß, die auf bis dahin noch wenig intensiv genutzten Flächen betrieben wurde. Die natürlichen Standorte für Weiden und Erlen lagen an Wasserläufen und entlang der Abzugs- und Wässerungsgräben im Mattfeld, bisweilen wurde dieses Holz aber auch an Allmendhängen oder gar auf Brücken angepflanzt;[373] wasserarme Gemeinden auf Bergen oder in Hanglagen hatten entsprechend kaum Gelegenheit zur Anpflanzung von Weichholz.[374] Die Pflanzung entlang der Wasserläufe hing zum einen mit dem Feuchtigkeitsbedarf dieser Baumarten zusammen, sie läßt aber auch den Nutzungsdruck erkennen, der auf dem Ortsbann lastete. Größere zusammenhängende Flächen, die systematisch mit Weichholz angepflanzt werden konnten, besaßen die meisten Gemeinden nämlich nicht (mehr): Dieses Gemeindeland war im Zuge der übrigen Maßnahmen zur Intensivierung der agrarischen Nutzung bereits einer ertragreicheren Bewirtschaftung zugeführt worden.[375] Nur hier und da war auf einer Gemeindeweide am Fluß, auf einem schlechten Ackerfeld, in einem Waldstück oder auf einer Insel im Rhein noch Platz da, um Weiden, Erlen, Pappeln oder Kastanien in einer größeren Aktion zu setzen.[376]

---

[373] An Flüssen, Bächen und Gräben: Binzen (229/8882, fol. 1–49', ad 11; 10 IV, 29 V 1775). – Emmendingen (StadtA Emmendingen B 1a/Fasz. 9, § 254, ad 11; 9–10, 12–13 I 1776). – Haltingen (229/38041, fol. 5–7', ad 11; 16 VII 1777, 27 V 1778). – Tannenkirch (229/104371, ad § 11; 9 IX 1777). – Blansingen (229/112897, fol. 10–13, ad § 11; 26 V 1778). – Mappach (229/64346, fol. 13–17, ad § 11; 13 IV, 18 IX 1779). – Tumringen (229/106477, ad § 11; 26 VI 1781). – Wittlingen (229/115325, ad § 11; 24 IV 1781). – Wollbach (229/115725, fol. 28–32', ad § 11; 24 IV 1781). – Kirchen (229/52840, Pkt. 3 der Policeyfragen; 18 XI 1783). – Grenzach (229/33917, ad 11; 22 III 1785). – Märkt (229/23739, fol. 5–22', Policeyfrage 18; 2 X 1787). – Blansingen/Kleinkems (229/9515, fol. 2–12, ad 11; 24 XI 1789). – Eichstetten (229/23271/II, Abschnitt B, Pkt. xx; 2–13 II 1789). – Denzlingen (GA Denzlingen 1 B–247, fol. 255' f.; 22 II–10 III 1790). – Mundingen (229/70240/III, fol. 47–91', Pkt. A.a; 7–30 IX 1790). – Teningen (229/105132, fol. 47–126, Pkt. Q.q.; 5–13 VIII 1790 S. 34). – Vörstetten (229/107983, fol. 39 f.; 15–29 IX 1790). – Efringen (229/22654, fol. 3–58, Abschnitt B, Pkt. 37; 14–16 II 1791). – Auf Brücken: Teningen (229/105130; 11 VIII 1770). – An Allmendhängen: Köndringen (229/54951/III; 22 III 1777).

[374] Tüllingen (229/106406, ad 11; 16 VII 1777). – Ötlingen 1781 (229/81557, fol. 17–20', § 11).

[375] Eichstetten hätte zwar angesichts des starken Holzmangels besonderes Interesse an der Anpflanzung von Weichholz haben müssen, doch fehlten öde Plätze und die Gemeindeallmende hatte man in erträgliche Matten angelegt (229/23271/II, Abschnitt B, Pkt. xx; 2–13 II 1789). – In Mundingen eignete sich das Grünland der Gemeinde an der Elz für die Anpflanzung von Weichholz, doch war dieses 1790 zur Anlage von Matten stückweise an die Bürger verteilt worden (229/70240/III, fol. 47–91', Pkt. A.a.; 7–30 IX 1790).

[376] Mundingen: Ansetzung von Kastanien auf einem schlechten, öden Ackerfeld (220/70240/II, Pkt. 18; 14, 17–18 II 1769). – Emmendingen: Nutzung eines Weidgangs entlang der Elz zur Weichholzpflanzung (StadtA Emmendingen B 1a/Fasz. 9, § 254, ad 3; 9–13 I 1776). – Haltingen: Ein Weichholzbezirk am Rhein ist vom Fluß weggespült worden (229/38041, fol. 5–7', ad 11; 16 VII 1777). – Blansingen: Auf den Rheininseln wächst genug Weichholz (229/112897, fol. 14–18, ad § 11; 26 V 1778). – Kirchen 1783: Die Weide am Rhein wird

Der Anbau von Weichholz scheint in mancher Gemeinde tatsächlich in Gang gekommen zu sein. Regelmäßig heißt es in den Protokollen der Frevelgerichte in den 1770er und 1780er Jahre, die Gemeinden pflanzten genug Weichholz an,[377] ja mitunter sind gar Klagen darüber zu hören, es gebe bereits zu viele Weiden und Erlen und diese richteten an den Wasserläufen und -gräben sowie an den Matten Schaden an.[378]

Während man das Weichholz vorwiegend für den täglichen Holzbedarf für Rebstecken, Zäune u. a. m. nutzte, hatten die Bemühungen um die Förderung der Obst- und Nußbaumpflanzung den Zweck, eine zusätzliche Nahrungsmittelquelle für die Bevölkerung zu erschließen.[379]

Den Protokollen läßt sich entnehmen, daß die Obrigkeit an der Ausweitung des Obstbaus interessiert war und die Veredelung der Früchte durch die Verwendung guter Sorten anstrebte. Die Aussagen der Vögte lassen darauf schließen, daß die

---

bei Hochwasser überschwemmt und kann folglich nicht als Acker oder Wiese genutzt werden; die Vorgesetzten schlagen die Bepflanzung mit Weichholz vor, so daß das Land teils als Wald, teils als Weide genutzt werden könnte; später sind tatsächlich mehrere 1000 Weidensetzlinge angepflanzt worden (229/52840, Pkt. 3; 18 XI 1783). – Märkt: Die Rheininseln werden zum Anbau von Weichholz genutzt (229/23739, fol. 5–22', ad 18; 2 X 1787). – Bahlingen: Ohne den harten Winter 1788/89 hätte man in einem Wald leere Plätze mit Erlen besetzt (GA Bahlingen C VIII Nr. 4, fol. 1–179', Abschnitt B, Pkt. 46; 8–20 VI, 10–13 VIII 1789). – Blansingen/Kleinkems: Weichholz wird auf den Rheininseln angepflanzt (229/9515, fol. 2–12, ad 11; 24 XI 1789). – Efringen: Auf den Rheininseln wächst Weiden- und Erlenholz (229/22654, fol. 3–58, Pkt. 37; 14–16 II 1791).

[377] Köndringen (229/54951/III, Pkt. 73 ad 11; 17–19 XII 1776). – Teningen (229/105131, Pkt. 94 ad 11; 11, 27 VI 1776). – Welmlingen (229/112897, fol. 10–13, ad § 11; 26 V 1778). – Egringen (229/22945, § 11; 13 IV 1779). – Mappach (229/ 64346, fol. 13–17, § 11). – Eichen (229/23156, ad 11; 23 XII 1780). – Hauingen (229/39714, § 11; 29 V 1781). – Wittlingen (229/115325, fol. 23–26', ad § 11; 24 IV 1781) (S. 3). – Hüsingen (229/47590, fol. 11–27', ad 18; 27–28 VIII 1782). – Steinen (229/100906, fol. 1–39, ad 14; 20–22 VIII 1782). – Grenzach (229/33917, ad 11; 22 III 1785). – Eimeldingen (229/23739, fol. 5–22', ad 11; 2 X 1787, 23 II 1788). – Hauingen (229/39715, Pkt. 11; 20 III 1787). – Wintersweiler (229/115110, fol. 21–43', ad 11; 20 XI 1787). – Egringen (229/22946, Frage 10; 28 X 1788). – Denzlingen (GA Denzlingen 1 B–247, fol. 255' ff.; 22 II–10 III 1790). – Teningen (229/105132, fol. 47–126, Pkt. Q.q.; 5–13 VIII 1790). – Vörstetten (229/107983, fol. 34'–37', 39f.; 15–29 IX 1790).

[378] Hauingen: Weichholz wird in der Menge gepflanzt, und wenn es so weitergeht, ist mehr Schaden als Nutzen zu befürchten (229/39714, § 11; 29 V 1781). – Denzlingen: Weiden und Erlen werden auf den Matten beidseits der Gräben und zum Nachteil der Matten fast zu stark angepflanzt (GA Denzlingen 1 B–247, fol. 255' ff.; 22 II–10 III 1790). – Vörstetten: Es gibt eine beträchtliche Weichholzpflanzung, weil fast der ganze Gemeindewald von 240 J. aus Erlen besteht. Die Gräben an den Matten sind nur zu viel mit Erlen bewachsen, und die Mattenbesitzer haben sich deswegen beschwert (229/107983, fol. 39f.; 15–29 IX 1790).

[379] Hans-Jürgen Teuteberg, Obst im historischen Rückspiegel – Anbau, Handel, Verzehr, in: Zeitschrift für Agrargeschichte und Agrarsoziologie 46 (1998), S. 168–199, bes. S. 176.

Obstbaumkultur in mancher Gemeinde in den 1770er und 1780er Jahren Fortschritte machte; jedenfalls beteuerten Vorgesetzte und Richter vielerorts, bei ihnen würden Obstbäume fleißig angepflanzt und sie kämen auch gut fort.[380] Andere meinten, Obstbäume würden bei ihnen, »so viel es möglich seie«, angepflanzt.[381] Wiederum andere beteuerten, sie hätten in ihrer Gemeinde genügend Obstbäume.[382] In einem einzigen Fall – Teningen 1790 – bekannten die Vorgesetzten, die zahme Obstpflanzung werde in ihrer Gemeinde wenig betrieben, weil die Bürger nur mit wenig Gärten versehen seien und man das Baumpflanzen auf andern Gütern nicht für verträglich halte.[383]

Wie beim Weichholz richtete sich bei Obstbäumen das Bemühen darauf, diese zusätzliche Kultivierung des Banns auf zuvor noch wenig genutzten Plätzen zu realisieren. Bevorzugte Pflanzplätze für gemeindliche Pflanzungsaktionen von Obstbäumen waren die Straßen- und Wegränder,[384] während die einzelnen Haushalte Bäume auf den eigenen Gütern im Feld und in den Gärten um die Häuser anpflanzten. In Weinorten wurden auffallend häufig die Weinberge als Standorte von Obst-

---

[380] Köndringen (229/54951/III, Pkt. 73, ad 11; 17–19 XII 1776). – Haltingen (229/38041, fol. 5–7', ad 11; 16 VII 1777). – Tannenkirch (229/104371, fol. 7–9, ad § 11; 9 IX 1777). – Dossenbach (229/19810, ad § 11: XI/XII 1780). – Eichen (229/23156, ad 11; XII 1780). – Haagen (229/37695, fol. 4–7, § 11; 29 V 1781). – Hauingen (229/39714, § 11; 29 V 1781). – Welmlingen (229/112899, fol. 3–14, ad 11; 22 VIII 1786). – Hüsingen (229/47590, fol. 11–27', ad 18; 27–28 VIII 1782). – Steinen, Höllstein, Hägelberg (229/100906, fol. 1–39, Abschnitt II, ad 14; 20–22 VIII 1782). – Hauingen (229/39715, ad 11; 20 III 1787). – Bahlingen (GA Bahlingen C VIII Nr. 4, fol. 1–179, Abschnitt B, Pkt. 38; 8–20 VI, 10–13 VIII 1789). – Eichstetten (229/23271/II, Abschnitt B, Pkt. tt; 2–13 II 1789). – Brombach (229/13204, ad 11; 11 I 1791).

[381] Schallbach (229/28582, fol. 5–8', ad § 11; 22 IV 1778). – Grenzach (229/33917, ad 11; 22 III 1785): Jeder Einwohner pflanze so viele Obstbäume, als er könne und brauche. – Wintersweiler (229/115110, fol. 21–43', ad 11; 20 XI 1787).

[382] Hertingen (229/42806, ad 11; 9 IX 1777). – Tüllingen (229/106406, ad 11; 16 VII 1777). – Blansingen (229/112897, fol. 5–9, ad § 11; 26 V 1778). – Fischingen (229/28582, fol. 9–12', ad § 11; 22 IV 1778). – Egringen (229/22945, § 11; 13 IV 1779). – Mappach (229/64346, fol. 13–17, § 11; 13 IV 1779). – Tumringen (229/106477, § 11; 26 VI 1781). – Wittlingen (229/115325, fol. 23–26', ad § 11; 24 IV 1781). – Wollbach (229/115725, fol. 28–32', ad § 11; 24 IV 1781). – Egringen (229/22946, Abschnitt I, Frage 11; 28 X 1788).

[383] Teningen (229/105132, fol. 47–126, Pkt. P. p.; 5–13 VIII 1790).

[384] Binzen: Das Oberamt ordnete die Pflanzung von Obstbäumen im Abstand von 26 Schuh entlang der Kaltenherberger Landstraße an; nachdem sich die Vorgesetzten zuerst mit Problemen bei der Beschaffung der jungen Bäume entschuldigt und danach einige Bäume gesetzt hatten, erfroren die Bäume im harten Winter 1788/89 (229/8882, fol. 54–71, ad 11, fol. 95–97, fol. 110–111, fol. 127 f., fol. 131; 20 XII 1785, 17 V 1786, 27 III 1787, 20 I, 18 II, 12 V 1790). – Eimeldingen: Die vom Oberamt für den Winter 1787/88 angeordnete Besetzung der Dorfstraße von Eimeldingen nach Binzen mit Obstbäumen war Ende 1788 größtenteils erfolgt; die Fertigstellung mußte im Februar 1789 aber bei Strafe angedroht werden (229/23739, fol. 5–22', ad 11, fol. 50–52', fol. 56 f., fol. 61 f., fol. 64–65', fol. 67, fol. 68; 2 X 1787, 23 II, 25 III, 27 XI, 24 XII 1788, 24 I, 19 II 1789). – Efringen (229/22654, fol. 3–58, Abschnitt B, Pkt. 39; 14–16 II 1791).

bäumen genannt,[385] wobei die Vorgesetzten an gewissen Orten präzisierten, die Bürger würden nur kleine, junge Obstbäume in den Reben ziehen, bis diese die Größe für eine Versetzung erreichten.[386]

Die Anpflanzung von Obstbäumen in der Flur wurde zwar von den Behörden grundsätzlich unterstützt, allerdings konnte es nicht ausbleiben, daß diese Intensivierung der agrarischen Nutzung mit gegenläufigen Nutzungsinteressen kollidierte. Beim Durchgang klagten Bürger regelmäßig über den Schaden, den der Schatten der Bäume auf Nachbarparzellen ihren Gütern zufügte, und baten darum, daß diese schädlichen Bäume durch den Oberbeamten »wegerkannt« wurden.[387]

Eine besondere Gefahr für den Obstbau lag, abgesehen vom Garten- und Felddiebstahl, in der Kälte, welche in gewissen Lagen die Obstbaumpflanzung überhaupt zu einer prekären Angelegenheit machte[388] und in besonders harten Wintern auch die milderen Regionen am Oberrhein heimsuchen und die Obstbaumkultur ganzer Landstriche vernichten konnte. Das badische Oberland ist während des Untersuchungszeitraums von der großen Kälte im Winter 1788/89 heimgesucht worden.[389]

---

[385] Tüllingen (229/106406, ad 11; 16 VII 1777, 27 V, 21 VII 1778). – Mappach (229/64346, fol. 13–17, § 11; 13 IV 1779). – Ötlingen (229/81557, fol. 17–20', § 11; 26 VI 1781). – Hüsingen (229/47590, fol. 11–27', Pkt. 18; 27–28 VIII 1782). – Bahlingen (GA Bahlingen C VIII Nr. 4, fol. 1–179, Abschnitt B, Pkt. 38; 8–20 VI, 10–13 VIII 1789). – Blansingen/Kleinkems (229/9515, fol. 2–12, ad 11; 24 XI 1789). – Denzlingen: Klagen von Bürgern über das Ausmaß der Baumpflanzungen in den Reben (GA Denzlingen 1 B–247, fol. 249–251'; 22 II–10 III 1790).

[386] Tüllingen: Der Hofrat wies das Oberamt nach dem Frevelgericht an, die Obstbaumpflanzung zu fördern, dabei aber zu verhindern, daß dies zum Schaden des Weinbaus in den Reben erfolge; darauf stellte der Tüllinger Vogt gegenüber dem Oberamt klar, sie beließen die Bäume nur so lange in den Reben, bis sie versetzt werden könnten, »weil wir woll wisen, daß es einen merklichen Schaden zu fügte« (229/106406, ad 11; 16 VII 1777, 27 V, 21 VII 1778). – In Hüsingen ordnete das Oberamt an, nur Mandel- und Pfirsichbäume in die Reben zu setzen (229/47590, fol. 11–27', Pkt. 18; 27–28 VIII 1782). – In Blansingen hatten die Bürger nur junge Bäume in den Reben (229/9515, fol. 2–12, ad 11; 24 XI 1789). – In Denzlingen wies das Oberamt die Vorgesetzten an, in den Reben nur Pfirsich- und Kirschbäume zu dulden (GA Denzlingen 1 B–247, fol. 251 f.; 22 II–10 III 1790).

[387] Vgl. Tab. 4.2. – Hauingen: Wenn Obstbäume weiterhin in dieser Menge gepflanzt würden, sei zu befürchten, daß mehr Schaden als Nutzen herauskomme (229/39714, § 11; 29 V 1781). – Wittlingen: Obstbäume werden so viele gepflanzt, daß sie hier und da Schaden von ihrem Schatten hätten (229/115325; 24 IV 1781).

[388] Welmlingen: Man baue viel Obst an, das aber wegen der ziemlich rauhen Lage des Orts oft erfriere (229/112899, fol. 3–14, ad 11; 22 VIII 1786). – Hauingen: Sie pflanzten Obstbäume in schlechteren Gegenden, wo sie aber wegen des steinigen Bodens und kalten Winds nicht fortkämen (229/39715, ad 5; 20 III 1787).

[389] Von Drais bezifferte den Verlust im Badischen auf knapp 270.000 Bäume (Drais II, S. 253); Radkau stellt fest, daß sich »ziemlich genau mit dem Jahr 1789 (...) ein deutliches Krisenbewußtsein« in der Holzsparliteratur bemerkbar machte und erwähnt, daß dies in der Literatur »manchmal als Grund dafür genannt« werde, »daß gerade zu jenem Zeitpunkt die Erregung über die Holzknappheit wuchs« (Radkau, Holzverknappung, S. 530, 537). – Auf-

Aus Bahlingen verlautete, im Winter 1788/89 seien mindestens zwei Drittel der Obst- und Nußbäume erfroren, weshalb das Oberamt Bedenken trug, auf die Klagen von Bürgern wegen schädlicher Bäume auf Nachbargrundstücken einzutreten, nachdem sich die meisten Bäume durch den Winter »von selbst« wegerkannt hätten. Die Blansinger Vorgesetzten meldeten im November 1789, bei ihnen sei im letzten Winter die Hälfte der Obstbäume eingegangen, sie könnten aber durch junge Bäume ersetzt werden, die die Leute in den Reben und beim Haus hätten. Ebenso hoch schätzten die Brombacher Vorgesetzten ihre Verluste an Obstbäumen, und in Vörstetten meinten die Vorgesetzten im Herbst 1790, etwa 4000 Bäume seien in ihrem Bann, der hinsichtlich der Obstbaumpflanzung gegenüber anderen Orten angeblich ohnehin weit zurückstand, abgegangen.[390]

Nach solchen verheerenden Kahlschlägen stellte sich das Problem, die abgegangenen Bäume zu ersetzen, besonders dringlich, doch zog die Baumzucht auch in normalen Zeiten die Aufmerksamkeit der Behörden auf sich. Die Oberbeamten erkundigten sich regelmäßig danach, wie in den Gemeinden die Aufzucht junger Bäume organisiert war. Dabei unterließen sie es auch nicht, den Finger auf die notwendige Verbesserung der angepflanzten Sorten zu legen.[391] Besondere Auf-

schlußreich auch das Schreiben des Lörracher Burgvogts Sonntag vom 20 VIII 1789 an alle Vorgesetzten, in dem er konkrete Ratschläge für die Behandlung und die Okulierung der Kirschbäume erteilte, die offenbar vielfach wieder frische Schosse trieben (Schubring, Notizbücher, S. 49).

[390] Bahlingen (GA Bahlingen C VIII Nr. 4, fol. 1–179, Abschnitt B, Pkt. 38; 8–20 VI, 10–13 VIII 1789). – Blansingen (229/9515, fol. 2–12, ad 11; 24 XI 1789). – Mundingen: Seit dem kalten Winter seien wieder viele abgegangene Obstbäume durch junge ersetzt worden (229/70240/III, fol. 47–91', Pkt. J.j.; 7–30 IX 1790). – Vörstetten (229/107983, fol. 54' f.; 15–29 IX 1790). – Brombach (229/13204, ad 11; 11 I 1791).

[391] Egringen: Es werde genügend Obst angepflanzt, doch sollten die Leute bessere Sorten einführen. Deshalb hatten die Vorgesetzten der Gemeinde den Vorschlag gemacht, die Bäume durch Zweiger auf Gemeindekosten zweigen zu lassen, aber mit wenig Eindruck. Das Oberamt wies die Vorgesetzten an, die Einwohner durch »vernünftige Vorstellungen zu Einführung besserer Sorten aufzumuntern« (229/22946, Abschnitt I, Frage 11; 28 X 1788, 24 X 1789). – Denzlingen: Die Obstbaumpflanzung in den Gärten hinter den Häusern werde stark betrieben, aber nur mit gemeinen Sorten. Das Oberamt ordnete die Vermehrung und Verbesserung der Obstbäume an (GA Denzlingen 1 B–247, fol. 254' ff.; 2 II–10 III 1790). – Der Eichstetter Schulmeister Schäfer, der vom Oberamt im Protokoll das Lob erhielt, zu den besten Lehrern des Amtsbezirks zu zählen, profilierte sich beim Frevelgericht 1789 mit dem Angebot, auf einem Allmendlos auf eigene Kosten gute Obstbäume zu setzen, wenn die Gemeinde ihm zusicherte, ihm bei der nächsten Austeilung der Allmendlose in 10 Jahren das Plätzlein gegen Abtretung seines Almendloses zu überlassen; zudem wollte er den Nutzen der gesetzten Bäume erst nach diesen 10 Jahren für sich fordern. Da sich nach Auffassung der Vorgesetzten der Schulmeister bisher sehr um die Schule und Gemeinde verdient gemacht hatte, mochten sie nichts gegen das Gesuch einwenden. Das Oberamt resolvierte, daß dem Schulmeister das fragliche Allmendlos vorläufig zugesichert und bei der späteren Verlosung der Allmende überlassen werden sollte. Er sollte das Los aber schon jetzt mit guten Obstbäumen besetzen und den Nutzen davon erst haben, wenn er das Los erhalten haben würde (229/23271/II, Abschnitt B, Pkt. rr; 2–13 II 1789).

merksamkeit galt in diesem Zusammenhang der Frage, ob die Gemeinden eigene Baumschulen betrieben, um damit ihre Bürger mit jungen Bäumen von guter Sorte versorgen zu können. Längst nicht alle Gemeinden hatten sich aber auf diesen Betrieb einlassen wollen, in der Mehrzahl der besuchten Gemeinden ist in der zweiten Hälfte des 18. Jahrhunderts keine kommunale Baumschule betrieben worden (vgl. Tab. 5.29).

Tabelle 5.29:
Kommunale Baumschulen in den Gemeinden der Oberämter Rötteln und Hochberg[392]

Die Gemeinde betreibt eine Baumschule	Die Gemeinde betreibt keine Baumschule
Oberamt Rötteln	*Oberamt Rötteln*
1775: Binzen 1777: Haltingen, Schopfheim 1778: Fischingen 1781: Ötlingen, Tumringen 1783: Kirchen 1785: Binzen, Grenzach 1791: Brombach	1777: Hertingen, Tannenkirch, Tüllingen 1778: Blansingen, Schallbach, Welmlingen 1779: Egringen, Mappach 1780: Dossenbach 1781: Haagen, Hauingen, Wittlingen, Wollbach 1784: Kandern 1787: Hauingen, Wintersweiler 1789: Blansingen/Kleinkems 1791: Efringen
Oberamt Hochberg	*Oberamt Hochberg*
1769: Mundingen 1776: Emmendingen, Teningen 1790: Teningen	1783: Nimburg 1789: Bahlingen 1790: Denzlingen, Mundingen, Vörstetten

Der tabellarische Überblick gibt nicht zu erkennen, daß auch die Gemeinden mit eigenen Baumschulen Schwierigkeiten bei deren Betrieb bekundeten. Die Teninger Baumschule befand sich 1776 in einem schlechten Zustand, weil sie auf ungeeigneten Böden stand, doch wollten die Vorgesetzten mit Hilfe des Landgärtners einen besseren Standort ausfindig machen, was ein knappes Jahr später tatsächlich erfolgt war.[393] Diese Maßnahme hatte aber keinen nachhaltigen Erfolg, denn beim nächsten Frevelgericht 1790 befand sich die Baumschule wieder im schlechtesten Zustand, was die Vorgesetzten damit rechtfertigten, daß der Obstbau bei ihnen wenig betrieben wurde und die Bäume auf ihren Böden nicht recht gediehen; diese Auffassung teilte auch der Landgärtner, der nach einer Anhörung durch das Oberamt bekräftigte,

---

[392] Die Belege finden sich in den Antworten der Vorgesetzten auf die entsprechenden Fragen der Rügezettel (s. die Archivsignaturen zu den jeweiligen Frevelgerichten im Anhang).
[393] 229/105131 (11, 27 VI, 3 VII 1776; 31 V 1777).

er habe den Teningern den Rat erteilt, ihre Baumschule ganz eingehen zu lassen, weil sie auf dem steinigen Boden nicht fortkomme und die Gemeinde sonst keinen tauglichen Platz dafür habe. Das Oberamt mußte sich dieser Meinung anschließen und entschied, es verbleibe unter diesen Umständen beim Eingehen dieser Baumschule.[394] In wenigen Fällen befanden die Oberbeamten die Baumschulen in einem guten Zustand, vereinzelt hatten die Gemeinden auch eigene Aufseher über die Baumschule bestellt.[395]

Offensichtlich aber entsprach der Betrieb kommunaler Baumschulen keinem echten Bedürfnis der Gemeindebewohner. Ötlingen und Tumringen im Oberamt Rötteln betrieben 1781 zwar eine Baumschule, doch bekannten die Ötlinger Vorgesetzten, die Baumschule komme bei ihnen nicht auf, denn jeder ziehe seine Bäume selber, und die neu angelegte Baumschule in Tumringen verursachte der Gemeinde nur unnötige Kosten, weil jeder selber die Baumzucht besorgte und die Bäume deswegen in der »Pépinière« verblieben.[396] Neben dem mangelnden Bedarf war der knappe Platz der weitaus häufigste Grund, den die Gemeindevorsteher für das Fehlen eigener Baumschulen in ihren Gemeinden nannten.[397] Teilweise hatten Gemeinden auch schlechte Erfahrungen gemacht und darauf verzichtet, den Betrieb weiterzuführen.[398]

---

[394] 229/105132, Abschnitt B, Pkt. P. p. (5–13, 21 VIII 1790).

[395] Haltingen (229/38041, fol. 5–7', ad 11; 16 VII 1777). – Schopfheim (229/94368; 20 III 1778). – Fischingen (229/28582, fol. 9–12', ad § 11; 22 IV 1778).

[396] Ötlingen (229/81557, fol. 17–20', § 11; 26 VI 1781). – Tumringen (229/106477, § 11; 26 VI 1781). – Beispiele von Gemeinden, die mangels Bedarfs überhaupt auf eine eigene Baumschule verzichteten: Hertingen (229/42806, ad 11; 9 IX 1777). – Tannenkirch (229/104371, fol. 7–9, ad § 11; 9 IX 1777). – Haagen (229/37695, fol. 4–7, § 11; 29 V 1781). – Wollbach (229/115725, fol. 28–32', ad § 11; 24 IV 1781). – Kandern (229/50919, ad 11; 28 IX 1784).

[397] Tüllingen (229/106406, ad 11; 16 VII 1777). – Schallbach (229/28582, fol. 5–8', ad § 11; 22 IV 1778). – Egringen (229/22945, § 11; 13 IV 1779). – Nimburg (229/75379, Pkt. 59 ad 23; 16–19 VI 1783). – Grenzach: Die Baumschule war durch das Wasser verdorben worden; da jeder Einwohner selber das benötigte Obst anpflanzte und die Gemeinde kaum Allmendgüter hatte, die benutzt werden konnten, hielten sie eine Gemeindebaumschule für überflüssig (229/33917; 22 III 1785). – In Mundingen, das 1769 noch über eine Gemeindebaumschule verfügte, wollten Vorgesetzte und Gericht 1790, nachdem die Baumschule im kalten Winter 1788 eingegangen war, keine neue mehr anlegen, weil kein tauglicher Gemeindeplatz vorhanden war und sie hofften, daß ihnen die benötigten Bäume aus den Landbaumschulen abgegeben wurden (229/70240/III, fol. 47–91', Pkt. J. j.; 7–30 IX 1790).

[398] In Dossenbach hatte man eine Baumschule betrieben, diese aber wegen des rauhen und kalten Bodens wieder eingehen lassen (229/19810, ad § 11; 6 XII 1780). – In Efringen beklagten sich die Vorgesetzten 1791, sie fänden sich mit ihrer Baumschule nicht gut, weil die Bürger keine Bäume daraus bezogen, da sie nie wußten, um welche Obstsorten es sich handelte, und weil die Bäume aus der Baumschule mehr als andere dem Ungeziefer und den Raupen ausgesetzt waren; deswegen hätten sie sie abgehen lassen und jeder Bürger pflanze seine Bäume selber, setze sie in die Weinberge, bis sie armdick seien und versetze sie dann auf die Güter (229/22654, fol. 3–58, Abschnitt B, Pkt. 39; 14–16 II 1791).

Dieses Kapitel über die staatlichen Bemühungen zur Förderung der Baumkultur bliebe unvollständig, würde nicht noch kurz ein Projekt erwähnt, das für die Frage nach der praktischen Reichweite policeylicher Regulierung besonders erhellend ist, weil dessen Scheitern so offenkundig gewesen ist. Das Vorhaben, die badischen Gemeinden zum Anbau von Maulbeerbäumen zu bewegen und damit die Rohstoffbasis für ein seidenverarbeitendes Gewerbe zu legen, ist letztlich daran gescheitert, daß die Obrigkeit die Lage und insbesondere die Bereitschaft der Bevölkerung, auf dieses Projekt einzutreten, ganz falsch eingeschätzt hat.[399] Die Oberbeamten, welche bei Frevelgerichten das Fortkommen dieser Kultur feststellen sollten, konnten in ihren Berichten an den Hofrat nichts anderes als die Gründe melden, weshalb die Maulbeerpflanzung nicht vorankam.[400]

Während in frühen Frevelgerichtsprotokollen noch vereinzelt davon die Rede war, die Vorgesetzten und Oberbeamten bemühten sich, Maulbeerbäume im Bann anzusetzen,[401] erhielten die Antworten der Vorgesetzten wenig später zunehmend stereotypen Charakter. In einzelnen Gemeinden hieß es, man habe einige Maulbeerbäume gepflanzt, in den meisten aber wurde präzisiert, man habe einige Maulbeerbäume auf dem Kirchhof angesetzt[402] – eine aufschlußreiche Antwort der Vorge-

---

[399] Aufschlußreich in dieser Hinsicht die Darstellung bei Drais I, S. 130 ff., der sich – anders als bei den übrigen Reformprojekten der Regierung – einer Würdigung der Seidenbauprojekte enthält und sich auf den Standpunkt des Geschichtsschreibers zurückzieht, dem es genüge, die »Ansichten und Maasregeln der Zeit (...) darzustellen«. – S. a. Brunner, Schulordnungen, S. LXXI f.

[400] Zu den ähnlichen Gründen für das Scheitern des Seidenbaus in Preußen s. Ilja Mieck, Preußischer Seidenbau im 18. Jahrhundert, in: VSWG 56 (1969), S. 478–498; Neugebauer, Schulwirklichkeit, S. 507–510; Hans Pohl, Preußische Wirtschaftsverwaltung und Wirtschaftspolitik im 18. Jahrhundert am Beispiel des Seidengewerbes, in: Helmut Neuhaus (Hg.), Verfassung und Verwaltung. Festschrift f. K. G. A. Jeserich zum 90. Geb., Köln, Weimar, Wien 1994, S. 65–102, bes. S. 78–83; für Braunschweig-Wolfenbüttel s. Albrecht, Landesausbau, S. 205–208.

[401] 1769 schlug der Köndringer Pfarrer vor, an jeden Bürger zwei bis sechs Maulbeerbäume zu verteilen und sie anzuweisen, die Bäume in Dorfnähe auf ihren Gütern zu erhalten. Allerdings beklagten sich die Bürger bereits über den Schaden, den diese Bäume auf den Gütern anrichteten, weswegen das Oberamt gestatten mußte, daß sie ausgegraben und an unschädliche Orte versetzt wurden (229/54953, Pkt. 10 der Anzeigen von Pfarrer Sander; 24–28 I 1769). – Bei Besichtigung der Landecker Gemarkung verfügte das Oberamt 1769, daß ein Platz bei der Schloßruine von Hecken und Sträuchern gesäubert und mit Seidenbäumen angepflanzt werden sollte (229/70240/II, 14, 17–19 II 1769).

[402] Haltingen (229/38041, fol. 5–7', ad 11; 16 VII 1777). – Tannenkirch (229/104371, fol. 7–9, ad § 11; 9 IX 1777). – Blansingen (229/112897, fol. 10–13, ad § 11; 26 V 1778). – Schallbach (229/28582, fol. 5–8', ad § 11; 22 IV 1778). – Welmlingen (229/112897, fol. 10–13, ad § 11; 26 V 1778). – Mappach (229/64346, fol. 13–17, § 11; 13 IV 1779. – Eichen: Die Vorgesetzten bestätigten das gute Fortkommen der Maulbeerbäume auf dem Kirchhof, worauf der Hofrat dem Oberamt empfahl, darauf zu achten, daß überall wenigstens die Kirchhöfe damit bepflanzt wurden (229/23156, ad 11; 23 XII 1780; 16 I 1782). – Wollbach: Auf dem Kirchhof seien einige Maulbeerbäume, doch könnten sie aus Platzmangel keine anderen anpflanzen (229/115725, fol. 28–32', ad § 11; 24 IV 1781).

setzten, die damit bewiesen, daß sie zumindest diese Minimalanforderung des Gesetzes erfüllten,[403] aber auch nicht mehr.

Seit Beginn der 1780er Jahre äußerten die Vorgesetzten in den Antworten auf die Policeyfragen aber unmißverständlich die wahren Gründe für das breite Desinteresse der ländlichen Bevölkerung an der Zucht des Maulbeerbaums und am Seidengewerbe. Die Maulbeerbäume auf den Kirchhöfen, die in dieser Hinsicht geradezu den Charakter einer landwirtschaftlichen Versuchsfläche erhalten hatten, waren ganz einfach ohne praktischen Nutzen, weil in den Gemeinden angesichts der zahlreichen übrigen Beschäftigungen niemand Zeit und »Lust« auf den Seidenbau hatte und sich mit ihm abgeben wollte.[404] Da nutzten auch die seltenen Ermunterungen des Hofrats nichts mehr, die Oberämter sollten doch die Pfarrer und Schulmeister zur Anpflanzung von Maulbeerbäumen motivieren und diese dazu auffordern, der Gemeinde im Seidenbau voranzugehen, weil diese Betätigung durchaus mit den übrigen Arbeiten der Bauern zu vereinbaren war.[405] Eine nicht ganz unerwartete Opposition erwuchs der Anpflanzung von Maulbeerbäumen auf den Kirchhöfen schließlich von seiten der Totengräber, die angesichts des Wurzelwerks Mühe bekundeten, die neuen Gräber auszuheben.[406]

---

[403] Mit einem Generaldekret von 1767 hatte die Obrigkeit die Gemeinden dazu bewegen wollen, auf den Kirchhöfen wenigstens fünf bis sechs Bäume zu pflanzen (RepPO 2189; WI I, S. 515f.; 11 II 1767). Das Dekret wurde ein Jahr später eingeschärft (RepPO 2244; GS III, S. 394f.; 27 II 1768). Zwei Jahre später wies der Hofrat die Oberämter nochmals an, die abgehenden Maulbeerbäume auf den Kirchhöfen zu ersetzen, auf tauglichen Plätzen weitere Versuche damit anzustellen und die Pfarrer, Vorgesetzten und Schulmeister zur stärkeren Betreibung des Seidenbaus zu ermuntern (RepPO 2361; GS III, S. 387f.; 28 III 1770).

[404] Hauingen (229/39714, § 12; 29 V 1781). – Ötlingen (229/81557, fol. 17–20', § 11; 26 VI 1781). – Tumringen (229/106477, § 11; 26 VI 1781). – Wittlingen (229/115325, fol. 23–26', ad § 11; 24 IV 1781). – Hüsingen (229/47590, fol. 11–27', Pkt. 18; 27–28 VIII 1782). – Steinen (229/100906, fol. 1–39, Abschnitt II, Pkt. 14; 20–22 VIII 1782). – Welmlingen 1786 (229/112899, fol. 3–14, ad 11; 22 VIII 1786). – Eimeldingen (229/23739, fol. 5–22', ad 11; 2 X 1787). – Egringen (229/22946, Frage 12; 28 X 1788). – Eichstetten (229/23271/II, Abschnitt B, Pkt. uu; 2–13 II 1789). – Bahlingen (GA Bahlingen C VIII Nr. 4, fol. 1–179, Abschnitt B, Pkt. 43; 8–20 VI, 10–13 VIII 1789). – Denzlingen (GA Denzlingen 1 B–247, fol. 254'–255'; 22 II–10 III 1790). – Teningen (229/105132, fol. 47–126, Pkt. P. p.; 5–13 VIII 1790). – Efringen (229/22654, fol. 3–58, Abschnitt B, Pkt. 45; 14–16 II 1791). – Der beträchtliche Zeitaufwand wird auch für Preußen als wichtiger Grund für die Abneigung der Landbevölkerung gegen den Seidenbau bezeichnet (Mieck, Seidenbau, S. 487).

[405] So im Reskript zum Egringer Frevelgericht (229/22946; 24 X 1789).

[406] Hauingen (229/39714; 10 I 1782). – Efringen (229/22654, fol. 3–58, Abschnitt B, Pkt. 45; 14–16 II 1791): Hier hatte das Spezialat bei der Kirchenvisitation der Gemeinde gar erlaubt, die Maulbeerbäume auf dem Kirchhof wegzuhauen.

5.5 Überschuldung, Bettel und Armut als Herausforderungen »guter Policey«

Das staatliche Vorhaben, den Nahrungsstand in den badischen Gemeinden zu verbessern, war aufs engste mit dem anderen Anliegen verbunden, Armut zu verhindern bzw. Personen und Haushalte, die der Fürsorge bedurften, zu unterstützen.[407] Es lag somit auf der allgemeinen Linie der badischen Gemeindepolicey, daß sich die Oberbeamten bei Frevelgerichten auch nach den Ursachen und dem Ausmaß der lokalen Armut erkundigten und dabei wissen wollten, wie es um die lokale Armenfürsorge bestellt war. Die staatliche Aufsicht auf die kommunale Armenfürsorge knüpfte nicht zuletzt bei der in der Bettelordnung von 1751 endgültig festgeschriebenen Unterhaltpflicht der Gemeinden für ihre Armen an.[408] Gemäß der traditionellen Unterscheidung zwischen selbstverschuldeter Armut und der Armut aus höherer Gewalt behandelte die badische Policeygesetzgebung die armen und von Armut bedrohten Haushalte in den Gemeinden sehr unterschiedlich.[409] Die schärfste Unterscheidung machten die Behörden zwischen den »Übelhausern« bzw. üblen Haushaltern (5.5.1) und den Bettlern einerseits und den sogenannten Hausarmen andererseits (5.5.2). Wurden erstere verfolgt bzw. scharf überwacht und notfalls hart bestraft, unterstanden letztere der lokalen Armenfürsorge, deren zuverlässiges Funktionieren das Oberamt ebenfalls untersuchte.

---

[407] Zur Geschichte von Armut und Bettel und den unterschiedlichen Ansätzen einer Armen- und Bettlerpolitik s. allgem. Volker Hunecke, Überlegungen zur Geschichte der Armut im vorindustriellen Europa, in: GG 9 (1983), S. 480–512; Raeff, Police State, S. 88–91; von Hippel, Armut, S. 1 f., 44–53, 101–111; Schuck, Arbeit und Policey, S. 132 ff.; Robert Jütte, Poverty and Deviance in Early Modern Europe, Cambridge 1994. – Zur badischen Armen- und Bettelgesetzgebung und zur Praxis lokaler Armenfürsorge und Bettlerabwehr s. Ludwig, Hochberg, S. 129–136; Fehr, Staat und Kirche, S. 105 ff.; Stier, Zucht- und Waisenhaus, S. 199–211.

[408] RepPO 1679 (18 II 1751; GS II, S. 87–93): »Eine jede Gemeind [hat] ihre würdige und wahrhafte Arme mit denen nöthigen Nahrungs Mitteln zu versehen, die Faullenzer aber, und in specie die nur zum Müßiggang sich angewöhnte, schon erwachsene, und kleine Kinder beederley Geschlechts, mit Schärfe zu anständigen Arbeiten anzuhalten, oder gar abzuschaffen« (ebd., S. 88). »Die sogenannte Bettelordnung von 1751 ging bereits von der grosen Regel aus, daß jede Gemeinde ihre Armen versorgen müsse; nur dadurch kommt Ordnung und Sparsamkeit in die Anträge auf milde Gaben.« (Drais I, S. 91). – Zu den Almosenfonds der Hochberger Gemeinden s. Ludwig, Hochberg, S. 134 ff. – Zur Grenzziehung zwischen »eigenen« und »fremden« sowie »würdigen« und »unwürdigen« Armen s. Hunecke, Armut, S. 492 f., 496–504; Hochstrasser, Sozialpolitik, S. 328; zur Tradition kommunaler Armenfürsorge im Reich s. Jütte, Poverty, S. 106 ff.

[409] Zu dieser Hauptdifferenzierung s. Jütte, Poverty, S. 100–142.

5.5.1 Die »Übelhauser« als Bedrohung »guter Policey«

Die Figur des »Übelhausers« oder liederlichen Haushalters, dessen soziale und kulturelle Definierung durch die badische Policeygesetzgebung seit Mitte des 18. Jahrhunderts deutlich greifbar wird, verkörperte geradezu den sich policeywidrig verhaltenden Untertanen, dem die Obrigkeit die Auswanderung erlaubte, auch wenn sein Vermögen die gesetzlich festgelegte Höchstgrenze überschritt.[410] Unterschiedliche Merkmale kennzeichneten den Lebenswandel des »Übelhausers«. Das üble, liederliche Hausen oder Haushalten dieser Personen kam letztlich aber in der Überschuldung und in der Unfähigkeit, die Verbindlichkeiten gegenüber Gläubigern zu erfüllen, zum Ausdruck.

Eine Verordnung von 1749 präzisierte die Indizien des üblen Haushaltens: Die Gantakten hatten Fälle an den Tag gebracht, in denen der Erlös aus dem Vermögen der verschuldeten Untertanen »kaum die Helfte oder einen Drittheil ihrer Passivorum zu bezahlen hinreichend seye, mithin sie obaerati recht geflissentlich darauf gehauset haben müssen, damit sie ehrliche Leute, welche sich in dergleichen Fällen nicht genugsam zu prospiciren wissen, leichtfertiger Weise um das Ihrige bringen«. Da diesen Schuldnern ihr schlechte Vermögenslage bekannt gewesen sein mußte, bezeichnete die Verordnung deren fortgesetztes »Übelhausen« geradezu als »Betrug«, als »geflissentliche Vervortheilung« und als »eine würkliche Dieberey«. Konsequenterweise drohte das Gesetz solchen Personen, die nicht glaubhaft darlegen konnten, daß sie durch unverschuldete Unglücksfälle in Schulden geraten waren und deren Schulden die Hälfte des Vermögens ausmachten, ein Inquisitionsverfahren und eine Leibesstrafe an. Um solche Fälle möglichst zu verhindern, hatten die Oberämter auf die »üble Haushältere in tempore wohl zu vigiliren«, sich genau nach deren Vermögen zu erkundigen und rasch an den Hofrat zu berichten, damit »in Zeiten derlei Uebel« abgewendet werden konnte.[411]

Die Aufsicht der Oberämter über die »Übelhauser« wurde 1751 systematisiert. Jährlich auf Pfingsten waren Tabellen mit einer Beschreibung der »Übelhauser« an den Hofrat zu schicken, die in neun Rubriken Informationen 1. zum Wohnort, 2. zu Namen, Alter, Kinderzahl und Profession des »Übelhausers« und 3. zu den eigentlichen Anzeichen des »Übelhausens« (Wirtshaussitzen, Trunkenheit, Spielen, Müßiggang, Schuldenmachen o. ä.) machten. Viertens hatten die Tabellen zu melden, welche »Correctionsmittel« bereits verordnet, ob 5. das Vermögen inventarisiert

---

[410] 1749 legte der Geheime Rat die Höchstgrenze von 200 fl. Vermögen für die Bewilligung der Auswanderung fest. Diese Grenze durfte aber im Fall von Personen, die der Gemeinde nicht viel nützten, und im Fall von schlechten Haushaltern überschritten werden (Hacker, Auswanderungen, S. 116 f.).

[411] RepPO 1639; GS III, S. 141 f. (22 VII 1749). – Gemäß einer Verordnung von 1765 sollte eine Untersuchung des Vermögens auch bei jenen Personen stattfinden, die drei Viertel ihrer Liegenschaften versetzt hatten (RepPO 2120; WI I, S. 575; 5 I 1765).

worden war und ob man dabei einen Abgang oder Zuwachs des Vermögens festgestellt hatte. Weiter war zu vermerken, ob im jeweiligen Fall wegen der »Mundtotmachung« (Bevormundung) und Bestrafung des »Übelhausers« bereits an den Hofrat berichtet worden war und was dieser verfügt hatte (6). Schließlich hatte sich die Tabelle auch dazu zu äußern, ob ein Pfleger für den jeweiligen »Übelhauser« bestellt worden war und wie dieser seiner Pflicht nachkam (7), ob sich der »Übelhauser« seit einem Jahr gebessert hatte (8) und welche Maßnahmen das Oberamt im einzelnen Fall noch vorschlug (9). Jährlich hatten die Pfarrer und Vögte wegen der Beantwortung der Fragen 3, 7 und 8 Erkundigungen in ihren Gemeinden einzuziehen.[412]

Erhielt ein Oberamt Kenntnis vom »Übelhausen« eines Untertanen, so schrieben die Landesordnung und spätere Verordnungen ein gestuftes Vorgehen vor, das von der ernsten Ermahnung und der Androhung des Entzugs der Vermögensverwaltung, über eine mehrtägige oder mehrwöchige Turmstrafe bis zur sogenannten Mundtoterklärung durch den Hofrat reichte.[413] »Übelhauser« konnten für ihren Lebenswandel auch mit der Einweisung in das Pforzheimer Zuchthaus bestraft werden.[414] Die Anwendung dieser »Correctionsmittel« gegen »Übelhauser« war allerdings davon abhängig, daß die Oberbeamten entsprechende Informationen aus den Gemeinden erhielten. Deshalb befahl eine Verordnung von 1765 den Vorgesetzten, die verschuldeten Einwohner, »sobald sie des Umsturzes verdächtig sind, die liederliche Haushälter aber gleich, zumal bey den Frevelgerichten, dem Amt« anzuzeigen. Zudem hatten auch die mit der Feldaufsicht betrauten Feldstützler darauf zu sehen, wer im Ort seine Güter verpfändete, nachlässig bebaute oder »gar verderben« ließ, und diese ebenfalls ausnahmslos bei Frevelgerichten anzuzeigen.[415] In den Verdacht des »Übelhausens« geriet aber auch, wer Gebäude ohne Reparation verfallen ließ,

---

[412] Zur Berichtspflicht der Behörden Tab. 3.1, N 18. (RepPO 1676; GS III, S. 156 f. (2 I 1751)). – Erneuerung der Verordnung wegen Einrichtung der Übelhausertabellen am 2 I 1771 (RepPO 2389; WI I, S. 575 f.), wobei die Rubriken der Tabelle von 1771 dieselben waren wie 1751.

[413] RepPO 1736; GS III, S. 142 ff. (26 IX 1752). – In einer Verordnung von 1767 wurde das Vorgehen der Oberämter gegen die »Übelhauser« präzisiert: Befand das Oberamt nach Untersuchung eines Falls, daß eine Person sich wegen Müßiggangs, unterlassenen Baus der Feldgüter und Reparatur von Gebäuden, wegen Trunks, Spiels, Wirtshaussitzens und äußerlichen liederlichen Wandels in Schulden gestürzt oder zum Verkauf von Gütern gezwungen worden war oder daß eine Person auch ohne anscheinenden liederlichen Wandel mehr als ein Drittel der Güter verkauft hatte, ohne das Geld wieder angelegt zu haben, so war diese Person mit acht bis 14 Tagen Turmstrafe oder öffentlicher Arbeitsstrafe zu belegen und mit einem Pfleger zu versehen. Nach einem Jahr waren die Vorgesetzten und Pfleger zu befragen, ob sich die Person gebessert hatte, wenn ja, konnte ihr der Pfleger wieder abgenommen werden, wenn nicht, war dem Hofrat im Hinblick auf die Verfügung der sogenannten Mundtotmachung Bericht zu erstatten (RepPO 2238; GS III, S. 144 ff.; 11 XI 1767).

[414] Stier, Zucht- und Waisenhaus, S. 53, 91 ff., 200.

[415] RepPO 2120; WI I, S. 575 (5 I 1765).

liegendes Gut ohne Wiederanwendung des Gelds und ohne wahrscheinliche Ursache verkaufte, wer ohne Not und Unglücksfälle Schulden machte oder wer dem Trinken, Spielen, Müßiggang oder Wirtshaussitzen ergeben war. Diese alle hatten die Vorgesetzten dem Oberamt ebenfalls anzuzeigen, damit es die nötige Vermögensuntersuchung verfügen konnte.[416]

Allerdings muß die Erfüllung dieser Anzeigepflicht den Vorgesetzten nicht immer leicht gefallen sein. Tatsächliches Nichtwissen und die Rücksichtnahme auf Verwandte oder Freunde führten dazu, daß die Anzeige immer wieder auch unterblieb. Solche Erfahrungen haben wohl die Verordnung 1775 motiviert, laut welcher Vorgesetzte zur Verantwortung gezogen werden sollten, die »nicht durch zeitige Anzeige des Uebelhausens« den Eintritt einer Gant verhindert hatten; je nach Befinden sollten sie dafür gar bestraft und zum Ersatz des Verlusts der Gläubiger angehalten werden können.[417]

In den Augen des Gesetzgebers waren die »Übelhauser« und mit ihnen deren Familien und Gläubiger Opfer ihres selbstverschuldeten Lebenswandels. Darunter fiel auch das übermäßige Trinken und Zechen in Wirtshäusern, dem die Obrigkeit u. a. dadurch zu steuern suchte, daß sie den Wirten bei Strafe untersagte, einem Untertanen mehr als zwei bis drei Ürten oder Zechen zu borgen.[418]

---

[416] RepPO 2238; GS III, S. 144 ff. (11 XI 1767). Einschärfung der Verordnung vom 11 XI 1767 am 10 V 1769 (RepPO 2323; GS III, S. 155). – Zur vergleichbaren Aufsichtspflicht der Vorgesetzten in Württemberg s. Sabean, Neckarhausen I, S. 114.

[417] RepPO 2521; WI I, S. 191 (20 V 1775).

[418] RepPO 1663; GS III, S. 158 f. (2 VI 1750). – Die Strafe für den Wirt bestand in einer Buße von 1 fl. für jede weitere geborgte Zeche und in der Konfiskation des Geborgten. Für mehrmaligen Verstoß gegen das Verbot drohte den Wirten eine härtere Strafe. – Bei der Einvernahme des »Übelhausers« Michel Sutter aus Steinen beim Frevelgericht 1782 stellte sich heraus, daß Sutter dem Hirschenwirt viel Geld für Getränke schuldete; der Wirt mußte sein Wirtsbuch vorlegen. Dabei vernahm der Oberbeamte Posselt auch, daß die Dorfwächter die Wirtshäuser nur an Sonntagen visitierten, und befahl deshalb den Vorgesetzten, zwei besondere Wirtshausvisitatoren zu wählen, die die Wirtshäuser täglich besuchen, Feierabend bieten und jene dem Vogt anzeigen sollten, die sie öfters antrafen. Schließlich wurde diese Aufgabe in Steinen den Kirchenrügern übertragen (229/100906, fol. 1–39, ad 29; 20–22 VIII, 3 XII 1782, 1 III 1783). – Beim Frevelgericht in Köndringen 1769 untersuchte das Oberamt die Schuldbücher der örtlichen Wirte und stellte dabei fest, daß sieben Personen mit hohen Zechschulden (u. a. 174 fl., 30 fl., 20 fl.) in den Büchern figurierten, was weder sie noch die Wirte in Abrede stellten. Das Oberamt warnte die Gemeinde vor solchem »liederliche[n] Betragen« und kassierte die Ausstände von fünf Wirten bzw. die Schulden der »Übelhauser«, von denen keiner »schuldig seyn [sollte], nur einen Kreuzer zu bezahlen«; vielmehr wurden die fünf Wirte wegen ihres unerlaubten und unmäßigen Borgens noch mit 10 fl. bzw. 5 fl. bestraft; dem Stubenwirt wurde weiter wegen Liederlichkeit und geduldeten Spiels die Stubenwirtschaft auf Georgi gekündigt (229/54953, Pkt. 114, 115 des Protokolls (24–28 I 1769)).

Zur Information der Bevölkerung über kreditunwürdige Personen, dann aber wohl auch im Sinne einer Bestrafung an der Ehre des »Übelhausers« waren die Gemeinden verpflichtet, sogenannte Übelhausertabellen zu führen und diese beim Rügegericht oder vier Wochen vor Einsendung der Übelhausertabelle an das Oberamt der versammelten Gemeinde vorzulesen.[419] Mit Ausnahme des Oberamts Hochberg wurde etwas später jede Gemeinde dazu verpflichtet, am Rathaus oder an einem öffentlichen Platz eine aus der Gemeindekasse zu bezahlende, schwarze Tafel anzubringen, die mit einem durchsichtigen Gitter abgeschlossen und gesichert werden konnte; auf dieser Tafel waren die Namen der mundtot erklärten »Übelhauser« und ihrer Pfleger »zu jedermanns Nachricht« solange anzuschlagen, bis die Pflegschaft wieder aufgehoben wurde.[420] Diese Tafel wirkte durchaus als Drohung bzw. Sanktionsmittel, wie die Aussage der Egringer Vorgesetzten 1788 belegt, die dem Oberbeamten drei »Übelhauser« aus ihrer Gemeinde anzeigten, die sich gebessert hatten und deswegen von der schwarzen Tafel gestrichen worden waren, insgesamt aber noch nicht so weit waren, »daß man sie ganz aus der [Übelhauser]Tabelle lassen könne«, die die Vorgesetzten jährlich zur Information an das Oberamt sandten.[421]

Die Aufsicht über die »Übelhauser« bei Frevelgerichten war den Oberbeamten gesetzlich vorgeschrieben. Sie hatten sich bei dieser Gelegenheit bei den Vorgesetzten und Feldstützlern nach Personen zu erkundigen, die im Verdacht des liederlichen Haushaltens standen. Die Policeyfrage Nr. 13 aus dem neuen Rügezettel von 1767 sowie Frage 25 aus dem Schlosser'schen Rügezettel für das Oberamt Hochberg 1781 verlangten beide von den Vorgesetzten Auskunft darüber, wie die Verordnungen wegen der »Übelhauser« in ihrer Gemeinde befolgt wurden. Sie hatten ihre »Übelhauser« namentlich anzuzeigen und die Ursachen ihres Vermögenszerfalls sowie die bislang unternommenen Maßnahmen zu deren »Correction« anzugeben.[422] Die Protokolle zeigen, wie diese Anzeigepflicht wahrgenommen und welche Vorkehrungen gegen das »Übelhausen« getroffen worden sind.

---

[419] RepPO 2716; WI II, S. 545. (12 III 1783).

[420] RepPO 2769; WI II, S. 545 f. (24 XI 1784). – 1794 wurde die Verordnung dahin präzisiert, daß nur die mundtot Erklärten in die Übelhausertabelle eingetragen werden mußten, gegen die übrigen schlechten Haushalter aber sollten die Beamten gemäß den Gesetzen vorgehen (RepPO 2987; WI II, S. 546; 3 V 1794). – Der Rötteler Oberbeamte verfügte beim Welmlinger Frevelgericht 1786, daß das fehlende Anschlagbrett noch angebracht werden mußte (220/112899, fol. 3–14, ad § 13; 18 X 1786, 27 XII 1787).

[421] 229/22946, ad Policeyfrage 19 (28 X 1788).

[422] RepPO 2233 (GS III, S. 586–589; 4 XI 1767). Frage 13 des Rügezettels 1767 bezog sich auf die Verordnung vom 5 I 1765, die die Ortsvorgesetzten verpflichtete, »Übelhauser« sowie auch Haushalte mit Anzeichen eines drohenden Vermögenszerfalls anzuzeigen (RepPO 2120; WI I, S. 575). – Zum umfassenden Kontext des Begriffs »Übelhauser« vgl. die Erörterung des semantischen Felds von Haushalten und üblem Haushalten bei Sabean, Neckarhausen I, S. 101–116, bes. S. 109–116; zum schlechten Haushalter ebd., S. 111 ff.

Beim Frevelgericht hatten die Ortsvorgesetzten den Oberbeamten eine Tabelle mit den Namen der örtlichen »Übelhauser« zu überreichen. Gemeinsam erörterten sie die einzelnen Fälle, worauf der Oberbeamte seine Maßnahmen traf. In diesen Tabellen figurierten einerseits die bereits behördlich als »Übelhauser« qualifizierten, mundtot erklärten Bürger, andererseits aber auch Personen mit »liederlichem« Haushalten, die als potentielle »Übelhauser« galten. Die Tabellen hielten sich allgemein an die in der landesherrlichen Verordnung vorgeschriebenen Rubriken: Neben den Personalien der betreffenden Personen (Name, Alter, Anzahl Kinder, Profession) führten die Tabellen an, wie sich das »Übelhausen« des Betreffenden manifestierte, ob bereits »Correctionsmittel« gegen ihn verfügt worden waren, ob eine Vermögensuntersuchung nötig war oder ob sie bereits stattgefunden hatte, ob ein Pfleger für den Betreffenden bestimmt worden war und wie dieser seine Pflicht erfüllte, ob sich der »Übelhauser« in seinem Lebenswandel besserte und was weiter wegen ihm vorzukehren war.

Die Tabellen in den Frevelgerichtsakten belegen, daß die Zahl der »Übelhauser« in den einzelnen Orten stark variierte. Dies hing natürlich mit der Größe der jeweiligen Gemeinde zusammen, dann auch mit dem Zustand der lokalen Ökonomie zum Zeitpunkt der Befragung, mit dem Beschäftigungsangebot und mit individuellen Umständen der betroffenen Personen, schließlich aber sicher auch damit, wie zuverlässig die Vorgesetzten in diesem Punkt ihre Anzeigepflicht wahrnahmen und wie unnachsichtig sie bei der Qualifizierung auffälliger Personen als »Übelhauser« verfuhren. Bei der Betrachtung von Tabelle 5.30 sollten gerade der letzte Punkt sowie der Umstand bedacht werden, daß der »Übelhauser« alles andere als eine »objektive« Tatsache, sondern ein soziales Konstrukt darstellte, das als solches benannt werden mußte, um überhaupt in Erscheinung zu treten.

Aufgrund der Angaben der Vorgesetzten zitierten die Oberbeamten die liederlichen Haushalter und »Übelhauser« und ermahnten sie zu einem ordentlicheren Lebenswandel, erteilten ihnen Verweise wegen der ausgebliebenen Besserung oder drohten Strafen für den Fall an, daß die Vorgesetzten weitere Beispiele ihres schlechten Lebenswandels dem Oberamt anzeigen sollten.[423] Dabei konnte auch die Einweisung in das Pforzheimer Arbeitshaus beantragt werden.[424] In Köndringen verfügte der Oberbeamte gleich gegen 10 Bürger die Vornahme einer Vermögensuntersuchung, aufgrund deren Ergebnisse »sodann in Conformitaet fürstl. Verordnung das weitere verfügt werden« sollte.[425] Bei dieser Gelegenheit kam auch der

---

[423] Im Anschluß an das Haltinger Frevelgericht 1777 wurde einer der drei »Übelhauser« dieser Gemeinde zu einer viertägigen Turmstrafe bei Wasser und Brot verurteilt (229/38041, fol. 5–7', ad Nr. 13; nach 16 VII 1777).

[424] So im Fall des bereits mundtot erklärten Küfermeisters Kieffer aus Grenzach, der sich betrank. Da sich Kieffers Lebenswandel auch nach dem Frevelgericht nicht besserte, unterzog ihn das Oberamt einer Untersuchung und beantragte darauf die Einweisung in das Arbeitshaus (229/33917; 22 III, 22 X 1785, nach 22 X 1785).

[425] 229/54953, Pkt. 113 des Protokolls (24–28 I 1769).

Tabelle 5.30:
Der Bestand an »Übelhausern« bei den Frevelgerichten in den Oberämtern
Rötteln und Hochberg

Oberamt Rötteln			
Jahr	Gemeinde	Anzahl	Merkmale des »Übelhausens« bzw. der »Liederlichkeit«
1777	Hertingen	unbestimmt	Nicht spezifiziert
1777	Tüllingen	1	Nicht spezifiziert
1777	Haltingen	3	Liederlichkeit
1778	Blansingen	2	Trunkenheit (2)
1778	Kleinkems	1	Läßt seine wenigen Güter größtenteils unbebaut liegen und ernährt sich vom erbettelten Brot der Kinder.
1778	Welmlingen	unbestimmt	Nicht spezifiziert
1779	Egringen	3	Nicht spezifiziert (2) Prozessieren, Schulden, schlechter Güterbau
1781	Haagen	2	Nicht spezifiziert
1781	Ötlingen	1	Nicht spezifiziert
1782	Steinen	8	Schulden (2) Unglückliche Händel mit Juden, Geschäfte mit Fuhrwerken, Wirtshaussitzen Unglücksfälle Eheliche Uneinigkeit Nicht spezifiziert
1782	Hüsingen	3	»Unglück und Liederlichkeit« Trunkenheit »Leichtsinn und Trunkenheit«
1784	Kandern	unbestimmt	Nicht spezifiziert
1785	Binzen	8	Liederlicher Lebenswandel Schlechte Arbeit Trunkenheit (2) Ehestreit Müßiggang
1785	Grenzach	3	Trunkenheit Schlechte Haushaltung (Ehepaar)
1786	Welmlingen	2	Nicht spezifiziert
1787	Eimeldingen	1	Wirtshaussitzen
1787	Märkt	1	Nicht spezifiziert
1787	Hauingen	1	Nicht spezifiziert
1787	Wintersweiler	2	Nicht spezifiziert
1788	Egringen	3	Nicht spezifiziert

Oberamt Rötteln

Jahr	Gemeinde	Anzahl	Merkmale des »Übelhausens« bzw. der »Liederlichkeit«
1789	Blansingen	2	Müßiggang »Mißvergnügte Ehe«
1791	Brombach	2	Trunkenheit, liederliche Händel, schlechte Aufführung Betrügen, stehlen und andere Liederlichkeiten

Oberamt Hochberg

Jahr	Gemeinde	Anzahl	Merkmale des »Übelhausens« bzw. der »Liederlichkeit«
1758	Emmendingen	6	Schlechte Haushaltung und Aufführung Trinken Liederliches Leben im Müßiggang Streit mit dem Vater und Bruder Ordnungswidriges Aufbewahren von Heu im Haus Nicht spezifiziert
1769	Köndringen	16	Schlechte Arbeiter (2) Üble Haushaltung Schulden (3) Schlechte Handelsgeschäfte Wirtshaussitzen Nicht spezifiziert
1789	Bahlingen	27	Schlechte Haushalter Schulden Nicht spezifiziert
1789	Eichstetten	32	»Sieht dumm und fahrlässig aus« Hohe Familienkosten Armut Unfleiß, Faulheit Trunksucht Lebte bis ins Alter unverheiratet. Wenig Vermögen Streitsucht, »dummzänkisch« Wirtshaussitzen Unordnung im Haushalt Verschwendung, Prassen Hat nicht das rechte Verständnis. Nicht spezifiziert

Oberamt Hochberg			
Jahr	Gemeinde	Anzahl	Merkmale des »Übelhausens« bzw. der »Liederlichkeit«
1790	Denzlingen	28	Prozessieren (4)
			Trunksucht (6)
			Faulenzer
			Nachlässigkeit in den Haus- und Feldgeschäften (2)
			Eigensinn
			Schlechte und liederliche Wirtschaftsführung
			Verderbliches Handeln mit Juden (3)
			Trägheit (5)
			Schlechte Kinderzucht
			Spielen
			Wirtshaussitzen
			Ungehorsam, Trölerei, Teilnahme am Auflauf im Ort 1789 (3)
			Ausschweifungen (2)
			(Verbotene) Beteiligung am Freiburger Lotto (2)
1790	Mundingen	12	Verschwendung, schlechte Streiche, Zank mit den Eltern der Frau
			Trinken (3)
			Vermögenszerfall
			Ehelicher Unfriede und Händel (2)
			Schädliche Haltung überflüssigen Viehs
			Außerordenlich nachlässige Haushaltung und Güterbau (2)
1790	Vörstetten	4	Leichtsinn (3)
			Trunkenheit
			Treibt allerlei unnötigen Handel
			Nicht spezifiziert
1790	Teningen	12	Allzu häufiger bzw. unbedachtsamer Handel mit Juden (3)
			Verluste im Hanfgeschäft (2)
			Schulden
			Wirtshaussitzen
			Trinken (3)
			Unüberlegtes Bauen
			Arbeitet im Taglohn statt in seinem Hafnerhandwerk.

Fall des Georg Klinzig zur Sprache, der ungeachtet der bereits verordneten Mundtotmachung durch die Herrschaft und die Bestellung eines Pflegers in seinem »liederlichen Leben« fortfuhr und deshalb auf der Stelle gefangen nach Emmendingen gebracht wurde, wo das Oberamt »solchen inquisitorisch tractiren und die Sache gnädigster Herrschaft zum Entscheid einsenden« wollte.[426]

Zwar mochte eine Person die Anschuldigung des liederlichen Haushaltens bestreiten, doch hatte in solchen Situationen das Urteil der lokalen Vorgesetzten oder naher Angehöriger weit mehr Gewicht, und das Oberamt folgte diesen gewöhnlich.[427] Im Fall des Denzlinger Bürgers Philipp Nübling, dem viel Nachlässigkeit »in Besorgung seiner haeusl.- und Feld Geschäffte, auch Eigensinn und verderbliches Handeln mit Juden zur Last« gelegt wurden, bekräftigte auch dessen Ehefrau vor dem Oberamt den Lebenswandel ihres Mannes, weswegen dieser zu einer besseren Verwaltung seiner Geschäfte ermahnt und angewiesen wurde, »dem Rath seiner Frau und anderer guten Freunden zu folgen und des verderbl. Handelns mit Juden sich gaenzlich zu enthalten oder sich zu gewaerttigen, daß er der Verwaltung seines Vermoegens entsezzet, solches ausgelehnet und er unter Pflegschafft gesezzet werde«.[428] Der Denzlinger Friedrich Nübling konnte zwar nicht leugnen, »zu Zeiten dem Spielen ergeben« zu sein, wollte aber trotzdem »mehr vor- als zurükgehaust haben«; dies vermochte seine Ehefrau aber offenbar nicht so zu sehen, denn sie beklagte sich vor dem Oberbeamten, daß ihr Mann nicht nur spiele, sondern ganze Nächte hindurch zu ihrer und ihrer sieben Kindern Schaden im Wirtshaus sitze.[429] In Köndringen zeigte 1769 der Bürger Michel Gutjahr seine Frau im Durchgang dem Oberbeamten an; da sie »eine schlechte Haußhälterin, sehr fahrläßig in der Haußhaltung und träg zur Arbeit« sei, bat er darum, »sie zu corrigiren«. Das Oberamt entsprach der Bitte und zitierte die Frau zur Bestrafung.[430]

In anderen Fällen entlasteten die Aussagen der Vorgesetzten und Ehefrauen die »Übelhauser«, so wie etwa im Fall des Denzlinger Christian Haller, der sein »unfleissiges Arbeiten mit einem Leistenbruch« entschuldigte, »welcher ihn an manchem Geschaefft behindere«; Hallers Ehefrau und die Vorgesetzten bekräftigten zudem, Haller habe sich seit einem Jahr, als er vom Oberamt von einem »nachtheiligen Judenhandel« freigesprochen worden war, nicht mehr mit Juden eingelassen. Das Oberamt wies Haller darauf ernstlich an, »seinem Geschaefft, soviel als seine Leibes Gebrechlichkeit zulasset, gehoerig abzuwarten, des Handels mit Juden aber sich um so gewisser zu enthalten, als man ihn widrigenfalls verrufen zu lassen sich genoethigt sehen würde«.[431]

---

[426] 229/54953, Pkt. 113 des Protokolls (24–28 I 1769).
[427] GA Denzlingen 1 B–247, fol. 269 f. (22 II–10 III 1790).
[428] GA Denzlingen 1 B–247, fol. 271'–272' (22 II–10 III 1790).
[429] GA Denzlingen 1 B–247, fol. 274'–275' (22 II–10 III 1790).
[430] 229/54953, Nr. 104 des Protokolls (24–28 I 1769).
[431] GA Denzlingen 1 B–247, fol. 279 ff. (22 II–10 III 1790).

Beim Denzlinger Frevelgericht 1790 kam auch der Fall der Kaiserischen Eheleute zur Sprache, deren schlechte Haushaltsführung mit ihrem Hang zum »Quaerulieren und Laufen« begründet wurde; die Eheleute wollten ihr Prozessieren zwar damit rechtfertigen, »daß ihnen ihrem Angeben nach aller Orten Unrecht geschehe«, doch befand das Oberamt, daß das Paar angesichts der Tatsache, daß alle ihre Klagen bei der Oberamtskanzlei und beim laufenden Frevelgericht gänzlich abgewiesen worden waren, schlechterdings keine begründete Ursache »zum Quaerulieren« mehr hatte.[432]

Beim Mundinger Frevelgericht 1790 kamen gleich mehrere Fälle schlechter Haushaltung zur Sprache, die ein Licht darauf werfen, wie eng die schlechte Haushaltführung bisweilen mit Familienstreitigkeiten zusammenhing. Den Friedrich Mückeschen Eheleuten konnten Vorgesetzte und Gericht zwar keine besondere »Liederlichkeit« vorwerfen, doch hatten die beiden häufig Streit miteinander, wobei die Frau vor dem Oberbeamten behauptete, der Streit rühre hauptsächlich daher, daß ihr Mann ein Paar Ochsen halte, die sie nicht durchfüttern könnten; auch das Oberamt erblickte darin den tieferen Grund des ehelichen Unfriedens und erteilte dem Paar den Befehl, die Ochsen in den nächsten Wochen wegzugeben, keine weiteren mehr anzuschaffen, ihre wenigen Güter gegen Lohn bewirtschaften zu lassen und selber durch fleißiges Taglöhnern ihre »Haushaltungsumstände« wieder zu verbessern.[433]

Als erste Sanktion gegen liederliche Haushalter wurde auf lokaler Ebene vielfach die Einsteckung ins Bürgerhäuslein verfügt. Die Vorgesetzten konnten damit auf neuerliche Anzeichen von Trunkenheit, Müßiggang etc. reagieren und die Behörden versprachen sich davon eine abschreckende Wirkung auf die »Übelhauser« selber und wohl auch auf die übrige Gemeinde. Der Blansinger Vogt Kibiger hatte die zwei »übelhausenden« Trinker seiner Gemeinde bis dahin mit mündlichen Strafen und Vorwürfen vor versammelter Gemeinde und mit Einsteckung ins Bürgerhäuslein behandelt, berichtete im Anschluß an das Frevelgericht aber von deren Zusicherung, sich bessern zu wollen, und von deren Bitte, nicht in die Übelhausertabelle eingetragen zu werden.[434] Regelmäßig kehrt die Anweisung wieder, die betreffenden Personen sollten zur Arbeit angehalten werden. Sollten sie sich damit nicht ernähren können, wurde ihnen Unterstützung aus dem Almosen in Aussicht gestellt.[435] Im Hinblick auf die Schuldentilgung der »Übelhauser« wurden die Vorgesetzten mitunter auch angewiesen, »von ihren [der »Übelhauser«, AH] Gütern so viel zu versteigern, als zu Bezahlung der dringenden Schulden nötig oder von den Vogtleuten für möglich gehalten werde«.[436] Wer bei der Einvernahme durch den Oberbeamten »ein

---

[432] GA Denzlingen 1 B–247, fol. 275'–277 (22 II–10 III 1790).
[433] 229/70240/III, fol. 93–101', Pkt. 4 (7–30 IX 1790).
[434] 229/112897, fol. 22 (8 VI 1778).
[435] Kleinkems (229/112897; nach 26 V 1778).
[436] 229/13204, ad Policeyfrage 13 (Brombach; 11 I 1791). – In Brombach wurden 1791 zwei »Übelhauser« angezeigt: Beim einen wurde verfügt, es sollten Liegenschaften von ihm verkauft werden, weil er noch ziemlich Schulden hatte, beim anderen, daß nochmals ein

und andere Umstände« glaubhaft »zur Entschuldigung« vorbringen konnte, erwirkte mitunter auch eine Fristerstreckung zur Rückzahlung der Schulden.[437] Im Fall eines »schlechten Haushalters« in Köndringen, der sein Vermögen in Wirtshäusern vertat, befahl das Oberamt den Vorgesetzten, diesem die Güter wegzunehmen, sie anderen zu verleihen und ihm nur den Zins davon zukommen zu lassen.[438]

Die Aussicht auf eine »Correction« des Lebenswandels eines »Übelhausers« hing jedoch nicht nur von der Bereitschaft der betreffenden Person ab. Der Fall des Grenzacher Küfermeisters Jacob Kiefer zeigt, wie sich diese Personen im sozialen Kontext ihres Wohnorts bewegten und die »Besserung« nicht zuletzt von Verhaltensänderungen bei der übrigen Ortsbevölkerung abhing: Kiefer war bereits wegen seiner Trunksucht mundtot erklärt worden, er fand aber ungeachtet des Verbots an die Wirte, ihm Alkohol auszuschenken, immer wieder Mittel und Wege, »von einem Haus zum andern zu laufen und sich voll zu trinken«. Das Oberamt trug den Vorgesetzten deswegen auf, das Verbot bei der Gemeindeversammlung zu erneuern und die Übertreter des Verbots beim Oberamt anzuzeigen; Kiefer hingegen sollte jedesmal, wenn er sich betrank, für zwei Tage in das Häuslein gesteckt werden. Kiefers Lebenswandel gab aber auch in den weiteren Monaten zur Beanstandung Anlaß, zumal es Kiefer verstand, von Leuten in der Gemeinde ungeachtet des Verbots gegen Geld oder auf Borg Wein oder Branntwein zu erhalten. Das Oberamt sah sich angesichts der ausbleibenden Besserung gezwungen, dem Antrag der Grenzacher Vorgesetzten und von Kiefers Vormund auf Einweisung ins Pforzheimer Arbeitshaus zur Strafe stattzugeben.[439]

Eine besondere Verantwortung für die nachhaltige Besserung der »Übelhauser« trugen deren Pfleger bzw. Vogtleute. Die genaue Aufsicht auf die in Vermögenszerfall geratenen sieben Bürger von Steinen wurde den Vogtleuten und Vorgesetzten aufgegeben, deren obrigkeitliche Gewalt sich darin manifestierte, daß sie diese Personen »in continenti« zur Bestrafung an das Oberamt liefern sollten, »wenn einer derselben in Wirthshaußsitzen, Müßiggang oder sonstigen liederlichen Leben sich vergehen würde«.[440]

Bei den Befragungen machten die Vorgesetzten auch Vorschläge, wie die einzelnen Personen künftig zu behandeln waren. In Egringen rieten sie 1779 davon ab,

---

Versuch zur Versteigerung seiner Güter unternommen werden sollte, weil diese bei der ersten Versteigerung nichts gegolten hatten (229/13204; 11 I 1791).

[437] 229/54953, Pkt. 113 des Protokolls (Köndringen, 24–28 I 1769).

[438] 229/54953, Pkt. 113 des Protokolls (24–28 I 1769).

[439] 229/33917, ad Pkt. 13 der Policeyfragen (22 III, 22 X, 8 XI 1785). – Die Vorgesetzten Grenzachs befürchteten, Kiefer werde im Rausch Haus und Scheune anzünden; im Arbeitshaus hingegen müßte er »unter einer steten Aufsicht mit seiner HandArbeit sein Brod erwerben (...) Es ist zu bedauern, nüchtern zeigt er ein gut Gemüth und verstehet auch sein Handwerk gut« (ebd., 8 XI 1785).

[440] 229/100906, fol. 122–125 (4 XII 1782).

Martin Dreyer bereits jetzt aus der Übelhausertabelle zu streichen, obwohl er wieder »ein wahres rechtes Leben« führte, denn sie befürchteten, er würde wieder in seinen früheren Wandel zurückfallen, wenn man ihn aus der Liste der »Übelhauser« lossprach.[441] Mit der Drohung, beim Hofrat die Erklärung einer Person als »Übelhauser« zu beantragen, suchte man Druck im Hinblick auf eine Besserung auszuüben. In Eimeldingen war Hans Jakob Bauer noch nicht förmlich als mundtot ausgeschrieben worden, »weil man bisher noch zu seiner Besserung Hoffnung gehabt habe, da er aber in seinem liederlichen Leben immer fortfahre, so werde es nun nöthig seyn, ihn würklich für einen Verschwender zu erklären und ihm das Wirtshaus Sizzen schlechterdings zu untersagen«. Auf diese Anzeige hin verfügte das Oberamt, daß Bauers Name an das schwarze Brett in der Gemeinde geschrieben werden sollte; einem späteren Bericht zufolge hatte er sich in der Zwischenzeit ein zweites Mal verheiratet und ernsthaft Besserung zugesagt.[442]

Erst nach der Inventarisierung des Vermögens und der Qualifizierung einer Person als »Übelhauser« durch den Hofrat waren schärfere Maßnahmen gegen diese erlaubt. So gestanden die Brombacher Vorgesetzten 1791 zwar ein, verschiedene Bewohner seien in »leichtsinnige Händel« mit Juden und Schweinehändlern verstrickt, doch dürften sie diese nur ermahnen, »so lang sich einer nicht in die Übelhauser Tabell qualificire«.[443]

Die Aussagen der Vorgesetzten belegen, daß in den Gemeinden durchaus ein Unterschied zwischen den formell als »Übelhausern« taxierten Personen und jenen anderen Personen gemacht wurde, die allenfalls im Verdacht standen, »Übelhauser« zu werden: In Wollbach hatten die Vorgesetzten 1781 keine »Übelhauser« anzuzeigen, gaben dem Oberbeamten aber einen gewissen Johannes Brutschy an, der aus Nachlässigkeit sein Gut nicht bebaute. Das Oberamt befahl darauf, Brutschy notfalls durch Einsteckung ins Bürgerhäuslein zur Bewirtschaftung seiner Güter anzuhalten und, sollte dies nichts nützen, eine Anzeige beim Oberamt zu machen. Als sich das Oberamt ein Dreivierteljahr später nach Brutschys Wandel erkundigte, hieß es aus Wollbach, die Ermahnungen seien »nicht ohne Nuzen« gewesen.[444]

Mit der Androhung des unehrenhaften Status eines »Übelhausers« hat man auch versucht, Personen zu Verhaltensänderungen zu drängen. Nach dem Blansinger Frevelgericht von 1778 erteilte das Oberamt Rötteln der Gemeinde den Befehl, Esparsette auf Äckern anzubauen, die nicht für den Getreideanbau taugten; jene, die solche Äcker besaßen und diesen Befehl mißachteten, drohte man mit dem Eintrag in die Übelhausertabelle der »wann sie nicht erhebliche Gründte zu ihrer Entschuldigung beyzubringen im Standte sind«.[445]

---

[441] 229/22945 (4 VI 1779).
[442] 229/23739, fol. 3, fol. 5–22' ad § 13 (2 X 1787).
[443] 229/13204, ad 20 (11 I 1791).
[444] 229/115725, fol. 28–23', ad § 13 (24 IV 1781).
[445] 229/112897 (nach 26 V 1778).

Immer wieder konnten die Vorgesetzten auch anzeigen, daß sich die Betroffenen in der Zwischenzeit gebessert hatten, was insbesondere durch die Angabe konkretisiert wurde, daß sie wieder arbeiteten und seit einiger Zeit wieder »fleissig« schafften. Anzeichen für eine Verbesserung der Situation waren die Rückzahlung von Schulden und Zusagen der Betroffenen darüber, bis wann sie ihre verbleibenden Passiven tilgen wollten.

Aufgrund des guten Leumunds, den die Vorgesetzten einzelnen bisweilen ausstellen konnten, vermochte das Oberamt in seinem Bericht an den Hofrat manchmal auch die Aufhebung des Übelhauserstatus zu beantragen, so wie im Fall des Vörstettener Mattias Elighofer, der »sich jezo gut verhalte und wohl hause, auch in seiner Haußhaltung vorwärts komme«, was dessen Pfleger bestätigte. Somit stand dem Entscheid des Hofrats nichts mehr im Weg, Elighofer aus der Übelhausertabelle zu streichen und seinen Vormund seiner Pflichten zu entlassen.[446]

Veränderungen in den Lebensumständen einer Person ließen die Hoffnung aufkommen, daß sich das Haushalten wieder zum Besseren wenden würden. Dies war bei einer »übelhausenden« Witwe aus Haagen der Fall, von der die Vorgesetzten 1781 aussagten, sie habe sich wieder verheiratet, und so sei Hoffnung zu einer Besserung gegeben,[447] oder auch bei einem Müller aus Steinen 1782, der wieder geheiratet hatte und dessen Frau die Haushaltung angeblich gut führte.[448]

Der Mundinger Hufschmied Jacob Schmidt hatte sein Vermögen früher durch starkes Trinken erheblich vermindert, führte nun aber seit mehreren Jahren ein fleißiges »eingezogenes Leben«. Gleichwohl war es ihm nicht möglich gewesen, seine Gläubiger zu befriedigen, so daß diese ihn vor dem Oberamt belangt hatten; damals hatte Schmidt einen gerichtlichen Zugriff auf sein Vermögen noch damit abwenden können, daß er ein Erbe von seiten seiner Schwiegereltern in Aussicht stellte. Diese Hoffnung hatte sich allerdings bis zum Termin des Frevelgerichts noch nicht erfüllt, so daß Schmidt vom Oberamt angewiesen wurde, bis Martini Zahlungsmittel zu beschaffen, widrigenfalls die Beschlagnahmung von Vermögensteilen verfügt werden mußte.[449]

In den Frevelgerichtsakten erscheint wiederholt die Wohnsituation der betroffenen Personen sowohl als Ursache des schlechten Hausens wie auch als Grund zur Hoffnung auf eine bessere Haushaltsführung. Eine als liederliche Haushalterin beurteilte Witwe aus Bahlingen wurde 1789 angewiesen, sich zu ihrem Schwiegersohn zu begeben, wobei das Oberamt offenbar selber Zweifel an der Wirksamkeit dieser Maßnahme hegte, denn dem Tochtermann wurde aufgegeben, »Geduld und Nach-

---

[446] 229/107983, fol. 61–62, Beil. Lit. F (7–30 IX, 29 XI, 14 XII 1790).
[447] 229/37695, fol. 4–7, ad § 13 (29 V 1781).
[448] 229/100906, fol. 1–39, ad 29 der Policeyfragen (20–22 VIII 1782).
[449] 229/70240/III, fol. 93–101', Pkt. 7 (7–30 IX 1790).

sicht mit diesem sehr alten Weib« zu haben.[450] In Mundingen lebten Mattheus Schumacher und seine Frau mit den Eltern der Frau in ständigem Zank unter einem Dach zusammen; Schumachers Frau wünschte deshalb zur Erhaltung des Friedens sehr, von ihren Eltern weg in eine eigene Wohnung ziehen zu können, was auch der Mann wünschte, so daß das Oberamt in seinem Bescheid die Eheleute anwies, bald in eine von den Eltern abgesonderte Wohnung zu ziehen.[451] Als der unter der Vormundschaft des Heimburgers stehende Mundinger Witwer Seiler seine Wirtshausbesuche damit rechtfertigen wollte, er müsse mangels eigener Haushaltung seine Kost bei den Wirten suchen, hielt ihm sein Pfleger vor dem Oberbeamten entgegen, er könne seine Kost auch bei seiner Schwiegertochter finden, in deren Haus er ohnedies wohnte, wenn er sich nur mit ihr vertragen wollte. Seiler erwiderte darauf, »seine Sohnerin« fordere dafür mehr, als er mit »Billigkeit« geben könne; hier verfügte das Oberamt, daß der Vormund mit Seilers Schwiegertochter wegen dessen Verköstigung einen »Accord« abschließen sollte, der ihn davon abhalten sollte, weiterhin die Wirtshäuser zu besuchen.[452]

Im Fall des erst seit kurzem verheirateten Metzgers Jacob Bohnert und bei Friedrich Kreier – beide ebenfalls aus Mundingen – waren unfriedliches Zusammenleben mit den Ehefrauen und Schwiegermüttern die Ursache für das Trinken bzw. das »unsinnige« Miteinanderleben und den nachlässigen Güterbau; in beiden Fällen mußte es das Oberamt vorderhand dabei bewenden lassen, die Parteien zu einem friedlichen Miteinander zu ermahnen.[453]

Bisweilen erhielten schlechte Haushalter beim Frevelgericht durchaus handfeste Hilfe zur Überwindung ihrer Lage zugesichert. In Teningen scheint der als schlechter Haushalter taxierte Hafner Georg Fuchs 1790 insofern Glück gehabt zu haben, als ihm die Vorgesetzten und das Gericht auf seine Aussage hin, er könne sein Handwerk nicht betreiben und müsse taglöhnern, weil er weder eine Wohnung noch einen Brennofen habe, einen Platz »auf dem Grünle« (Allmendstück) in Aussicht stellten, wo er sein Handwerk auch ohne eigene Wohnung betreiben konnte.[454]

In anderen Fällen aber gab man bezüglich einer Verbesserung jede Hoffnung auf, wie etwa bei jenem 60jährigen Blansinger, der angeblich durch eine »mißvergnügte Ehe verdorben worden« war und »wohl immer bleiben [würde], wie er jezo ist«. Der einzige Trost bestand darin, daß er noch etwas Vermögen besaß, dessen Bewahrung ein Pfleger besorgte, »und daß er weder Frau noch Kinder« hatte.[455]

---

[450] GA Bahlingen C VIII Nr. 4, fol. 1–174', Abschnitt C Pkt. A des Frevelgerichtsprotokolls (8 VI 1789).

[451] 229/70240/III, fol. 93–101', Pkt. 1 (7–30 IX 1790).

[452] 229/70240/III, fol. 93–101', Pkt. 2 (7–30 IX 1790).

[453] 229/70240/III, fol. 93–101', Pkt. 5, 8 (7–30 IX 1790).

[454] 229/105133, fol. 127–138, Abschn. A, ad Nr. 11 (eigentl. 12) (5–13 VIII 1790).

[455] 229/9515, fol. 2–12, ad § 13 (24 XI 1789).

Wo sich aufgrund der sozialstatistischen Erhebungen in den Gemeinden die Angaben über die Haushaltsführung mit jenen zu den Berufen und Vermögensverhältnissen verknüpfen lassen, zeigt sich, daß »übles« bzw. »liederliches« Hausen besonders in Haushalten und bei Personen mit kleinen Vermögen vorkam. Tagelöhner, einzelne Landhandwerker und Witwen waren hier überrepräsentiert. Unter den 32 Personen, deren Nahrung in der Eichstetter Haushaltungstabelle 1789 nicht als »gut« bezeichnet wurde, fanden sich 15 Tagelöhner, zwei Weber, je ein Bäcker, Sattler, Säckler, Zimmermann sowie drei Witwen; daneben figurierten noch acht Bauern in der Tabelle, die alle mit Abstand die größten Vermögen in dieser Gruppe besaßen, die aber aufgrund von Verschwendung, Prassen, Faulheit, Zank und Streitsucht, Trunksucht und in einem Fall wegen Armut notiert worden waren oder die in der Tabelle mit der Beurteilung aufgeführt wurden, ihre Haushaltsführung könnte besser sein.[456]

5.5.2 Lokale Armenfürsorge zwischen der »Nothdurft« der Hausarmen und der Vertreibung der Bettler

Im Vergleich zum administrativen Aufwand, den die Vorgesetzten und Oberbeamten bei Frevelgerichten mit den »Übelhausern« betrieben, beanspruchte die Durchsicht der Tabellen mit den Namen der sogenannten Hausarmen in der Gemeinde jeweils weniger Zeit. Teilweise ließ das Oberamt alle in der Hausarmentabelle aufgeführten Personen vorfordern und befragte sie, ob sie wegen ihres »notdürftigen Unterhalts« etwas vorzutragen hatten. In Teningen bezeugten dabei 1790 alle Befragten ihre Zufriedenheit mit dem, was sie aus dem Almosen und aus den Umlagen in der Bürgerschaft erhielten; nur ein Mann bat um die Verabreichung einer höheren Unterstützung aus seinem wahrscheinlich unter Pflegschaft stehenden Vermögen.

Bei dieser Gelegenheit konnten auch die Vorgesetzten Wünsche für die bessere Versorgung von Kranken und Armen vortragen, so 1754 in Teningen, als der dortige Stabhalter Knoll eine Frau aus dem Dorf anzeigte, die ein Geschwür an der Nase hatte und deswegen untersucht und kuriert werden mußte, weil sie andern Leuten »zu einem Abscheu seye«; der Oberbeamte wies die Frau an, sich beim Landphysikus in Emmendingen untersuchen zu lassen, der seinen Befund dem Oberamt mitteilen sollte.[457] Wiederum in Teningen baten die Vorgesetzten 1790 darum, daß die unheilbar an Aussatz erkrankte Margaretha Ambrechtin in das Pforzheimer Krankenhaus aufgenommen werden mochte.[458]

Die Behandlung des Armen- und Bettlerproblems bei Frevelgerichten basierte auf den Fragen 10 bzw. 22 der Rügezettel von 1767 bzw. 1781, die in ihrer Anlage

---

[456] 229/23271/I, Beilage Nr. 8 (1 II 1789).
[457] 229/105128, Anzeige Nr. 4 von Stabhalter Knoll (3–7 XII 1754).
[458] 229/105132, fol. 127–138, Abschnitt C, ad C (5–13 VIII 1790).

deutlich das Hauptziel der obrigkeitlichen Armenpolitik erkennen lassen: Die Fragen lauteten, ob in der jeweiligen Gemeinde der Gassenbettel abgestellt war und ob die Hausarmen des Orts versorgt wurden. Beides hing eng miteinander zusammen, sollte doch der Unterhalt der Hausarmen aus dem örtlichen Almosen dazu beitragen, daß das Betteln von Armen verschwand.[459] Einige der Informationen, die die Vorgesetzten und Richter beim Frevelgericht den Oberbeamten mitteilten, sind in Tabelle 5.31 zusammengestellt.

Die Antworten der Vorgesetzten und Richter in den Gemeinden lassen eine Reihe von Merkmalen der lokalen Armen- und Bettelpolicey erkennen.

Die Ortsarmen erhielten Unterstützung aus dem Almosen, teilweise auch aus der Gemeindekasse, in sehr unterschiedlicher Höhe. Dies gilt auch, wenn man jährliche Schwankungen in der Teuerung außer acht läßt und Werte desselben Jahres und derselben Jahreszeit miteinander vergleicht. In den Gemeinden des Oberamts Hochberg reichten die wöchentlichen Beiträge im Jahr 1790 von 2,3 Kr. in Mundingen über 6 bis 8 Kr. in Teningen bis zu 30 Kr. in Vörstetten. Diese Unterschiede dürften nicht zuletzt darauf zurückzuführen sein, daß die Finanzlage der Gemeinden sehr unterschiedlich war und aufgrund der kommunalen Fundierung der Armenfürsorge keine landesweit einheitlichen Ansätze bei der Unterstützung zur Anwendung gelangten.

In mehreren Gemeinden des Oberamts Rötteln nannten die Vorgesetzten für die Jahre 1778 bzw. 1789 den Betrag von 12 Kr. in der Woche, was einer Jahresunterstützung in der Höhe von 10 fl. 24 Kr. gleichkam. An gewissen Orten hieß es, die

---

[459] Almosen sollten nicht an »Fremde, zur Arbeit tüchtige und statt des Arbeitens dem Bettel nachziehende sogenannte Steif-Bettler (welche vielmehr als Vaganten dem Ober-Amt zur Bestrafung zu überliefern sind) und eben so wenig an inn- und ausländische Collectanten, welche nicht wenigstens eine Ober- und Specialat-Amtliche schriftliche Erlaubnis vorweisen können, gegeben« werden (RepPO 2089; WI I, S. 19; 9 XII 1763). – Ein ausführliches Reglement von 1768 regelte die Abgabe von Beisteuern an ausländische Arme. Voraussetzung für den Empfang von Spenden aus dem Almosen waren: Arbeitsunfähigkeit, Kränklichkeit, Besitz eines Passes, Verzicht auf den Bettel, unvorhergesehene Vorfälle während der Durchreise, Examinierung durch das Oberamt und Spezialat. Wer sich bei der Überprüfung als arbeitstüchtig erwies und dennoch gebettelt hatte, wurde bestraft. Das Reglement nahm je nach Fall eine Abstufung der Almosenspenden vor, die sich in der Größenordnung von vier bis zwölf Kr. bewegten. Inländische Arme aus anderen Orten sollten nichts erhalten, vielmehr bestraft werden, »weil solche in ihren Wohnorten ernähret werden müssen«. Wer Vaganten oder falsche Kollectanten verhaftete und dem Oberamt oder Spezialat einlieferte, sollte 1 fl. Fanggebühr erhalten (RepPO 2249; WI I, S. 20–23; 20 IV 1768). – In den Orten mußten die Wächter, Hatschiere, Zunftvorsteher oder Almosenpfleger alle eintreffenden Handwerksburschen vor dem Betteln warnen und sie an die Zunft oder an das Almosen weisen, wenn sie um eine Gabe baten; bettelnde Handwerksburschen waren zur Bestrafung an das Oberamt zu führen (RepPO 2250; WI I, S. 249f.; 20 IV 1768). – Auch bei Kirchen- und Schulvisitationen erkundigte man sich nach der lokalen Armenfürsorge und Bettlerabwehr (s. Tab. 3.5, NN 29, 30).

Tabelle 5.31:
Die örtliche Armenfürsorge und Bettelpolicey nach den Angaben der lokalen
Vorgesetzten

Legende:
Spalte 1 (Gassenbettel):
  1 = Der Gassenbettel ist abgestellt, wird nicht geduldet;
    dem Gassenbettel wird gesteuert; die fremden Bettler werden
    fortgewiesen; man beachtet die Verordnung wegen des Gassenbettels.
  2 = Die Gemeinde hat keine fremden Bettler.
  3 = Die fremden Bettler sind eine Last für die Gemeinde.
  4 = Die Gemeinde unterhält einen Bettelwächter.
  5 = Die Anstellung eines Bettelwächters wurde vom Oberamt befohlen.
  6 = Dem Bettel wird nicht genug gesteuert.
Spalte 2 (Hausarme):
  1 = Die Gemeinde hat keine Hausarmen.
  2 = Die Hausarmen erhalten die Beiträge zu ihrem Unterhalt.

Oberamt Rötteln					
Jahr	Gemeinde	Spalte 1	Spalte 2	Maßnahmen gegen den Gassenbettel	Maßnahmen zur Hausarmut
1775	Binzen	1	1		
1775	Kirchen	1		Es »werde alles beobachtet«.	
1775	Winters-weiler			Keine Anzeige wegen des Gassenbettels.	Keine Anzeige wegen der Hausarmen.
1777	Haltingen	1	2		Die wenigen Hausarmen werden versorgt.
1777	Hertingen	2			Der einzige Hausarme war früher im Waisenhaus und wird nun von der Gemeinde erhalten. Er ist zur Arbeit und eigenem Verdienst anzuhalten.
1777	Tannen-kirch	1	2		An Hausarmen hat die Gemeinde eine Witwe und ein Kind.
1777	Tüllingen	1	2		Die Hausarmen werden nach »Notwendigkeit« aus dem Almosen und der Gemeinde-kasse erhalten.
1778	Blansingen	1	2		Der einzige Hausarme erhält 12 Kr./Woche aus dem Almosen.
1778	Fischingen	1	2		Eine Frau wird »nach Nothdurft« aus dem Almosen unterhalten.

Oberamt Rötteln					
Jahr	Gemeinde	Spalte 1	Spalte 2	Maßnahmen gegen den Gassenbettel	Maßnahmen zur Hausarmut
1778	Schallbach	1	1		Keine Hausarmen, die aus dem Almosen ernährt werden müssen.
1778	Welmlingen		2		Der einzige Hausarme erhält 12 Kr./Woche.
1779	Egringen	1	1		
1779	Mappach	1	1		
1780	Eichen	5			
1781	Haagen	1	2		Die 4 Hausarmen werden aus dem Almosen und mit freiwilligen Beiträgen erhalten.
1781	Hauingen	1	1		
1781	Ötlingen	1	1		
1781	Tumringen	1	1		
1781	Wittlingen	1	1		
1781	Wollbach	1	2	Die Gemeinde hält sich wegen des Gassenbettels an das Reglement.	Die Gemeinde hat einige Hausarme, die gehörig versorgt werden und aus dem herrschaftl. Frucht- und Geldalmosen erhalten.
1782	Hüsingen		1	Die Bettler sind nicht häufig. Ein Bettelwächter ist nicht nötig, doch sollte der Schopfheimer Hatschier besser streifen.	
1782	Steinen		2		
1783	Kirchen		2		Die wenigen Armen werden aus dem Almosen und den Gemeindeeinkünften so weit unterstützt, daß sie »vor den Häusern Brod zu suchen nicht nötig hätten«.
1784	Kandern	4	2	Der Bettelwächter ist etwas nachlässig. Er wurde wenig später seines Amtes entsetzt.	Die vielen Ortsarmen werden aus dem Gemeinde- und Bergwerksalmosen unterstützt, so daß sie das Betteln auf der Gasse nicht nötig haben.
1785	Binzen	4		Ein Bettelwächter ist angestellt.	Versorgung »zur Nothdurft«

Oberamt Rötteln

Jahr	Gemeinde	Spalte 1	Spalte 2	Maßnahmen gegen den Gassenbettel	Maßnahmen zur Hausarmut
1785	Grenzach	3		Fremde Bettler sind »so gut möglich« abzuhalten, Einheimische sollen im Ort nicht betteln.	
1786	Welmlingen	3, 6	2	Probleme in der Bettlerverfolgung, weil der bischöfl. Nachbarort diese Aufgabe vernachlässigt.	An Hausarmen hat die Gemeinde nur einige Waisenhauspfleglinge[460], die bei der Mutter oder auswärts gut unterhalten werden.
1787	Eimeldingen, Märkt	6	1	Der Hatschier streift nur nach Belieben.	
1787	Hauingen	2	2		Die Gemeinde hat mehrere Arme, aber nur 1 lahme Frau und 4 Kinder, die aus dem Almosen unterstützt werden.
1788	Egringen		2		Keine Hausarmen mit ständigen Beiträgen, Bedürftige erhalten nach »Nothdurft« von Zeit zu Zeit etwas.
1789	Blansingen, Kleinkems	2		Kein Bettelwächter, da er mehr kosten würde als die Bettler.	Die zwei Hausarmen erhalten 12 Kr. bzw. 18 Batzen/Woche aus dem Almosen
1791	Brombach	3, 4	2	Das Betteln der eigenen Armen ist abzustellen. Fremde Bettler sind mit Schlägen oder Einsperren durch den Bettelwächter abzuhalten.	Sie haben einige Hausarme, die von Zeit zu Zeit Beiträge erhalten. Eine Mutter mit etlichen Kindern bringt sich mit Almosensammeln durch und erhält von Zeit zu Zeit etwas aus dem Kirchenalmosen. Die eigenen Armen sollen nicht vor den Häusern herumgehen, sondern wöchentlich etwas zur Verköstigung zu Hause erhalten.
1791	Efringen	4			

[460] Bei den Waisenhauspfleglingen handelte es sich um Insassen des Pforzheimer Waisenhauses, die seit der Reform und der »Privatisierung« des Anstaltskonzepts außerhalb der Anstalt in den Gemeinden des Landes bei Pflegfamilien aufwuchsen (Stier, Zucht- und Waisenhaus, S. 67 f.).

Oberamt Hochberg					
Jahr	Gemeinde	Spalte 1	Spalte 2	Maßnahmen gegen den Gassenbettel	Maßnahmen zur Hausarmut
1758	Emmendingen			Das Betteln vor den Häusern ist abzustellen ...	... indem die Bürgerschaft ihre Hausarmen nach der Ordnung unterhält.
1769	Köndringen	4, 6		Der Ort hat starke Bettelfuhren, die aber nicht mehr angenommen werden sollen. Der Pfarrer fordert eine schärfere Aufsicht der Tag- und Nachtwachen auf die Bettler, da sich die Wächter dessen unter dem Vorwand »schämen«, sie seien keine »Bettelvögte«.	Die Gemeinde unterhält 5 Hausarme (alle Witwen) mit 1 bis 1½ Laib Brot/Woche. 2 Witwen erhalten zudem 12 Kr./Monat aus dem Almosen.
1769	Mundingen	6	2	Klage des Pfarrers über den Bettel von Brandopfern. Mit Hinweis auf die Entschädigungen aus der Brandversicherung wird dieser Bettel verboten. Der Ort hat starke Bettelfuhren, deren weitere Annahme das Oberamt verbietet.	
1776	Emmendingen	1	2	Dem Gassenbettel wird »so viel möglich« gesteuert.	Die Hausarmen werden aus dem Almosen versorgt.
1776	Köndringen	1, 4		Der Pfarrer fordert mehr Ernst bei der Aufsicht auf die Bettelordnung. Der Bettelwächter erhält von den Vorgesetzten Lob, er könne bei den vielen Eingängen in den Ort unmöglich jedes Eindringen von Bettlern verhüten.	Der Pfarrer fordert mehr Ernst bei der Aufsicht auf die Hausarmen.

Oberamt Hochberg

Jahr	Gemeinde	Spalte 1	Spalte 2	Maßnahmen gegen den Gassenbettel	Maßnahmen zur Hausarmut
1776	Teningen	1	2		
1783	Nimburg	1	2	Keine Klage wegen des Gassenbettels.	Keine Klage wegen der Hausarmen.
1783	Otto-schwanden			Keine Auskunft auf die entsprechende Frage des Rügezettels.	Keine Antwort auf die entsprechende Frage des Rügezettels.
1789	Bahlingen	4			
1789	Eichstetten	4			Die Gemeinde hat 3 Hausarme, die aus dem Almosen unterstützt werden, die aber gewohnt sind, durch Arbeiten ihr Brot zu verdienen, weil das Almosen nicht ausreicht.
1790	Denz-lingen	4			
1790	Mun-dingen	4, 6	2		Die Hausarmen (5 Frauen, wovon 3 Witwen, mit 3 Kindern) erhalten 2 fl./Jahr (?) und haben mit Spinnen, Dienen od. Unterstützung durch veheiratete Söhne einen Nebenerwerb. Die Hausarmen sollen mit Hanf- und Baumwollspinnen verdienen und das Almosen so viel möglich erleichtern.
1790	Teningen	1, 4			Die 10 Hausarmen erhalten 6-8 Kr./Woche aus dem Almosen und z.T. das Brot durch Umlage. Die meisten haben ein Verdienst mit Spinnen, Taglöhnern, Unterstützung durch Verwandte.
1790	Vörstetten	1, 4	2		Die Gemeinde hat eine einzige Hausarme (Witwe), die 30 Kr./Woche je zur Hälfte aus dem Almosen u. aus der Gemeindekasse erhält.

Armen erhielten auch Brot aus der Gemeinde (Köndringen 1769, Mundingen, Teningen 1790) oder freiwillige Beiträge (Haagen 1781), wobei es sich beim Brot wohl zum geringeren Teil um zu leicht oder schlecht ausgebackene Backware der lokalen Bäcker handelte, die die örtlichen Brotwäger zum Nutzen der Dorfarmen konfiszieren durften, zum größeren Teil aber um Brote, die die Hausarmen wöchentlich bei bestimmten, ihnen zugewiesenen Bürgern abholen konnten.[461]

Mehrmals beschränkte sich die Aussage der Vorgesetzten darauf, daß die Hausarmen in ihrer Gemeinde nach »Nothdurft« bzw. »Nothwendigkeit« versorgt wurden, was eine kaum zu quantifizierende Angabe darstellt, die so viel besagt, daß die Gemeindevorsteher der Überzeugung waren, daß die Armen bei ihnen eine ihren Lebensumständen entsprechende, hinreichende Unterstützung erhielten.[462] Die Vor-

---

[461] Bahlingen 1789: GA Bahlingen C VIII Nr. 4, Abschnitt B, Pkt. 9 (8 VI 1789). – Denzlingen 1790: GA Denzlingen 1 B–247, fol. 188 f. (22 II–10 III 1790). – Mundingen 1790: 229/70240/III, fol. 47–91', Abschnitt B, ad H (7–30 IX 1790). – Teningen 1790: 229/105132, fol. 47–126, Abschnitt B, ad G (5–13 VIII 1790). – Das Verfahren der Brotverteilung ist für Teningen 1790 detaillierter geschildert: Den Hausarmen wurde wöchentlich Brot bei Bürgern zugewiesen. Die Vorgesetzten und Richter verteilten diese Abgabepflicht nach dem Vermögen auf die Bürgerhaushalte und teilten den Austeiler dem Bettelwächter mit. Der Bettelwächter wies auf dieser Grundlage die Hausarmen den einzelnen Haushalten zu. Nach Auffassung der Vorgesetzten und Richter war dieses System für die Hausarmen vorteilhafter, als wenn man ihnen das Brot bei den Bäckern des Orts anwies, denn diese blieben »lediglich bei dem angewiesenen Gewicht des Brods stehen (...), wohingegen es der Bauer damit nicht so genau nehme, auch dem Armen gar oft noch andere Wohlthaten darneben zufließen lasse.« Diese Aussage hatte aber den Charakter einer Rechtfertigung, denn mit der alten Einrichtung der Brotumlage hatte es im Winter 1789/90 Schwierigkeiten gegeben, als auch mancher mittlere Bauer nicht mehr genügend mit Brot versehen gewesen war. Deswegen wiederholten die Armen selber beim Frevelgericht ihre bereits bei der Kirchenvisitation unterbreitete Bitte, das Umlagesystem zu ersetzen. Sie begründeten dies damit, daß die Bürgerhaushalte selber öfters knapp an Brot waren und sich das Brot teuer kaufen mußten und die Hausarmen in dieser Situation mit ihrem Anspruch zu kurz kamen. Ihr Vorschlag lief darauf hinaus, das Brot wöchentlich auf Kosten der Bürgerkasse bei einem örtlichen Bäcker backen zu lassen, wo es die Hausarmen abholen konnten. Damit sollte gewährleistet sein, daß die Hausarmen ihr Brot zuverlässig erhielten, »welches bey der Umlag vielfältig das ganze Jahr hindurch nicht geschieht«; mit dieser Lösung hätten auch die Bürger von der lästigen Umlage befreit werden können. Die Teninger Vorgesetzten betrachteten die knappe Versorgung im letzten Winter als Ausnahme und lehnten es ab, das Brot auf Gemeindekosten backen zu lassen; das Oberamt teilte diese Ansicht und verfügte, daß das Brot auch weiterhin durch Umlage auf die Bürgerschaft an die Hausarmen verteilt werden sollte, doch sollte dadurch kein Anlaß zum Gassenbettel gegeben werden. (229/105132, fol. 127–138, Abschnitt C, ad C (5–13 VIII 1790); 229/105133, Beilage Nr. 6 (VIII 1790)).

[462] Zur »Notdurft« als ständisch variablem Konzept für die Bestimmung von Lasten und Leistungen vgl. Renate Blickle, Hausnotdurft. Ein Fundamentalrecht in der altständischen Ordnung Bayerns, in: G. Birtsch (Hg.), Grund- und Freiheitsrechte von der ständischen zur bürgerlichen Gesellschaft, Göttingen 1987, S. 42–64, die in ihrem Kontext den begrenzenden Charakter des Konzepts hinsichtlich der Lasten für die Bauern betont, während sich hier die Grenzen hinsichtlich der Leistungen für die Bedürftigen zeigen.

stellung der »Notdurft« beinhaltete auch eine Pflicht für die betroffenen Armen, selber durch Zuerwerb etwas zum eigenen Lebensunterhalt beizutragen,[463] bisweilen ist auch die Rede von Hilfe von seiten von weiteren Familienangehörigen. Das Maß der Notdurft tendierte wohl eher zu einer knapp bemessenen Unterstützung; die Teninger Vorgesetzten vermerkten jedenfalls 1790, bei ihnen könnten sich alle Hausarmen mit dem Beitrag aus dem Almosen und ihrem Zusatzverdienst bzw. der Unterstützung durch Verwandte »zur Notdurft« unterhalten, und wenn der eine oder andere, »der noch etwas zu verdienen im Standte wäre«, mehr Unterstützung erhielte, so könnte ihn dies »leicht faul machen«.[464] Beim Grenzacher Frevelgericht 1785 hatte sich ein alter Armer namens Jacob Reinhardt über seinen Mangel und seine Armut beim Oberbeamten beschwert; als dieser die Vorgesetzten dazu befragte, meinten diese, Reinhardt sei zwar durch eigenes Verschulden arm, man gehe ihm aber gleichwohl mit Beisteuern an die Hand, auch verdiente er noch etwas mit eigener Arbeit dazu, doch »möge er nicht immer arbeiten und theils verzehre er sein Geldt durch Kaffee Trincken pp.«. Das Oberamt erteilte in diesem Fall den Vorgesetzten die Anweisung, Reinhardt eine Möglichkeit zur ständigen Arbeit zu beschaffen und mit Gefängnisstrafe gegen ihn vorzugehen, falls er diese Arbeit ausschlagen oder seinen Verdienst übel verwenden sollte.[465]

Die Unterstützung aus dem Almosen war in manchen Fällen eine regelmäßige, sie konnte aber auch in außerordentlichen Situationen und Unglücksfällen eintreten. Die Teninger Vorgesetzten gaben 1790 an, das Almosen springe ein, wenn ein Hausarmer wegen Krankheit erwerbsunfähig werde oder Arzt- und Arzneikosten anfielen.[466] Die Vörstetter Ortsvorsteher berichteten 1790 dem Oberbeamten von dem »krüppelhaften« Sohn der einzigen Hausarmen im Dorf, der gegen das Ende seiner Lehrzeit als Schuhmacher erkrankt war und nun schon seit einem halben Jahr mit Fieber und Geschwulst bei seiner armen Mutter lag; für den Fall seiner Genesung war er auf Unterstützung für die Anschaffung von Handwerkszeug für sein Schuhmacherhandwerk angewiesen. Da die Gemeindekasse und das Almosen dazu angeblich nicht in der Lage waren, wollte das Oberamt einen entsprechenden Antrag beim herrschaftlichen Almosenfonds einreichen, zumal dem Vernehmen nach dem Mann vor einigen Jahren »auf den Notfall« landesherrliche Unterstützung verspro-

---

[463] Vgl. etwa die oberamtliche Anweisung an den Mundinger Almosenpfleger 1790, möglichst darauf zu drängen, daß sich die Hausarmen durch Hanf- und Baumwollspinnen und andere Arbeiten einigen Verdienst erwarben und damit das Almosen »so viel als möglich« entlasteten (229/70240/III, fol. 47–91', ad Pkt. O; 7–30 IX 1790). – Eine identische Anweisung erhielt der Bahlinger Almosenpfleger 1789 (GA Bahlingen C VIII, Nr. 4, fol. 1–174', Abschnitt B, ad Pkt. 18; 8 VI 1789).
[464] 229/105132, Beilage Nr. 6 (5–13 VIII 1790).
[465] 229/33917, ad Pkt. 9 (22 III 1785). – Aus einem späteren Bericht der Vorgesetzten an das Oberamt erfährt man, Reinhardt habe sich etwas gebessert und suche jetzt »durch etwas bessern Fleiß seine Nahrung sich zu verschaffen« (ebd., 16 X 1786).
[466] 229/105132, Beilage Nr. 6 (5–13 VIII 1790).

chen worden war. Der Notfall trat dann allerdings in einem anderen Sinne ein, der betreffende Mann verstarb kurze Zeit nach dem Frevelgericht, so daß das Oberamt den entsprechenden Eintrag im Frevelgerichtsprotokoll mit dem Zusatz versehen konnte: »Cessat ergo«.[467]

Soweit Angaben vorliegen, zeigt sich, daß die Zahl der unterstützungsberechtigten Hausarmen in den Orten nicht eben hoch war. Mehrfach war eine einzige Person in der Gemeinde hausarm (Hertingen 1777, Blansingen und Fischingen 1778, Welmlingen 1778), an anderen Orten war von wenigen oder einigen die Rede (Wollbach 1781, Kirchen 1783), Haagen hatte 1781 vier Hausarme, und im Oberamt Rötteln hieß es einzig in der Gemeinde Kandern 1784, sie habe viele Arme zu unterhalten. Dabei bleibt aber zu bedenken, daß es sich bei diesen Informationen um Momentaufnahmen bei den Frevelgerichten handelte. Für das Oberamt Hochberg sticht die Angabe für Teningen 1790 mit 10 Hausarmen hervor.

Die Aussage der Hauinger Vorgesetzten von 1787, wonach sie zwar mehrere Arme hatten, aber nur eine lahme Frau und vier Kinder, die Unterstützung aus dem Almosen erhielten, zeigt den selektiven Charakter des Konzepts der Hausarmut ebenso wie die Information der Egringer Vorsteher, wonach sie keine ständig unterstützten Personen in der Gemeinde hatten und den Bedürftigen von Zeit zu Zeit etwas verabreichen ließen.

Ein Hauptziel der lokalen Armenfürsorge wurde in mehreren Antworten der Vorgesetzten genannt: Mit dem Almosen sollte verhindert werden, daß die Armen in der Gemeinde dazu gezwungen wurden, auf der Gasse zu betteln und vor den Häusern ihr Brot zu suchen (Kirchen 1783, Kandern 1784). Deshalb wurde 1778 in Kleinkems einem Weber sein »unordentliches Betragen« verwiesen, der seine wenigen Güter größtenteils unbebaut ließ und sich von dem Brot zu ernähren suchte, das seine Kinder erbettelten; der Weber wurde zur Arbeit angehalten, und es wurde ihm eine Hilfe aus dem Almosen in Aussicht gestellt, wenn er sich aus der Arbeit allein nicht erhalten konnte.[468]

Sehr unterschiedlich waren die Gemeinden vom Problem der fremden Bettler betroffen, die sie von Gesetzes zu vertreiben hatten. Hier scheint die geographische Lage der Orte eine entscheidende Rolle gespielt zu haben. Orte an der Landstraße (z. B. Schallbach) wurden wesentlich häufiger von durchziehenden fremden Bettlern besucht, als abgelegenere Orte. Die Egringer zeigten 1788 an, der »Überlauf von

---

[467] 229/107983, fol. 60–61, Pkt. 3 (15–18, 21–25, 28–29 IX 1790). – Der Fall veranschaulicht die komplexe und schwierige Situation in der Armenfürsorge, denn das Oberamt hatte wenige Wochen zuvor angesichts des Umstands, daß die arme Mutter trotz Spinnens und Strickens nicht beide ernähren konnte, von der Emmendinger Schusterzunft 10 fl. zur besseren Verköstigung des Sohnes beschaffen können, welches Geld der Pfarrer verwaltete (ebd., Beilage Lit. E).

[468] 229/112897, ad § 13 der Blansinger Policeyfragen (26 V 1778).

Bettel Gesindel« sei nicht sehr lästig, weil ihr Ort ziemlich abgelegen sei.[469] Auf die Anweisung des Hofrats, streng auf die Bettlerordnung streng zu beobachten, antwortete der Schallbacher Vogt Vetterlin 1779, seine Gemeinde liege an der Straße, so daß sie nicht genügend darauf achten könnten, »das von dergleichen Leuten nicht auch ab der Straß zu uns ins Dorf kommen, allein geschiehet solches, so werden sie schlechterdinge abgewiesen«.[470]

Das Bettlerproblem war in den Augen der badischen Ortsvorgesetzten aber auch ein Problem der politischen Geographie, war doch in ihren Augen die Nachbarschaft zu katholischen Territorien eindeutig für die höhere Belastung mit Bettlern verantwortlich. In Blansingen hieß es 1778, man gehe gegen den Gassenbettel so viel vor, als man wegen der nahe gelegenen bischöflich-baslerischen und vorderösterreichischen Orte tun könne.[471] Für die benachbarten Welmlinger bereitete die Bettlerverfolgung 1789 große Schwierigkeiten, denn auch die Hatschiere, die »soviel möglich« mit ihren Streifen für die »öffentliche Sicherheit und Säuberung der Strasen von herumstreichendem schlechtem Gesindel« besorgt sein mußten, kamen nicht gegen den »Überlauf solcher Leute« auf, »weil in dem benachbarten Oberamt Schliengen nicht genug Aufmerksamkeit auf diesen wichtigen Gegenstand der Polizey gerichtet werde«. Der Welmlinger Vogt regte deswegen beim Oberamt an, Baden sollte dafür besorgt sein, daß der Fürstbischof von Basel in Schliengen auch einen oder mehrere Hatschiere anstellte, »oder das wenigstens in dem Fall, wenn es die wenigen und zimlich mittellosen Orthschaften gedachten Ober Amts Schliengen zu lästig fallen solte, eigene Hatschiere anzuordnen, die diesseitige [badischen Hatschiere, AH] die Erlaubnis erhielten, auch die benachbarten Orte zu durchstreifen, welches ohne Zweifel so eingerichtet werden könnte, daß die Rechte der beederseitigen Landshoheit dadurch nicht beschränkt würden.« Wenig später konnte das Rötteler Oberamt dem Hofrat berichten, man sei mit dem Oberamt Schliengen in Korrespondenz getreten und habe es so weit bringen können, daß zwei Hatschiere in dieser Gegend aufgestellt wurden, »wovon man schon gute Würkung in Ansehung der öfentl. Sicherheit verspürt«.[472]

---

[469] 229/22946, ad Frage 15 (28 X 1788).
[470] 229/28582, fol. 17–18 (24 III 1779).
[471] 229/112897, ad § 10 (26 V 1778).
[472] 229/112899, fol. 3–14, ad 9; fol. 79–81, 82 (22 VIII 1786, 27 XII 1787, 5 I 1788). – Die Vorgesetzten aus dem benachbarten Wintersweiler bestätigten beim Frevelgericht vom November 1787, daß sich mit der Anstellung von zwei Hatschieren in Schliengen das Bettlerproblem auch für sie entschärft hatte (229/115110, fol. 21–43', ad 10; 20 XI 1787). – Zu den Hatschieren knapp Windelband, Verwaltung, S. 293; Peter Wettmann-Jungblut, »Stelen inn rechter hungersnodtt«. Diebstahl, Eigentumsschutz und strafrechtliche Kontrolle im vorindustriellen Baden 1600–1850, in: R. van Dülmen (Hg.), Verbrechen, Strafen und soziale Kontrolle, Frankfurt/M. 1990, S. 133–177, hier S. 169 sowie etwas ausführlicher Wirsing, Gendarmeriekorps, S. 45–48, 65–70.

Bei Frevelgerichten bestand mitunter aber auch Anlaß für die Vorgesetzten, sich über die Nachlässigkeit der badischen Oberamtshatschiere zu beschweren. In Märkt lautete 1787 die angeblich schon öfters bei den Kirchenvisitationen vorgetragene Klage, daß dem Überlauf durch die durchreisenden Bettler nicht genügend gesteuert wurde, weil der Hatschier, »nur wenn es ihm beliebe, streife«; in seinem Bericht an den Hofrat vermerkte das Oberamt dazu, es habe den Hatschieren ernstlich aufgegeben, ihre Streifen ordentlich vorzunehmen.[473]

Die paar Hatschiere eines Oberamts konnten allerdings auch beim fleißigsten Streifen nicht überall sein, so daß die kommunalen Bettelwächter vor Ort eine wichtige Aufgabe bei der Abweisung der fremden Bettler erfüllten.

Gewisse Vorgesetzte bezeugten vor dem Oberbeamten ihre Zufriedenheit mit ihrem Wächter, es kamen aber auch Klagen über die Nachlässigkeit dieser Wächter vor, so wie in Egringen 1788, wo die Vorgesetzten dem Oberamt mitteilen mußten, daß sich selten entschlossene Leute für das Amt des dörflichen Bettelwächters finden ließen, so daß sie zum damaligen Zeitpunkt gezwungen waren, die Bettelwacht durch die beiden Tagwächter besorgen zu lassen, die in der Kehre von der Bürgerschaft gestellt wurden. Immerhin hielten diese den Ort »so ziemlich von schlechtem Gesindel rein«. Das Oberamt zog allerdings die Anstellung eigentlicher Dorf- und Bettelwächter auf Kosten der Gemeindekasse solchen Lösungen im Reihendienst vor und trug der Gemeinde auf, einen »tüchtigen Mann« dafür zu finden. Aus der Antwort des Vogts an das Oberamt erhellt allerdings, wie sehr der Reihendienst in diesem Fall nur eine Verlegenheitslösung darstellte, denn »ein ehrlicher Mann schämt sich solches [das Amt des Dorf- und Bettelwächters, AH] anzunehmen, und einem liederlichen, der selber dem Bettlen nachlaufen thäte, kans nicht übergeben werden, zumahlen wir schon die Probe mit 4 dergleichen liederliche Bättelwechtern gehabt haben, wo keiner seine Schuldigkeit gethan« habe. Gleichwohl hatte der Vogt angeblich nunmehr einen tauglichen Mann dafür finden können.[474] Auch in Wintersweiler waren 1787 noch keine Bettelwächter angestellt; hier besorgten die Einwohner abwechslungsweise die Tag-, Nacht- und Bettelwache. Die Vorgesetzten befanden aber beim Frevelgericht, die Anstellung eines Wächters um den Lohn wäre wünschenswert, ihm könnte jeweils ein Einwohner auf die Wache beigegeben und damit verhindert werden, daß zwei wegen Alters, Gebrechlichkeit oder wegen ihrer Aufführung zur Wache untaugliche Leute miteinander die Wache versahen. Das Oberamt erteilte den Vorgesetzten den Auftrag, einen tauglichen Wächter ausfindig zu machen und sich wegen dessen Lohn mit ihm zu vereinbaren. Allerdings hatte man einige Wochen später noch niemanden für die Dorfwache gefunden.[475]

---

[473] 229/23739, fol. 5–22', ad 9 (2 X 1787, 3 I 1789).
[474] 229/22946, ad Frage 15 (28 X 1788; 27 IV, 8 VI 1789).
[475] 229/115110, fol. 21–43', ad Policeyfrage 4 (20 XI 1787).

Ähnliche Vorbehalte wie in Egringen 1788 waren gegenüber dem Bettelwächteramt auch schon in Köndringen 1769 vom dortigen Pfarrer vorgebracht worden, der beim Oberamt die Notwendigkeit größerer Ernsthaftigkeit bei der Befolgung der Bettelordnung besonders unter den Bürgern einforderte, »deren mehrere, wann sie die Wache halten, sich es zur Schande rechnen wollen, darauf zu sehen unter dem Vorwand, sie seyen keine Bettelvögte«.[476]

Hinweise auf die Ausstattung und die Funktionen des Bettelwächteramtes liefern verschiedene Frevelgerichtsprotokolle. In Efringen bekleidete Meinrad Martin aus Huttingen das Amt des Tag- und Bettelwächters und versah zusätzlich abwechslungsweise mit den Bürgern auch noch die Nachtwache. Dafür erhielt er jährlich von jedem Bürger 26 Kr., den »Wander Tisch«, was wohl bedeutet, daß er abwechslungsweise von den Bürgern verköstigt wurde, und von der Gemeinde 4 fl. im Jahr zur Anschaffung einer Montur und eines Paars Schuhe. Die Tagwache versah er im Sommer allein, im Winter zusammen mit einem Mann aus der Bürgerschaft; die Nachtwache übernahm er mit einem Bürger bis Mitternacht, danach löste ihn ein zweiter Bürger ab, damit er zum Schlafen kam und tags darauf sein Bettelwächteramt wieder versehen konnte. Für das Anzeigeverhalten aufschlußreich ist die Aussage der Efringer Vorgesetzten, sie hätten das Wächteramt einem Ortsfremden übertragen, weil dieser »alle Unordnungen anzeige, welches bei einem einheimischen, der eigene Familie und sonst Anhang in der Burgerschafft habe, nie zu erreichen seye.«[477] Dieser Hinweis macht deutlich, daß sich die Aufsicht der Ortswächter nicht nur nach außen gegen durchziehende Bettler, sondern ebenso nach innen auf den Lebenswandel von Dorfbewohnern richtete. Zu den Pflichten des Bettelwächters gehörte es auch, durch den Ort ziehende Personen, die sich »mit hinlänglichen Kundschafften nicht (...) legitimiren können«, zu verhaften und den Vorgesetzten anzuzeigen, die diese nötigenfalls an das Oberamt überstellen mußten.[478] Beim Mundinger Frevelgericht 1769 war den Tagwächtern diese Pflicht noch mit der Drohung eingeschärft worden, sie würden für jeden nicht angezeigten Bettler und Vaganten mit 5 fl. bestraft werden. In Mundingen schickten Bürger nämlich ihr Gesinde und ihre Kinder zur Tag- und Nachtwache, statt den Dienst selber zu versehen; bei späteren Befragungen gaben die Vorgesetzten an, das Problem sei gelöst, und von »Collectanten« und Bettlern wüßten sie nichts.[479] In Bahlingen erhielt der Bettelwächter seit Frühjahr 1789 von der Gemeinde einen Jahreslohn von 40 fl. statt

---

[476] 229/54953, Beilage Lit. A (24 I 1769).

[477] 229/22654, fol. 3–58, Abschnitt B, ad 5 und 23 (14–16 II 1791).

[478] 229/22654, fol. 3–58, Abschnitt B, ad 15 (14–16 II 1791).

[479] 229/70240/II, ad 60, 70 (14, 17–18 II 1769; 15 VI 1770; 11 IV 1772, 26 XI 1772). In seinem Frevelgerichtsreskript von 1772 wies der Hofrat das Oberamt und die Vorgesetzten an, über das »Bettel Reglement und den (...) Verordnungen sträcklich zu halten«, was die Vorgesetzten damit beantworteten, es kämen nur noch ab und zu bettelnde Handwerksburschen, die Arbeit suchten, die der Bettelwächter aber fortweise (ebd.; 11 IV 1772, 26 XI 1772).

der früheren 25 fl. Sein Dienst wurde damals so umschrieben, daß er von morgens bis abends fleißig durch die Straßen patrouillieren sollte, Bettler an das Almosen und dann zum Ort hinausweisen und vor weiterem Betteln warnen sollte; wenn er diese später dennoch beim Betteln ertappte, hatte er sie den Vorgesetzten vorzuführen, die sie unnachsichtig mit sechs bis zwölf Stockstreichen zu bestrafen hatten; dadurch sollte dem Bettel »nach aller Möglichkeit« gesteuert werden.[480] In Eichstetten belief sich die Ausstattung des Bettelwächters auf 60 fl./Jahr, von denen 14 fl. aus der Gemeindekasse und 46 fl. von der Bürgerschaft bezahlt wurden. Bettelwächter Wiedenmann beklagte sich aber über diesen geringen Lohn, zumal ihm als gelerntem Stricker sein Dienst keine Zeit zu einem Nebenverdienst übriglieβ und erst vor kurzem sein Pflichtenheft noch um die Pflicht erweitert worden war, jeden Abend alle Wirtshäuser zu visitieren, die übernachtenden Fremden zu verzeichnen und dem Vogt zu melden. Die Vorgesetzten bestätigten die getreue Amtsverrichtung Wiedenmanns und ersuchten das Oberamt um die Bewilligung, dem Wächter aus der Gemeindekasse für 20 fl. eine Montur und Schuhe anschaffen zu dürfen. Die Ausstattung des Bettelwächters mit einer blauen Uniform mit roten Aufschlägen wünschten die Vorgesetzten nicht zuletzt deshalb, weil es für den Marktflecken Eichstetten schimpflich sei, einen Bettelwächter in zerlumpter Kleidung zu haben. Das Oberamt muβte für die Anschaffung der Bettelwächtermontur noch die höhere Bewilligung einholen und erwirkte diese schlieβlich auch.[481] Die Ausstattung des Denzlinger Bettelwächters bestand in 36 fl./Jahr, einem Paar Schuhe und Sohlen und einer alle zwei Jahre aus den Landskosten zu bezahlenden Montur. Die weiter oben für Bahlingen erwähnte Anweisung, wie gegen fremde Bettler vorzugehen sei, wiederholte das Oberamt auch hier: Warnung beim ersten Anhalten, Verhaftung beim zweiten Anhalten und Einlieferung an die Vorgesetzten zur Bestrafung mit Stockstreichen.[482] Nochmals eine geringere Besoldung erhielt 1790 der 74jährige Teninger Bettelwächter Heß, der sein Amt gegen die Abgabe eines Laibs Brot von der Bürgerschaft und eine jährliche Belohnung von 19 fl. (8 Kr./Woche) versah, die aus dem Almosen bestritten wurde.[483] Vergleichsweise gering fiel 1790 auch die Besoldung des Vörstetter Tag- und Bettelwächters aus, eines 64jährigen Hintersassen, der von einem Leibgeding lebte: Andreas Nester erhielt 16 fl. 40 Kr. im Jahr und von jedem Bürger einen Laib Brot.[484]

---

[480] GA Bahlingen C VIII Nr. 4, Abschnitt B, ad 17 (8 VI 1789). – Gleiche Anweisungen erhielt auch der Teninger Bettelwächter 1790: 1. Keine einheimischen und fremden Bettler im Ort dulden. 2. Bettler beim ersten Antreffen verwarnen, beim zweiten Mal verhaften und den Vorgesetzten zur Bestrafung einliefern. 3. Mitschleichendes verdächtiges Gesindel mit Hilfe der nächsten Nachbarn sofort verhaften und den Vorgesetzten überstellen (229/105132, fol. 47–126, Abschnitt B, ad W (5–13 VIII 1790).

[481] 229/23271/II, Abschnitt B, ad Y (2–13 II 1789).

[482] GA Denzlingen 1 B–247, fol. 197'–199 (22 II–10 III 1790). – In Mundingen erhielten die zwei ständigen Tag- und Bettelwächter 1790 zwei Louis d'or Besoldung (229/70240/III, fol. 47–91', ad Q (7–30 IX 1790).

[483] 229/105132, fol. 47–126, Abschnitt B, ad W (5–13 VIII 1790).

[484] 229/107983, fol. 13–16', Abschnitt IV, Pkt. 4 (15–18, 21–25, 28–29 IX 1790).

Zur obrigkeitlichen Bettelpolicey gehörte auch die Vorschrift, daß Privatpersonen keine durchreisenden Fremden, insbesondere keine Bettler, beherbergen durften, sondern diese die Nacht bei den Ortswirten verbringen mußten.[485] Die Übertretung dieser Vorschrift wurde bisweilen tatsächlich geahndet, wie im Fall des Wintersweilers Spürgin, der 1787 beim Frevelgericht von den Vorgesetzten angezeigt worden war, fremde Leute einige Tage beherbergt zu haben, und deswegen vom Oberamt zu einer dreitägigen Turmstrafe in Lörrach verurteilt wurde.[486]

Allerdings haben die Gemeinden die Bettler nicht jederzeit rigoros vertrieben. Fremde Bettler wurden, wenigstens für die Nacht, in den Orten behalten. Für Brombach ergaben sich gerade aus dieser ungleich gehandhabten Praxis erhebliche Probleme, denn der Ort beklagte sich 1791 über die Unsitte des Nachbarorts Steinen, wo alle Bettler auch noch spät in der Nacht fortgewiesen wurden, »wodurch sie [die Brombacher, AH] über die Gebür mit solchen belästiget werden«. Die Vorgesetzten von Steinen leugneten diese Klage ihrer Nachbarn, als das Oberamt sie deswegen zur Rede stellte. In den Augen des Steiner Vogts Grether war die Anzeige der Brombacher »eine ohnwarhafft Mißklage, denn dahier werden fremde Bettler so wohl als Handtwercks Bursche ein Mahl über Nacht behalten und hette Brombach gar nicht Ursach zu klagen, weil von dorther wohl 10 oder mer Personen wochentl. wenigstens 2mahl mit bettlen unser Orth belästigen, wir aber könten uns nicht vorstellen, auf waß arth Brombach auf disser Einfall kommen seie«. Das Oberamt trug darauf den Vorgesetzten beider Gemeinden auf, »hierin die Billigkeit zu beobachten« und nachts ankommende Bettler nicht mehr fortzuweisen.[487]

In Bahlingen beschwerten sich die Wirte 1789 darüber, daß sie viele durchreisende fremde Bettler beherbergen mußten und beantragten, daß die Gemeinde ein Armenhaus für diese erbauen sollte. Das Oberamt befand aber, die Gemeinde sei zu dieser Dienstleistung nicht verpflichtet und die Wirte hätten ihre Wirtschaftsgerechtigkeiten hauptsächlich wegen der Beherbergung Fremder erteilt bekommen. Es schlug dieses Gesuch ab, ließ es aber den Bahlinger Wirten frei, für die Beherber-

---

[485] Im Durchgang des Teninger Frevelgerichts 1754 beschwerte sich der Stabhalter, der zugleich Wirt war, beim Oberbeamten darüber, daß er als einziger die durchreisenden Handwerksburschen in seinem Wirtshaus aufnahm, worauf der Oberbeamte verfügte, daß alle Wirte der Reihe nach dieser Beherbergungspflicht nachkommen sollten, zumal es andern Leuten verboten war, Fremde in ihre Häuser aufzunehmen (229/105128, ad Pkt. 2 der Vernehmung der Vorgesetzten und Richter; 3–7 XII 1754). – Eine Einschärfung des Beherbergungsverbots für Bettler durch die Einwohner mit Ausnahme der Wirte auch beim Frevelgericht über Niederemmendingen in Emmendingen 1758 (StadtA Emmendingen B 1a/1, fol. 84–92, 100'–107, ad Anzeige 2 von Stabhalter Fechter; 19 VI 1758).

[486] 229/115110, fol. 21–43', ad 10 (20 XI 1787). – Spürgin hatte sich damit zu rechtfertigen gesucht, daß er die fremden Leute so lange beherbergt hatte, weil sie Körbe und Zeinen für ihn hätten machen müssen. Die Rechtfertigung vermochte die dreitägige Turmstrafe allerdings nicht abzuwenden (ebd., fol. 47; 16 XII 1787).

[487] 229/13204, ad 10 (11, 29 I, 7 II 1791).

gung fremder Bettler ein besonderes Haus auf ihre eigenen Kosten zu mieten.[488] Das Hauptanliegen der Bettlerverfolgung bestand also ganz offensichtlich darin, zu verhindern, daß fremde Bettler in den Ort eindrangen und sich dort länger aufhielten.[489]

Die Ursache für den verfolgten Gassenbettel waren nicht nur chronische Armut. In Mundingen beklagte sich der Pfarrer 1769 über Leute, die nach Brandunglücken bei den Mitbürgern von Haus zu Haus bettelten, »wodurch ein solch beschädigter Mann öffters mehr bekommen [kann], als eine solche schlechte Hütte werth seye und es eine große Beschwerde vor den Unterthanen seye, da sie doch von Zeit zu Zeit ihren Beitrag in die [Brand] Assecuration thun müßten.« Das Oberamt erachtete in seiner Resolution diese Praxis als »Unordnung«, weil Brandopfer ihre Entschädigung aus der Brandversicherung erhielten und alles Betteln ohnehin bei Strafe verboten war.[490]

In Efringen sagte der Pfarrer 1791 aus, von Zeit zu Zeit fänden sich fremde Handwerksburschen und »Collectanten« im Ort ein, er versicherte aber mit den Vorgesetzten, daß sie schon seit einiger Zeit nichts mehr erhielten, sich aber trotzdem immer noch nach Efringen begaben. Da öfters »manches liederliche Gesindel unter ihnen sey«, baten Pfarrer und Vorgesetzte darum, »per Generalia dergleichen Personen aus diesen Gegenden abzuhalten«, was das Oberamt mit dem Bescheid beantwortete, die vor kurzem ergangene Verordnung wegen der fremden »Collectanten« und deren Ausweisung im Oberamt in Erinnerung zu bringen.[491]

Der Efringer Vorgang erhellt eine spezifische Bedeutung der zeitgenössischen Gesetzgebung und macht gleichzeitig auf die Schwierigkeiten einer eindeutigen Beurteilung der Wirkung bzw. Wirkungslosigkeit von Gesetzen aufmerksam: Angeblich befolgten die Verantwortlichen in Efringen die Vorschrift und teilten den durchreisenden Handwerksburschen keine Gaben mehr aus. Gleichwohl fanden sich weiterhin bettelnde Leute im Ort ein, was den Pfarrer und die Vorgesetzten dazu bewog, vom Oberamt eine gesetzliche Intervention zu erbitten, von der sie sich eine abschreckende Wirkung auf die Bettler versprachen. Hier wurde also ein Gesetz normenkonform angewandt und durchgesetzt, zeitigte aber dennoch (noch) nicht die erhoffte Wirkung: Zwar erhielten die Bettler in Efringen angeblich keine Unterstützung mehr, dennoch stellten sie sich nach wie vor dort ein. Die Erneuerung des Gesetzes spiegelt in dieser Situation also nicht einfach dessen Scheitern wider, es

---

[488] GA Bahlingen C VIII, Nr. 4, Abschnitt B, ad 49 (8 VI 1789).

[489] Vgl. etwa auch die Anordnung des Oberamts Rötteln an die Ortsvorgesetzten vom 14 IV 1789, fremden Kollektanten künftig weder aus den Gemeindeeinkünften noch aus dem Almosen etwas zu geben. Damit sollte besser für die Armen des Oberamts gesorgt werden können, deren Unterhalt keine freiwillige Sache sei, wie das Geben an Fremde, »sondern eine Schuldigkeit ist, welche auf jeder Gemeinde, in der sich Arme befinden, ruht« (Schubring, Notizbücher, S. 35 f.).

[490] 229/70240/II, ad 7 (14, 17–18 II 1769).

[491] 229/22654, fol. 3–58, Abschnitt B, ad 15 (14–16 II 1791).

macht vielmehr darauf aufmerksam, daß dem zugrundeliegenden Problem mit gesetzlichen Maßnahmen allein nicht beizukommen war.

5.6 Policey und Sicherheit: Die Feuerpolicey bei Frevelgerichten

Die Feuerpolicey gehörte zu den zentralen Themen der territorialen Policeygesetzgebung im Ancien Régime. Die Anfänge der Organisation des Schutzes von Menschen und Sachen vor dem Feuer reichen weit ins Mittelalter zurück, als insbesondere die Städte detaillierte Feuerschutzbestimmungen erließen.[492] Auch im frühneuzeitlichen Territorialstaat war die Feuerpolicey aus mehreren Gründen ein zentrales Anliegen der Bevölkerung und der Verwaltung:[493] Es ging um die Rettung von Menschenleben, um die Erhaltung von überlebensfähigen und fiskalisch belastbaren Haushalten und um die Bewahrung von Sachwerten. Es ging einerseits um die Bewahrung der Bevölkerung als Ressource und andererseits um die Bewahrung von Ressourcen in der Bevölkerung.

In der badischen Policeygesetzgebung des Zeitraums von 1690 bis 1803 rangiert die Feuerpolicey unter den am häufigsten geregelten Policeymaterien an vierter Stelle.[494] Bis in die Mitte des 18. Jahrhunderts besaß die Feuerpolicey in der Gesetzgebung noch eine deutlich unterdurchschnittliche Bedeutung, im Jahrfünft 1760–64 setzte jedoch ihr Aufstieg zum bevorzugtesten Einzelgegenstand der Policeygesetzgebung ein. Im Jahrfünft 1770–74 rückte die Feuerpolicey erstmals an die Spitze unter den fünf am häufigsten genannten Gesetzesmaterien und behielt diese Position mit deutlichem Vorsprung zu den übrigen häufigen Materien bis 1803 bei.

Ein zentrales Thema der Feuerpoliceygesetzgebung war die Durchsetzung des Versicherungsschutzes für die Gebäude im Land durch die 1758 gegründete Brandversicherung.[495] Ebensoviel Aufmerksamkeit zog die Aufsicht über die Feuerpolicey auf sich, die in erster Linie die regelmäßige, korrekte Durchführung der Feuerschau in den Gemeinden beinhaltete, bei der die lokalen Feuerschauer die Gebäude des

---

[492] Eberhard Isenmann, Die deutsche Stadt des Mittelalters. Stuttgart 1988, S. 53, 154; Raeff, Police State, S. 125–128.

[493] Die Feuerpolicey als Anliegen der lokalen Bevölkerung wird deutlich greifbar in den Protokollen württembergischer Rügegerichte. Vgl. dazu jetzt Landwehr, Policey im Alltag, S. 262–273. – Zur Rüge von Übertretungen der Feuerordnung vor den lippischen Gogerichten s. Frank, Dörfliche Gesellschaft, S. 306 f.

[494] S. Tab. 2.3 und Graphik 2.5.

[495] RepPO 1958 (1758, Brandversicherungsordnung), 1999 (1761), 2037 (1762), 2039 (1762), 2353 (1770), 2391 (1771), 2451 (1773), 2494 (1774), 2526 (1775), 2527 (1755), 2612 (1779), 2635 (1780), 2659 (1781), 2741 (1784), 2757 (1784), 2768 (1784), 2842 (1787), 2866 (1788), 2911 (1790), 2943 (1791), 2947 (1792), 3128 (1802), 3152 (1803). – Allgem. zur Behandlung der Feuerpolicey in den Policeyordnungen Raeff, Police State, S. 125 f.

Orts einer feuerpoliceylichen Visitation unterzogen und den Befund an die Oberämter berichteten.[496] Weitere zentrale Themen der Gesetzgebung waren die Organisation und Vorbereitung der Feuerbekämpfung für den Brandfall (Anschaffung und Unterhalt von Feuereimern, Feuerspritzen und weiteren Löschgeräten, Alarmwesen, Brandwache)[497] sowie feuer- und baupoliceyliche Präventivmaßnahmen zur Verhütung von Feuersbrünsten (Umgang mit offenem Feuer und Feuerstätten, Schornsteinfeger, Gebrauch von Stallaternen, Vorsichtsmaßnahmen beim Hanfdörren und Tabakrauchen;[498] Bauvorschriften, Brandmauer, Dachmaterialien, Kamine, Backöfen, Waschhütten).[499]

Die feuerpoliceyliche Gesetzgebung und die damit korrespondierende Verwaltungstätigkeit bei den Frevelgerichten im 18. Jahrhundert lassen vielfältige Bemühungen der territorialen Obrigkeit erkennen, die auf die Verbesserung des Feuerschutzes in den Gemeinden abzielten: Die regelmäßige Feuerschau durch die lokalen Feuerschauer und die entsprechende Berichterstattung der Oberämter an den Hofrat wurden eingeschärft. Die ausreichende Versorgung der Haushalte und Gemeinden mit Feuereimern und weiteren Feuerlöschgeräten wurde regelmäßig überprüft. Wo es die finanziellen Möglichkeiten zuließen, wurden Gemeinden zur Anschaffung von Feuerspritzen ermuntert. Die örtliche Brandbekämpfung wurde unter Effizienzgesichtspunkten organisiert und eingeübt. Der korrekte Anschlag der Gebäude in der Brandversicherungskasse entsprechend deren tatsächlichem Wert wurde propagiert, und nicht zuletzt verfolgten die Behörden die Durchsetzung von feuerpoliceylich relevanten Baumaßnahmen in den Ortschaften, so etwa die Abschaffung der Strohdächer und deren Ersatz durch Ziegeldächer sowie den Einbau von Schornsteinen in die Häuser.

Die Frevelgerichtsakten aus dem Oberamt Badenweiler liefern frühe Belege für die oberamtliche Aufsicht auf die Feuerpolicey als spezifischen Zweig der Lokal-

---

[496] S. Tab. 3.1, N 23. – RepPO 942 (1721), 2190 (1767), 2200 (1767), 2492 (1774), 2522 (1775), 2840 (1787). – Einen Beleg für die tatsächliche Durchführung der Feuerschau enthalten die Notizen des Hausener Vogts Clais, der anläßlich der Feuerschau in seinem Dorf am 2 I 1789 bei sieben Bürgern etwas zu beanstanden hatte (Schubring, Notizbücher, S. 19).

[497] RepPO 342 (1699), 390 (1701), 734 (1715, Feuerordnung), 735 (1715), 897 (1719), 1037 (1724, Feuerordnung), 1125 (1727, Karlsruher Feuerordnung), 1215 (1731), 1515 (1743), 1525 (1744, Pforzheimer Feuerordnung), 1771 (1753), 2061 (1763), 2343 (1769), 2406 (1771).

[498] RepPO 439 (1705), 459 (1706), 709 (1715, Landesordnung), 734 (1715 Feuerordnung), 735 (1715), 942 (1721), 1022 (1723, Forstordnung), 1077 (1725), 1315 (1736), 1525 (1744, Pforzheimer Feuerordnung), 1650 (1750), 1963 (1759), 2070 (1763), 2182 (1766), 2200 (1767), 2375 (1770), 2404 (1771), 2405 (1771), 2469 (1773), 2541 (1776), 2708 (1782), 3021 (1795), 3044 (1797), 3140 (1802).

[499] RepPO 734 (1715, Feuerordnung), 1270 (1733), 1516 (1743), 1801 (1754), 2062 (1763), 2132 (1765), 2541 (1776), 2580 (1777), 2623 (1779), 2736 (1783), 3044 (1797).

verwaltung. Bereits für die Frevelgerichte des Jahres 1761 forderte der Oberbeamte von den Gemeinden Verzeichnisse über den Bestand der Feuerlöschgeräte mit Angaben über deren Zustand an.[500] Auch bei den Frevelgerichten von 1763 inspiziert Oberamtmann Wielandt den Zustand der Feuerlöschgeräte und verfügte, daß zwar keine weiteren Kosten mehr an die schadhafte Feuerspritze in Oberweiler verwendet, aber den angezeigten jungen Bürgern auferlegt werden sollte, binnen vier Wochen die der Gemeinde geschuldeten Feuereimer abzuliefern, wobei diese im Unterlassungsfall auf deren Kosten angeschafft, jeder zudem zu einer Strafe von $1/2$ fl. verurteilt und dieser Betrag durch Angriff auf das Vermögen sogleich »von ihme herausgepresst werden solle«.[501]

Die Untersuchung der lokalen Feuerpolicey bei den Frevelgerichten des späteren 18. Jahrhunderts besaß ihre Grundlage wiederum in den Rügezetteln von 1767 (Fragen 14, 17) und 1781 (Fragen 26, 28). Dabei war die Obrigkeit primär an der jeweiligen Ausstattung der Gemeinde mit Feuerlöschgeräten und an deren Zustand interessiert (Tab. 5.32) sowie an der örtlichen Befolgung der Bauordnungen, die hinsichtlich des Feuerschutzes das Bauen in Stein und die Ersetzung von Strohdächern durch Ziegeldächer vorschrieben.

Die lokale Brandbekämpfung in den Gemeinden des badischen Oberlands war in der zweiten Hälfte des 18. Jahrhunderts im Umbruch begriffen. Sie fußte zwar nach wie vor auf den herkömmlichen handgestützten Abwehrmaßnahmen mit Feuereimern, gleichzeitig setzte sich nach und nach der Einsatz von Feuerspritzen durch, die im Vergleich zur Löscharbeit mit Feuereimern wesentlich mehr Wasser gezielt bis auf eine gewisse Höhe der brennenden Gebäude zu führen vermochten. Die Anschaffung solcher Feuerspritzen war das große innovatorische Anliegen der obrigkeitlichen Feuerpolicey, die Schwierigkeiten, die seiner Realisierung entgegenstanden, sind aber für die Einschätzung der Möglichkeiten und Grenzen »guter Policey« erhellend.

Die Landesherrschaft erklärte den Kauf von Feuerspritzen zu einer Aufgabe der Gemeinden, und sie bürdete die Kosten den Kommunen auf, die, wie die Übersicht in Tabelle 5.32 zeigt, dazu häufig nicht in der Lage waren. Mit den beschränkten Möglichkeiten der Gemeinden mußten sich Hofrat und Oberämter wohl oder übel abfinden und sich bei ihren Anweisungen an das Mögliche halten, was im einen Fall bedeutete, daß auf absehbare Zeit auf die Anschaffung verzichtet, im anderen Fall, daß eine zeitliche Staffelung der gemeindlichen Investitionen in Erwägung gezogen werden mußte.[502]

---

[500] GA Badenweiler A/IV/1 (20 VI 1761).
[501] GA Badenweiler A/IV/1 (26 VII 1763).
[502] So etwa im Fall von Egringen 1779, wo die Frevelgerichtsakte mit der Anweisung des Hofrats an das Oberamt schließt, die aufgeschobene Anschaffung einer Feuerspritze unfehlbar in Erinnerung zu bringen, sobald der Egringer Schulhausbau fertig sein würde

Tabelle 5.32:
Ausstattung und Zustand der Feuerlöschgeräte mit den entsprechenden
Verfügungen des Oberamts

Oberamt Rötteln			
Jahr	Gemeinde	Ausstattung	Zustand, Verfügungen des Oberamts
1768	Hauingen		Die Gemeinde soll sich eine eigene Feuerspritze kaufen u. dazu nötigenfalls Gemeindegüter verkaufen.
1775	Binzen	1 Feuerspritze	
1775	Efringen	Keine Feuerspritze	Befehl zur Anschaffung im nächsten Jahr
		Fehlende Feuereimer	Die Neubürger und die Gemeinde sollen jährlich 6 Eimer anschaffen.
1775	Kirchen	1 Feuerspritze Für ⅔ der Bürger fehlen Feuereimer.	Jeder Neubürger muß bei seiner Aufnahme 2 Eimer anschaffen. Neubau eines Feuerspritzenmagazins
1775	Rümmingen	Mangels Gemeindekasse kann keine Feuerspritze angeschafft werden.	
1775	Wintersweiler	Keine Feuerspritze	Die Anschaffung der Feuerspritze binnen 2 Jahren wird durch den Hofrat befohlen.
1777	Haltingen	1 Feuerspritze	
1777	Hertingen	Keine Feuerspritze 2 Handspritzen	
1777	Tannenkirch	Keine Feuerspritze	Die Gemeinde möchte eine Feuerspritze mit den Nachbargemeinden anschaffen.
1777	Tüllingen	Keine Feuerspritze	Die Gemeinde möchte sich eine Spritze anschaffen, hat dazu aber zu geringe Einkünfte.
1778	Fischingen	Keine eigene Feuerspritze	Die Gemeinde kann sich wegen Schulden keine eigene Feuerspritze anschaffen.
1778	Schallbach	Keine Feuerspritze Feuereimer sind in Ordnung und werden von jedem Neubürger angeschafft.	Die Gemeinde ist außer Stande, eine Feuerspritze anzuschaffen.
1778	Vogelbach	Keine Feuerspritze, obwohl sie höchstnötig wäre; die Gemeinde ist zu arm und muß alles durch Umlagen finanzieren.	

Oberamt Rötteln			
Jahr	Gemeinde	Ausstattung	Zustand, Verfügungen des Oberamts
		Großer Mangel an Feuereimern	Während mind. 10 Jahren sind jährl. 6 Eimer anzuschaffen und durch Umlagen zu bezahlen.
1778	Blansingen, Kleinkems	Keine Feuerspritze, doch wolle die Gemeinde eine anschaffen.	
		Zu wenig Feuereimer	Blansingen hat 8, Kleinkems 3 Feuereimer/Jahr aus der Kasse anzuschaffen, bis ein Eimer auf jeden Bürger kommt.
1778	Welmlingen	Keine Feuerspritze	Wegen der gemeinsamen Anschaffung einer Feuerspritze mit Blansingen hat die Gemeinde Einwände erhoben.
		Einige Feuereimer bei der Gemeinde, die Bürger haben keine.	Aus der Gemeindekasse sind jährl. 6 Feuereimer zu kaufen, bis auf jeden Bürger ein Eimer kommt.
1778	Wintersweiler	Keine Feuerspritze	Die Gemeinde soll binnen 2 Jahren eine Feuerspritze und genügend Feuereimer anschaffen.
		Zu wenig Feuereimer	
1779	Egringen	Keine Feuerspritze	Die Gemeinde weiß sich keine Spritze zu kaufen.
		Hinreichend Feuereimer	Jeder Neubürger muß einen Eimer liefern.
1779	Mappach	Keine Feuerspritze, weil die Gemeinde ein Schulhaus bauen muß.	Die Gemeinde soll gemeinsam mit Egringen eine Feuerspritze anschaffen.
		Feuereimer fehlen in der nötigen Zahl.	Gemeinde hat 40 Feuereimer bestellt.
			Streit mit den Grundbesitzern wegen der Aushebung von Feuerweihern.
1780	Dossenbach	Keine Feuerspritze	Mangels Einkünften kann der Gemeinde die Anschaffung einer Feuerspritze nicht zugemutet werden.
			Anschaffung von 6–8 Eimern/Jahr bis zum Erreichen der Bürgerzahl.
1780	Eichen	Keine Feuerspritze	Der Gemeinde fehlt das Vermögen zur Anschaffung einer Feuerspritze.
		Die übrigen Feuergeräte sind vorhanden.	Abgehende Feuereimer sind zu ersetzen.

Oberamt Rötteln			
Jahr	Gemeinde	Ausstattung	Zustand, Verfügungen des Oberamts
1781	Haagen	Keine Feuerspritze	Zum Kauf einer Feuerspritze fehlen die Mittel.
		Die nötigen Feuergeräte sind vorhanden.	Jungbürger müssen den Kauf von 2 Feuereimern nachweisen, bevor sie zu den bürgerlichen Nutzungen zugelassen werden.
1781	Hauingen	Keine Feuerspritze (s.o. 1768)	Gemeinde weiß sich keine Feuerspritze zu kaufen.
		Feuergeräte vorhanden	
		Nicht jeder Bürger hat einen Feuereimer.	Jährl. Anschaffung von 4 Feuereimern, bis auf jeden Bürger ein Eimer kommt.
1781	Ötlingen	Keine Feuerspritze, da die Gemeindekasse eine Anschaffung nicht erlaubt.	
		Die übrigen Feuergerätschaften »in gehörigem« Stand.	
1781	Tumringen	1 neue Feuerspritze von 1778	
		Gemeinde und Bürger haben die nötigen Feuereimer	
1781	Wieslet	Keine Feuerspritze in der ganzen Vogtei Weitenau	
		Zu wenig Feuereimer	Bis 1 Eimer auf einen Bürger kommt, sind jährl. 6 Eimer anzuschaffen. Jeder neue Bürger und Hintersasse soll künftig einen Feuereimer anschaffen.
1781	Wittlingen	Keine Feuerspritze	Die Gemeinde ist zu klein und nicht zu einem Kauf im Stande.
		Feuergeräte in gutem Stand Es fehlen Feuereimer.	Durch Umlage sind jährl. 6 Feuereimer zu kaufen, bis auf jeden Bürger einer kommt. Jeder Neubürger ist erst zu den bürgerl. Nutzungen zuzulassen, wenn er 2 Feuereimer angeschafft hat.
1781	Wollbach	Keine Feuerspritze	Mangels Vermögen kann die Gemeinde keine kaufen.
		Es sind nicht so viele Feuereimer wie Bürger vorhanden.	Die fehlenden Eimer sind bald zu beschaffen, und zwar jährlicg 6 durch Umlage.

Oberamt Rötteln

Jahr	Gemeinde	Ausstattung	Zustand, Verfügungen des Oberamts
1782	Hüsingen	Unvollständige Feuergerätschaften: Keine Feuerspritze 1 Feuerleiter, 2 Feuerhaken	Unverzügl. Anschaffung einer zweiten Feuerleiter.
		Auf 44 Bürger nur 22 Feuereimer	Die Gemeinde hat jährlich 6 Eimer zu kaufen, bis auf jeden Bürger ein Eimer kommt.
1782	Steinen	Keine Feuerspritze, weil die Gemeinde wegen des Schulhauses und Anschaffung einer neuen Orgel viele Kosten hatte.	Empfehlung an die Gemeinde, die Anschaffung nicht außer acht zu lassen, wenn sich die Gemeindekasse erholt haben wird.
		Je 2 Feuerleitern und -haken	
		35 Feuereimer	Die Gemeinden haben jährlich 6 Feuereimer zu kaufen, bis auf jeden Bürger ein Eimer kommt. Jeder neue Bürger und Hintersasse muß 1 Eimer anschaffen.
1782	Höllstein	Keine Feuerspritze	
		Je 1 Feuerhaken und -leiter	
		32 Feuereimer	
1782	Hägelberg	Keine Feuerspritze	
		1 Feuerhaken	
		14 brauchbare Feuereimer	
1783	Kirchen	1 gute Feuerspritze	
		2 Feuerleitern, 3 Feuerhaken	
		50 gemeine Feuereimer	Bestellung von 10 Feuereimern/Jahr, bis auf jeden Bürger ein Eimer kommt.
1784	Kandern	1 Feuerspritze	
		2 Feuerleitern, 4 Feuerhaken	
		ca. 100 Feuereimer	Anschaffung von zusätzl. 40 Feuereimern
1785	Binzen	1 Feuerspritze mit Schläuchen	
		1 Feuerleiter	Anschaffung einer zweiten Leiter
		6 Feuerhaken	
		60 Feuereimer	Anschaffung von weiteren 40 Eimern Der Bau eines Feuerlöschmagazins wird angesichts der hohen Gemeindeausgaben und -fronen auf mehrere Jahre verschoben.

Oberamt Rötteln			
Jahr	Gemeinde	Ausstattung	Zustand, Verfügungen des Oberamts
1785	Grenzach	Hat seit dem letzten Frevel-gericht für 600 fl. eine große Feuerspritze und Schläuche gekauft.	
		1 gute, 1 verbrochene Feuerleiter	Ausbesserung der Leiter und Kauf einer neuen binnen 4 Wochen (im Sept. 1785 erledigt)
		Genug Feuerhaken	
		Zu wenig Feuereimer	Kauf von 10 Eimern/Jahr, bis 1 Eimer pro Haushalt vorhanden ist.
1786	Welm-lingen	Keine Feuerspritze	Die Gemeinde will eine Feuerspritze anschaffen und hat auch das Geld dazu.
		Je 2 Feuerleitern und -haken	
		40 Feuereimer außer jenen, die die Bürger zu Hause haben.	10 neue Feuereimer sind anzuschaffen.
1787	Eimel-dingen	1 kleine Wasserspritze	
		2 Feuerleitern, 1 Feuerhaken	
		62 Feuereimer bei der Gemeinde, keine bei den Bürgern.	
1787	Märkt	1 Feuerspritze ohne Leder-schläuche	Lederschläuche wurden bis April 1788 angeschafft.
		2 Feuerleitern, 1 Feuerhaken	
		Mehr als 30 Feuereimer	Mangels einer Gemeindekasse und wegen des Schulhausbaus kann man der Gemeinde zur Anschaffung einer neuen Feuerspritze nicht zusprechen.
1787	Winters-weiler	Keine Feuerspritze	Die Gemeinde kann sich mangels Vermögens keine Feuerspritze anschaffen, doch sei in Blansingen eine Feuerspritze vorhanden, die ihnen zu Hilfe komme.
		4 kleine Brandweiher	
		2 Feuerleitern, 2 Feurhaken	
		48 Feuereimer	6 weitere Eimer sind sofort zu bestellen.
1788	Egringen	Keine Feuerspritze 1 Handspritze Je 2 Feuerleitern und -haken Für jeden Mann 1 Feuer-eimer	

Oberamt Rötteln

Jahr	Gemeinde	Ausstattung	Zustand, Verfügungen des Oberamts
1789	Blan-singen	Seit ca. 1781 1 Feuerspritze gemeinsam mit 2 Nachbarorten 51 Feuereimer 2 Feuerleitern, 3 Feuerhaken	
1789	Kleinkems	1 Feuerspritze (gemeinsam mit Blansingen) 1 kleine Handspritze 2 Feuerleitern, 2 Feuerhaken 20 Feuereimer	
1789	Welm-lingen	1 Feuerspritze (gemeinsam mit Blansingen)	
1791	Brombach	1 Feuerspritze 106 Feuereimer 3 Feuerleitern, 2 Feuerhaken	
1791	Efringen	Keine Feuerspritze 33 Feuereimer auf der Gemeindestube Keine Pechpfannen und -fackeln 2 Feuerleitern, 2 Feuerhaken	Die Gemeinde soll eine eigene Feuerspritze anschaffen, wenn es die Umstände möglich machen. Der Vogt will 2 Pechpfannen anschaffen.

Oberamt Hochberg

Jahr	Gemeinde	Ausstattung	Zustand, Verfügungen des Oberamts
1754	Teningen	4 Handspritzen Genug Leitern und Feuerhaken 1 Ledereimer in jedem Haus Auf der Gemeindestube fehlen Feuereimer.	Jeder Neubürger soll 2 Feuereimer machen lassen, von denen 1 auf die Gemeindestube zu geben ist.
1755	Winden-reute, Maleck	3 Feuerhaken in Windenreute 2 Feuerhaken in Maleck 1 Feuereimer in jedem Haus	Der mittellose Zustand der Gemeinden habe bisher die weitere Anschaffung von Feuergeräten nicht erlaubt.
1758	Emmen-dingen	Etlichen jungen Bürgern fehlen Feuereimer.	Sind binnen 4 Wochen bei 3 fl. Strafe anzuschaffen.
1759	Teningen	Die Feuergeräte sind nach Angabe des Vogts in Ordnung.	

Oberamt Hochberg

Jahr	Gemeinde	Ausstattung	Zustand, Verfügungen des Oberamts
1767	Bötzingen		Befehl zur Anschaffung eines Feuereimers durch jeden Jungbürger und zur Versorgung mit genügend Feuerlöschgeräten.
1769	Köndringen	Keine Feuerspritze	Gemeinde wünscht Anschaffung einer Feuerspritze.
		2 Feuerleitern, 2 Feuerhaken 1 Feuereimer/Haushalt auf der Gemeindestube	Anschaffung von zwei weiteren Leitern u. Haken
1769	Landeck	Kein Feuergerät, kein Feuerschauer, weil die Gemeinde keinen Kreuzer habe und alles mit Umlagen bestreiten müsse.	Unverzügl. Anschaffung von je 2 Feuerleitern u. -haken sowie 1 Feuereimer pro Haushalt auf Kosten einer Umlage.
1769	Mundingen	Die Feuergeräte sind in gutem Stand, jeder hat einen Feuereimer.	Befehl zur Anschaffung von 2 kleinen Feuerleitern und 2 weiteren Feuerhaken
1776	Köndringen	1 Feuerspritze gemeinsam mit Teningen	Mit der Feuerspritze werde nicht geübt. Befehl zur Durchführung von mind. 1 Übung/Jahr.
1776	Teningen	1 Feuerspritze	Befehl zur Verlegung des Feuerspritzenhäusleins.
1783	Nimburg	1 Feuerspritze	Anbringung von Hähnen an die Feuerspritze. Bessere Verwahrung der Feuereimer
1789	Bahlingen	1 Feuerspritze mit 30 Schuh Lederschlauch	1780 vollständig ausgebessert, seit einem Einsatz in Tennenbach reparaturbedürftig. Der Lederschlauch zur Spritze ist 30 Schuh zu kurz.
		4 Feuerleitern	Zwei Feuerleitern sind durch neue zu ersetzen.
		Feuerhaken	Feuerhaken sind mit eisernen Ringen zu versehen.
		4 Pechpfannen, 6 Pechfackeln	6 weitere Fackeln sind anzuschaffen.
		30 kommunale Feuereimer	Guter Zustand Bau eines Feuerspritzenhauses wurde 1783 genehmigt, wegen anderer Baugeschäfte aber noch nicht realisiert. Der Bau ist bis im Frühjahr auszuführen.

Oberamt Hochberg

Jahr	Gemeinde	Ausstattung	Zustand, Verfügungen des Oberamts
1789	Eichstetten	1 mittelmäßige Feuerspritze mit 60 Schuh Schlauch, die neu angeschafft wurden.	Wagenwerk der Spritze ist zu verbessern.
		Je 1 Feuerleiter und -haken	
		3 Pechpfannen, 4 Pechfackeln	Größerer Vorrat an Pechkräzen ist anzuschaffen.
		Ca. 77 Gemeindefeuereimer	
1790	Mundingen	Eine gemeinsame Feuerspritze mit Köndringen und Teningen.	Wegen Überlassung der Teninger Spritze an Mundingen zu einem billigen Preis haben sich die Vorgesetzten zu besprechen.
		4 Feuerleitern, 3 Feuerhaken	Jeder Feuerhaken ist mit 2 Eisenringen zu versehen.
		Bei 2 Pechpfannen fehlen die Kräzen, keine Pechfackeln.	Anschaffung einer gehörigen Zahl von Kräzen und Fackeln.
		Ca. 100 Feuereimer	
1790	Teningen	1 Feuerspritze gemeinsam mit Köndringen u. Mundingen mit einem Schlauch von 40 Schuh.	Teningen wünscht die Anschaffung einer eigenen Spritze. Wegen Überlassung der alten sollen sich die Teninger Vorgesetzten mit Köndringen und Mundingen verständigen.
		4 Feuerleitern, 3 Feuerhaken 2 Pechpfannen, 12 Pechfackeln 90 gemeine Feuereimer	
1790	Denzlingen	1 Feuerspritze mit Vörstetten und Gundelfingen mit 40 Schuh Schlauch in Gundelfingen	Alle Feuerlöschgeräte werden unter der Gemeindestube aufbewahrt und sind getestet und für gut befunden worden. Der Schlauch ist um 20 Schuh zu verlängern.
		4 Feuerleitern, 6 Feuerhaken 3 Pechpfannen und 6 Pechfackeln 150 Gemeindefeuereimer	
1790	Vörstetten	1 sehr gute, große Feuerspritze mit Denzlingen und Gundelfingen in Gundelfingen	Die Anschaffung einer eigenen großen Feuerspritze kann erst erfolgen, wenn sich die Gemeindekasse erholt hat.
		1 kleine Feuerspritze 2 Feuerleitern, 5 Feuerhaken 2 Pechpfannen Pro Bürger je 1 Feuereimer im Haus u. im Wachthaus	

Die Finanzlage der Gemeinden hing im wesentlichen von zwei Faktoren ab: Von der Höhe ihrer regulären Einkünfte, die wiederum vom Umfang des nutzbaren Vermögens abhing, einerseits und von den Ausgaben andererseits. In den Aussagen der Vorgesetzten ist im späteren 18. Jahrhundert vielfach von größeren Investitionen der Gemeinden die Rede (Bau bzw. Reparaturen von Gemeindegebäuden oder Schulhäusern; Anschaffung / Reparatur einer Orgel; Anschaffung von Brunnenkasten etc.), welche die finanziellen Ressourcen der Orte so sehr in Anspruch nahmen, daß vorderhand an die Beschaffung einer Feuerspritze nicht zu denken war, auch wenn die Gemeinde dies selber wünschte.[503] Andere Gemeinden waren hinsichtlich des eigenen Vermögens so schwach ausgestattet, daß sie ihre Ausgaben größtenteils oder ausschließlich über Umlagen unter der Bürgerschaft finanzieren mußten, was der Investitionstätigkeit sehr enge Grenzen setzte und bisweilen auch die befohlene Anschaffung von kleineren Löschgeräten wie Feuerhaken und -leitern während Jahren verzögerte.[504]

Die Kosten für die Anschaffung einer Feuerspritze schwankten je nach Bauart und Leistungsvermögen des Modells erheblich. Die Gemeinde Wintersweiler erhielt 1775 den Befehl, binnen zwei Jahren eine Feuerspritze für 200 fl. anzuschaffen, und wurde vom Oberamt deswegen an einen Glockengießer verwiesen, der vor der Auftragserteilung einen Kostenvoranschlag zu unterbreiten und vom Oberamt bewilligen zu lassen hatte.[505] Im Herbst 1778 bezifferte das Lörracher Oberamt die Kosten für eine Feuerspritze auf 350 fl.[506] 1786 nannte das Oberamt im Welmlinger Frevelgerichtsprotokoll die Summe von 40 Louis d'or (ca. 400 fl.), die ein Rastatter Kupferschmied für die Anfertigung forderte.[507]

Um den gemeindlichen Anteil an den Kosten zu begrenzen, verfiel die Stadt Emmendingen auf die Idee, bei der Landesherrschaft um einen Beitrag zu einer Feuerspritze zu supplizieren, weil die vielen herrschaftlichen Gebäude im Amtsstädtchen nach Meinung des Rates auch von der Feuerspritze profitieren konnten.[508]

(229/22945, 26 II 1780). – So auch die Anweisung des Hofrats an das Oberamt Lörrach hinsichtlich der Anschaffung einer Feuerspritze für die Vogtei Steinen, sobald sich das Gemeindevermögen wieder verbessert haben würde (229/100906, fol. 122–125; 4 XII 1782).

[503] S. Kap. 5.9. – So Köndringen, das 1769 den Brand einer Scheune erlebte, der mit einer eigenen Feuerspritze wohl wirksam hätte bekämpft werden können; 1772 war es der Einbau eines Holzofens ins Schulhaus, der die Anschaffung der Feuerspritze unmöglich machte (Köndringen; 229/54953; 18 III 1772).

[504] Die Anschaffung zusätzlicher Feuereimer und einer Feuerleiter war beim Frevelgericht von Binzen im Dezember 1785 befohlen worden, war aber erst im Juni bzw. Juli 1787 abgeschlossen (229/8882, fol. 54–71, ad Policeyfrage 14; 20 XII 1785; 11 VI, 23 VII 1787).

[505] 229/115111, fol. 24f. (10 V 1775; 27 IV 1776).

[506] 229/104371, fol. 19 (20 X 1778).

[507] 229/112899, fol. 3–14, ad Policeyfrage 14 (22 VIII 1786).

[508] StadtA Emmendingen B 1a/Fasz. 9, ad Policeyfrage 14 (9–10, 12–13 I 1776).

Um die Kosten auf mehrere Parteien zu verteilen, wurde wiederholt die gemeinsame Anschaffung einer Feuerspritze durch mehrere benachbarte Gemeinden erwogen und teilweise auch realisiert.[509] Wenig Aussicht auf Erfolg scheint hingegen der landesherrliche Befehl gehabt zu haben, das nötige Investitionskapital durch die Eintreibung offenstehender Ausstände bei den säumigen Zahlern in den Gemeinden zu beschaffen.[510] Andernorts verfiel man auf den Gedanken, während einer gewissen Zeit das Brandversicherungsgeld in doppelter Höhe einzuziehen, um damit einen Fonds zur Anschaffung zu äufnen.[511]

Für das Oberamt galt der Besitz eines Feuereimers pro Bürger und Hintersasse als Richtwert für eine hinreichende Ausstattung der Gemeinden mit Feuereimern. Ein Teil der Eimer war im Besitz der Gemeinden, ein anderer Teil war individueller Besitz der Haushalte; faktisch sollten somit auf jeden Bürger zwei Feuereimer kommen. Dieser Sollwert wurde allerdings oft nicht erreicht, so daß das Oberamt den Ersatz der fehlenden Eimer verfügen mußte. Lücken wies offenbar besonders der kommunale Bestand an Eimern auf, was vielfach darauf zurückzuführen war, daß diese bei Löscheinsätzen in der eigenen Gemeinde oder in Nachbarorten verloren gingen oder beschädigt wurden. Um die Ausstattung der Gemeinde mit Feuereimern längerfristig zu sichern, wiesen die Oberbeamten die Gemeinden an, die neu aufgenommenen (Jung)Bürger erst dann zu den bürgerlichen Nutzungen zuzulassen, wenn diese die zwei erforderlichen Eimer angeschafft hatten. Dies stieß mitunter auf den Widerstand der Betroffenen, die der Meinung waren, »es geschehe ihnen zu viel«.[512]

Die Gemeinden waren aber auch selber mit dem Ersatz der fehlenden Feuereimer nachlässig. Die Rötteler Oberbeamten mußten beim Kirchener Frevelgericht 1783

---

[509] Mitunter scheiterten solche Projekte auch. Der Vorschlag der Gemeinde Tannenkirch, gemeinsam mit Holzen, Mappach und Hertingen eine Feuerspritze anzuschaffen, scheiterte am Widerstand der Gemeinden Holzen und Mappach, die wegen der guten Straße nach Kandern bei einer Feuersbrunst rascher eine Feuerspritze zur Hand hatten, als wenn sie die Feuerspritze in Tannenkirch holen mußten. Sollte sich die Gemeindekasse dereinst wieder erholt haben, wollte Holzen allein oder mit dem nächstgelegenen Mappach eine Feuerspritze anschaffen, während Mappach ein gemeinsames Vorgehen mit Egringen und Fischingen bevorzugte (229/104371, fol. 11 f., fol. 12 f.; 25, 27 X 1777).

[510] Auf diese Idee verfiel der Hofrat für die Anschaffung einer gemeinsamen Feuerspritze für Tannenkirch und Hertingen 1778/79. Die Ausstände beliefen sich insgesamt auf knapp 300 fl., deren Eintreibung allerdings in beiden Gemeinden auf Probleme stieß (229/104371, fol. 20 f.; 12 XII 1778; 7 I, 8 IV 1779). – Zum Problem der kommunalen Ausstände s. Kap. 5.9.

[511] Tüllingen 1777/78 (229/106406; 21 VII 1778). Der Vorschlag des Oberamts erwies sich aber als unrealistisch, weil auch bei einer Verdoppelung des Jahresbeitrags ein halbes Jahrhundert vergehen würde, bis das Kapital beisammen war. Da die Gemeinde letztlich nicht dazu bereit war, das Kapital durch Umlagen aufzubringen, wurde das Projekt 1782 ad acta gelegt (ebd.; 26 IV 1778; 14 I, 2 II 1782).

[512] Kirchen 1775 (229/52838; 25 IV 1776).

feststellen, daß die beim vorangegangenen Frevelgericht 1775 befohlene Anschaffung von 10 neuen Feuereimern im Jahr aus Nachlässigkeit der früheren Vorgesetzten ganz unterblieben war; das Oberamt erneuerte seinen Befehl und konnte dem Hofrat schließlich im März 1785 die Lieferung der Feuereimer nach Kirchen melden.[513] Die Herstellung der fehlenden Feuereimer wurde in der Regel bei Sattlern im eigenen Ort oder in der unmittelbaren Nachbarschaft in Auftrag gegeben. Die Kosten für einen Eimer variierten und wurden mit 4–5 fl. (Kirchen 1775) oder 3 fl. (Wintersweiler 1775) angegeben.[514]

Die rasche Feuerbekämpfung bei einer Feuersbrunst im Ort setzte bei der traditionellen Löscharbeit mit Feuereimern, nicht weniger aber auch beim Einsatz der neuen Feuerspritzen voraus, daß Löschwasser in hinreichender Menge und rasch verfügbar in der Nähe der Siedlung vorhanden war. Mehrere Gemeinden – vorab solche in trockenen, wasserarmen Lagen an Hängen und auf Hügeln – haben während des Untersuchungszeitraums dieses Problem – nicht zuletzt im Hinblick auf die geplante Anschaffung von Feuerspritzen – durch die Anlage von Feuer- und Brandweihern oder Löschbrunnen zu lösen gesucht.[515]

Zahlreiche Maßnahmen im Bereich der Feuerpolicey hatten vorbeugenden Charakter und waren dazu bestimmt, feuergefährliche Einrichtungen oder Verrichtungen möglichst frühzeitig zu entdecken und verbessern oder abschaffen zu können.

---

[513] 229/52840, ad 14 (18 XI 1783; 29 III 1785). – Beim Frevelgericht von Kandern 1784 erhielten die Vorgesetzten vom Oberamt den Befehl, 40 Feuereimer zu bestellen; die Befolgung des Befehls wurde bei einer Strafe von 10 Reichstalern eingeschärft, weil er bereits beim Frevelgericht 1776 erteilt, aber nicht befolgt worden war (229/50919, ad Policeyfrage 14; 28 IX 1784).

[514] 229/52838 (19 V 1775).

[515] Blansingen bat 1778 die Herrschaft um die Bewilligung, für 50 fl. Land von Bürgern zur Anlage eines zweiten Brandweihers kaufen zu dürfen. Das Vorhaben geriet ins Stocken, weil die fraglichen Parzellen Frauengut zweier verheirateter Frauen waren, die im Gegensatz zu ihren Männern das Land nicht verkaufen wollten. Der Vogt wandte sich in dieser Situation mit der Bitte an das Oberamt, dieses möchte »durch hohe Verfügungen an allen wassermangelwahren Orthen mein Desin« [des Vogts, AH] befördern; das Oberamt verfügte zum einen die Schätzung des Landes zum höchsten Wert durch Vogt und Gericht im Hinblick auf die Entschädigung der Frauen aus der Gemeindekasse und zum andern den sofortigen Beginn der Arbeiten (229/112897, fol. 20', 35 f.; 7 VI 1778; 26 IX, 8 XII 1783). – Weitere Belege für Projekte zur Anlage von Feuerweihern: Ötlingen 1781 (229/81557, fol. 21; 2 VII 1781); Hüsingen 1782 (229/47590, fol. 11–27', ad Policeyfrage 4, fol. 69–72, 73 ff., 82 f.; 27–28 VIII, 4 XII 1782, 29 I 1783, 22 III 1784); Grenzach 1785 (229/33917; 22 III ad Pkt. 7, 17 VIII, 17 IX 1785). – In Bahlingen wünschten mehrere Bürger im Durchgang 1789 die Anlage eines Feuerweihers, weil bei einem Feuer das Wasser aus der Dreisam nur mühsam herbeizuschaffen war; die Arbeiten wurden in der Gemeindefron erledigt (GA Bahlingen C VIII Nr. 4, fol. 1–174', Abschnitt B, ad Pkt. 5; 8–20 VI, 10–13 VIII 1789). – Bickensohl 1789 (229/8091a; 5 VII 1790). – Auch für Vörstetten wurde 1790 die Anlage eines Brandweihers als nützlich erachtet, weil aber nirgends ein stetiger Wasserzufluß vorhanden war, sollte ein Landkommissar ein Gutachten zur Machbarkeit des Vorhabens erstellen (229/107983, fol. 43–44; 15–18, 21–25, 28–29 IX, 14 XII 1790).

In den Gemeinden waren zu diesem Zweck besondere Feuerschauer – teilweise Angehörige des Gerichts, häufig aber auch Bauhandwerker wie Maurer oder Zimmerleute – bestimmt, die in der Regel zweimal im Jahr im Frühling und Herbst die Häuser des Dorfs visitieren und ihren Befund dem Oberamt mitteilen mußten, das auf dieser Grundlage seinerseits dem Hofrat über die Durchführung der Feuerschau rapportierte.[516] Beim Bahlinger Frevelgericht 1789 wies der Oberbeamte ähnlich wie in den übrigen Orten des Oberamts die Feuerschauer an, die Vor- und Nachschau in den Häusern äußerst genau vorzunehmen, die Mängel, »in Absicht welcher sie sich besonders auch nach denen in der Gerstlacherischen Sammlung enthaltenen Hochfürstl. Verordnungen zu achten haben«, genau zu notieren und diese »ohne Ansehen der Persohn den Vorgesezten zur Remettur und Bestrafung« anzuzeigen; bei augenscheinlicher Gefahr aber sollten sie das Mangelhafte auf der Stelle niederreißen lassen.[517] Soziale Rücksichtnahme behinderte auch hier die unnachsichtige unparteiische Anzeigen von Mißständen, im Mundinger Frevelgerichtsprotokoll findet sich die Anweisung, die Feuerschauer sollten alle Mängel notieren und dabei niemandem durch die Finger sehen.[518]

Welche Beanstandungen bei einer Feuerschau zur Sprache kommen konnten, zeigt der Bericht der Feuerschauer aus dem Pforzheimer Oberamtsort Langensteinbach von 1760, der in der Frevelgerichtsakte liegen blieb, weil die Feuerschau wenige Tage vor dem Vogtgericht stattgefunden hatte und die angezeigten Personen bei dieser Gelegenheit vom Oberamt bestraft worden waren: 16 Personen, darunter auch der Anwalt und ein Altanwalt, wurden wegen der fehlenden Kamine bei ihren Feuerstätten beim Oberamt angezeigt, nachdem die Richter der Gemeinde sie früher bereits mehrmals ohne Erfolg gewarnt hatten; der anzeigende Richter Conrad Knab rechtfertigte seinen Schritt damit, er müsse diese »ungehorsamen« Bürger »seinen Pflichten gemäß (...) anzeigen, indeme sonsten noch das grösoste Unglück geschehen könte, damit er alsdann außer aller Verantworttung seye«.[519]

Die Feuerschauer zeigten mangelhafte, feuergefährliche Einrichtungen aber auch aus Anlaß des Frevelgerichts direkt dem Oberbeamten an, so in Köndringen 1756, wo der in einer neuen Verordnung verfügte Einbau von Kaminen noch nicht erfolgt war, weil es in der Gemeinde angeblich an Baumaterial fehlte.[520] Kamine fehlten in

[516] S. oben Tab. 3.1, Nr. 23, Tab. 3.4, Nr. 8.

[517] GA Bahlingen C VIII Nr. 4, fol. 1–174', Abschnitt B ad Pkt. 21 (8–20 VI, 10–13 VIII 1789).

[518] 229/70240/III, fol. 47–91', Abschnitt B, Pkt. E (7–30 IX 1790).

[519] 229/58080, fol. 61–122, Anzeige 2 des Conrad Knab (30 X 1760). – Ungeachtet aller vorgetragenen Einwendungen und Ausflüchte bestrafte das Oberamt 15 Personen mit 1 1/2 fl. und wies sie an, bis zum nächsten Frühjahr ihre Feuerstätten bei 10 fl. Strafe ordnungsgemäß einzurichten.

[520] 229/54951/I (15–16 XII 1756). Das Oberamt verfügte, daß die Kamine bis spätestens im Frühjahr gebaut sein sollten. – Bei der Verordnung handelt es sich wahrscheinlich um das Generalreskript RepPO 1801 (GS II, S. 393 f.; 3 IV 1754), wonach niemand mehr bei 50 Reichstalern Strafe Häuser ohne Kamin bauen durfte.

Köndringen aber auch noch 1769, so daß das Oberamt bei diesem Frevelgericht erneut die Hausvorstände der Häuser ohne Kamine anweisen mußte, bis Georgi den Einbau der Kamine bei 5 fl. Strafe vorzunehmen.[521] In Teningen, wo viele Haushalte in der Hanfverarbeitung ein Einkommen fanden, waren die Feuerschauer angewiesen, von Zeit zu Zeit in den Häusern darauf zu sehen, daß die Leute keinen Hanf in den Häusern aufbewahrten.[522]

Eine wichtige Vorkehrung zum Brandschutz stellten baupoliceyliche Vorschriften dar. Hier untersagten Verordnungen das Bauen in Holz und schrieben statt dessen Stein zumindest für gewisse Partien der neuen Häuser als Baumaterial vor. Ähnlich wie die Vorgesetzten manch anderer Gemeinde ließen sich 1779 jene aus Mappach vernehmen, man sehe bei ihnen darauf, daß bei allen Neubauten wenigstens der untere Stock aus Stein gebaut und vor Feuersgefahr verwahrt werde; diese Antwort entsprach genauso der Vorschrift der einschlägigen Verordnungen wie die andernorts mehrfach vorgetragene Aussage, man achte in der Gemeinde darauf, daß bei Neubauten nichts gegen die Bau- und Feuerordnung geschehe.[523] Bisweilen motivierten die Vorgesetzten diese Angabe bzw. die Befolgung der Verordnung noch zusätzlich, so etwa die Brombacher, die 1791 angaben, man baue bei ihnen alles aus Stein, »was möglich seye (...), da das Bauen mit Holz hier teurer seye«.[524]

Die örtlichen Vorgesetzten äußerten sich aber nicht nur zu den Fragen aus dem Rügezettel, sondern baten immer wieder aus eigenem Antrieb das Oberamt um den Erlaß besonderer Verfügungen zu lokalen Vorgängen, so etwa beim Emmendinger Frevelgericht 1776, als zum einen all jene, die kein eigenes Waschhaus besaßen, angewiesen wurden, sich des allgemeinen städtischen Waschhauses zu bedienen und auf die Benutzung eigener Bauchkessel zu verzichten, und zum andern die Ziegler auf Wunsch der Vorgesetzten angehalten wurden, beim Bau von Kaminen nur Backsteine zu verwenden, die mindestens drei Zoll dick waren.[525]

Mitunter war das Frevelgericht auch für einzelne Bürger die Gelegenheit, ihre Klage gegen Nachbarn anzubringen, deren Häuser mangelhaft ausgestattet waren und dadurch eine Gefahr für die umliegenden Gebäude darstellten oder deren »Hantierung« feuergefährlich war. In Köndringen, wo viele Haushalte in der Hanf-

---

[521] 229/54953 (28 I 1769). – Laut der späteren Vernehmungen der Vorgesetzten von 1769 und 1772 war die Anweisung diesmal tatsächlich befolgt worden (ebd.; 11 V 1769; 18 III 1772).

[522] 229/105129, Anzeige des Jacob Hahn (28–29 VIII 1759). – Zur Bedeutung des Hanfbaus in der Umgebung von Teningen s. Strobel, Agrarverfassung, S. 134 ff.; Schmidt, Teningen, S. 176 ff.; Norbert Ohler, Die Gemeinden im 19. und 20. Jahrhundert, in: P. Schmidt (Hg.), Teningen, S. 337–466, hier S. 354–357; Zimmermann, Reformen, S. 172–176.

[523] 229/64346, fol. 13–17, ad Policeyfrage 17 (13 IV 1779). – Die Konformität mit den Ordnungen betonten z. B. die Vorgesetzten von Wintersweiler 1787 (229/115110, fol. 21–43', ad Policeyfrage 18; 20 XI 1787).

[524] 229/13204, ad Policeyfrage 17 (11 I 1791).

[525] StadtA Emmendingen B 1a/Fasz. 9, § 254 ad Policeyfrage 16, 17 (9–10, 12–13 I 1776).

verarbeitung beschäftigt waren, beklagte ein Richter 1756, die Leute dörrten ihren Hanf auf dem Ofen, woraus leicht ein Unglück entstehen könne; er bat das Oberamt, mit einer Verordnung einen sorgsamen Umgang mit dem Hanf vorzuschreiben, und dieses verbot darauf das Hanfdörren an den Öfen im Winter bei 5 Reichstalern. Zur Durchsetzung dieses Verbots sollten die Vorgesetzten die Häuser von Zeit zu Zeit besuchen und die Übertreter anzeigen.[526] Zwei Jahre später wurde in Emmendingen angezeigt, daß zwei Personen wider die Feuerordnung Heu in ihrem Haus aufbewahrten.[527] Wiederum in Köndringen beklagte der Pfarrer im Durchgang des Frevelgerichts von 1769, daß zu wenig Aufsicht auf Feuer und Licht gehalten werde und die Leute mit bloßem Licht über den Hof und in die Ställe gingen. Er schlug vor, die Feuerschauer nachfragen zu lassen, ob in den Haushalten gute Laternen vorhanden waren, ein Vorschlag, den das Oberamt sogleich zu seiner Resolution machte.[528] Beim Grenzacher Frevelgericht 1785 klagte ein Scheidwasserbrenner gegen seinen Nachbarn, einen Schlosser, dessen Schmiede keinen ordentlichen Schornstein besaß und dadurch auch das Nebenhaus in Gefahr brachte. Nachdem die Vorgesetzten dieses Angaben bestätigt hatten, erhielten sie vom Oberamt den Auftrag, dem Schlosser die neue Einrichtung seiner Feuerstätte binnen vier Wochen vorzuschreiben, widrigenfalls sie die Arbeiten auf dessen Kosten ausführen lassen sollten. Im Herbst desselben Jahres war nach dem Bericht der Vorgesetzten der Schornstein abgeändert worden.[529]

Der lange Kampf der Behörden um die Abschaffung der Strohdächer stellt ein weiteres Kapitel in den Bemühungen um die Verbesserung des Feuerschutzes dar. Der Hofrat und die Oberämter stießen in diesem Punkt besonders in den Schwarzwaldregionen auf starken Widerstand, weil dort die Bedeckung der Dächer mit Stroh stark in der lokalen Tradition und Ökonomie verwurzelt war und die Ersetzung der Strohdächer durch Ziegeldächer einerseits den örtlichen Erfahrungen und Baugewohnheiten zuwiderlief und andererseits eine erhebliche finanzielle Belastung für die Hausbesitzer darstellte.[530]

---

[526] 229/54951/I, Anzeige 7 von Richter Friedrich Grether (15–16 XII 1756).

[527] StadtA Emmendingen B 1a/1, fol. 84–92, 100'–107, Pkt. 6 der gemeinen Bürgerschaft (19 VI 1758).

[528] 229/54953, Pkt. 7 der Anzeigen von Pfarrer Sander (Beil. Lit. A) (24–28 I 1769). – Eine identische Anzeige beim Mundinger Frevelgericht 1769 von seiten des dortigen Vogts führte zur Verordnung, daß niemand bei 10 Reichstalern Strafe mit offenem Licht in Ställen und Scheuern sich bewegen oder Feuer in offenem Geschirr über den Hof oder die Gassen tragen sollte; alle sollten sich zudem mit einer richtigen Laterne versehen (229/70240/II, Pkt. 53 des Durchgangs; 14, 17–18 II 1769). – Bei derselben Gelegenheit schrieb das Oberamt vor, daß das nächtliche Hecheln von Hanf bei Strafe von 7 1/2 fl. nur noch bei Laternenlicht geschehen durfte und die Laterne auf einem mit Wasser gefüllten Geschirr stehen mußte (ebd.,; Pkt. 65 des Durchgangs).

[529] 229/33917, Pkt. 17 der Klagen (22 III, 22 X, 8 XI 1785).

[530] Holenstein, Erfahrung (erscheint demnächst).

Die Frevelgerichtsakten liefern mehrere Belege für Anweisungen der Oberbeamten, bestehende Häuser bzw. Hütten mit Strohdächern niederzureißen. Es zeigt sich dabei, daß diese Gebäude vielfach die Wohnstätten armer Leute waren, für die ein Ziegeldach eine untragbare finanzielle Belastung darstellte. Die Akten zeigen aber auch, auf welche Schwierigkeiten die Umsetzung solcher Anweisungen in den Ortschaften stieß, wo es meistens an den Mitteln, aber auch am Interesse der Mehrheit fehlte, in diesem Punkt besonders eifrig zu sein.[531] In Steinen kamen 1782 16 Bewohner von strohgedeckten Häusern zur Anzeige – überwiegend Taglöhner, Handwerker oder Witwen mit meist nur mittleren oder geringen Vermögen –, denen der Oberbeamte Posselt bei dieser Gelegenheit auftrug, die Strohdächer innert Jahresfrist bei 10 Reichstalern Strafe durch Ziegeldächer zu ersetzen. Als die Vorgesetzten, denen letztlich die Umsetzung dieses Befehls anvertraut war, einige Monate später dem Oberamt Bericht über den Stand der Dinge erstatteten, hieß es bei ihnen, die Vermögenden und jene, bei denen es die »Umstände des Gebäudes« erlaubten, würden die Strohdächer wohl abschaffen und künftig würden solche nicht mehr geduldet werden. Angesichts der Vermögenslage der betroffenen Bewohner war diese Aussage nichts anderes als die positive Umschreibung der Tatsache, daß sich angesichts der Macht der Verhältnisse trotz der behördlichen Anweisung nicht viel ändern würde.[532]

Neben den präventiven bau- und feuerpoliceylichen Maßnahmen richteten viele Gemeinden auch eine Alarmorganisation ein bereiteten die Löscharbeiten für den Fall einer Feuersbrunst vor. In mehreren Frevelgerichtsakten wurde die Pflicht des Nachtwächters, beim Ausbruch von Feuer Alarm zu schlagen, besonders erwähnt.[533] Andernorts waren dazu keine besonderen Nachtwächter angestellt, hier versahen die Bürger diesen Dienst reihum; auch ihnen vergaß das Oberamt nicht aufzutragen, bei ausbrechendem Feuer sogleich Lärm zu schlagen.[534]

Für den gefürchteten Fall, daß im Ort Feuer ausbrach, trafen verschiedene Gemeinden mit der Ausarbeitung von Löschordnungen und mit entsprechenden Feuer-

---

[531] In Blansingen bewohnte 1778 die Witwe eines ehemaligen Zuchthausinsassen mit ihrer Tochter eine Strohhütte; das Oberamt trug den Vorgesetzten auf, für die beiden Frauen im Ort eine andere Wohnung zu suchen und die Hütte abbrechen zu lassen; im Februar 1779 stand die Strohhütte allerdings immer noch, weil selbst die Anfragen des Vogts an die Gemeinde wegen Unterbringung der Witwe ohne Echo geblieben waren, denn die Witwe war »sehr arm und alt« (229/112897, fol. 5–9, fol. 25–26, 31 f.; 26 V, 3 VI, 18 XI 1778, 1 II 1779).

[532] 229/100906, fol. 1–39, Abschnitt II, Pkt. 20 (21 VIII 1782).

[533] Bahlingen 1789 (GA Bahlingen C VIII Nr. 4, fol. 1–174', Abschnitt B, Pkt. 8; 8–20 VI, 10–13 VIII 1789). – Eichstetten 1789 (229/23271/II, Abschnitt B, Pkt. E; 2–13 II 1789). – Denzlingen 1790 (GA Denzlingen 1 B–247; fol. 189'–194; 22 II–10 III 1790). – Teningen 1790 (229/105132, fol. 47–126, Pkt. N; 5–13 VIII 1790). – Efringen 1791 (229/22654, fol. 3–58, Abschnitt B, Pkt. 5, 23).

[534] Efringen 1791 (229/22654, fol. 3–58, Abschnitt B, Pkt. 5 u. 23; 14–16 II 1791).

wehrübungen Vorkehrungen, die beim Ausbruch eines Brandes in der Hektik des Moments ein möglichst geordnetes, effizientes Vorgehen der Bürger gegen den Brand gewährleisten sollten. Diese Löschordnungen teilten die örtliche Mannschaft in einzelne Rotten ein, wiesen diesen Abteilungen besondere Sammelplätze zu, und sie bestimmten die Personen, die an der Feuerspritze oder mit den Feuerleitern zum Einsatz kamen oder die als »Feuerreiter« die Brandmeldung zum Oberamt und in die Nachbarorte trugen, um dort weitere Hilfe anzufordern.

Bereits das frühe Frevelgerichtsprotokoll von Teningen 1754 berichtet von der Zuteilung der Teninger Männer zu speziellen Aufgaben und Posten in der Brandbekämpfung: 13 offenbar eher jüngere Männer – bei den meisten steht beim Namen der Zusatz »der Junge« oder Sohn von N – verrichteten Dienst an der Feuerspritze, sieben Männer an den Feuerleitern, vier Männer waren Feuerrufer, ebenso viele waren für die Zuleitung des Wassers zuständig, und zwei Männer waren Feuerreiter, von denen einer die Nachricht vom Brandfall dem Oberamt zu melden hatte. Diese Feuerordnung war der versammelten Gemeinde publiziert worden, und die erwähnten Personen hatten dem Stab angelobt.[535] Allerdings fehlte in Teningen noch eine genauere Einteilung der Bürgerschaft. Dies wurde beim nächsten Frevelgericht 1759 auf Wunsch von Vogt Zimmermann nachgeholt, der ebenso wie die Oberbeamte die rottenweise Einteilung der Bürgerschaft für nötig befand, damit bei Feuersbrünsten eine gewisse Ordnung unter der Bürgerschaft herrschte: Das Oberamt ordnete die Einteilung der Bürger in drei Rotten an, von denen zwei jeweils bei Bränden ausrücken, die dritte aber zu Hause bleiben sollte. Die Rotten sollten sich auf besonderen Sammelplätzen besammeln und unter dem Kommando eines Richters stehen.[536] In der Stadt Emmendingen mußte 1776 die bislang vernachlässigte Vorschrift bei 3 fl. Strafe eingeschärft werden, daß jeder Bürger bei Feueralarm in der Nacht seine Laterne hinaushängen mußte.[537] Im Anschluß an das Frevelgericht von Köndringen 1776 lobte der Hofrat in seinem Dekret die Anordnung des Oberamts Hochberg, wonach die Köndringer künftig einmal im Jahr mit der Teninger Feuerspritze eine Übung absolvieren sollten, er ordnete aber zusätzlich an, daß die Feuerspritze im Frühjahr und Herbst auf ihre Tüchtigkeit hin erprobt, die Feuerordnung in Gemeindeversammlungen mehrmals verlesen und jedem seine »Incumbenz« im Brandfall angewiesen werden sollte. Ein Richter hatte zuvor beim Durchgang dem Oberbeamten angezeigt, daß die Köndringer keine Übungen mit der Feuerspritze veranstalteten, »welches die Innwohnerschaft zu Feuerbrünsten ganz untüchtig mache«.[538]

---

[535] 229/105128, Beilage 9 (4 XII 1754).
[536] 229/105129, Anzeige 1 des Vogts (28–29 VIII 1759).
[537] StadtA Emmendingen B 1a/Fasz. 9, ad § 15 (9–10, 12–13 I 1776).
[538] 229/54951/III, Pkt. 14 des Prot. (17–19 XII 1776, 22 III 1777).

In der Rötteler Gemeinde Hauingen fand die Zuweisung der Mannschaft zu den Feuerhaken, -leitern und -eimern im Anschluß an das Frevelgericht von 1781 statt, damit, wie das Oberamt in seiner Resolution bemerkte, jeder wisse, was er bei einer Feuersbrunst zu tun habe. Im Januar 1782 konnte der Hauinger Vogt Tscheulin dem Oberamt bzw. Hofrat berichten, 14 Mann seien zu den Feuerleitern, 10 Mann zu den Feuerhaken verordnet worden.[539] In Tumringen bestand diese Einteilung der Mannschaft beim Frevelgericht 1781 bereits, so daß es die Vorgesetzten gegenüber dem Oberbeamten bei der Bemerkung bewenden lassen konnten, jeder habe seine Bestimmung beim Feuerwesen und wisse, was er im Brandfall zu tun habe.[540] Offenbar teilte sich die Feuerwehrmannschaft in kleinere Gruppen, die die speziellen Löschgeräte und -werkzeuge bedienten (Spritze, Leitern, Haken), während die Mehrheit zu den Feuereimern abgestellt war.[541] In Steinen waren 1782 vier Männer als Feuerreiter bestellt – worunter auffallenderweise der Altvogt, ein Wirt und ein Müller –, sechs waren als Leitermeister bestellt, vier als Hakenmeister und zwei als Obmänner über die Feuereimer. Der in dieselbe Vogtei gehörende Ort Höllstein hatte einen Aufseher über die Feuereimer, sieben Verordnete zu den Feuerhaken, sechs Verordnete zu den Feuerleitern sowie einen Feuerreiter.[542] Die große Gemeinde Bahlingen am Kaiserstuhl war 1789 in vier Rotten eingeteilt, die von eigenen Obmännern angeführt wurden. Auch hier waren besondere Leute zur Feuerspritze, zu den Leitern und zum Feuerreiten abgestellt. Die Vorgesetzten und Richter versicherten dem Oberbeamten, die Einwohner hätten sich bei Feuersbrünsten immer »sehr thätig und fleißig bezeiget«, sie machten aber auf die Schwierigkeit aufmerksam, daß im Winter – wie vor kurzem beim Brand in Tennenbach geschehen – das Wasser in den Feuerspritzen gefrieren konnte. Um die Feuerspritzen für diesen Fall funktionstüchtig zu erhalten, schlugen die Vorgesetzten vor, den ersten drei Frauen, die heißes Wasser zur Feuerspritze bringen würden, eine Belohnung von 1 fl., 40 Kr. und 20 Kr. aus der Gemeindekasse auszuteilen, was das Oberamt bewilligte.[543]

Die Organisation des kommunalen Brandschutzes war mitunter in einer eigenen Ordnung schriftlich niedergelegt, die nicht mit der landesherrlichen Feuerordnung zu verwechseln ist und periodisch bei Gemeindeversammlungen verkündet wurde. Die Eichstetter Feuerordnung wurde in der Gemeindelade aufbewahrt und galt sowohl für den Einsatz bei Feuersbrünsten in der Gemeinde wie auch bei der Hilfe in auswärtigen Gemeinden.

Das Eichstetter Frevelgerichtsprotokoll von 1789 referiert auch die aufschlußreiche Klage des Georg Jacob Trautwein, eines Bauern und Metzgers und gleichzeitig

---

[539] 229/39714, § 14 (29 V 1781; 10 I 1782).
[540] 229/106477, § 14 (26 VI 1781).
[541] So z. B. die Einteilung in Hüsingen 1782 (229/47590, fol. 32; 27 VIII 1782).
[542] 229/100906, fol. 58–59, 61 (14, 19 VIII 1782).
[543] GA Bahlingen, C VIII Nr. 4, fol. 1–174', Abschnitt B, Pkt. 4 (8 VI 1789).

eines der reichsten Männer dieses großen Marktfleckens: Trautwein beklagte sich über den viel zu geringen Lohn, den er und die anderen spannfähigen Bauern für das Anspannen ihrer Pferde an die Feuerspritze erhielten, was angeblich die Pferde »zu Schanden« machte; Vorgesetzte und Gericht fügten diesem Punkt die Erläuterung bei, daß diese Zugdienste früher mit höheren Zahlungen vergütet worden waren, diese Ansätze seit einiger Zeit aber von der Obrigkeit bei der Gemeinderechnungsprüfung nicht mehr bewilligt wurden, so daß nunmehr der erste Pferdebauer mit zwei Pferden an der Spritze 1 fl., der zweite 30 Kr. und der dritte 20 Kr. erhielten. Nach Meinung der Vorgesetzten sollten diese Ansätze auf 2 fl., 1 1/2 fl. und 1 fl. erhöht werden, weil es äußerst hart seie, »einem Bürger für eine gar zu geringe Belohnung zuzumuthen, daß er seine Pferde zu Schanden führen solle, der Fall aber, daß man an die schwäre Feuers Sprize 6 Pferde brauche, offt eintrette, wo als dann niemand ohne Zwang anspannen wolle«; das Oberamt bewilligte unter dem Vorbehalt höherer Genehmigung durch den Hofrat die Erhöhung dieser Beiträge aus der Gemeindekasse.[544] Trautweins Klage und deren Behandlung ist in mehrfacher Hinsicht aufschlußreich: Sie zeigt, wie sich die soziale Differenzierung der Ortsbevölkerung bis in die Organisation des Feuerlöschwesens hinein verlängerte, wo die Pferdebauern die Spanndienste an der Feuerspritze verrichteten und aufgrund ihrer sozialen Geltung und ihres Rückhalts bei den Vorgesetzten und Richtern auch in der Lage waren, eine frühere Sparmaßnahme der Obrigkeit zu ihren Lasten wieder rückgängig zu machen; der Vorfall ist weiter auch ein Beleg dafür, wie weit das Verfahren der Gemeinderechnungsprüfung[545] in das Gemeindeleben hineinreichte und wie es die Obrigkeit mitunter auch nicht unterließ, scheinbar Bagatellbeträge zu kürzen, um den Zustand der Gemeindefinanzen zu verbessern.

Die Einteilung der Feuerwehrmannschaft in Rotten wurde aber nicht überall praktiziert. In Denzlingen versicherten Vorgesetzte und Gericht gegenüber dem Oberamt vielmehr, die Einteilung in Rotten und deren Besammlung an besonderen Sammelplätzen würde im Brandfall zu einem großen Zeitverlust führen, weil der Ort etwa eine halbe Stunde lang sei; statt dessen eilten die Bürger bei einem Feuerlärm direkt zum Brandplatz, ohne sich zuerst zu besammeln; eine Besammlung der beteiligten Löschequipen fand erst nach Abschluß der Löscharbeiten statt, damit man durch Verlesung der Bürgerliste feststellen konnte, wer gefehlt hatte und dafür allenfalls bestraft werden mußte. Auch in Denzlingen erhielten die Pferdebauern, die ihre Pferde an die Feuerspritze spannten, eine Entschädigung aus der Gemeindekasse, 30 Kr. für eine Strecke bis zu 2 Stunden, 40 Kr. für weitere Strecken. Auch hier beschwerten sich allerdings mehrere Bürger im Durchgang über den allzu geringen Lohn, und die Vorgesetzten bestätigten, es falle immer sehr schwer, Pferde an die Feuerspritze zu bekommen. Wie in Eichstetten so willigte das Oberamt auch in

---

[544] 229/23271/II, Abschnitt B, Pkt. S (2–13 II 1789).
[545] Vgl. Kap. 3.6.

Denzlingen in eine Erhöhung der Entschädigung ein, die künftig generell 45 Kr. betragen sollte; dafür sollten die Pferdebauern, die am nächsten beim Feuerspritzenmagazin wohnten, ihre Pferde beim Feuerlärm unverzüglich hergeben, widrigenfalls sie mit 5 fl. bestraft werden sollten.[546]

Auch in Teningen gab es 1790 noch keine Einteilung der Feuerwehrmannschaft in Rotten; für alle besonderen Chargen (Feuerspritze, -leitern, -haken, Pechpfannen, Feuerreiter, Zuleitung des Wassers in das Dorf) gab es aber besonders ernannte Bürger mit eigenen Obmännern. Bei auswärtigen Bränden führten die Vorgesetzten einen Teil der Bürgerschaft auf die Brandstätte und kommandierten diese dort. Auch hier war das Anspannen von Pferden an die Feuerspritze unbeliebt, denn die Vorgesetzten mußten anzeigen, sie hätten bisher gewöhnlich zum Anspannen gebieten müssen, weil die wenigsten freiwillig dazu bereit waren, ihre Pferde an die schwere Feuerspritze zu spannen; daß die Pferdebesitzer keine Belohnung erhielten, fanden sie hart, hingegen befürworteten sie die Abschaffung der Vergütung für den Feuerreiter, der bisher für seine Mühe eine Befreiung vom Gemeindefrondienst erhalten hatte, doch war diese Entschädigung den übrigen Bürgern lästig. Das Oberamt genehmigte die Vorschläge, so daß vorbehältlich der Genehmigung durch den Hofrat für jedes Pferd an der Spritze bzw. für jeden Feuerreiter eine Entschädigung von 45 Kr. bzw. 30 Kr. aus der Gemeindekasse bezahlt werden sollte.[547]

Neben der Einführung von Feuerspritzen waren Brandschutz und Feuerpolicey in der zweiten Hälfte des 18. Jahrhunderts von einer zweiten Innovation geprägt, der Einführung der obligatorischen Brandversicherung seit 1758.[548]

Vor allem seit den 1780er Jahren nahmen die Oberbeamten bei Frevelgerichten nicht nur Einblick in die Befehls- und Gerichtsbücher,[549] sondern überprüften auch die Brandversicherungsbücher, in welchen der Wert der versicherten Gebäude eingetragen wurde, der im Brandfall für die Auszahlung einer Brandentschädigung maßgebend war. Die Oberbeamten besorgten dabei einerseits, daß Bürger ihre Gebäude zu tief veranschlagten, andererseits galt es zu verhindern, daß der Anschlag den wahren Wert überstieg.[550] In Binzen ließ der Oberbeamte 1785 die Bürgerschaft

---

[546] GA Denzlingen 1 B–247, fol. 177–181' (22 II–10 III 1790).

[547] 229/105132, fol. 47–126, Abschnitt B, Pkt. C (5–13 VIII, 1 IX 1790). – Der Hofrat genehmigte die oberamtliche Regelung (ebd., 16 X 1790).

[548] RepPO 1958; GS II, S. 476–498 (25 IX 1758). – Eine Schilderung des Erfolgs der Brandversicherung bei J. M. Holtzmann, Resultat aus dem 41jährigen Gang der Badendurlachischen Brandversicherungsanstalt, aufgestellt als Einladung zur Theilnahme an dieser höchstwohlthätigen Anstalt, in: Magazin von und für Baden 2,2 (1803), S. 156–169.

[549] Zum Ausbau der bürokratischen Kontrolle über den lokalen Gütermarkt seit dem 16. Jh. in Württemberg s. Sabean, Neckarhausen I, S. 44, 72 f., 75.

[550] Die Brandversicherungsordnung sah vor, daß Gebäudebesitzer jährlich um Weihnachten, »wenn die Zugangs- und Abgangs-Tabellen über den Anschlag der Häuser gefertigt werden«, bei den Vorgesetzten oder beim Oberamt die Erhöhung des Anschlags verlangen

durch den Vogt vernehmen, ob nicht der eine oder andere seine Gebäude zu einem höheren Wert in die Brandkasse einschreiben lassen wollte.[551] In Grenzach wünschten im selben Jahr viele Leute selber, ihre unter dem Wert angeschlagenen Häuser höher in die Versicherung einzuschreiben, was das Oberamt um so eher bewilligte, weil die Frist von 10 Jahren, während der eine höhere Einschätzung erlaubt war, noch nicht abgelaufen war. Die Vorgesetzten erhielten deshalb vom Oberbeamten den Auftrag, alle Gebäude durchzugehen und zu notieren, um welchen Betrag die Eigentümer den Anschlag erhöhen wollten; ein gutes halbes Jahr später war die neue Taxierung abgeschlossen und der Grenzacher Häuseranschlag war von 49434 fl. auf 53500 fl. gestiegen.[552] In Brombach befand das Oberamt das Brandversicherungsregister 1791 nicht »vollkommen in der Ordnung, indem die Gebäude nicht in gehörigem Anschlag voneinander abgesondert, auch nicht alle nach dem wahren Wert taxiert seyen«, weshalb sich das Brandversicherungsbuch gegenwärtig bei der Einnehmerei in Lörrach befand, wo sich die Vorgesetzten Rat holten. Das Oberamt wies nun die Gemeinde an, mit einem oder zwei Handwerkern alle Haupt- und Nebengebäude durchzugehen, sie nach dem wahren Wert zu taxieren und die Ansätze durch den Gerichtsschreiber in ein neues Buch eintragen zu lassen; zwei Monate später teilten die Vorgesetzten dem Oberamt bereits die Erfüllung des Auftrags mit.[553]

Vielfach heißt es in den Frevelgerichtsprotokollen auch nur, die Oberbeamten hätten die Brandversicherungstabellen durchgesehen und diese in Ordnung gefunden,[554] wobei sie mitunter aber auch den zu tiefen Anschlag bemängelten.[555]

---

konnten; die Verordnung empfahl jedermann, die Gebäude jeweils mit runden Werten (50, 100, 150, 200 fl.) zu veranschlagen, »da, wann jemand z. E. 110 fl. angäbe, und es entstünde ein Brand, er von den ungraden 10 fl. so viel als von 50 fl. geben, folglich von 150 fl. beytragen müßte, hingegen er, wann ihn das Unglück träfe, nicht mehr als seine 110 fl. empfienge« (RepPO 2037; WI I, S. 77; 3 VII 1762). – Zu den Zugangs- und Abgangstabellen s. oben Tab. 3.1, Nr. 5.

[551] 229/8882, fol. 54–71, ad Policeyfrage 25 (20 XII 1785).

[552] 229/33917, ad Policeyfrage 20 (22 III, 22 X, 8 XI 1785).

[553] 229/13204, ad Policeyfrage 19 (11 I, 12 III 1791).

[554] Eimeldingen 1787 (229/23739, fol. 5–22', ad Policeyfrage 14; 2 X 1787). – Wintersweiler 1787 (229/115110, fol. 21–43', ad Policeyfrage 1; 20 XI 1787). – Bahlingen 1789 (GA Bahlingen, C VIII Nr. 4, fol. 1–174', Abschnitt B, Pkt. 58; 8–20 VI, 10–13 VIII 1789). – Eichstetten 1789 (229/23271/II, Abschnitt B, Pkt. aaa; 2–13 II 1789). – Blansingen 1789 (229/9515, fol. 2–13, ad Policeyfrage 19; 24 XI 1789). – Denzlingen 1790 (GA Denzlingen 1 B–247, fol. 267; 22 II–10 III 1790). – Mundingen 1790 (229/70240/III, fol. 47–91', ad Policeyfrage P.p; 7–30 IX 1790). – Teningen 1790 (229/105132, fol. 47–126, Abschnitt B ad Policeyfrage Z.z; 5–13 VIII 1790). – Vörstetten 1790 (229/107983, fol. 2–4; 15–18, 21–25, 28–29 IX 1790). – Efringen 1791 (229/22654, fol. 3–58, Abschnitt B, ad Policeyfragen 49–51; 14–16 II 1791).

[555] Egringen 1788 (229/22946, ad Policeyfrage 23; 28 X 1788). Die Vorgesetzten rechtfertigten sich damit, sie hätten der Gemeinde deswegen schon öfters vergeblich Vorstellungen getan.

5.7 Die Aufsicht über die lokalen Policeyämter

Im Verlauf dieser Darstellung ist eine Vielzahl von Ämtern zur Sprache gekommen, welche im 18. Jahrhundert auf lokaler Ebene Aufgaben in der Gemeindeverwaltung besorgten.[556] Die formell unumstrittene Leitungsposition in der Gemeinde nahmen die geistlichen und weltlichen Vorgesetzten – Pfarrer, Vogt/Schultheiß und Stabhalter/Anwalt – zusammen mit den Richtern als Angehörigen des örtlichen Gerichts ein. Einzelne Richter bekleideten zusätzlich zu ihrer Gerichtsfunktion, die sich im 18. Jahrhundert zusehends auf Aufgaben in der freiwilligen Gerichtsbarkeit beschränkte, wichtigere Ämter in der kommunalen Verwaltung (Waisenrichter, Almosenpfleger, Kirchenrüger, Brotwäger, Marcher, Fleischschätzer, Weinsiegler, Feldstützler).

Die hervorgehobene Position dieser lokalen Amtselite kam nicht zuletzt darin zum Ausdruck, daß sie die Kontakt- und Ansprechpartner für die Behörden waren und bei Visitationen, Frevelgerichten oder anderen Gelegenheiten dem von außen in die Gemeinde kommenden Vertreter der Obrigkeit – dem Spezial bzw. Oberbeamten – gegenüber in höherem Maße als die gewöhnlichen Ortsbewohner auskunfts-, rechenschafts- und anzeigepflichtig waren. Daneben aber gab es in den Gemeinden eine je nach Größe und Wirtschaftstätigkeit des Orts mitunter beträchtliche Zahl weiterer Funktionsträger, deren Tätigkeit im letzten Drittel des 18. Jahrhunderts Gegenstand der frevelgerichtlichen Lokaluntersuchung durch das Oberamt wurde.

Die Zahl und Vielfalt der in vielen Ortschaften eingerichteten Ämter stellen einen guten Indikator für den Grad dar, den die badischen Gemeinden auf dem Weg zu einer funktional differenzierten Gesellschaft in der zweiten Hälfte des 18. Jahrhunderts bereits erreicht hatten. Die Komplexität des sozialen und wirtschaftlichen Zusammenlebens erforderte die Bestimmung formeller funktionaler Zuständigkeiten und die institutionelle Organisation von Aufgaben auf lokaler Ebene. An deren Funktionstüchtigkeit war die Obrigkeit im Hinblick auf die Gewährleistung »guter Policey« vor Ort interessiert, nicht minder war dies aber auch für die Gemeindebewohner der Fall, die bei Frevelgerichten immer wieder Klagen über die mangelhafte, nachlässige, »schläfrige« Tätigkeit von Amtsträgern vorbrachten und damit die Erwartung der Einwohner untermauerten, daß gewisse Dienste und Versorgungsleistungen im Interesse der lokal-kommunalen Öffentlichkeit funktionierten (Tab. 5.33).

---

[556] Für einen älteren Überblick über die dörflichen Organe und insbesondere auch die »niederen dörflichen Dienste« s. Bader, Dorfgenossenschaft, S. 298–321.

Tabelle 5.33:
Übersicht über die bei Frevelgerichten inspizierten Gemeindeämter und lokalen Policeyämter in den Oberämtern Rötteln und Hochberg (ohne Pfarrer, weltliche Vorgesetzte und Richter)[557]

X Das Amt bzw. die Funktion sind besetzt.
0 Das Amt bzw. die Funktion existieren ausdrücklich nicht.
Fehlt eine Angabe, so wird das Amt nicht explizit genannt.

Oberamt Rötteln (1780er Jahre)

1 Ötlingen 1781	6 Grenzach 1785	12 Egringen 1788
2 Steinen, Höllstein	7 Binzen, Rümmingen 1785	13 Blansingen,
und Hägelberg 1782	8 Welmlingen 1786	Kleinkems, 1789
3 Hüsingen 1782	9 Hauingen 1787	14 Brombach 1791
4 Kirchen 1783	10 Eimeldingen, Märkt 1787	15 Efringen 1791
5 Kandern 1784	11 Wintersweiler 1787	

Amt, Funktion	Gemeinden														
	1	2	3	4	5	6	7	8	9	10	11	12	13	14	15
Waisenrichter	X	X		X						X	X	X		X	X
Almosenpfleger					X										X
Marcher	X						X			X	X				X
Feldmesser, Untergänger										0					
Gemeinde- schaffner	X			X	X			X	X				X	X	
Gerichtsschreiber								X	X		X			X	X
Schulmeister	X	X	X	X	X	X	X	X	X	X	X	X	X	X	X
Kirchenrüger	X										0			X	X
Hebamme	X	X									X			X	X
Weinsiegler	X								X	X					0
Weinsticher															
Sinner															X
Brotwäger, -schauer	X			X						X	0				X
Viehschauer															X
Fleischschätzer	X									X	X				X
Hanfschauer															
Feuerschauer	X	X								X		X			X
Brunnenaufseher															X
Feldstützler		X	X		X					X	X	X			X

[557] Bei der Lektüre dieser Tabelle bleibt zu berücksichtigen, daß deren Angaben nur Momentaufnahmen darstellen. Es ist in manchen Fällen sehr wahrscheinlich, daß gewisse Funktionen bereits früher in der jeweiligen Gemeinde existierten. Die Tabelle für das Oberamt Rötteln setzt erst mit den 1780er Jahren ein, weil die früheren Frevelgerichtsakten nur sehr punktuelle Informationen enthalten.

Amt, Funktion	Gemeinden														
	1	2	3	4	5	6	7	8	9	10	11	12	13	14	15
(Feld- u. Wald) Bannwart(e)	×	×	×			×			×					×	×
Hirte(n)		×			0										0
Geflügelschütze															
Tag-, Dorfwächter		×			×			×			×	×	×	×	×
Nachtwächter	×	×		×	×	×		×		×			×	×	×
Scharwächter					×	×		×		×			×	×	×
Bettelwächter		0		×	×	×				×	×	0	×	×	
Hatschier															
Bote															×

Oberamt Hochberg
(In der Gemeinde Teningen wurde beim Frevelgericht eine Liste der Gemeindeämter und lokalen Policeyämter erstellt, sodaß diese Angaben eine gewisse Vollständigkeit beanspruchen können)

1	Teningen 1754
2	Windenreute, Maleck 1755
3	Köndringen 1756
4	Teningen 1759
5	Mundingen 1761
6	Köndringen 1761
7	Köndringen 1769
8	Mundingen 1769
9	Teningen 1769
10	Emmendingen 1776
11	Teningen 1776
12	Köndringen 1776
13	Nimburg 1783
14	Ottoschwanden 1783
15	Eichstetten 1789
16	Bahlingen 1789
17	Denzlingen 1790
18	Teningen 1790
19	Mundingen 1790
20	Vörstetten 1790

Amt, Funktion	Gemeinden																			
	1	2	3	4	5	6	7	8	9	10	11	12	13	14	15	16	17	18	19	20
Waisenrichter	×	×													×	×	×	×	×	×
Almosenpfleger	×														×	×	×	×	×	×
Marcher	×	×			×			×	×						×	×	×	×	×	×
Feldmesser, Untergänger																				
Heimburger		×			×		×	×			×			×	×	×	×	×	×	×
Gerichtsschreiber	×	×	×				×				×			×	×	×		×		×
Schulmeister		×			×		×			×	×	×	×	×	×	×	×	×	×	×
Kirchenrüger					×	×									×	×	×	×	×	
Aufseher bei Hochzeiten															×					
Hebamme	×														×	×	×	×	×	×
Barbierer								×							×					
Blasbalgzieher															×	×				

Amt, Funktion	Gemeinden																			
	1	2	3	4	5	6	7	8	9	10	11	12	13	14	15	16	17	18	19	20
Uhrenrichter																		X		
Weinsiegler	X														X	X	X	X		X
Weinsticher															X	X				
Sinner															X					
Brotwäger, -schauer	X	X													X	X	X	X	X	X
Salzstädler															X	X	X	X		X
Viehschauer															X	X	X	X	X	X
Fleischschätzer	X	X													X	X	X	X	X	X
Hanfschauer, -wäger															X		X			
Feuerschauer	X		X		X								X		X	X	X	X	X	X
Brunnenaufseher																				
Feldstützler	X	X	X		X										X	X	X	X	X	X
Zehntdrescher																		X		
(Feld- u. Wald) Bannwart(e)		X	X	X	X			X	X	X	X	X	X	X	X	X	X	X	X	X
Hirte(n)									0	X	X				X	X		X		
Geflügelschütze															X	X	X	X	X	X
Waidgeselle						X	X				X				X	X		X	X	X
Tag-, Dorfwächter						X	X		X	X	X					X	X	X	X	
Nachtwächter	X	X			X	X	X		X	X	X	X			X	X	X	X		X
Scharwächter	X				X	X	X	X		X	X				X	X	X	X	X	X
Bettelwächter												X			X	X	X	X	X	X
Dorfhatschier															X		X			
Bote	X				X			X	X						X	X	X	X	X	X

Die Angaben der Frevelgerichtsakten zu den lokalen Ämtern haben punktuellen Charakter, sie wollten in der Regel keine vollständigen Verzeichnisse aller Amtsträger liefern. Wenn die Übersichten zu den Gemeinde- und Policeyämtern in den Oberämtern Rötteln und Hochberg zum Ende des 18. Jahrhunderts hin eine steigende Zahl von Ämtern und Diensten in der Lokalverwaltung aufweisen, so spiegelt sich darin zuerst einmal die erhöhte Aufsicht der Behörden über die lokalen Ämter, ein Interesse, das sich deutlich in den Erweiterungen der Rügezettel der 1780er Jahre manifestierte. Die Tätigkeit der lokalen Policeyfunktionäre erhielt ganz offensichtlich einen höheren Stellenwert im obrigkeitlichen Konzept »guter Policey«.[558] Die Zahl der lokalen Amtsträger hat in diesem Zeitraum aber auch tatsäch-

[558] Vgl. Tab. 4.5, 4.7, 4.8.

lich zugenommen, wurden doch einzelne Funktionen überhaupt erst damals eingerichtet (z. B. Feldstützler).

Weil das Frevelgericht für die Bürger eine Gelegenheit darstellte, sich über das
Amtsgebaren der örtlichen Funktionsträger zu beschweren, diese sich aber ebenso
beim Oberbeamten über Behinderungen und Schwierigkeiten bei der Wahrnehmung
ihrer Amtsaufgaben beklagen und vom Oberbeamten Unterstützung erbitten konnten, so vermitteln die Frevelgerichtsprotokolle aus der zweiten Hälfte des 18. Jahrhunderts einen facettenreichen Eindruck von den Aufgaben und Problemen der lokalen Verwaltung.

Wie sehr die lokalen Amtsträger mit ihren Funktionen für die Gemeinde in den
größeren Kontext der obrigkeitlichen Policey zu stellen sind, verrät allein schon die
Beobachtung, daß die Sprache der badischen Behörden im späten 18. Jahrhundert
eine ganze Reihe dieser Ämter unter dem Begriff der »Policeyämter« zusammen-
faßte. Für Oberamtsassessor Posselt fielen 1782 die Ämter der Fleischschätzer,[559]
Brotwäger[560] und Weinsiegler, der Marcher, Bannwarte und Feldstützler, der Nachtwächter und Feuerreiter sowie der Kirchenrüger unter diesen Begriff.[561] Diese Auswahl verrät indirekt Posselts Vorstellung, in welchen Bereichen der Lokalverwaltung ein überwiegendes policeyliches Interesse obwaltete. Die Sicherung der Qualität der lokalen Lebensmittelversorgung, die Ordnung der Flurnutzung und des

---

[559] Fleischschätzer, die die Qualität des zum Verkauf angebotenen Fleisches zu überprüfen und
die Einhaltung der taxierten Preise zu kontrollieren hatten, sollten bereits nach den Bestimmungen des Zunftbriefs der Metzger im Oberamt Rötteln von 1727 in allen Orten, wo sich
Metzger aufhielten, vom Ortsgericht eingesetzt werden (Johannes Helm, Das Zunftwesen in
der Landgrafschaft Sausenberg und der Herrschaft Rötteln zur Zeit des Landvogts E. F. von
Leutrum (1717–1747), in: Das Markgräflerland 30, Heft 3 (1968), S. 1–42, hier S. 25).

[560] Gemäß Zunftbrief der Rötteler Bäcker von 1728 hatte das Oberamt in jeder Vogtei Brotschauer einzusetzen, »die wöchentlich ein- bis dreimal, besonders aber bei Hochzeiten und
anderen Gastmählern, das Brot überraschend auf Gewicht und Güte zu kontrollieren haben«
(Helm, Zunftwesen I, S. 12).

[561] 229/100906, fol. 1–39, Abschnitt II, Pkt. 5 f. (20–22 VIII 1782). – In der Frevelgerichtsakte
Eimeldingen 1787 werden als »Policeyämter« genannt: der Waisenrichter, Feldstützler, die
Brotwäger und Fleischschätzer, der Weinsiegler und die Marcher (229/23739, fol. 5–22',
ad Policeyfrage 20; 2 X 1787). – Die Aufzählung der Vörstetter »Policei Ämter« 1790
stimmt damit weitgehend überein: Marcher, Waisenrichter, Feldstützler, Brotwäger und
-schauer, Fleisch- und Viehbeschauer, Scharwächter, Weinsiegler, Feuerschauer, Feuerreiter
(229/107983, fol. 4–13; 15–18, 21–25, 28–29 IX 1790). – Mit Ausnahme der hier oben oder
weiter unten näher erörterten Ämter sei der Aufgabenbereich dieser Chargen hier kurz
skizziert: Die Weinsiegler hatten im Hinblick auf die Ohmgeldabgabe allen Wein vor der
Einkellerung und dem Verkauf durch die Wirte zu messen. Die Waisenrichter hatten darauf
zu sehen, daß alle Witwen mit Beiständen und die Waisen mit Pflegern versehen waren, die
verliehenen Güter von Waisen ordentlich bewirtschaftet wurden und die Waisen »christlich
und ehrbar erzogen« wurden. Die Feldstützler hatten regelmäßig den Bann zu visitieren und
darauf zu sehen, daß die Güter im Bau waren (so im Frevelgerichtsprotokoll Eichstetten
1789: 229/23271/II, Abschnitt B, ad Pkte. L, O, Q; 2–13 II 1789).

Güterbaus, mithin die Erhaltung der »Nahrung«, die Gewährleistung öffentlicher Ruhe und Sicherheit sowie die Aufrechterhaltung der sittlichen Ordnung in der Gemeinde machten jene Kernbereiche aus, die besonderer policeylich-ordnungspolitischer Aufsicht bedurften.

Die einschlägigen Passagen der Frevelgerichtsprotokolle berichten nicht zuletzt von Anzeigen und Beschwerden gegen die Träger dieser »Policeyämter«. Zu diesen zählten die Brotwäger bzw. -schauer, die für die Aufsicht über die örtlichen Bäcker und die angebotene Backware verantwortlich waren, sowie die Fleischschauer, die diese Aufgabe hinsichtlich der Metzger wahrnahmen.[562] Die Gewährleistung einer zuverlässigen, hinreichenden, billigen (d. h. taxgemäßen) und den lebensmittelpoliceylichen Vorschriften genügenden Versorgung der örtlichen Bevölkerung mit Brot und mit Fleisch durch die lokalen Bäcker und Metzger sollte die Hauptsorge der Brotwäger bzw. Fleischschauer sein.

Die Brotwäger hatten insbesondere darauf zu sehen, daß die Bäcker das Brot richtig ausbuken, daß die Brote das richtige Gewicht hatten und die Gemeinde mit genügend Brot verschiedener Sorten versorgt wurde. Kamen die Bäcker diesen Anforderungen nicht nach und vermochten die Brotschauer bzw. -wäger den gewöhnlichen Standard nicht durchzusetzen, hatten die Brotschauer Anzeige bei den Vorgesetzten zu erstatten. Bei Frevelgerichten hatten Vorgesetzte und Bürger auch Gelegenheit, im Durchgang Klagen vor den Oberbeamten zu bringen.

In Köndringen zeigten 1756 Stabhalter Niclaus Schmidt und Richter Friedrich Grether dem Oberamt an, es seien zwar in ihrer Gemeinde Brotschauer und Fleischschätzer bestellt, doch sei »biß dato schlecht auf die Becken und Mezger gesehen worden«. Bei dieser Gelegenheit zeigte der Bürger Andreas Hug auch an, daß die Unordnung bei den Bäckern so groß sei, daß man öfters kein Brot bekomme. Auf solche Beschwerden hin mußten sich die jeweiligen Amtsträger vor dem Oberbeamten verantworten. Die beiden Köndringer Brotwäger und Fleischschätzer entschuldigten sich damit, sie hätten nicht gewußt, daß sie jedesmal, wenn ein Bäcker buk, das Brot wägen mußten; bei den Metzgern hätten sie das Fleisch jeweils besichtigt, wenn diese sie gerufen hätten, was aber sehr selten geschehen sei. In seinem Bescheid wies der Oberbeamte die Brotschauer an, das Brot zu wägen, so oft die Bäcker Brot machten, um sicher zu sein, daß sie das Brot nicht zu leicht buken. Den Bäckern befahl er, »nach der Ordnung zu backen, daß alle Tage Brod zu haben [und]

---

[562] Für eine Einschätzung des sozialen Kontextes dieser Aufsichtspflicht dürfte der Hinweis von Sabean, Schwert, S. 21, erheblich sein, wonach in Württemberg am Ende des 18. Jhs. die Bäcker, Metzger, Gastwirte und Müller zu den wohlhabendsten Gemeindemitgliedern zählten. Soweit die Frevelgerichtsakten Aussagen darüber zulassen, scheint die prominente Stellung dieser Berufsgruppen auch für Baden zuzutreffen (vgl. die Angaben zu Eichstetten 1789 in Tab. 5.21). Für die Kontrolltätigkeit der Fleischschauer, Brotwäger und Weinsiegler bleibt also in Rechnung zu stellen, daß diese es mit den Reichen im Dorf zu tun hatten.

sie sich auch das Brod wägen laßen sollen«. Die Metzger hingegen sollten nie Vieh schlachten, ohne es durch die Fleischschätzer lebendig und tot besichtigen zu lassen.[563] Öfters waren die Fleischschauer gleichzeitig auch Viehschauer und als solche dafür verantwortlich, daß kein krankes Vieh in den Ort gebracht wurde und fremdes Vieh mit einem Gesundheitsattest versehen war.[564]

In Nimburg zeigten die Vorgesetzten dem Oberbeamten 1783 an, die Bäcker hätten untereinander das Backen neu verlost und richteten sich nicht mehr nach der früheren Ordnung, wonach jede Woche jeweils zwei Schwarzbrot- und zwei Weißbrotbäcker backen sollten. Hier verfügte das Oberamt die Aufhebung der eigenmächtigen Verlosung unter den Bäckern; künftig sollten sie vor den Vorgesetzten nach der vorigen Ordnung losen, und zwar so, daß zwei von ihnen das Jahr hindurch Schwarzbrot buken und sie mit dem Weißbrot untereinander abwechselten.[565] Die Bahlinger Brotwäger konnten 1789 vermelden, die drei Ortsbäcker würden die Gemeinde genügend mit gutem Brot versorgen und nur selten herrsche ein Mangel. Hier konnte es das Oberamt bei der Erinnerung bewenden lassen, die Bäcker sollten das Brot immer zum richtigen Gewicht wohl ausbacken und das Brot immer erst verkaufen, nachdem die Brotwäger das Brot abgewogen hatten; zu leichtes Brot sollte auf der Stelle konfisziert und an die Ortsarmen verteilt werden.[566]

Unabdingbare Voraussetzung für die Wahrnehmung der Aufsichtspflichten der Brotwäger und Fleischschätzer war natürlich, daß sie rechtzeitig von den Bäckern und Metzgern Kenntnis davon erhielten, daß gebacken bzw. geschlachtet wurde. Daß diese Anzeigen zu spät oder gar nicht gemacht wurden, gehört zu den häufigeren Klagen der Brotwäger und Fleischschätzer in den Frevelgerichtsprotokollen.

In Teningen war 1754 der Sohn des Stabhalters Metzger; er hatte mehrmals geschlachtet, ohne die Fleischschauer zu benachrichtigen und sich dabei wohl durch seinen Vater gedeckt gewähnt, der gegenüber den Fleischschauern angeblich behauptet hatte, es genüge, wenn er als Vorgesetzter seinen Sohn kontrolliere. Der Oberbeamte konnte sich dieser Auffassung nicht anschließen, bestrafte Vater und Sohn zusammen mit 5 fl. und gab ihnen zu erkennen, sie hätten sich beide der Fleischschauertaxation unterzuordnen. Derselbe Teninger Richter und Fleischschauer zeigte 1754 auch an, ein anderer Metzger verkaufe das Rindfleisch zu 4 Kr., obwohl die Fleischschauer es zu 3 1/2 Kr. taxiert hatten; der betreffende Metzger Erler wurde vom Oberamt mit 1 1/2 fl. gebüßt.[567] In Bahlingen trugen Vorgesetzte

[563] 229/54951/I (15–16 XII 1756).
[564] GA Bahlingen C VIII Nr. 4, fol. 1–174', Abschnitt B, ad Policeyfrage 14 (8–20 VI, 10–13 VIII 1789).
[565] 229/75379, fol. 7–16, ad Policeyfrage 12 (16–18 VI 1783).
[566] GA Bahlingen C VIII Nr. 4, fol. 1–174', Abschnitt B, ad Policeyfrage 9 (8–20 VI, 10–13 VIII 1789). – So auch die Anweisung beim Frevelgericht von Teningen 1790 (229/105132, fol. 47–126, Abschnitt B, ad Pkt. G; 5–13 VIII 1790).
[567] 229/105128, ad Anzeige 5 und 6 von Richter Hans Jörg Zimmermann (3–7 XII 1754).

und Fleischschätzer 1789 gegen die 12 Metzger des Orts, die jeweils abwechslungsweise ein Jahr lang schlachten durften, vor, diese würden sehr selten fettes Ochsen-
fleisch aushauen und die Kälber gewöhnlich weder tot noch lebendig besichtigen
lassen. Hier untersagte das Oberamt den Metzgern das Schlachten ohne vorherige
Anzeige bei den Fleischschätzern bei einer Strafe von fünf Reichstalern und wies die
Fleischschätzer zudem an, den Preis des Fleisches allein nach dessen Beschaffenheit
zu taxieren, dabei aber niemals die Taxe des Oberamts zu überschreiten; die Fleischtaxe sollte jeweils zur allgemeinen Information öffentlich ausgeschrieben werden.[568]
In Teningen 1790 gaben die Fleischschätzer zwar an, die Metzger wechselten im
Turnus von 14 Tagen mit Metzgen ab und versorgten das Dorf mit gutem Fleisch,
doch würden sie ihnen nicht immer die Anzeige machen, so daß sie das Vieh nicht
lebendig besichtigen könnten. Das Oberamt erinnerte die Metzger bei einer Strafe
von 10 fl. an ihre Anzeigepflicht, die Fleischschätzer hingegen sollten sich immer an
die Fleischtaxe des Oberamts halten und schlechtes Fleisch im Wert tiefer schät-
zen.[569] Auch die Mundinger Metzger schlachteten 1790 der Reihe nach, doch mußten in diesem Ort die Fleischschätzer dem Oberbeamten mitteilen, daß sie selten
rechtzeitig zur Besichtigung des Schlachtviehs aufgeboten wurden und die Metzger
öfters Fleisch von auswärts in den Ort brachten, ohne sich mit einem Attest zu
legitimieren. Das Oberamt untersagte beides bei 5 bzw. 10 fl. Strafe.[570] Im selben
Jahr mußten sich auch die Vörstetter Bäcker den Tadel des Oberbeamten anhören,
weil sie es zuweilen unterließen, ihr Backen dem Brotschauer anzuzeigen.[571]

In Eichstetten waren es nicht die Brotschauer, sondern der dort wohnende Ober-
amtshatschier Bieselin, der sein Einkommen nicht zuletzt in Bußenanteilen von
eingezogenen Strafgeldern erhielt, der dem Oberbeamten berichtete, es habe im Ort
verschiedentlich Klagen wegen schlechten und zu leichten Brots gegeben. Das
Oberamt benützte die Gelegenheit zur Neuregelung der Eichstetter Bäckerordnung
und verfügte nach Anhörung der sieben Ortsbäcker, daß künftig jedem erlaubt sein
sollte, täglich zu backen, und fremden Hausierern mit Brot der Ort verwehrt bleiben
sollte. Das Brot sollte den Hausierern weggenommen und an die Ortsarmen verteilt
werden. Auf Anregung des Hatschiers wurde den Bäckern aufgetragen, auch Kreu-
zerbrote zu backen, weil nicht alle Einwohner große Brote brauchten.[572]

---

[568] GA Bahlingen C VIII Nr. 4, fol. 1–174', Abschnitt B, ad Policeyfrage 15 (8–20 VI, 10–13
VIII 1789).

[569] 229/105132, fol. 47–126, Abschnitt B, ad H (5–13 VIII 1790).

[570] 229/70240/III, fol. 47–91', ad F (7–30 IX 1790).

[571] 229/107983, fol. 4–13, ad Pkt. 4 (15–18, 21–25, 28–29 IX 1790). – So auch in Eichstetten
1789 (229/23271/II, Abschnitt B, ad Pkt. I; 2–13 II 1789).

[572] 229/23271/II, Abschnitt B, ad Pkt. I (2–13 II 1789). – In Denzlingen regten die Vorgesetzten 1790 an, ihre Bäcker sollten in der herrschenden Teuerung mehr schwarzes Brot als
bisher backen, was dann das Oberamt den Bäckern bei Strafe auftrug (GA Denzlingen 1
B–247, fol. 187'–188; 22 II–10 III 1790).

Auch an andern Orten nutzten die Bäcker und Metzger die Anwesenheit des Oberbeamten, um Unterstützung gegen die Konkurrenz durch auswärtige Hausierer zu erhalten.[573] Der einzige Denzlinger Metzger, Wirt Reizel, beschwerte sich 1790, daß besonders im Winter Metzger aus der österreichischen Nachbarschaft und Juden sehr häufig mit Fleisch im Ort hausierten. Das Oberamt stützte Reizels »Nahrung« und untersagte alles Hausieren mit Fleisch so lange jedenfalls, als Reizel in der Fleischversorgung des Dorfes keine Mängel erkennen ließ. Die Vorgesetzten sollten das Fleisch von Hausierern konfiszieren und es an die Armen verteilen, doch sollte – so fügte das Oberamt hinzu – »hierdurch die Freiheit der Burger, ihr Fleisch aus-weerts zu holen, keineswegs beschraenket werden«.[574]

Viele Bäcker und Metzger in einem Ort garantierten noch keineswegs eine gute Versorgung mit Brot oder Fleisch. Mancher unter ihnen scheint sein Gewerbe nur nebenher betrieben zu haben, was zu Versorgungsengpässen führen konnte: In Te-ningen beklagte man sich 1759, man bekomme im Ort kein Fleisch, obwohl doch neun Metzgermeister dort ansässig waren. Das Oberamt befahl den Metzgern, unter sich eine Metzgerordnung zu vereinbaren, so daß jedes Jahr drei von ihnen nach dem Los schlachteten und alle neun somit in drei Jahren an die Reihe kamen.[575] Auch in Eichstetten wohnten 1789 zwar sieben Metzger, doch nur zwei schlachteten abwechslungsweise jeweils 14 Tage lang, und ein dritter schlachtete Kleinvieh. Ge-gen die ersten wurde der Vorwurf laut, sie schafften gar oft kein Fleisch in den Ort; der Oberbeamte drohte den Metzgern für künftige Mängel in der Fleischversorgung Strafen von fünf Gulden an.[576]

Die Frevelgerichtsprotokolle belegen im Bereich der Lebensmittelversorgung das policeyliche Wirken der Oberamtsbehörden. Im Mittelpunkt stand die Versorgung der Bevölkerung mit den Grundnahrungsmitteln – ein Indiz dafür, wie stark in den badischen Gemeinden des Oberlandes, insbesondere in den großen Breisgauer Dör-fern des Oberamts Hochberg, die Versorgung vieler Haushalte mit Brot und Fleisch über den Markt erfolgte. Hier stützten die Oberämter, nicht zuletzt auf das Anrufen durch die bestellten Aufseher und durch Bürger, spezifische Interessen von Kon-sumenten, schrieben Höchstpreise vor, bestraften den Verkauf schlechter Ware, ord-neten die stärkere Berücksichtigung besonderer Bedürfnisse an und hielten gewisse Standards der Versorgung hoch. Andererseits waren sie auch bereit, die »Nahrung« der Bäcker und Metzger gegen auswärtige Hausierer zu schützen, solange jedenfalls deren Produkte die lokalen Bedürfnisse zu befriedigen vermochten.

---

[573] In Mundingen untersagte das Oberamt 1790 einem Teninger Bäcker das Hausieren mit Brot, solange der einzige Mundinger Bäcker den Ort hinreichend mit gutem Brot versorgte (229/70240/III, fol. 47–91', ad H; 7–30 IX 1790).

[574] GA Denzlingen 1 B–247, fol. 200–202 (22 II–10 III 1790).

[575] 229/105129 (28, 29 VIII 1759).

[576] 229/23271/II, Abschnitt B, ad K (2–13 II 1790).

Probleme besonderer Art gab den Vorgesetzten und den Oberbeamten ein anderes »Policeyamt« auf. Die Nachtwächter hatten insbesondere darauf zu sehen, daß es in den Orten nicht zu »Nachtschwärmereien« kam, daß Bettler und Vaganten, die sich nachts in den Ort einschlichen, aufgefangen wurden, nächtlicher Diebstahl vereitelt und beim Ausbruch von Feuer rasch Alarm geschlagen wurde.[577]

Besonders die Anzeige der »Nachtschwärmereien« (nächtliches Herumschwärmen und Lärmen auf Straßen und Gassen besonders von Jugendlichen und Gesinde) und von Übertretungen der Polizeistunde in den Wirtshäusern stellten keine leichte Aufgabe dar und waren nicht sonderlich beliebt. Der Köndringer Pfarrer Sander beklagte sich 1756 beim Oberamt darüber, daß weder die Kirchenrüger noch die Schar- und Nachtwächter ihm etwas anzeigten, obwohl sie dies doch jeden Monat tun sollten.[578] Über die Nachlässigkeit des Mundinger Nachtwächters, der nicht fleißig genug im Dorf herumging, beschwerte sich 1769 der Heimburger, nicht ohne gegenüber dem Oberamt darauf hinzuweisen, er habe öfters Geld von der Gemeinde bei sich zu Hause und »habe folglich Ursache, sich hierinnen vorzusehen«. Die Mundinger Nachtwächter sollten der Anweisung des Oberamts zufolge, ihre Pflicht tun und überall im Dorf die Stunden ausrufen, Saumselige sollten exemplarisch bestraft werden. Von nicht näher bezeichneter Seite war im Durchgang allerdings auch zu vernehmen gewesen, daß Mängel bei der Tag- und Nachtwache daher rührten, daß die wachtdienstpflichtigen Bürger Gesinde und Kinder zu diesem Dienst schickten.[579] In Teningen hatte sich der Vogt 1776 über alte Leute und junge Burschen, »die ihr Devoir nicht thun könnten«, zu beklagen, was den Oberbeamten zur Anordnung bewog, daß alte Leute auf der Nachtwache abgewiesen und auf Kosten des wachtdienstpflichtigen Mannes ein Ersatzwächter bestellt werden sollte.[580] In Emmendingen, so zeigte 1776 Hatschier Ostermann an, wurde die Nachtwache nachlässig versehen; statt durch die Gassen zu patrouillieren, saßen die Wächter in den Wirtshäusern beisammen. Ostermann erhielt darauf vom Oberbeamten den Auftrag, bei der Visitation der Wirtshäuser darauf zu sehen, ob Nachtwächter dort saßen, und diese dem Oberamt anzuzeigen.[581] Im selben Jahr mußten das Oberamt und der Hofrat den Köndringer Nachtwächtern einschärfen, die Wache nicht zu verlassen, bevor die Ablösung eingetroffen war, und die über die Zeit in Wirtshäusern sitzenden Personen sowie Geldspieler zu verhaften.[582]

---

[577] Zur Organisation der Polizeigewalt auf lokaler Ebene knapp Wettmann-Jungblut, Diebstahl, S. 168 f.

[578] 229/54952, Pkt. 5 der Anzeigen von Pfarrer Sander (8 IX 1761).

[579] 229/70240/II, Pkte. 32, 70 (14, 17–18 II 1769). – Bei der Vernehmung der Vorgesetzten über die Befolgung der Frevelgerichtsanordnungen im Juni 1770 sagten die Vorgesetzten aus, wegen der Nachtwächter gebe es keine Klagen (ebd.; 15 VI 1770).

[580] 229/105131, ad 10 Pkt. (11, 27 VI 1776).

[581] StadtA Emmendingen B 1a/Fasz. 9, ad § 233 (9–10, 12–13 I 1776).

[582] 229/54951/III, Pkte. 1, 16, 60 (17–19 XII 1776, 22 III 1777).

An verschiedenen Orten oblag die Nachtwache den besoldeten Nachtwächtern gemeinsam mit Ortsbürgern, die reihum als »Beiwache« nachts zu patrouillieren hatten. Da die über sechzigjährigen Bürger sowie die ledigen Burschen dazu nicht herangezogen werden sollten, geriet Denzlingen in Personalnot und bat das Oberamt erfolgreich um die Genehmigung, auch die bisher freigestellten »mundtoten«, d. h. bevormundeten Bürger zur Nachtwache aufbieten zu dürfen.[583]

Mehrere Indizien sprechen dafür, daß die mit speziellen Überwachungsfunktionen und Anzeigepflichten beladenen Chargen der Kirchenrüger, Schar-,[584] Nacht- und Bettelwächter, aber auch jene der Bannwarte in den Orten in einem schwierigen Umfeld tätig und deren Aufgaben keineswegs beliebt waren. Sie teilten allesamt die Erfahrung, daß ihre Nachbarn sich bei bestimmten Tätigkeiten nur ungern beaufsichtigen ließen und eine unnachsichtige Kontrolltätigkeit mit sozialen Sanktionen beantworteten.[585] Nicht ohne Grund klagten deshalb Pfarrer und Vorgesetzte über das nachlässige Visitieren der Wirtshäuser[586] und über das Ausbleiben von

---

[583] Denzlingen 1790 (GA Denzlingen 1 B–247, fol. 172 ff., Abschnitt B, ad Pkt. H; 22 II–10 III 1790). – Auch hier präzisierte das Oberamt, es sollten keine ledigen Burschen für die Nachtwache verwendet werden.

[584] Zu den Aufgaben der Scharwächter vgl. die oberamtlichen Anweisungen beim Frevelgericht von Eichstetten 1789: Sie sollten nachts um 10 Uhr in sämtlichen Wirtshäusern abbieten und Gäste, die über die Zeit in den Wirtshäusern sitzen blieben, nebst den Wirten, die solches duldeten, anzeigen, auch nachts nach 10 Uhr ledige Burschen von der Straße nach Hause weisen, »ledige Weibs Leute aber zu keiner Zeit in den Wirthshäusern dulten« (229/23271/II, Abschnitt B, ad Pkt. Bbb; 2–13 II 1789).

[585] Vgl. dazu Kap. 3.5.

[586] Kolmarsreute 1758: Die Wächter wollen die Wirtshäuser nicht recht besuchen (StadtA Emmendingen B 1a/1, fol. 84–92, 100'–107, Anzeige Nr. 4; 19 VI 1758). – Köndringen 1761: Pfarrer Sander beklagt, daß die Kirchenrüger, Schar- und Nachtwächter ihm nichts anzeigten, was doch jeden Monat geschehen sollte (229/54952, Anzeige Nr. 4 des Pfarrers (8 IX 1761). – Teningen 1769: Der Pfarrer zeigt die Nachlässigkeit der Scharwächter an (229/105130, Anzeige 1 des Pfarrers; 10–11 X 1769); bei der Vernehmung der Scharwächter über die Befolgung der Frevelgerichtsanordnungen 1772, ließen sich diese zu diesem Punkt vernehmen, sie glaubten, daß die Scharwache recht gut versehen werde (ebd., 18 III 1772). – In Köndringen zeigten die Bannwarte zwar allerhand Mißstände im Feld an, doch unterließ es hier gemäß einem Richter der Vogt, die Anzeigen zu untersuchen und die Täter zu bestrafen (229/54951/III, ad 13; 17–19 XII 1776). – Teningen 1776: Der Pfarrer beklagt sich über die üble Besetzung der Scharwache, die nur jeden Bettag vermelde, daß nichts geschehen sei »und man inzwischen doch allerley Tumult und Lermen hörte«; Oberamt und Hofrat drohten darauf den Scharwächtern bei unterlassener Anzeige von Nachtschwärmereien Turmstrafen an (229/105131, Anzeige 1 des Pfarrers; 11, 27 VI, 11 XII 1776). Beim demselben Frevelgericht beklagte der Vogt die sehr schlechte Amtsführung der Bannwarte, »indem fast keine Frevel angezeigt würden«. Der Bannwart sollte nach Anweisung des Oberamts zu mehr Fleiß angetrieben werden, indem er für den Fall zur Verantwortung gezogen werden sollte, daß von seiten von Bürgern sechs bis acht Anzeigen über Feldschaden eingingen, die er nicht gemeldet hatte (ebd., Pkt. 8; 11, 27 VI 1776). – Nimburg 1783: Die Vorgesetzten halten dafür, daß der Bannwart »nicht völlig fleisig seye, wenigstens habe er noch keine Anzeige gethan« (229/75379, fol. 7–16, Pkt. 51 ad 10; 16–19 VI 1783).

Anzeigen, was sie als unmißverständliches Zeichen eines mangelnden Amtseifers der betreffenden Amtsträger deuteten.

Der Köndringer Pfarrer machte wohl aufgrund besonderer Erfahrungen in der Gemeinde 1756 den Vorschlag, es sollten neben den Richtern bestimmte Personen eigens als Rüger bestellt werden, die monatlich strafbare Sachen und Unordnungen bei den Vorgesetzten anzeigten.[587] Die Anzeige von Feldfrevel und von Personen, die unerlaubte Wege und Pfade über Privatgüter benutzten, gehörte zu den Aufgaben der Bannwarte. In Steinen nahmen die beiden Bannwarte ihre Aufsichtspflicht offenbar so schlecht wahr, daß im Anschluß an das Frevelgericht neue Bannwarte an ihrer Stelle ernannt werden mußten.[588] Ihre Kollegen aus dem Nachbarort Hägelberg hingegen reichten beim Frevelgericht ein Verzeichnis mit den Namen von 13 Bürgern ein, die im Frühjahr zu verbotener Zeit mit ihren Wagen über Ackerfelder gefahren waren. Mehrere von ihnen weigerten sich in einem Bittgesuch an den Oberbeamten dann aber, die Buße zu bezahlen, weil sie wegen der völlig unbrauchbaren Wege dazu genötigt worden seien, über Ackerfelder zu fahren, weil die betroffenen Güterbesitzer gar nicht gegen sie geklagt hatten und weil schließlich nicht alle bestraft worden seien, die über das Feld gefahren waren. Die Supplikanten wollten auch gerne bei der Ausbesserung der Wege in der Gemeindefron mitwirken, wenn die Vorgesetzten den geeigneten Zeitpunkt für diese Arbeiten mit der Gemeinde besprechen wollten.[589]

Der allgemeine Widerwille gegen die Übernahme von Wächterfunktionen zeigt sich aber daran, daß einige von ihnen von allen Richtern oder allen Bürgern im Reihendienst versehen werden mußten. Die Organisation einer Amtstätigkeit im Reihendienst läßt sich einerseits als Maßnahme zur möglichst gleichmäßigen Verteilung einer Last unter die Bürger deuten, achtet man aber zusätzlich darauf, welche Funktionen regelmäßig der Reihe nach versehen wurden, dann fällt es nicht schwer, den Reihendienst auch als Verlegenheitslösung zu interpretieren, auf die man in den Gemeinden bei der Besetzung unbeliebter Chargen verfiel. Dazu zählten besonders die verschiedenen Wächterfunktionen, die bei Tag oder Nacht oder im Hinblick auf bestimmte Personengruppen (Bettler, Nachtschwärmer, Wirtshausbesucher) für Ruhe und Sicherheit im Ort zu sorgen hatten (Tab. 5.34). Dieses Amt brachte es unweigerlich mit sich, daß sich die Wächter als Moralpolizisten gegenüber anderen Gemeindebewohnern gerieren und ihren Auftrag mitunter vor den Augen anderer Dorfbewohner öffentlich durchsetzen mußten.

Bei Frevelgerichten erkundigten sich die Oberbeamten nicht nur nach der formellen Einrichtung der lokalen Policeyämter, ihre Anwesenheit im Ort ist sowohl

---

[587] 229/54951/I, Anzeige 3 von Pfarrer Sander (15–16 XII 1756).
[588] 229/100906, fol. 1–39, Abschnitt II, ad Pkt. 28 (20–22 VIII 1782).
[589] 229/100906, fol. 72, fol. 74 ff. (20, 21 VIII 1782).

Tabelle 5.34:
Reihendienst bei Wächterfunktionen in Gemeinden des Oberamts Hochberg[590]

Jahr	Gemeinde	Reihendienst unter den Richtern	Reihendienst unter den Bürgern
1756	Köndringen	Nachtwache	
1769	Köndringen		Bettelwache, Tag- und Nachtwache
1789	Eichstetten	Kirchenrüger, Scharwache	Kirchenrüger, Scharwache, Nachtwache, Geflügelschützen
1789	Bahlingen	Kirchenrüger, Scharwache	
1790	Denzlingen	Kirchenrüger, Scharwache	Tag- und Nachtwache
1790	Teningen	Kirchenrüger, Scharwache	Tag- und Nachtwache
1790	Mundingen	Kirchenrüger, Scharwache unter Beigabe eines Bürgers	Scharwache
1790	Vörstetten	Scharwache unter Beigabe eines Bürgers, Almosenpfleger	Tagwache, Scharwache

von den Amtsträgern selber als auch von den Bürgern als Gelegenheit für Klagen und Beschwerden genutzt worden. Amtsträger beklagten sich über den Ungehorsam der Bürger gegenüber ihren Anweisungen oder über die mangelnde Autorität ihres Amtes in der Gemeinde, Bürger wiederum kritisierten Amtsnachlässigkeiten der örtlichen Funktionsträger. 1756 beschwerte sich der Köndringer Stabhalter, es herrsche »so schlechte Parition bey der Burgerschaft sowohl in Frohnden als andern Dingen, daß ein jeder nach seinem eigenen Gefallen komme oder ausbleibe, wann ihm gebotten wird«. Das Oberamt versuchte, die Gebotsgewalt der Vorgesetzten durch die Ansetzung von Bußen von $1/2$ fl. bzw. $1/4$ fl. pro Stück Vieh für Hand- bzw. Zugfroner zu stützen.[591] 1758 trug der Kolmarsreuter Vogt Windisch dem Oberbeamten seine Klage vor, daß die Einwohner seiner Gemeinde »nicht gern jedesmal gleich auf das Wort« parierten, sondern es »auf die Straffen ankommen« ließen. Das Oberamt gab dem Vogt insofern Rückendeckung, als es ihn anwies, die Ungehorsamen sogleich zu bestrafen und sie im Wiederholungsfall unverzüglich an das Oberamt zur weiteren Bestrafung zu überstellen, »maßen ohne schleunigen Gehorsam die so nöthige Ordnung ohnmöglich erhalten werden könne«.[592] Wenige

---

[590] Bahlingen 1789 (Gemeindearchiv Bahlingen C VIII, Nr. 4), Denzlingen 1790 (Gemeindearchiv Denzlingen 1 B 247), Eichstetten 1789 (GLAK 229/23271), Mundingen 1790 (GLAK 229/70240/III), Teningen 1790 (GLAK 229/105132), Vörstetten 1790 (GLAK 229/107983). – Im Oberamt Rötteln: Brombach 1791 (GLAK 229/13204); Efringen 1791 (GLAK 229/22654).

[591] 229/54951/I, Anzeige 8 des Stabhalters (15–16 XII 1756).

[592] StadtA Emmendingen B 1a/1, fol. 84–92, 100'–107, Anzeige 3 von Vogt Windisch (19 VI 1758).

Jahre später bat der Köndringer Vogt Schmidt den Oberbeamten darum, die Gemeinde ernstlich zur Befolgung seiner Befehle anzuhalten. Auch hier willfahrte das Oberamt der Bitte und drohte all jenen, die wider die Befehle des Vogts »raisonniren«, eine Turmstrafe oder gar härtere Bestrafung als »Aufrührer« durch das Oberamt an.[593] In Vörstetten kam es 1790 im Durchgang zur Klage gegen die Gemeindevorgesetzten, daß diese die Bürger bei Gemeindeversammlungen, Gemeindefrondiensten u. a. oft lange auf sich warten ließen. Vogt und Stabhalter wiesen die Schuld allerdings der Gemeinde zu, »denn, wenn sie zum Beispiel auf eine Frohnd kämen, so disputirten die Bürger langs und breit mit ihnen, wie das Geschäft angefangen werden solle und darüber verstreiche zuweilen einige Zeit«. In den Augen des Oberamts lag das Problem darin, daß das Ansehen der Vorgesetzten bei der Gemeinde nicht besonders gut war; folglich würde sich diese Beschwerde von alleine erledigen, wenn die Vorgesetzten ihr Ansehen bei der Gemeinde besser wahrten.[594]

Auffallend viele Klagen der Marcher sind in den Protokollen der späten Frevelgerichte im Oberamt Hochberg festzustellen, was mit der hohen Zahl von Grenz- und Wegstreitigkeiten unter den Ortsbewohnern dieser Gemeinden in Zusammenhang stand.[595] Stellvertretend sei hier die Beschwerde der drei Bahlinger Marcher über die viele »Unordnung« in Marchsachen referiert: Die Einwohner wollten sich angeblich selten mit der Arbeit der Marcher begnügen, die Parteien erschienen oft nicht zu den Lokalterminen, wodurch die Marcher in ihrem Geschäft sehr behindert wurden, und schließlich bezahlten ihnen die Parteien nur äußerst schleppend ihre Gebühren. Das Oberamt kam den Marchern entgegen und bestimmte, daß Marchen auf Äckern, Matten und Reben erst nach der Ernte, dem Emd bzw. der Weinlese vorgenommen werden durften, daß die Marchtermine von allen Interessenten beach-

---

[593] 229/54952, Anzeige 4 von Vogt Schmidt (8 IX 1761).

[594] 229/107983, fol. 16'–23, Abschnitt VI, nach Pkt. 3 (15–18, 21–25, 28–29 IX 1790). – Um ein besseres Ansehen bei der Gemeinde sollten auch die sieben Richter besorgt sein und zu diesem Zweck »einen ordentl. und wohlanständigen Lebenswandel (...) führen, sich unter einander nicht wie bisher geschehen (...) dauzen noch viel weniger dieses von andern (...) leiden. Besonders ist den jüngern Richtern aufs neue verbotten worden, im Wirtshaus mit ledigen Purschen zusammen zu sizen.« Die Richter sollten aber vor allem den Vorgesetzten besser an die Hand gehen, sich in Gemeindeangelegenheiten gebrauchen lassen, bei versammeltem Gericht und wenn sie sonst berufen wurden »ihre Meinung, wenn sie anderst denken, gewissenhaft sagen und nicht hinten drein, wie mermalen schon geschehen, sich damit bei der Gemeinde zu entschuldigen, daß die Vorgesezten es eben so gemacht hätten.« (Ebd., fol. 23'–26). Das Oberamt teilte dem Hofrat mit, die Vorgesetzten beschwerten sich darüber, daß sie von den Richtern nicht gehörig unterstützt wurden und diese sich auch bei gemeinsamen Entscheidungen gegenüber der Bürgerschaft entschuldigten, die Entscheidungen gingen allein von den Vorgesetzten aus (ebd.; 25 XI 1790). Der Hofrat billigte das Vorgehen des Oberamts und ermunterte indirekt Vorgesetzte und Richter all jene beim Oberamt anzuzeigen, die sich ihnen gegenüber ungebührlich und unartig verhielten (ebd.; 14 XII 1790).

[595] Vgl. Tab. 4.2.

tet und diese von den Vorgesetzten zur raschen Zahlung der Marchgebühren angehalten werden sollten.[596]

Die Beschwerden von Ortsbürgern gegen die lokalen Amtsträger betrafen durchaus nicht nur geringfügigere Unregelmäßigkeiten, wie etwa das Unterlassen des
pünktlichen Stundenrufens durch den Nachtwächter,[597] Nachlässigkeiten bei der
Kontrolle der Sonntagsheiligung[598] oder Unaufmerksamkeiten der Geflügelschützen.[599] Mitunter kamen dem Oberbeamten auch massivere Anschuldigungen zum
Amtsgebaren der Vorgesetzten selber zu Ohren. Die Teninger Vorgesetzten mußten
sich 1754 vom Oberamt den Tadel gefallen lassen, sie hätten beim damaligen Frevelgericht mitgeholfen, strafbare Sachen zum Nachteil des herrschaftlichen Strafan-
teils zu verschweigen oder zu vertuschen. Sie wurden zudem angewiesen, künftig in
Gemeindesachen besser mit den Richtern zu kommunizieren.[600] Der Köndringer
Vogt mußte sich 1776 tadeln lassen, weil er die Anzeigen der Bannwarte nicht
untersuchte; seiner »Schläfrigkeit« sollte dadurch abgeholfen werden, daß der Bannwart dem Oberamt jedesmal unfehlbar berichten sollte, wenn er im Anschluß an die
Anzeige eines Feldfrevels seine Rügegebühr nicht erhalten hatte, was wiederum ein
Beweis dafür war, daß der Frevel nicht bestraft worden war. Für jeden unbestraften
Felddiebstahl drohte das Oberamt dem Vogt mit einer Strafe von 10 fl.[601]

Klagen konnten auch zu institutionellen Änderungen in der Ämterorganisation
führen, so etwa in Mundingen 1790, wo sich im Durchgang mehrere Bürger darüber
beschwert hatten, daß der Feldbannwart seinen Dienst nicht gehörig versehen konnte, weil er zugleich als Dorfbote amtierte. Vorgesetzte und Richter teilten diese
Kritik, so daß der Oberbeamte die Trennung der beiden Ämter verfügte.[602]

---

[596] GA Bahlingen C VIII Nr. 4, fol. 1–179', Abschnitt B, Pkt. 12 (8–20 VI, 10–13 VIII 1789). –
Klagen über die Erschwernis der Marchgeschäfte durch das Ausbleiben der Parteien und
über die schleppende Entrichtung der Gebühren auch in Denzlingen 1790 (GA Denzlingen
1 B–247, fol. 203'; 22 II–10 III 1790) und in Teningen 1790 (229/105132, fol. 47–126, ad
Pkt. L; 5–13 VIII 1790), über die langsame Bezahlung der Marchkosten in Mundingen 1790
(229/70240/III, fol. 47–91', ad Pkt. K; 7–30 IX 1790).

[597] In Teningen 1790 waren es allerdings die beiden Nachtwächter, die anzeigten, daß die vier
Beiwächter öfters nicht im Ort patrouillierten, sondern auf der Wachtstube liegen blieben
(229/105132; fol. 47–126, Abschnitt B, ad Pkt. N; 5–13 VIII 1790).

[598] Beim Grenzacher Frevelgericht 1785 verordnete das Oberamt, daß an Sonn- und Feiertagen
ein Richter gemeinsam mit einem Bürger während des Gottesdienstes sowie nachts um 10
Uhr die Wirtshäuser besuchen sollte (229/33917, ad Pkt. 24; 22 III 1785).

[599] 229/107983, fol. 13–16', ad Pkt. 6 (15–18, 21–25, 28–29 IX 1790). Anlaß zur oberamtlichen Ermahnung an die beiden Vörstetter Geflügelschützen waren Klagen über den Schaden, den Hühner anrichteten.

[600] 229/105128, Verordnungen 2 u. 4 vom 6 XII 1754.

[601] 229/54951/III, ad Pkt. 13 (17–19 XII 1776).

[602] 229/70240/III, fol. 47–91', Abschnitt B, ad Pkt. I (7–30 IX 1790).

Mitunter kümmerte sich der Oberbeamte auch um die Rekrutierung von geeignetem Nachwuchs für bestimmte lokale Ämter. Vörstetten etwa verfügte über keine eigentlichen Marcher, denn die drei Steinsetzer verstanden das Marchergeschäft nicht. Deswegen erhielten die Vorgesetzten den Auftrag, einen geeigneten Mann zu diesem Amt vorzuschlagen, der sich im Marchen unterrichten lassen sollte, damit Vörstetten für Marchgeschäfte nicht mehr die Marcher aus Teningen oder Denzlingen beiziehen mußte. Der neue Marcher sollte dann seinerseits den älteren Sohn des Stabhalters zu den Marchgeschäften mitnehmen, sobald er selber genug unterrichtet war, um so sicherzustellen, daß ein brauchbarer Marcher nachgezogen wurde. In derselben Gemeinde besorgten die beiden Viehschauer auch das Amt des Vieharztes. Da einer von ihnen alt wurde, sollten die Vorgesetzten noch während des Frevelgerichts einen tauglichen Nachfolger vorschlagen, den man bei einem Vieharzt in die Lehre schicken konnte.[603] In Wintersweiler verrichtete eine alte Frau das Hebammenamt zur allgemeinen Zufriedenheit der Gemeinde. Eine Beifrau war bereits als Nachfolgerin der Hebamme bestimmt, doch kam sie nicht dazu, sich in ihrem Amt zu üben, weil die Kindbetterinnen aus Angst vor Mehrkosten es meist ablehnten, beide Hebammen beizuziehen. Auf Druck des Physikats und des Oberamts sollte hier schließlich der Pfarrer dafür sorgen, daß die alte Hebamme die Beifrau nicht weiter von den Geburten ausschloß, sondern diese auch zu ihren Amtserfahrungen kommen ließ.[604]

Allerdings war die hinreichende Versorgung einer Gemeinde mit spezialisierten Diensten und die Gewährleistung einer nahtlosen Nachfolge im Amt für die Gemeinden auch mit Kosten verbunden. In Mundingen besorgte eine 62jährige Frau seit sieben Jahren das Hebammenamt, und die ganze Gemeinde war mit ihr »ungemein wohl zufrieden«. Auch die Hebamme selber hatte sich über nichts zu beklagen und wies sich über den Besitz von drei tauglichen Hebammenstühlen, von großen und kleinen Klistierspritzen sowie des Jaegerschmidtschen Hebammenunterrichts aus.[605] Das Oberamt befand nun, daß für diesen Ort mit 103 Bürgern eine Hebamme allein nicht ausreichte, und hielt die Anstellung einer Beifrau für nötig. Zur Menagierung der Gemeindekosten baten Vorgesetzte und Gericht aber darum, die Gemeinde vorderhand von der Anstellung einer Beifrau zu verschonen. Sie hielten die gegenwärtige Hebamme für ausreichend, und im Fall einer Krankheit waren die Hebammen aus den Nachbarorten auch nicht weit entfernt. Fürs erste schloß sich das Oberamt den lokalen Repräsentanten an, nicht ohne aber für die Zukunft die Weisung zu erteilen, rechtzeitig eine Bürgersfrau als Beifrau vorzuschlagen, wenn die Kräfte der aktuellen Hebamme nachlassen sollten und sie den Ort nicht mehr alleine bedienen konnte.[606]

---

[603] 229/107983, fol. 4–13, ad Pkte. 1, 5 (15–18, 21–25, 28–29 IX 1790).
[604] 229/115110, fol. 21–43', ad Pkt. 12, fol. 52 ff., 55 f. (20 XI 1787, 5, 11 I 1788).
[605] Gustav Viktor Jägerschmidt war seit 1724 Landphysicus im Oberamt Rötteln (Helm, Zunftwesen I, S. 23) und hat offensichtlich eine Lehrbuch für Hebammen verfaßt, das am Ende des Jahrhunderts noch in Gebrauch war.

Am häufigsten mußten sich die Oberbeamten bei der Aufsicht über die lokalen Ämter aber mit Besoldungsfragen auseinandersetzen, nicht zuletzt, weil die Amtsträger häufig selber um die Aufbesserung ihrer Besoldung supplizierten.[607] Vor allem die Angaben aus den detaillierteren Protokollen des Oberamts Hochberg in den späten 1780er und frühen 1790er Jahren lassen unterschiedliche Besoldungs- und Entschädigungssysteme für die Amtsträger in den Gemeinden erkennen. Grob lassen sich drei Besoldungsarten unterscheiden: Die Entlöhnung in Geld, die Zuwendung von Naturalien sowie die Befreiung von Wacht- und Frondiensten für die Gemeinde. Einen exemplarischen Eindruck vom komplexen Besoldungssystem der lokalen Amtsträger vermitteln die Angaben aus den Protokollen zu den beiden letzten Frevelgerichten in den Oberämtern Rötteln und Hochberg. Die detaillierten Angaben zum Frevelgericht von Efringen 1791 (Tab. 5.35) und von Vörstetten 1790 (Tab. 5.36) belegen dies für jeweils eine Rötteler und eine Hochberger Gemeinde.

Einige Themen kehren in den Frevelgerichtsprotokollen im Zusammenhang mit der Besoldung und Entschädigung der lokalen Amtsträger regelmäßig wieder. Dazu zählt einmal die vielfach strittige Frage, wer in der Gemeinde aufgrund seines Dienstes zum Wohl der Gemeinde einen berechtigten Anspruch auf die Befreiung von kommunalen Lasten und Pflichten erheben konnte.

Zu diesen Lasten zählten einmal die Wachtpflichten, die in manchen Gemeinden den Bürgern im Reihendienst oblagen.[608] Die zweite allgemeine Bürgerlast, von der einzelne Amtsträger im Sinne einer Entschädigung für ihre Dienste befreit waren, stellten die Frondienste zu Gunsten der Gemeinde dar.[609] Die Kommunen ließen

---

[606] 229/70240/III, fol. 47–91', Abschnitt B, ad Pkt. M; 7–30 IX 1790). – Zur staatlichen Aufsicht auf die Hebammen vgl. Loetz, »Medikalisierung«, S. 146–149, 259–262; zum Konflikt zwischen Hebammen und Beifrauen ebd., S. 261 f. – Zu den Hebammen im Oberland s. Vortisch, Ämter, S. 75 f.

[607] Sabean hat am Beispiel Neckarhausens nachweisen können, daß der Prozeß der Agrarintensivierung steigende Ausgaben der Gemeinde für »agricultural specialists and protection agents for the village« nach sich zog (Sabean, Neckarhausen I, S. 58). Zu diesen zählte er die Hirten, Baumpfleger, Flurschützen, Bannwarte, Nachtwächter, Bettelvögte etc. Die Gemeinde Neckarhausen hatte 1710 18 fl. Lohnkosten für je einen Dorfschützen und Nachtwächter, 1810 für acht Bedienstete Kosten von 212 fl. im Jahr.

[608] Tab. 5.34. – Weitere Belege: In Fischingen war 1778 der Aufseher über die Baumschule der Gemeinde im Genuß der Wachtfreiheit (229/28582, fol. 9–12', ad § 11; 22 IV 1778), in Mundingen war 1790 der Gefügelschütze von Gemeindefronen und -wachen befreit (229/70240/III, fol. 47–91', Pkt. N; 7–30 IX 1790), in Efringen 1791der Almosenpfleger von der Wache (229/22654, fol. 3–58, Pkt. 15; 14–16 II 1791).

[609] In Mundingen schlugen Vorgesetzte und Richter 1769 die Befreiung von Herrschafts- und Gemeindefronen für den bis dahin gänzlich unbesoldeten Heimbürgen vor (229/70240/II, Pkt. 51; 14, 17–18 II 1769). – Von den Frondiensten für die Gemeinde zu unterscheiden sind die Frondienste für die Herrschaft, von denen im Sinne einer Entlöhnung ebenfalls befreit werden konnte (Ludwig, Bauer, S. 22). Beim Vörstetter Frevelgericht 1790 entschied das Oberamt, daß außer dem Vogt, Stabhalter, Salzstädler, dem Ehemann der Hebamme, Waidgesellen und Dorfboten niemand von Herrschaftsdiensten befreit sein sollte,

Tabelle 5.35:
Die Besoldungen und Entschädigungen der lokalen Amtsträger in der Gemeinde Efringen (Oberamt Rötteln), 1791

Amt	Besoldungsart		
	Geld	Naturalien	Freiheit von Diensten und Abgaben
Gemeinde-schaffner	alt: Vorschuß auf einge-zogenen Frucht- und Weinzinsen neu ab 1791: 7 fl./Jahr aus der Gemeindekasse		
Tag- und Bettelwächter	26 Kr./Jahr von jedem Bürger 4 fl./Jahr von der Gemeinde zur Anschaffung einer Montur	»Wander Tisch« 1 Paar Schuhe von der Gemeinde	
Kuhhirte		1 Sester Mischelfrucht von Bürgern mit Weidevieh, ¹/₂ Sester von den andern Bürgern 5 J. Gemeindegut zur Nutzung für das Faselvieh	
Marcher	Marchergebühren von den Parteien		
Fleischschätzer	nichts	nichts	nichts
Waisenrichter	24 Kr./Tag bei Inventuren und Teilungen		
Bannwart		Von jedem Bürger 1 Garbe Korn pro angeblümter J. Von jedem Ausmärker 1 Garbe Korn 1 Laib Brot von fremden Matten-besitzern	
Feuerschauer	Tagesgebühren aus der Gemeindekasse		
Sinner	Gebühren von Benutzern des Maßgeschirrs		
Hebamme	10 fl. aus der Gemeindekasse	Bürgernutzen	

Tabelle 5.36:
Die Besoldungen und Entschädigungen der lokalen Amtsträger in der Gemeinde
Vörstetten (Oberamt Hochberg), 1790

Amt	Besoldungsart		
	Geld	Naturalien	Freiheit von Diensten und Abgaben
Marcher	Gebühren: 4 Kr. pro gesetzten Stein und gehobenen alten Stein 30 Kr. Tagesgebühren, wenn sie ihre Küche erreichen können, sonst 50 Kr. 8 Kr. für die Setzung eines Steins im Dorf		
Brotwäger		alt: 1 Zweikreuzerbrot vom Bäcker pro Schau neu: 1 fl. aus der Gemeindekasse	
Fleischschauer	nichts	nichts	nichts
Scharwächter	nichts	Verpflegung durch die Wirte, bei denen Hochzeiten abgehalten werden	alt: nichts neu: Befreiung vom halben Wachtgeld
Weinsiegler	3 fl./Jahr von der fürstl. Einnehmerei		
Feuerschauer	30 Kr. Tagesgebühr		
Feuerreiter	neu: 30 Kr. pro Ritt aus der Gemeindekasse		alt: Fronfreiheit für 2 Pferde
Dorfbote	Tagesdiät von 10 Kr., wenn er seine Küche nicht erreichen kann 10 Kr. pro Kontrakt und Obligation 20 Kr./Tag von fremden Gültherren beim Gülteinzug nebst freier Kost	24 Sester Frucht von der Bürgerschaft Holz von der Gemeinde 50 Kr./Jahr von der Gemeinde für einen Hut	
Bannwart		Von jedem Ausmärker 1 Garbe Korn pro J. 2 Paar Schuhe/Jahr von der Gemeinde	Befreiung von Gemeindeumlagen

Amt	Besoldungsart		
	Geld	Naturalien	Freiheit von Diensten und Abgaben
Nachtwächter	10 fl./Jahr	1 Laib Brot von jedem fronbaren Bürger	Befreiung von Gemeindeumlagen und -frondiensten
Tag- und Bettelwächter	16 fl. 40 Kr./Jahr	1 Laib Brot von jedem Bürger	
Geflügelschützen		1 Pfund Pulver und 2 Pfund Schrot von der Gemeinde	
Roßhirt	12 Kr. pro Pferd	3 Viertel Frucht	
Kuh- und Schweinehirt	6 Kr. pro Stück Vieh	$^1/_2$ Sester Frucht	
Vogt	17 fl./Jahr	Nutzung eines Wäldchens von 4 J. Nutzung eines Ackers von $^1/_2$ J.	Fronfreiheit Befreiung vom Rauchhuhn Rebgeldfreiheit
Stabhalter			Fronfreiheit
Gerichtsschreiber	5 fl./Jahr Gebühren		
Heimburger	15 fl. aus der Gemeindekasse		

eine Vielzahl von öffentlichen Arbeiten in der Gemeindefron durch ihre Bürger verrichten: Den Unterhalt und die Reparation der Land- und Dorfstraßen sowie der Feld- und Güterwege, die Säuberung und Öffnung von Wässerungs- und Abzugsgräben, die Bewirtschaftung von gemeindeeigenen Gütern, sofern diese nicht verliehen waren u. a. m. Die Wacht- und Frondienste sowie die Besoldungen kommunaler Bediensteter stellten für die einzelnen Haushalte eine Belastung dar, auf deren möglichst gleichmäßiger Verteilung die Bürger pochten. Beides zeigt sich bei Frevelgerichten: Dort bemühten sich einerseits einzelne Amtsträger darum, ebenfalls in den Genuß dieser Freiheiten zu gelangen, dort kam es aber auch häufiger zu Klagen von Bürgern, wenn diese Freiheiten nach ihrer Einschätzung allzu großzügig verteilt

von den Gemeindefronen hingegen sollten all jene frei sein, »mit welchen ihrer Gemeinds Aemter halber auf die Frondfreiheit accordirt worden«, doch sollte die Gemeinde darin kein »Übermas« treiben (229/107983, fol. 16'–18; 15–29 IX 1790). – Häufig haben Vögte nach der Niederlegung ihres Amtes um die Verlängerung ihrer Dienstbefreiung auf Lebenszeit suppliziert (Holenstein, Bittgesuche, S. 337 f., 338).

wurden. Jede Befreiung einer Person oder eines Haushaltes erhöhte unweigerlich die Belastung der übrigen Haushalte.

Eine frühe Klage über die allzu weite Ausdehnung der Wachtfreiheit wurde beim Köndringer Frevelgericht 1761 laut. Der Bürger Simon Engler fühlte sich durch die Tatsache beschwert, daß besonders die Scharwächter, das ganze Gericht und die Leibdingsleute, »also zu viele Leute«, wachtfrei waren.[610]

Klagen über das Ausmaß der Wachtfreiheit häuften sich in den 1780er Jahren. Weil die Dorfwächter in Steinen die Wirtshäuser nur an Sonntagen visitierten, nicht aber an Werktagen, ordnete der Oberbeamte 1782 die Wahl von zwei besonderen Wirtshausvisitatoren aus der Gemeinde an; die Vorgesetzten lehnten es aber ab, diesen die Fron- und Wachtfreiheit einzuräumen, weil schon mehrere diese besaßen.[611] Im Durchgang des Eichstetter Frevelgerichts 1789 beschwerten sich verschiedene Bürger darüber, »daß manche wegen geringen Polizei Ämtern, wofür sie doch besondere Belohnung empfangen, frei gelassen würden«. Tatsächlich waren nach Auskunft der Vorgesetzten und Richter in diesem Ort außer ihnen selber die Marcher, Brotwäger und Fleischschätzer, Weinsiegler, Viehschauer, die Aufseher bei Hochzeiten, der Geflügelschütze, Waidgeselle, die Kirchenrüger, Ehemänner der Hebammen, Salzstädler, Scharwächter, der Almosenpfleger, Dorfbote, die Feuerschauer und die über sechzigjährigen Bürger von der Nachtwache befreit. Bei einzelnen Ämtern hielten sie diese Befreiung besonders gerechtfertigt: Die Viehschauer waren mit Einwilligung der ganzen Gemeinde von Nachtwachen und Gemeindefronen befreit worden, weil sie sich bereit erklärt hatten, bei Unglücksfällen keine weiteren Gebühren von den Bürgern zu fordern; Waidgesellen, Hebammenmänner und Salzstädler hatten ohnehin Anspruch auf Personalfreiheit, und die Geflügelschützen, Kirchenrüger und Scharwächter waren von der Nachtwache befreit, weil sie sonst nicht für ihr Amt belohnt wurden. Mit dem Einverständnis der Vorgesetzten und Richter beschränkte das Oberamt in seiner Verordnung den Kreis der Wachtfreien auf die über sechzigjährigen Bürger, die Viehschauer, Geflügelschützen, Waidgesellen, Kirchenrüger, Männer der Hebammen, Salzstädler, Scharwächter, den Dorfboten und die Bettelwächter, alle übrigen Bürger unter 60 Jahren sollten hingegen zur Wache verbunden sein, wenn die »Tour« an sie kam.[612]

---

[610] Das Oberamt wies die Vorgesetzten an, ein Verzeichnis aller wacht- und frondienstfreien Personen anzulegen, das in der Akte allerdings nicht mehr überliefert ist; auf dieser Grundlage erließ eine nicht näher bekannte Verordnung (229/54952, erste Beschwerde des Simon Engler; 8 IX 1761).

[611] 229/100906, fol. 1–39, Pkt. 29 f; 20–22 VIII, 3 XII 1782, 1 III 1783. – Die Vorgesetzten schlugen statt dessen zur Entschädigung eine Rügegebühr auf Kosten jener, die öfters nach der Zeit im Wirtshaus angetroffen wurden, vor. Das Oberamt regte eine Belohnung in Holz oder Geld an. Schließlich löste man die Frage, indem die Aufgabe den Kirchenrügern übertrug, die dafür nicht zusätzlich belohnt werden sollten.

[612] 229/23271/II, Abschnitt B, Pkt. F (2–13 II 1789).

In Bahlingen wurden im selben Jahr Klagen gegen die Richter laut, die »zur Ungebühr« vom Lohn für Nachtwächter, Hirten und Bannwarten befreit waren; das Oberamt gab den Klagen statt und statuierte, daß niemand in der Gemeinde, »wer er auch sey«, vom Beitrag zum Nachtwächterlohn ausgenommen sein sollte, die herkömmliche Befreiung vom Äckerichhirtenlohn wurde den Richtern jedoch belassen.[613] 1790 beschwerten sich mehrere Bürger beim Frevelgericht in Denzlingen darüber, daß die Tag- und Nachtwachen zu rasch reihum gingen, »weil sehr viele davon befreit seyen«, und baten um »Einschraenkung dieser Freiheit«. Zur Rede gestellt, zählten Vorgesetzte und Richter die befreiten Personen auf: Nebst ihnen waren dies die 12 Unterrichter, die Männer der Hebammen, der Dorfbote, Dorfhatschier, Bannwart, Nachtwächter, Almosenpfleger, die drei Müller, die Hirten, der Blasbalgzieher an der Orgel, der Salzstädler, Barbierer sowie alle über sechzigjährigen Einwohner und die »mundtoten«, also die bevormundeten Bürger. Um die Bevölkerung vom Wachtdienst zu entlasten, verordnete das Oberamt auf Vorschlag der Vorgesetzten und Richter, daß die Müller, die mundtoten Bürger sowie die über sechzigjährigen Bürger, die erwachsene Söhne oder Knechte im Haushalt hatten, künftig nicht mehr vom Wachtdienst befreit sein sollten, während alle übrigen sowie die Alten ohne erwachsene Söhne und Knechte, die an ihrer Stelle die Wache versehen konnten, weiterhin im Genuß dieser Befreiung bleiben sollten.[614] Dieselbe Klage wie in Denzlingen hatten Teninger Bürger wenige Wochen zuvor bei ihrem Frevelgericht dem Oberamt vorgetragen. Sie beschwerten sich nämlich, daß »um der vielen Wachtfreiheiten willen die Tag und Nachtwache zu geschwind im Ort herum komme« und hatten »also um desfallsige Remedur gebeten«. In Teningen war der Kreis der von der Wache befreiten Personen noch weiter gezogen: Die Vorgesetzten und Richter, Marcher, Waidgesellen, der Salzstädler, Gerichtschreiber, Dorfbote, die Bannwarten, Nachtwächter, Almosenpfleger, Hirten, ein Scharwächter aus der Gemeinde, der Blasbalgzieher und Uhrenrichter, der Mann der Hebamme, die Hanfwäger, Zehntdrescher und die älteren Personen über 60. Der Oberbeamte ging mit den Vorgesetzten und Richtern die Dienste dieser Personen genau durch und gelangte zum Ergebnis, daß nur die für ihre Arbeit wohl belohnten Zehntdrescher sowie die älteren Personen, welche noch bei guter Gesundheit waren oder erwachsene Söhnen hatten, künftig zusätzlich zur Tagwache, sowie erstere auch zur Nachtwache, angehalten werden sollten, »alle übrigen aber noch ferner davon zu befreien seyn möchten«.[615]

---

[613] GA Bahlingen C VIII Nr. 4, fol. 1–179, Abschnitt B, Pkte. 8, 51 (8–20 VI, 10–13 VIII 1789).

[614] GA Denzlingen 1 B–247, fol. 194'–197' (22 II–10 III 1790). – Bei den »Zwölfern« oder »Unterrichtern« handelte es sich um Personen, die zusammen mit den Richtern das Amt der Kirchenrüger und nächtlichen Wirtshausvisitatoren versahen.

[615] 229/105132, fol. 47–126, Abschnitt B, Pkt. K (5–13 VIII 1790).

Auch die Zentralbehörden haben die Besoldung der Vorgesetzten und lokalen Amtsträger in der zweiten Hälfte des 18. Jahrhunderts zu einem Thema der Gesetzgebung und Verwaltung gemacht. Darin läßt sich indirekt ein Beleg für die steigende Sensibilisierung der Obrigkeit für die Bedeutung der lokalen Verantwortlichen im Organisations- und Institutionengefüge der obrigkeitlichen Policey sehen. Mehrere legislatorische und administrative Maßnahmen zielten auf die Festigung der Mitarbeit der Vorgesetzten beim Vollzug der Policeygesetzgebung.

Ein Generalreskript von 1761 belohnte und ermunterte all jene Vorgesetzten, die Gemeindegelder ansparen und zu Kapital anlegen konnten, mit einer jährlichen, aus der Gemeindekasse zu finanzierenden Zulage in der Höhe von 1% bis ^{1}/4% des ersparten Betrags. Die in Frage kommenden Vögte, Schultheißen, Stabhalter, Anwälte, Heimbürgen oder Bürgermeister mußten beim Hofrat um diese Belohnung supplizieren, und die Oberämter dem Hofrat immer dann, wenn ein abtretender Vorgesetzter um die Bewilligung der Fronfreiheit bat, berichten, wieviel der Betreffende zu Gunsten seiner Gemeinde erspart oder ihr anderswie Nutzen verschafft hatte, damit zuverlässig erwogen werden konnte, ob ihm auf Lebenszeit etwas von den Kapitalien zuzuteilen sei, oder ob er die Personal- oder bei außerordentlicher Tätigkeit gar die Realfronfreiheit verdient habe.[616]

In gewissen Gemeinden war die Entlöhnung der Vorgesetzten angesichts der ihnen auferlegten Aufgaben und des damit verbundenen Zeitverlustes in der Tat kümmerlich: Vogt Tschudi aus der Kaiserstühler Gemeinde Bickensohl supplizierte 1800 an das Oberamt Hochberg um die Bewilligung einer Besoldung, da er sein Amt bis dahin unentgeltlich versehen und gleichwohl bei seinem geringen Vermögen den ganzen Schaden von diesem Amt allein getragen hatte. Tschudi bat um die Überlassung von sechs Klafter Brennholz im Jahr sowie um die Nutzung von sechs Mh. Acker bzw. zwei Mh. Matte.[617]

---

[616] Vgl. Holenstein, Bittgesuche, S. 325 f.; RepPO 2013; GS III, Ziff. 226 (15 IX 1761).

[617] 229/8089 (29 XI 1800). Das Oberamt bestätigte Tschudis Angaben und machte besonders auf die Unannehmlichkeiten aufmerksam, denen der Vogt in den vergangenen Kriegszeiten ausgesetzt gewesen war (ebd., 6, 23 XII 1800). – Vgl. dagegen die Besoldung des Vogts von Vörstetten 1790: Befreiung von Frondiensten, Rauchhuhn und Rebgeld; Nutzung eines Wäldchens von ca. 4 J. mit einem Ertrag von ca. 6 Klafter Holz/Jahr; Nutzung eines Ackers von ^{1}/2 J.; 17 fl. Geldentlöhnung. Allerdings beschwerte sich Vogt Meier beim Frevelgericht über die seiner Auffassung nach sehr geringe Belohnung, bei der er kaum bestehen könne (229/107983, fol. 16'–23, Pkt. 1; 15–18, 21–25, 28–29 IX 1790). – Der Efringer Vogt bezog 1791 nur eine Jahresbesoldung von 4 fl.; als öffentliche Bezeugung seiner Verdienste um die Vermehrung des Gemeindevermögens beantragte das Oberamt beim Hofrat die Verleihung einer Medaille, die ihm vor der Gemeinde überreicht werden sollte; von einer ansehnlichen Besoldungszulage wollte das Oberamt absehen, da der Vogt bereits ein schönes Vermögen besaß und nur ein Kind hatte; letztlich blieb es bei der öffentlichen Belobigung des Vogts durch den Oberbeamten (229/22654, fol. 97–98'; 11 III 1791, 26 II 1793).

Die Gemeinden entlöhnten ihre Funktionsträger mit der Befreiung von kommunalen Lasten, daneben ließen sie ihnen auch Geld und Naturalien zukommen, wobei hier der Vergleich zwischen den Gemeinden erhebliche Unterschiede in der Höhe der Vergütungen der einzelnen Amtschargen zu Tage treten läßt (Tab. 5.37).

Tabelle 5.37:
Die Besoldung ausgewählter lokaler Ämter mehrerer Gemeinden im Vergleich

	Amt			
Gemeinde	Hebamme	Bannwarte	Bettelwächter	Geflügelschützen
Bahlingen 1789	5 fl./Jahr Wartgeld	1 Garbe Frucht von jedem Bürger	40 fl. von der Gemeinde	3 fl./Jahr von der Gemeinde
Eichstetten 1789	Wacht- und Fronfreiheit 10 fl./Jahr Wartgeld 1 Klafter Holz	3 Garben Frucht von jedem Bürger Frucht von Ausmärkern	Wachtfreiheit 14 fl. aus der Gemeindekasse 1 Garbe 46 fl. von der Bürgerschaft	Befreiung von Nachtwache und Gemeindefron
Denzlingen 1790	Fron- und Wachtfreiheit ein doppeltes Bürgerlos Holz (je 2 Klafter Eichen und Buchenholz) 5 fl. 50 Kr. Wartgeld 4 Sester Roggen doppeltes Eckerich-Recht	Wachtfreiheit ½ Sester Roggen von jedem Bürger 1 Garbe Frucht von Ausmärkern	alle 2 Jahre eine Montur aus den Landskosten 36 fl./Jahr von der Gemeinde 1 Paar Schuhe und Sohlen/Jahr von der Gemeinde	Freiheit von Tag- und Nachtwache sowie von gemeindlichen und herrschaftlichen Handfronen Versorgung mit Pulver und Blei durch die Gemeinde
Efringen 1791	10 fl. aus der Gemeindekasse Bürgernutzen	1 Garbe Frucht von den Bürgern pro J. Feld 1 Garbe pro Ausmärker 1 Laib Brot von jedem fremden Mattenbesitzer	26 Kr./Jahr von jedem Bürger »Wander Tisch« 4 fl./Jahr für eine Montur und 1 Paar Schuhe von der Gemeinde	keine Angabe

Die Entlöhnung der lokalen Policeyämter hat in den Frevelgerichtsprotokollen des späten 18. Jahrhunderts noch zu weiteren Erörterungen Anlaß gegeben, die Licht auf den Mentalitätswandel innerhalb der Verwaltung werfen und dabei eine neue Sensibilität der Bürokratie für die spezifische Beziehung zwischen amtlichen Kontrolleuren und kontrollierten Personen verraten.

Die Brotschauer und Fleischschätzer erhielten im 18. Jahrhundert für ihre Bemühungen meistens eine Entschädigung direkt von den Bäckern und Metzgern, deren Ware bzw. Tätigkeit sie auf Ordnungswidrigkeiten hin überprüften. Bei allen sechs Frevelgerichten im Oberamt Hochberg 1789/90 wurde nun diese Form der Naturalentlöhnung kritisiert. Aus der Sicht der Oberbeamten, teilweise aber auch in den Augen der Vorgesetzten, wurde dieses Verfahren als »Uebelstand« oder als »unschicklich« bewertet und statt dessen eine Entlöhnung in Geld zu Lasten der Gemeindekasse angeordnet. Das Protokoll für die Gemeinde Mundingen liefert noch einen zusätzlichen Anhaltspunkt für die Einordnung dieses Übergangs, indem dort die alte Entlöhnung der Fleischschauer mit Fleisch als »zwekwidrig« bezeichnet wurde[618] (Tab. 5.38).

Tabelle 5.38:
Der Übergang von der Natural- zur Geldentlöhnung der Brotschauer und Fleischschätzer in Gemeinden des Oberamts Hochberg, 1789/90

Brotschauer		Fleischschätzer	
Vor 1789/90	Nach 1789/90	Vor 1789/90	Nach 1789/90
Eichstetten: 1 Zweikreuzerbrot vom Bäcker pro Brotschau	*Eichstetten:* 3 fl./Jahr	*Eichstetten:* Fleisch vom Metzger	*Eichstetten:* 4 fl./Jahr
Bahlingen: 1 Kreuzerbrot vom Bäcker pro Brotschau	*Bahlingen:* 5 fl./Jahr	*Bahlingen:* keine Angabe	*Bahlingen:* keine Angabe
Denzlingen: 1 Zweikreuzerbrot vom Bäcker pro Brotschau	*Denzlingen:* 1½ fl./Jahr	*Denzlingen:* Fleisch vom Metzger	*Denzlingen:* 1½ fl./Jahr
Teningen: Belohnung vom Bäcker pro Brotschau	*Teningen:* 3 fl./Jahr	*Teningen:* Fleisch vom Metzger	*Teningen:* 3 fl./Jahr
Mundingen: Brot vom Bäcker	*Mundingen:* 3 fl./Jahr	*Mundingen:* 1 Pfund Fleisch	*Mundingen:* 3 fl./Jahr
Vörstetten: 1 Zweikreuzerbrot vom Bäcker pro Schau	*Vörstetten:* 1 fl./Jahr	*Vörstetten:* kein Lohn	*Vörstetten:* 30 Kr./Jahr

Der Wandel im System der Besoldung dieser beiden kommunalen Policeybediensteten mag zwar hinsichtlich der aufgewendeten Auslagen nicht weiter erwähnenswert erscheinen. Institutionell betrachtet bedeutete der Übergang von der Natural- zur Geldentlöhnung aber eine grundsätzliche Änderung, weil die zum Nutzen der Gemeindebewohner erbrachte Dienstleistung nicht mehr durch die zu beaufsichti-

---

[618] 229/70240/III, (7–30 IX 1790).

genden Bäcker und Metzger, sondern durch die Gemeindekasse entlöhnt wurde. Es fand damit ein bemerkenswerter Wechsel von einer »privaten« zu einer »öffentlichen« Besoldung statt. Leider äußerten sich weder die Oberbeamten noch die Vorgesetzten in den Protokollen näher dazu, worin für sie die »Unschicklichkeit« des älteren Verfahrens genau gelegen hatte. War es die Tatsache, daß in dieser Besoldung die Abhängigkeit des Prüfenden vom Überprüften zum Ausdruck kam, wo doch das Verhältnis gerade umgekehrt beschaffen sein sollte? Fürchtete man die Bestechlichkeit der Brotwäger und Fleischschauer, und wollte man mit dem Wechsel den negativen Folgen der Amtsnachlässigkeit vorbeugen? Jedenfalls scheint der Übergang ein Indikator für ein geschärftes Bewußtsein des öffentlichen und allgemeinen Charakters bestimmter Dienstleistungen innerhalb der lokalen Gesellschaft zu sein.

Für die Beurteilung des Ansehens, das einerseits Voraussetzung zur Bekleidung eines bestimmten Amtes in der Gemeinde war und das andererseits vom jeweiligen Amt auf dessen Träger zurückstrahlte, ist es nicht uninteressant, die Träger der unterschiedlichen Gemeinde- und Policeyämter sozialökonomisch genauer zu verorten.

Die Eichstetter Frevelgerichtsakte von 1789 erlaubt aufgrund des detaillierten Verzeichnisses aller Bürger und ihrer »Vermögens- und Nahrungs Umständ«, welche Vogt Wahrer und Stabhalter Rinklin für den Oberbeamten Roth erstellten, eine genaue Aufstellung sämtlicher Amtsträger unter Angabe ihrer Beschäftigung und ihres Vermögens (Tab. 5.39).

Die Tabelle verleiht den Ausführungen über den Status und die Verrichtungen der kommunalen Amtsträger soziale Tiefenschärfe.[619] Bei den Vorgesetzten und Richtern waren mit zwei Ausnahmen – dem reichen Bäcker Jößle und dem Schmied Johannes Rinkwald – die Bauern unter sich, und zwar vorab jene mit den größten Vermögen in der ganzen Gemeinde. Sie besetzten die Stellen des Vogts, Stabhalters und der Richter. Weiter fällt auf, daß einige Richter aus dieser Gruppe mehrere Ämter kumulierten und neben ihrem Richteramt auch als Marcher, Feldstützler, Weinsticher oder Weinsiegler – letztere zwei wichtige Ämter in dieser Weinbauerngemeinde –, als Brotwäger oder Fleischschätzer tätig waren. Schmied Rinkwald war mit seinem Vermögen von 2000 fl. der einzige Richter in einer mittleren Vermögenslage. Bauern mit guten und mittleren Vermögen dominierten aber auch bei den übrigen Ämtern außerhalb des Gerichts.

Am unteren Ende der Vermögensskala rangierten unter den Amtsträgern der Gemeinde Eichstetten im wesentlichen nur der Dorfbote Groos, die beiden Feuerschauer aus dem Handwerkerstand sowie die Träger der diversen Wächterfunktionen

---

[619] Die Vermögensangaben lassen sich mit der Gesamtverteilung des Vermögens in der Gemeinde in Verbindung bringen, wie sie in Tab. 5.21 dargestellt ist.

Tabelle 5.39:
Beschäftigungslage und Vermögen der Eichstetter Amtsträger, 1789[620]

Nr. im Verz.	Name	Amt	»Hantierung«	Vermögen in fl.
137	Wahrer, Georg	Vogt	Bauer	15000
77	Jößle, Johannes	Stabhalter (bis 1789)	Bäcker	12000
304	Rinklin, Jakob	Gerichtsschreiber (bis 1789) Stabhalter (seit 1789)	Bauer	8000
42	Berger, Martin	Richter	Küfer, Bauer	8000
118	Schumacher, Andreas	Marcher, Feldstützler, Weinsticher	Bauer	1000
171[621]	Schumacher, Andreas	Richter, Marcher, Feldstützler, Weinsticher	Bauer	15000
136	Bockstahler, Jakob	Richter, Brotwäger, Fleischschätzer, Weinsiegler	Bauer	4000
160	Scherzer, Johannes	Richter (seit 1789)	Bauer	10000
161	Danzeisen, Joseph	Richter, Marcher, Feldstützler	Bauer	10000
210	Rinkwald, Johannes	Richter	Schmied	2000
220	Eselgroth, Johannes	Richter	Bauer	3500
224	Schmidt, Jakob	Richter, Marcher (bis 1789), Waisenrichter	Bauer	7000
314	Hiß, Martin	Richter, Marcher (ab 1789), Kirchenrüger (für 1789)	Bauer	3500
6	Groos, Zacharias	Bote	Bote	500
25	Schöpflin, Johannes	Hanfschauer	Krämer	1100
31	Meier, Michel	Weinsticher	Bauer	14000
18	Bacher, Georg Philipp	Viehschauer	Wirt, Metzger	7000
31 124 152[622]	Meier, Jacob, Kasp[ars] Sohn	Brotwäger, Fleischschätzer, Weinsiegler	Bauer Bauer Bauer	1000 4000 2000
32 206[623]	Schumacher, Hans Jerg	Sinner	Küfer Küfer	5000 2000

[620] In mehreren Fällen gibt es mehr als einen Träger des jeweiligen Namens, und eine eindeutige Identifizierung des Amtsträgers ließ sich mit den Angaben der Frevelgerichtsakte nicht vornehmen. In diesen Fällen gibt die Tabelle alle in Frage kommenden Träger dieses Namens mit den Angaben zu Beruf und Vermögen an.

[621] Unklar, ob der Richter Andreas Schumacher auch zugleich Marcher ist oder der zweite Andreas Schumacher dieses Amt innehat.

[622] Identifizierung von Jacob Meier unklar, es gibt drei Träger dieses Namens im Verzeichnis.

[623] Identifizierung von Hans Jerg Schumacher unklar, es gibt zwei Träger dieses Namens im Verzeichnis.

Nr. im Verz.	Name	Amt	»Hantierung«	Vermögen in fl.
45	Trautwein, Georg Jacob	Geflügelschütze (für 1789)	Metzger, Bauer	15000
50	Hiß, Jacob,	Viehschauer	Bauer	8000
205	Martins Sohn		Bauer	4000
205[624]			Bauer	1500
53	Schmidt, Mattis	Almosenpfleger	Bauer	5000
105[625]			Müller	2500
85	Danzeisen, Friderich	Feld- und Waldbannwart	Bauer	6000
347[626]			Taglöhner	600
130	Meyer, Martin	Heimburger	Bauer	12000
148	Müller, Andreas	Kirchenrüger (für 1789)	Bauer	2000
179	Bieselin, Jakob	Hatschier	Hatschier	500
187	Rinklin, Johannes	Marcher, Feldstützler	Wirt und Bauer	8000
204	Scherzer, Michael	Geflügelschütze (für 1789)	Bauer	4000
207	Wiedenmann, Philipp	Bettelwächter	Stricker	400
224	Eselgroth, Martin	Weinsticher	Bauer	3000
290	Walz, Martin	Bannwart	Bannwart	80
317	Brodbeck, Michel	Feuerschauer	Zimmermann	500
332	Grooß, Georg	Geflügelschütze (für 1789)	Bauer	1000
342	Huber, Hans Georg[627]	2. Feuerschauer (ab 1789)	Maurer	550
343	Huber, Johannes	2. Feuerschauer (bis 1789)	Maurer	1200

(Bannwarte, Bettelwächter, Hatschier). Man wird wohl eine gewisse Korrelation zwischen ihrem dürftigen Vermögensstand und dem sozialen Ansehen herstellen dürfen, das diese Aufseher in der Gemeinde genossen. Die Durchsetzungskraft dieser Wächter und eigentlichen Dorfpolizisten gegenüber den übrigen Dorfbewohnern und insbesondere gegenüber den reichen Vorgesetzten und Richtern wird man aufgrund ihrer Position auf der sozialen Skala des Dorfs wohl eher als gering beurteilen müssen.

*

[624] Tab. 5.39 (2), FN 5
[625] Tab. 5.39 (2), FN 6
[626] Tab. 5.39 (2), FN 7
[627] Tab. 5.39 (2), FN 8

5.8 Die Regulierung von Konflikten in den Gemeinden

Daß die Bevölkerungsentwicklung und die soziale Differenzierung in den Gemeinden des badischen Oberlands mit stark divergierenden Interessenlagen und mit entsprechenden Interessenkonflikten innerhalb der Bürgerschaften einhergingen, war den Hofräten und Oberbeamten der Markgrafschaft durchaus bewußt. Im Durchgang der Frevelgerichte kam mit den Beschwerden und Anzeigen der Bürger zumindest ein Teil dieser Konfliktkonstellationen ausdrücklich zur Sprache. Zudem waren die Oberbeamten aufgrund ihres amtlichen Selbstverständnisses unmittelbar daran interessiert, soziale Konflikte innerhalb der Gemeinden aufzuspüren und zu lösen, gehörte doch die Überwachung der »innere(n) und äußere(n) Ruhe und Sicherheit des Landes und der Unterthanen« zu ihren Hauptgeschäften.[628] Mit diesem Anspruch der Amtsbehörden verband sich die Überzeugung, bei Spannungen und Faktionsbildungen innerhalb der Bürgerschaften als Mediator von außen bzw. von oben strafend oder schlichtend – auf jeden Fall regulierend – in das örtliche Geschehen eingreifen zu müssen. Die Rolle des Mediators in lokalen Auseinandersetzungen resultierte aber nicht allein aus der Selbstdefinition der obrigkeitlichen Position, sie war letztlich auch das Ergebnis mannigfacher Klagen und Anzeigen von seiten der Untertanen selber, die mit ihren Bitten um Abhilfe und Remedur in privaten Konflikt- oder Notsituationen dem Oberamtmann diese Rolle zuschrieben. Diese Anrufung des obrigkeitlichen Repräsentanten fand keineswegs nur bei den selten stattfindenden Frevelgerichten statt, sie läßt sich wesentlich breiter auch an der Tätigkeit der mehrmals wöchentlich stattfindenden Amtstage am Sitz des Oberamts belegen.[629] Die weit verbreitete Vertrautheit mit der Einrichtung der Amtstage, bei denen jährlich Hunderte von Untertanen aus eigenem Antrieb in die Oberamtskanzlei traten oder vom Oberbeamten dahin zitiert wurden, gilt es in Rechnung zu stellen, wenn man das Erscheinen des Oberbeamten bei Frevelgerichten oder anderen Lo-

---

[628] So im Entwurf der Dienstinstruktion für badische Oberbeamte von Oberamtmann und Hofrat Johann Michael Saltzer (73/1322; 10 II 1755).

[629] Die äußerst dichte und umfangreiche Überlieferung der badischen Oberamtsprotokolle verdiente eine eingehendere Untersuchung. Erste Hinweise bei: Holenstein, Klagen (erscheint demnächst). – Auf die Bedeutung der Anrufung staatlicher Instanzen durch Angehörige der lokalen Gesellschaft verweist auch Lindemann, Health, S. 26: »In these internal combats, some willingly called in the state or appealed to outsiders in waging parochial battles. Such inclinations, and the frequency with which they turned into action, confound simple analyses that pit insiders against outsiders in representing the relationship between the early modern state and its subjects. There is no denying, of course, that the insider/outsider mechanism functioned and offers a plausible interpretation of some patterns of resistance to state authority. But the insider/outsider interpretation quickly exceeds its elucidative limits: it is too clumsy and unidimensional to explain the great variety of ways the state interacted with its people, or they with it.«

kalaugenscheinen in den Gemeinden richtig einschätzen will. Das Oberamt und die Person des Oberbeamten waren für viele Untertanen bekannte, bisweilen geradezu vertraute Erscheinungen.

Die obrigkeitliche Funktion der Konfliktmediation hat Wilhelm Heinrich Posselt, der badische Theoretiker und eifrige Verfechter der Frevelgerichte, in der ihm eigenen Diktion zum Ausdruck gebracht, als er die Behandlung der »Privatbeschwerden« bei den Frevelgerichten rechtfertigte. Wollte man nämlich die Klärung dieser Beschwerden an die Ortsvorstände delegieren, »so wäre den guten Landleuten die ihnen so tröstliche unmittelbare Beurtheilung und Erledigung ihrer Klagen auf dem Platz selbsten entzogen, und sie blieben nach wie vor der einseitigen und oft leidenschaftlichen Behandlung ihrer Vorsteher und Mitbürger ausgesetzt. Diese Beschwerden enthalten nicht selten den Brennstoff zu Prozessen, Denunciationen und faktionairen Auftritten in den Gemeinden«.[630]

Posselt warf den Vorgesetzten und Dorfbewohnern »Leidenschaftlichkeit« vor, und er kritisierte damit ein parteiliches, eigennütziges Amtsgebaren der kommunalen Verantwortlichen. So heißt es bei ihm weiter: Wenn der Beamte nie in die Mitte des Landvolks komme oder wenn er besonders bei Vogtgerichten von dessen Klagen ungerührt bleibe, »so muß der Landmann an seiner guten Meynung von dieser Anstalt und den ihm vorgesetzten Beamten viel, sehr viel verliehren. Er und seine Mitbürger denken zulezt, was bekümmert sich der Beamte um uns, er überläßt eben alles unsern Vorstehern, und *wie diese berichten, so richtet er*.«[631] In dieser Lage garantierte, in der Auffassung Posselts, der Oberbeamte das Wohl des Landmanns, er bildete eine Schutzinstanz für die Kleinen und Machtlosen in den Gemeinden, die den »leidenschaftlichen« Entscheidungen und Ränkespielen der kommunalen Amtselite ausgeliefert waren. Wie weit diese Konstellation nicht nur eine obrigkeitlichbürokratische Projektion und Selbstrechtfertigung darstellte, sondern in den untersuchten Gemeinden tatsächlich die administrative Praxis bei Frevelgerichten mitgestaltete, soll im folgenden erörtert werden.[632]

Die konfliktregulierende Funktion der oberamtlichen Gemeindevisitation wurde in verschiedenen Berichten der Oberämter über die Durchführung von Frevelgerichten erwähnt, wenn die Oberbeamten dem Hofrat gegenüber auf die Umstände zu sprechen kamen, die die Abhaltung eines Frevelgerichts in der jeweiligen Gemeinde

---

[630] Posselt, Vogt- oder Rügegerichte, S. 175.

[631] Ebd., S. 176 f. (Hervorhebung Posselt). – Zur Darstellungsmacht örtlicher Vorgesetzter in ihren Berichten s. auch Sabean, Neckarhausen I, S. 77 f.

[632] Das Phänomen der innergemeindlichen Konflikte und Faktionsbildungen bildete über das Ende des Ancien Régime und die Rheinbundzeit hinaus ein wichtiges Thema der Politik und wurde in der ersten Hälfte des 19. Jh.s wichtig als Kristallisationspunkt für die Bildung lokaler liberaler Oppositionsbewegungen (s. dazu Paul Nolte, Der südwestdeutsche Frühliberalismus in der Kontinuität der Frühen Neuzeit, in: GWU 43 (1992), S. 743–756, bes. S. 752–755).

erforderlich gemacht hatten. Solche Begründungen lieferten die Oberbeamten keineswegs in jedem Fall, und sie waren im Grunde auch nicht erforderlich, lieferte doch die landesherrliche Gesetzgebung eine hinreichende Grundlage für die regelmäßige Einberufung von Frevelgerichten. Aus diesem Grund erscheinen diese Begründungen der Oberbeamten, die übrigens in den Protokollen des Oberamts Rötteln viel seltener anzutreffen sind als in jenen aus dem Oberamt Hochberg, eher als Entschuldigungen dafür, warum das Oberamt nicht schon früher das Frevelgericht in der jeweiligen Gemeinde durchgeführt hatte.

Im Fall der Gemeinde Teningen wollte das Oberamt 1754 nach einer achtjährigen Unterbrechung das Frevelgericht wieder einberufen, weil nach dem Tod des Vogts eine Ersatzwahl in das oberste Gemeindeamt fällig war und zudem beim Oberamt »Denunciationspuncte« gegen den gegenwärtigen Stabhalter eingereicht worden waren, die eine Untersuchung erforderten. Zudem lehrte die »tägliche Erfahrung«, daß in Teningen wegen der früheren Uneinigkeit unter den Vorgesetzten verschiedene »Factionen« existierten, »welche man zur Ruhe zu weißen vor rathsam und nöthig angesehen«.[633]

In den nahe gelegenen Orten Windenreute und Maleck hatten etwa gleichzeitig verschiedene Einwohner ebenfalls eine »Denunciations Sache« gegen ihren Vogt und Stabhalter angestrengt. Nachdem die Angelegenheit durch den Hofrat entschieden war, berief das Hochberger Oberamt die Gemeinden 1755 zu einem Frevelgericht zusammen, um bei dieser Gelegenheit das entsprechende fürstliche Reskript zu publizieren und gleichzeitig die Wahl zweier neuer Vorgesetzter vorzunehmen.[634]

---

[633] 229/105128 (3–7 XII 1754). – Die »Denunciationspunkte« gegen Stabhalter Hans Adam Knoll wollte das Oberamt wohl nicht zuletzt deshalb vor der Vogtwahl erledigen, weil Knoll als aussichtsreicher Kandidat für die Nachfolge galt. Knoll war jedenfalls beim nächsten Frevelgericht 1759 nicht Vogt und auch nicht mehr Stabhalter; wahrscheinlich lebte er aber noch, denn im Bürgerregister zu diesem Frevelgericht wird einmal ein Hans Adam Knoll »der Jung« geführt, was eine Unterscheidung zu einem weiteren Träger dieses Namens bezweckte; im Register erscheint denn auch ein zweiter Hans Adam Knoll, Löwenwirt, bei dem es sich um den früheren Stabhalter handeln könnte, war dieser doch gemäß Frevelgerichtsprotokoll von 1754 tatsächlich Wirt. – Worin die »Denunciationspunkte« gegen Stabhalter Knoll 1754 im einzelnen bestanden, ist schwer zu sagen, denn das Protokoll notierte dazu nur den Bescheid des Oberbeamten, daß darüber ein separates Protokoll geführt worden sei. Dies läßt immerhin darauf schließen, daß die Vorwürfe von einer gewissen Erheblichkeit waren. Klar ist dagegen, daß die Kritik u. a. aus den Kreisen der örtlichen Richter stammte, berief sich doch Richter Hans Jerg Zimmermann, der fünf Jahre später als Vogt amtierte, im Durchgang 1754 auf die von ihm mitunterschriebene »Denunciations-Schrifft«. Einzelne Kritikpunkte lassen sich möglicherweise indirekt aus dem Protokoll erschließen: Richter Zimmermann zeigte dem Oberamt an, daß der Stabhalter etwa zwei Jahre zuvor in einem Streit zwischen seinem – des Stabhalters – Sohn und einem Bürger auf der Gemeindestube letzteren an den Haaren auf der Stube herumgezerrt habe; das Oberamt büßte Knoll wegen seines unanständigen Vorgehens und weil er den Streit anschließend verglichen hatte mit 6 fl. Im Durchgang brachte ein weiterer Bürger gegen den Stabhalter an, dieser habe »sehr garstige Reden von sich hören lassen« und überhaupt fluche er »abscheulich« (ebd., Anzeigen von Richter Hans Jerg Zimmermann und Hans Michel Heß).

Als das Oberamt 1776 in Teningen erstmals seit 1769 wieder ein Frevelgericht abhielt, begründete es dies damit, daß die Bürgerschaft sich seit einiger Zeit »ganz unruhig bezeugt« habe. Zudem war kurz davor das fürstliche Reskript mit der Änderung des bisherigen Schatzungsfußes beim Oberamt eingetroffen, das nun der Bürgerschaft publiziert werden sollte.[635]

In anderen Fällen kam der Wunsch nach der Durchführung eines Frevelgerichts aus den Gemeinden selber. In der Einleitung zum Bahlinger Frevelgerichtsprotokoll von 1789 meldete das Oberamt zuhanden des Hofrats, es hätten sich »die March und Güter Streitigkeiten auf hiesigem (...) Bann bis daher ungemein gehäuft«, weil beim letzten Frevelgericht im Jahre 1781 aus Zeitmangel keine Augenscheine auf dem Feld vorgenommen worden waren. »So hat der rechtschaffene dahiesige Vogt Bek schon mehrmahlen um Abhaltung eines abermaligen vollständigen Frevel-Gerichts, wodurch denen häufigen Güter- und March-Streitigkeiten abgeholfen und hierdurch desto mehr Ruhe unter die Gemeinde gebracht werde, bei Oberamt angesuchet«.[636] Die Häufung von Streitigkeiten um Privatgüter sowie »mehrere Polizei und den Rechnungsstand der ganzen Gemeinde betreffende Gegenstände« machten auch in Teningen 1790 »die Abhaltung eines abermaligen Ruggerichts nothwendig«, zumal dieses in dieser Gemeinde seit 1776 nicht mehr stattgefunden hatte.[637] Denselben Grund nannte das Oberamt 1790 auch im Fall der Gemeinde Denzlingen, wo es 1756 letztmals ein Frevelgericht gegeben hatte und sich deswegen die Streitigkeiten in der Flur stark gehäuft hatten. Hier kam noch hinzu, daß die Gemeinde aufgrund interner Spannungen 1789 einen eigentlichen »schändlichen Auflauf« erlebt und die Gemeinde darauf selber beim Oberamt »den sehnlichen Wunsch geaeussert [hatte], daß ihren mannigfaltigen Privat-Beschwerden durch eine Local-Untersuchung abhelflichen Maasen verschafft werden möchte, welches auch derselben zugesichert worden«.[638] Nach einer fast ebenso langen Unterbrechung wie in Denzlingen kam es 1790 auch in Vörstetten nochmals zu einem Frevelgericht, das angeblich nach 32 Jahren »ein wahres Bedürfniß für die Gemeinde« darstellte. Zudem machte die bevorstehende Publikation des neuen Berains des in Vörstetten begüterten Johanniterordens einen Besuch des badischen Oberamts umso nötiger, »als wir [das Ober-

---

[634] Wie im Fall Teningens 1754 läßt auch hier die Frevelgerichtsakte nicht erkennen, worin das Verschulden der beiden Vorgesetzten bestand. Die Tatsache, daß sie ersetzt werden mußten, läßt allerdings auf schwerwiegendere Verstöße schließen (StadtA Emmendingen B 1a/1, fol. 77–83'; 4–5 VI 1755). – Die Beschwerden der Gemeinde Windenreute gegen ihre Vorgesetzten, deren Amtsentsetzung und die Vornahme einer Vorgesetztenwahl beim Frevelgericht sind belegt im Reskript des Hofrats v. 10 V 1755 (61/881; HRN 1878).
[635] 229/105131 (11, 27 VI 1776).
[636] GA Bahlingen C VIII Nr. 4, fol. 1 (8–20 VI, 10–13 VIII 1789).
[637] 229/105132, fol. 1 f. (5–13 VIII 1790).
[638] GA Denzlingen 1 B-247, fol. 1 f. (22 II–10 III 1790). – Knapp zu diesem »Auflauf« Strobel, Agrarverfassung, S. 172, der das Ereignis irrtümlicherweise in das Jahr 1790 verlegt.

amt Hochberg, AH] bei dieser Gelegenheit die beste Local Kenntniß von all denjenigen Angelegenheiten bekommen konnten, wovon bei der bevorstehenden Publication des neuen Berains die Rede seyn wird, welche von sehr wichtigem Belange
für die Gemeinde sind und wegen welcher diese wahrscheinlich in einen weitaus-
sehenden Prozeß mit dem Orden gerathen wird, da eine gütliche Übereinkunfft wohl
schwehr zu erzielen stehen wird.«[639]

Wie weiter oben dargelegt werden konnte, waren die Frevelgerichte eine wichtige
Veranstaltung zur Beilegung zahlreicher Streitigkeiten unter den Ortsbürgern. Die
Oberbeamten betätigten sich aber nicht nur auf diesem Sektor als konfliktregulie-
rende Instanz, in den besuchten Gemeinden staute sich mitunter ein Konflikt- und
Spannungspotential an, das nicht so sehr in den »privaten« Beziehungen unter Gü-
ter- und Hausnachbarn, sondern im gestörten Verhältnis der verschiedenen sozialen
Gruppen der Bürgerschaft zueinander wurzelte, und ein einvernehmliches Gemein-
deleben nachhaltig stören konnte. Dabei handelte es sich gleichsam um »öffentliche«
Konflikte, die das Funktionieren gemeindlicher Institutionen gefährdeten.

Zwei Konfliktfelder treten hervor, die die Oberbeamten in der zweiten Hälfte des
18. Jahrhunderts bei ihren Gemeindebesuchen verschiedentlich beschäftigt haben:
Spannungen unter den Vorgesetzten und Richtern und gestörte Autoritätsbeziehungen zwischen der Bürgerschaft und den lokalen Vorgesetzten einerseits[640] sowie
Konflikte um die Verteilung kommunaler Ressourcen und Lasten auf die verschiedenen Gruppen innerhalb der Bürgerschaft andererseits.

Von Uneinigkeiten unter den Vorgesetzten und den Angehörigen des örtlichen
Gerichts handelte das frühe Frevelgerichtsprotokoll von Teningen 1754.[641] Wesentlich klarer faßbar werden die Auswirkungen einer gestörten Kommunikation zwischen den einzelnen Angehörigen der lokalen Amtselite aber im Fall der Gemeinde
Köndringen 1756.

---

[639] 229/107983 (25 XI 1790). – Der Streit mit dem Johanniterorden drehte sich um den Besitz
eines Waldes von 40 J., den die Gemeinde angeblich seit 1719 nutzte, ohne dafür jemals
einen Zins entrichtet zu haben. Da abzusehen war, daß der Orden bei der bevorstehenden
Publikation des neuen Berains auf der Entrichtung des Zinses bestand und dies die Gemeinde unter Verweis auf das alte Herkommen verweigern würde, war zu befürchten, daß
ohne Vergleich zwischen den Parteien die eine oder andere Seite gegen den dereinst zu
erteilenden erstinstanzlichen Spruch des Oberamts appellieren würde (ebd., fol. 37'–39).
Zudem lag die Gemeinde mit dem Orden auch wegen des Unterhalts von zwei Wucher-
stieren im Streit (ebd., fol. 53' ff.).

[640] Ein Fall von Faktionsbildung innerhalb der Gruppe der Vorgesetzten und Richter ist weiter
oben bereits am Fall des Pforzheimer Oberamtsorts Langensteinbach geschildert worden
(s. Kap. 4.5.1).

[641] Von der früheren Uneinigkeit unter den Vorgesetzten und der Existenz mehrerer »Factionen«
in der Gemeinde spricht ohne Details die Einleitung des Oberamts zum Frevelgerichtsprotokoll (229/105128; 3–7 XII 1754).

Bereits das Anzeigeverhalten von Vogt, Stabhalter und Richtern spiegelte die Faktionierung wider: Ungewöhnlicherweise zeigte Vogt Hans Jerg Engler im Durchgang dem Oberbeamten keinen einzigen Punkt an, während Stabhalter Niclaus Schmidt gleich 15 Anzeigen vortrug. Von den neun Richtern folgten deren drei dem Vogt und zeigten ihrerseits nichts an, vier nahmen eine mittlere Position ein und brachten einen bis drei Punkte an, während die Richter Grether und Enderlin mit neun bzw. sechs Anzeigen im Amtseifer eher dem Stabhalter zu folgen schienen.[642] Auch der Pfarrer beklagte beim Durchgang die Uneinigkeit unter den Vorgesetzten als »eine üble Sache in der Gemeinde«. Diese Uneinigkeit fand in einer ganzen Reihe von Klagepunkten Ausdruck: Richter Limberger warf dem Vogt vor, er kümmere sich nicht um den Unterhalt von Weg und Steg, auch wenn man ihn daran erinnerte; Richter Schillinger beklagte, daß der Vogt die Beschlüsse des Gerichts nicht exekutierte, sondern »die Sache wiederum auf sich beruhen« lasse, »daraus viele Unordnungen entstanden«; Richter Enderlin belastete ebenfalls den Vogt, hatte er doch als Feldstützler dem Vogt angeblich verschiedene »liederliche Bauern« angezeigt, die ihre Güter nicht ordentlich bebauten, worauf der Vogt jedoch nichts unternommen habe. Das Oberamt reagierte auf diese Kritikpunkte, indem es die Vorgesetzten bei Strafe anhielt, das Notwendige unfehlbar zu unternehmen und die Mehrheitsentscheidungen des Gerichts sogleich auszuführen.[643]

Die Ortsvorgesetzten waren aber nicht immer in der Position von unumschränkt schaltenden und rigoros durchgreifenden »Dorfkönigen«, deren Gebaren den Unmut anderer Bürger provozieren konnte. Nicht selten waren es der Vogt oder der Stabhalter, die das Erscheinen des Oberbeamten dazu benutzten, um sich über den Ungehorsam der Bürger gegenüber ihren Anweisungen zu beschweren und von der Behörde die nötige Rückenstärkung für ihre Amtsführung zu erbitten.

Der Köndringer Stabhalter Schmidt klagte 1756 darüber, daß in seiner Gemeinde wenig an Wegen und Straßen repariert worden sei, denn er habe es »als Stabhalter (...) nicht dahin bringen können, ohnerachtet er es der Gemeinde befohlen«.[644] Derselbe Schmidt bekundete 1761, inzwischen als Vogt der Gemeinde, nach wie vor Mühe, sich in der Gemeinde durchzusetzen, und bat deshalb den Oberbeamten darum, der Gemeinde »auf die Befolgung der von ihme, Vogt, ertheilten Befehle ernstl.

---

[642] 229/54951/I (15–16 XII 1756).

[643] 229/54951/I, Anzeige 1 Limbergers, Anzeige 1 Schillingers, Anzeige 1 Enderlins (15–16 XII 1756). – Zwar kam es nach dem Frevelgericht von 1756 zu einem Wechsel im Köndringer Vogtamt; beim Frevelgericht 1761 amtierten der frühere Stabhalter Schmidt und der frühere Richter Enderlin, die 1756 beide mit ihrer Kritik am alten Vogt hervorgetreten waren, als Vogt und Stabhalter, doch gerieten nun auch sie ins Kreuzfeuer der Kritik, indem Richter Limberger ihnen vorwarf, sie verkauften ohne Einwilligung des Gerichts Holz aus dem Gemeindewald, was ihnen das Oberamt denn auch verwies (229/54952, Anzeige 1 Limbergers; 8 IX 1761).

[644] 229/54951/I, Anzeige 2 des Stabhalters Schmidt (15–16 XII 1756).

Erinnerung zu thun«. Das Oberamt teilte der Gemeinde den geharnischten Bescheid mit, alle sollten nicht nur die Befehle des Oberamts, sondern auch jene des Vogts genau befolgen, »wiedrigenfalls die, so dawieder raisonniren und dem Befehl nicht gehorchen«, anfänglich mit Eintürmung bestraft und bei renitenter Haltung als »Aufrührer gebunden zum OberAmt geliefert werden sollen«.[645]

Ein weiteres Beispiel für die Amtshilfe des Oberamts zugunsten eines Ortsvorgesetzten liefert die Akte des Teninger Frevelgerichts von 1769. Zweieinhalb Jahre nach dem Frevelgericht entsandte das Oberamt Hochberg 1772 einen Teilungskommissar mit dem Auftrag nach Teningen, die Vorgesetzten zu befragen, weshalb viele Anordnungen, die das Oberamt beim Frevelgericht von 1769 getroffen hatte, in dieser Gemeinde nach wie vor nicht befolgt wurden. Die Vorgesetzten rechtfertigten sich wie folgt:

> *Theils zur Erklärung, warum hier und da die Vollstreckung zurückgeblieben? und zu Abwendung aller deßwegen ihnen etwa zukommenden Verantwortung haben die Vorgesezte zuförderst die Eröffnung gethan, daß sie in Befolgung dieser nützlichen und heilsamen Verordnungen bißher nicht alles dasjenige auswürcken und bewerckstelligen können, was sie hätten sollen und mit allem Eiffer und Willen jederzeit zu thun bereits gewesen, indem seithero so vielfältige und oft wiederholte Chicanen, Aufstifftung und Unruhen unter der Gemeind gegen sie und ihre meiste Handlungen angesponnen worden, daß es eine pure Unmöglichkeit gewesen, die Ausführung und Vollstreckung aller dieser Verordnungen in Stand zu bringen. Dieses Schicksal habe besonders ihn, den Vogt, hart betroffen, da ihm öfters die beste That und Absicht auf eine boshafte Art und also ausgelegt worden, als ob er zum Ruin der Gemeind handlen wolle. Deßwegen seye es geschehen, daß er öfters vor das OberAmt citirt und zur Verantwortung gezogen worden und oft in einerley Sache verschiedenemale. Und ob er gleich jederzeit die Redlichkeit seiner Handlungen und ihren Nuzen öffentlich bewiesen, so habe er doch niemal Satisfaction erlangt, sondern seye vielmehr die Sache wieder von vornen angefangen und neue Chicanen gemacht worden. Das habe ihn nun freylich schüchtern und in gewisser Art unthätig machen müssen. Und wann einem hochfürstl. gnädigen OberAmt alle diese Umstände ohnedis nicht genau bekannt wären, so würde er das, was er hier gesagt, noch näher entwicklen. Allein so glaube er, es seye besser zu schweigen und alles Vergangene mit dem Mantel der Sanftmuth und Liebe zuzudecken, zumal da er jezo Hoffnung habe, daß die Same des Friedens in ihrer Gemeind wieder aufgehn werde und von seiten des hochfürstl. OberAmts sich die eben so erwünschte als nöthige Unterstüzung und Unpartheylichkeit versprechen laße, also habe er jezo auch Hoffnung, und wünsche es wenigstens aufrichtig, daß die unter solchen Umständen noch zurück gebliebene Befolgung nunmehro werden nachgeholt und erfüllt werden können.*[646]

---

[645] 229/54952, Anzeige 4 des Vogts (8 IX 1761).
[646] Zitat aus dem Protokoll der Vernehmung der Teninger Vorgesetzten durch Teilungskommissar Schubart (229/105130;18 III 1772).

In dieser verfahrenen Situation wünschten die Teninger Vorgesetzten »aufrichtig und sehnlichst«, daß das Oberamt »je eheste lieber« wieder ein Frevelgericht in der Gemeinde veranstaltete, damit die Vorgesetzten sich mit ihren ganzen Bemühungen legitimieren konnten und das Oberamt darauf entscheiden mochte, ob sie wohl oder übel gehandelt hatten. Teilungskommissar Schubart, der in seinem Bericht an das Oberamt unterstrich, daß ihm »die Umstände des hiesigen Orts zimmlich wohlbekannt« waren, schloß sich dem Wunsch der Vorgesetzten an, weil auch nach seiner Auffassung »die Gesinnungen ihrer meisten Burger indeßen so sehr verderbt worden, daß es gleichsam eine neue Grund Lage erfordere, ehe und bevor sie sich eine geseegnete und hinlänglich authorisierte Amtsführung versprechen dörften«.[647]

Beim Frevelgericht von Steinen 1782 überreichte Stabhalter Senger aus Hägelberg dem Oberbeamten Posselt eine Beschwerdeschrift gegen 13 »widerspenstige« Bürger und Bauern seiner Gemeinde, die ein Verbot übertreten und mit ihren Wagen über Ackerfeld gefahren waren, sich den Anordnungen des Stabhalters widersetzt und sich zuletzt zum Teil auch geweigert hatten, dem Bannwart die deswegen ausgesprochene Buße zu bezahlen. Das Oberamt stützte hier die Position des Stabhalters und bestrafte die Bauern wegen ihres Ungehorsams mit einer Buße von 3 fl. bzw. 1 1/2 fl. und verpflichtete sie zur sofortigen Entrichtung der Bannwartenbuße in der Höhe von 12 Kr.[648]

Neben solchen Belegen, die zeigen, wie sich Vorgesetzte bisweilen in einem schwierigen lokalen Umfeld bewegten, das ihrer Position wenig Respekt zollte, enthalten die Protokolle der Frevelgerichte auch Passagen, die deutlich das allgemein bekannte Über- und Unterordnungsverhältnis von Vorgesetzten und einfacher Bürgerschaft reflektieren und die deutliche Kritik der Bürger am eigenmächtigen oder undurchsichtigen Amtsgebaren ihrer Vorgesetzten formulieren.

In der Hochberger Gemeinde Mundingen beschwerte sich im Durchgang des Frevelgerichts von 1769 der Bürger Simon Kreyer, daß fast bei allen Umlagen in der Gemeinde Vorschüsse gemacht würden, niemand aber wisse, woher diese kämen. »Er [Simon Kreyer, AH] hielte vor sehr gut, wann bei allen Umlagen ettliche Gemeinds Deputirte erwählet würden, welche selbsten zusehen könnten, wo der Vorschuß herrühre und wie selbiger verrechnet würde«. Das Oberamt trat auf diese Kritik am Finanzgebaren der Mundinger Vorgesetzten in einem besonderen Protokoll ein, so daß seine Entscheidung an dieser Stelle nicht überliefert ist.[649]

Das kommunale Rechnungswesen war wenige Jahre später – 1776 – auch in der Stadt Emmendingen einer von mehreren Gegenständen in einer Eingabe verschiedener Bürger an Oberamtmann Schlosser. Allgemein forderten diese Bürger eine

---

[647] 229/105130; 21 III 1772.
[648] 229/100906, fol. 1–39, Abschnitt I, Pkt. 11 (verschrieben für 12!) (20–22 VIII 1782).
[649] 229/70240/II, Pkt. 50 (14, 17–18 II 1769).

breitere Partizipation der Bürgerschaft an den Geschäften des städtischen Rates und machten Vorschläge für eine effizientere Verwaltung. Sie forderten einen sparsameren Umgang mit dem ansehnlichen Kapital der Stadt, um die Bürgerschaft von Umlagen zu entlasten, und die Schonung des Stadtwalds. Sie machten Vorschläge zur Verwendung des Bau- und Brennholzes, verlangten die Beiziehung von Bürgern bei der Realisierung von Hauptgeschäften an Wegen, Straßen und beim Wasserbau und wollten, daß die Gemeinderechnung vor der ganzen Gemeinde oder wenigstens vor einem Ausschuß der Bürgerschaft verlesen wurde. Der Vorstoß aus der Bürgerschaft hatte Erfolg, verfügte der Oberamtmann doch merkliche institutionelle Änderungen am Stadtregiment: Die Bürgerschaft sollte künftig einen zweiten Bürgermeister aus der Ratsmitte erwählen dürfen und an der Besetzung vakanter Ratsstellen beteiligt werden; zudem sollte unter Ausschluß des Rates ein Ausschuß der Bürgerschaft bestellt und alle zwei Jahre neu zusammengesetzt werden, der Zugang zum Rat erhalten und bei allen wichtigen Geschäften – u.a. bei der Dekretur der Kostenzettel und der Publikation der Stadtrechnung – beigezogen werden sollte. Zudem sollte ein Ausschußmitglied dem städtischen Baumeister beigegeben und auch bei der Abgabe von Holz zugegen sein.[650]

Schließlich liefert das Frevelgerichtsprotokoll von Denzlingen von 1790 noch einen Beleg für die in dieser Zeit aufkommende Debatte zur sogenannten Vetterleswirtschaft in den Kommunen.[651] Sehr viele Bürger Denzlingens besonders »von der mittleren und niederen Classe«, so heißt es im Protokoll, hatten sich beim Durchgang bei Landschreiber Roth darüber beschwert, »daß in dem Gericht zu viele Verwandschafft vorwalte, indem Vogt Nübling und Gerichtsschreiber Conrad Scherberger Gegenschwäre, Stabhalter Rappold und Jacob Nübling Schwaeger und Heimburger Jung Martin Nübling des Vogts Schwester Sohn seie, welches bei der Burgerschafft ein Mißfallen und manches Mißtrauen erwekke«.

Die Verantwortungen sowohl der örtlichen Vorgesetzten als auch des Oberamtmanns in diesem Punkt sind insofern besonders aufschlußreich, als die Kritik der Bürger einen eindeutigen Gesetzesverstoß benannte, den das Oberamt offenbar toleriert hatte.[652] Zur Verwandtschaft zwischen Stabhalter Rappold und Richter Jacob

---

[650] StadtA Emmendingen B 1a/Fasz. 9, §§ 45, 50 (9–10, 12–13 I 1776).

[651] David Warren Sabean, Social Background to Vetterleswirtschaft: Kinship in Neckarhausen, in: R. Vierhaus u.a. (Hgg.), Frühe Neuzeit – frühe Moderne? Forschungen zur Vielschichtigkeit von Übergangsprozessen, Göttingen 1992, S. 113–132.

[652] Die gleichzeitige Einsitznahme zu naher Verwandter – d.h. zweier Personen, die einander im vierten Grad der Verwandtschaft gemäß bürgerlichem Recht oder im zweiten Grad der Schwägerschaft der sogenannten ersten Art verwandt waren – im örtlichen Gericht war grundsätzlich verboten (RepPO 1182; WI I, S. 216; 11 V 1730) und zählte noch laut Hofratsinstruktion von 1794 zu den Vorschriften, von denen nur der Markgraf selber auf Antrag des Hofrats in außerordentlichen Fällen dispensieren konnte, und zwar wenn ein »Mangel an schicklicher Gelegenheit zu Ersetzung des Gerichts mit nicht verwandten Personen es nothwendig (...) machte« (RepPO 2994; Hofratsinstruktion v. 28 VII 1794, S. 31 ff., § 29 ad 5).

Nübling meinten Vorgesetzte und Gericht, sie hätten diesen Umstand bei der Stabhalterwahl vor zweieinhalb Jahren der Herrschaft angezeigt »mit dem Bemerken, daß beeder Weiber, von welchen die Schwaegerschaft hergerühret, tod seyen«. Wegen den Richtern Scherberger und Nübling dem jungen erläuterten die Vorgesetzten, ersterer sei schon lange Richter gewesen, bevor er »Gegenschwaer« des Vogts geworden sei, und letzterer »sei von dem OberAmt der Verwandschaft ohngeachtet als Richter angenommen und verpflichtet worden«. Landschreiber Roth fühlte sich in dieser Situation zu einer Rechtfertigung gegenüber dem Hofrat gedrängt und ließ im Protokoll vermerken, es sei »zwar an sich der Ordnung nicht ganz gemaeß, daß die Richter unter sich in allzunaher Verwandschaft stehen, man muß aber von OberAmts wegen obigen dreyen Richtern das verdiente Zeugniß beilegen, daß sie von den brauchbarsten Maennern in der Gemeinde sind, deren Entfernung aus dem Gericht ohne erhebliche Ursachen für sie selbsten hart und entehrend, für die Gemeinde aber nicht einmal rathsam seyn doerfte«. Roths Entscheidung war salomonisch: Eine Entlassung der fraglichen Richter lehnte er ab, zur »Beruhigung« der Bürger und zur »Herstellung mehreren Vertrauens zu dem Gericht« erachtete er es aber als billig, »daß die gegenwaertig erledigte zwey Gerichtsstellen gegen die bisherige Gewohnheit nicht durch reiche Bauren, sondern zwei rechtschaffene und brauchbare Maenner aus der niederen oder Taglöhners Classe ersezzet werden sollen«. Auf der Stelle wurden denn auch die im Schreiben und Rechnen erfahrenen Taglöhner Jacob Lai und Mathias Schumacher als Richter gewählt, vereidigt und zu ihrer Obliegenheit angewiesen, den Vorgesetzten aber erteilte das Oberamt die in dieser Situation interessante »gemessene Weisung«, ohne Zuzug der beiden neuen Richter sowie des ganzen Gerichts in »Gemeinds Angelegenheiten oder sonstigen wichtigen Vorfallenheiten nichts zu verhandlen und zu beschließen«.[653]

Klagen über die ungleiche Verteilung von Ressourcen und Lasten sind in der zweiten Hälfte des 18. Jahrhunderts in den Frevelgerichtsprotokollen recht häufig. Als besonders konfliktträchtig erwiesen sich zum einen die Ausgestaltung der Gemeindefrondienste, zum andern die Verteilung des Bürger- und Gabholzes und der Zugang zur Mattenwässerung.[654] Auf die Interessenkonflikte im Zusammenhang mit der Weide ist an dieser Stelle nur noch zu erinnern.[655]

Die Klagen einzelner Bürger über das Gemeindefronwesen wurzelten vorrangig in deren subjektiven Überzeugung, sie würden im Vergleich mit anderen Mitbürgern zu stark zu den kommunalen Fronen herangezogen. Die Teninger Bürger Leonhard Knoderer und Hans Michel Zimmermann, die angeblich häufiger als ein reicher Bauer mit zwei Pflügen, fronen mußten, baten den Oberbeamten 1754 deswegen um

---

[653] Die Zitate und der ganze Vorfall geschildert in: GA Denzlingen 1 B–247, fol. 233–236' (22 II–10 III 1790).
[654] Zum letzten Punkt s. Tab. 4.2.
[655] Vgl. dazu oben Kap. 5.4.2.2.

»Gleichheit nach Proportion des haltenden Zugviehs« und erwirkten von jenem immerhin den Befehl an den Stabhalter und Fronmeister, daß diese bei den Aufgeboten zu den Frondiensten »eine ohnpartheische Gleichheit nach Proportion der Pferde oder Ochsen oder auch Stiere, welche jeder anspannet, zu halten« hatten.[656] Die Teninger Gemeindefron war fünf Jahre später erneut Gegenstand einer Frevelgerichtsklage, als Bernhard Heß die Unordnung anzeigte, daß sowohl Bürger mit zwei Stieren als auch solche mit vier bis sechs Stieren ohne Unterschied jeweils mit zwei Stieren zur Fron geboten wurden. Das Oberamt trug auch hier der Kritik Rechnung und ordnete an, daß die Bauern mit vier bis fünf Zugtieren mit allen Tieren dienen sollten, jene aber, die das Vieh mästeten und nicht mehr anspannten, sollten mit dem Mastvieh fronfrei bleiben.[657] Allerdings ließ sich das Argument der Mästung auch als Vorwand gebrauchen, um das Vieh der Gemeindefron vorzuenthalten. Diesen Vorwurf richtete der Köndringer Richter Hans Jerg Engler 1769 an die Adresse der reichen Dorfbauern, die gegenüber den »Mittelbauren« bevorzugt wurden, welch letztere »mit ihren zweyen Stierlein immer auf die Frohn müßten«. Das Oberamt trat auch hier wieder für die Wahrung der Gleichheit in dem Sinne ein, als es die Bauern anwies, mit ihrem gesamten Bestand an Zugvieh die Fron zu beschicken.[658] Den Grundsatz, daß jeder Bauer mit so viel Vieh, als er zur Bewirtschaftung seiner Güter brauchte, die Fron beschicken sollte, wandte das Oberamt Hochberg auch 1789 in Bahlingen an, wo sich seit neuerem gewisse Bauern weigerten, mit vier Stück Vieh auf die Fron zu fahren, weil ihnen die frühere Sonderzulage von einem halben Klafter Holz gestrichen worden war.[659]

---

[656] 229/105128, Pkte. 7, 9 (3–7 XII 1754). – Zum badischen Fronsystem s. Zimmermann, Reformen, S. 29.

[657] 229/105129, Klage des Bernhard Heß (28–29 VIII 1759).

[658] 229/54953, Pkt. 59 (24–28 I 1769). – Dieser Konflikt zwischen angeblichem Mastvieh und fronbarem Vieh im selben Jahr auch in Teningen, wo der Stabhalter beklagte, daß sich unter dem Vorwand der Mästung viele im Winter von allen Fronen freizumachen suchten, was aber dem armen Mann, der nicht mästen könne, »zu grosem Überlast« gereiche; in seinem Bescheid wies das Oberamt die Vorgesetzten an, darauf zu sehen, daß jeder im Verhältnis zu der im Sommer gehaltenen Viehzahl das ganze Jahr hindurch frone, und keine Rücksicht auf die Mast zu nehmen (229/105130, Pkt. 13; 10–11 X 1769).

[659] GA Bahlingen C VIII Nr.4, fol. 1–179, Abschnitt B, Pkt. 34 (8–20 VI, 10–13 VIII 1789). – In Bahlingen nahm das Oberamt aber wiederum Rücksicht auf das Mastvieh, das erst zur Fron verpflichtet war, wenn der Bauer es einmal für sich einspannte (ebd.). – Auch in Denzlingen 1790 hielt das Oberamt am Grundsatz fest, daß jeder Bauer mit so viel Vieh zur Gemeindefron fahren mußte, als er für seinen Güterbau gebrauchte (GA Denzlingen 1 B–247, fol. 231–233; 22 II–10 III 1790). – So auch in Mundingen 1790, wo sich die Beschwerde über ungleiche Fronbelastung gegen die reichen Bauern richtete, die angeblich geschont und mit weniger Vieh, als sie zum Feldbau gebrauchten, zur Fron gezogen wurden (229/70240/III, fol. 47–91', Pkt. U; 7–30 IX 1790). – Dieselbe Klage und derselbe Oberamtsbescheid auch in Teningen 1790 (229/105132, fol. 47–126, Pkt. D.d.; 5–13 VIII 1790). – In Vörstetten 1790 ebenfalls die Klage, daß große Bauern, die 4 Stück Vieh zur Fron schicken mußten, nur mit zwei Stück kämen (229/107983, fol. 16'–18; 15–29 IX 1790).

Seltener als die Klage über die Ungleichheit in der Fronbelastung ist jene über die Ungleichheit bei der Austeilung des Bürger- oder Gabholzes, der jährlichen unentgeltlichen Holzabgabe an die Bürger durch die Gemeinde, zu vernehmen. Joseph Schöchlins entsprechende Klage beim Köndringer Frevelgericht 1769 wurde vom Oberamt als »Mißklag« zurückgewiesen, für die Schöchlin den Beweis schuldig blieb.[660]

Einen tieferen Einblick in die Holzverteilung erlaubt das Frevelgerichtsprotokoll von Bahlingen von 1789. Dort hatten mehrere Bürger im Durchgang verlangt, das Gemeindegabholz sei künftig ohne Rücksicht auf die Fronleistung der einzelnen Haushalte »gleichlich« auszuteilen. Vorgesetzte und Gericht verteidigten demgegenüber das Herkommen, das nach ihrer Auffassung in den meisten Orten des Oberamts Hochberg eine »classenweise« Abgabe des Holzes vorsah: Ein »Wagenmeier« erhielt demnach 2 1/2 Klafter, ein Karrenmeier 1 3/4 Klafter, ein Taglöhner 1 1/2 Klafter, ein im Leibgeding lebendes Ehepaar 1 Klafter und ein(e) Witwe(r) 1/2 Klafter Holz. Landschreiber Roth sah sich ausdrücklich nicht ermächtigt, von diesem Herkommen bis auf etwaige Änderung von höherer Stelle abzurücken und sanktionierte die alte Verteilung nach Klassen.[661] Gleichheit bei der Gabholzverteilung, nunmehr aber nicht mehr im ständisch abgestuften Sinne, sondern durchaus im egalitär-revolutionären Sinne der Zeit forderten im Jahr darauf die meisten Taglöhner in Denzlingen. Sie begründeten die Einführung einer »durchgaengigen Gleichheit« damit, daß die Gemeindewälder »ein Eigenthum der ganzen Gemeinde [seien], an welches jeder Burger gleiche Ansprache zu machen habe. Wenn gemeine Gelder zu bezahlen seyen, so treffe es den Tagloehner soviel als den Bauren und verhältnismaesig müße auch einer soviel Gemeinds-Frohnden als der andere verrichten, nicht weniger seye auch die Bedürfniß des Tagloehners gewöhnlich groeser als des Bauren, welcher einige Waldungen oder doch zu Anschaffung des weiteren benoethigten Holzes die Mittel besizze, mithin glaubten sie auch nichts unbilliges zu fodern, wann sie in Absicht des Gabholzes mit den Bauren eine durchgaengige Gleichstellung verlangen.« Die Vorgesetzten gaben sich in dieser Frage als Interessenvertreter der größeren Bauern zu erkennen und reklamierten das Herkommen für sich, das die proportionale Verteilung des Holzes nach Klassen vorsah. Dieser Verteiler war für die Vorgesetzten legitim, weil die größeren Bauern auch mehr Gemeindelasten trugen »und bei ihren groeßeren Haushaltungen auch groesere Holz Bedürfnisse als die Tagloehner haetten«. Das Oberamt stützte auch in diesem Fall wieder wie in Bahlingen die »classenweise« Verteilung des Gabholzes.[662]

---

[660] 229/54953, Pkt. 94 (24–28 I 1769).

[661] GA Bahlingen C VIII Nr. 4, fol. 1–179, Abschnitt B, Pkt. 35 (8–20 VI, 10–13 VIII 1789). – Eine Erörterung der einzelnen Klassen bei Strobel, Agrarverfassung, S. 122 f.

[662] In Denzlingen war die Holzverteilung wie folgt abgestuft. Früher hatten ein großer Bauer 3 Klafter, ein Mittelbauer 2 1/2 Klafter, ein Taglöhner 1 1/4 Klafter Buchenholz erhalten, in der Abgabe von Eichenholz (zum Bauen) sei aber jeder Bürger gleich behandelt worden; in

5.9 Die Finanzierung »guter Policey«: Die Sorge um die Gemeindeeinkünfte

Als der Badenweiler Oberamtmann Saltzer Mitte des 18. Jahrhunderts in seinem wegweisenden Entwurf einer Dienstinstruktion für badische Oberbeamte die Funktion der Frevelgerichte neu bestimmte, wies er die Oberbeamten u. a. an, ihre Bemühungen um die Policey auch auf die Inspektion der »Administration der Gemeinen Einkünfften und deren Verbeßerung« zu richten.[663] Die obrigkeitliche Gemeindefinanzpolitik des 18. Jahrhunderts wurde in zwei Bereichen aktiv: Auf der einen Seite zielte sie auf eine rigorose Überwachung der kommunalen Ausgaben durch die Anwendung eines strengen Bewilligungsverfahrens.[664] Tabelle 5.40 stellt eine Reihe von Angaben zusammen, die die Ortsvorgesetzten in den Frevelgerichtsakten über die Höhe und den Zweck bestimmter kommunaler Ausgabeposten gemacht haben. Sie zeigt, für welche Investitionen die badischen Gemeinden im späteren 18. Jahrhundert ihre Mittel verwendeten und dafür auch die Bewilligung der zentralen Regierungskollegien erhielten. Ausgaben auf dem Gebiet des Hoch- und Tiefbaus nehmen hier einen prominenten Platz ein.[665]

---

neuester Zeit war das Gesamtquantum des Gabholzes zur Schonung der Gemeindewälder reduziert worden, so daß nun der große Bauer noch 2 Klafter, der Mittelbauer 1 1/2 Klafter, der Taglöhner und eine Leibgedingsehe 1 Klafter und ein(e) Witwe(r) 1/2 Klafter erhielten (GA Denzlingen 1 B–247, fol. 236'–240'; 22 II–10 III 1790).

[663] Instruktionsentwurf § 99 (74/1322; 10 II 1755); vgl. Kap. 4.4.1. – Allgem. zur Struktur von Gemeindehaushalten Bader, Dorfgenossenschaft, S. 427–460. Zur Bedeutung der Gemeindefinanzen und der staatlichen Gemeindefinanzpolitik im 18. Jh. s. die exemplarische Untersuchung von Fouquet, Gemeindefinanzen. Fouquet fordert zu Recht eine Verstärkung finanzgeschichtlicher Untersuchungen in der historischen Gemeindeforschung (ebd., S. 247 ff.). So auch jüngst wieder Bernd-Stefan Grewe, Lokale Eliten im Vergleich. Auf der Suche nach einem tragfähigen Konzept zur Analyse dörflicher Herrschaftsstrukturen, in: N. Franz u. a. (Hgg.), Landgemeinden im Übergang zum modernen Staat, Mainz 1999, S. 93–119, hier S. 117 f.

[664] Vgl. Kap. 3.6.

[665] So auch in den detailliert untersuchten Gemeindefinanzen des pfälzischen Dannstadt (s. Fouquet, Gemeindefinanzen, S. 280–290). – Gemäß Fouquets Untersuchungen bildeten die Jahre von 1774 bis 1792, für welchen Zeitraum unsere Untersuchung auch die allermeisten Nachrichten zu den badischen Gemeindefinanzen bereitstellt, eine Phase der Hochkonjunktur, die durch »dicht aufeinanderfolgende Neubaumaßnahmen und Investitionen« gekennzeichnet war; diese Ausgaben wurden im Fall Dannstadts durch eine deutliche Progression der Erwerbseinkünfte der Gemeinde aus der Schäferei, der Güterverpachtung, dem Holz- und Fruchtverkauf sowie aus Weidenutzungen finanziert (ebd., S. 284 ff.). – Die Entwicklung der kommunalen Ausgaben und Einnahmen im Badischen im letzten Viertel des 18. Jh. müßte eigens untersucht werden; die indirekten Angaben aus den Frevelgerichtsprotokollen lassen aber eine parallele Entwicklung zur Kurpfalz wahrscheinlich erscheinen.

Auf der Einnahmenseite suchte die Obrigkeit, die Gemeinden zu einer Steigerung ihrer Einkünfte zu bewegen. Man wird nicht fehlgehen, darin einen weiteren Beleg für die These von der policeylichen Bedeutung der Gemeinden zu sehen, denn von der Investitionskraft der Kommunen hing es ganz entscheidend ab, wie weit zahlreiche Projekte zur »Hebung der Wohlfahrt« vor Ort überhaupt realisiert werden konnten.[666]

Tabelle 5.40:
Ausgewählte Ausgabeposten von Gemeinden in den Oberämtern Rötteln und Hochberg

Oberamt Rötteln			
Jahr	Gemeinde	Ausgabeposten	Betrag
1775	Kirchen	Bau eines Feuerspritzenschopfs	432 fl. (Voranschlag)
1776	Wintersweiler	Kauf von 6 Feuereimern	18 fl.
vor 1777	Holzen	Anschaffung einer Orgel; Verputzen und Ausmalen der Kirche	600 fl.
1776/77		Kauf von 4 steinernen Brunnenkasten	400 fl.
1777	Mappach	Bau eines Schulhauses	ca. 400–500 fl.
1778	Blansingen	Kauf von 6 Ruten Garten zur Anlage eines Weihers	mehr als 50 fl.
1782	Wollbach	Maurerarbeiten an der Dorfstraße, deren Kosten im Verhältnis 1:2 auf die Landskosten und die Gemeinde verteilt wurden.	60 fl.
vor 1782	Hüsingen	Anschaffung des Inventars für die Schule (Tische, Stühle, Schulbücher, Lehrmittel)	11 fl. 40 Kr.
1782	Wieslet	Kauf von 2 J. Wald	200 fl.
1785	Binzen	Bau der Kirchhofmauer	?
		Umgießung einer zersprungenen Glocke	

[666] »Die Emporbringung der Gemeinskassen ward als ein grosses Mittel angesehen, nicht nur im Ganzen der Gemeine, Anstalten, die sonst durch Umlagen bestritten werden und darüber oft unterbleiben mußten – zu machen, sondern auch Einzelne zu erleichtern« (Drais I, S. 81). Als Beleg dazu verweist v. Drais auf die Genehmigung, die 1767 den stark mit Frondiensten belasteten Gemeinden erteilt wurde, einen Teil der Frondienste zu verlehnen und die Kosten aus den Gemeindekassen zu bestreiten (ebd.). – S. a. die Äußerung Fouquets in der neueren Forschung: »Die herrschaftsgebundenen Leistungen beschränken sich nämlich nicht nur auf grundherrschaftliche Abschöpfung. Vielmehr sahen sich die Gemeindegenossen in vielfältiger Weise zur finanziellen Partizipation an den Aufgaben des Staates wie der Gemeinde gezwungen.« (Fouquet, Gemeindefinanzen, S. 248). – Zur analogen Wahrnehmung der Bedeutung der Gemeinde und der Gemeindevermögen im politischen Konzept des französischen Staates im 17. und 18. Jahrhundert s. Mannoni, Accentramento, S. 32 ff., 59–143.

Oberamt Rötteln			
Jahr	Gemeinde	Ausgabeposten	Betrag
vor 1785	Grenzach	Anschaffung einer Feuerspritze und von Schläuchen	600 fl.
1786	Wintersweiler	Ablösung von Bodenzinsen bei der Kirche zu Kirchen	400 fl.
1788	Egringen	Schulhausbau	?
		Anschaffung von 4 steinernen Brunnentrögen	?
		Kauf von Sinngeschirr	über 100 fl.
1791	Efringen	Abkauf einer herrschaftlichen Roggengült in 3 Terminen	1 Anteil von 700 fl. ist bezahlt.

Oberamt Hochberg			
Jahr	Gemeinde	Ausgabeposten	Betrag
1788/89	Bahlingen	Herstellung des Wasserbaus bei der Gemeindemühle	1700–1800 fl.
		Bau einer steinernen Brücke über einen Hauptabzugsgraben	?
		Entschädigung von privaten Gutsbesitzern wegen dieses Baus	100 fl./Mh.
		Bau einer Gemeindesägemühle	?
		Belohnung für die ersten drei Frauen, die im Winter heißes Wasser zur Feuerspritze bringen	1 fl. bis 20 Kr.
		Anlage eines Feuerweihers	8 bis 10 fl.
		Besoldung der Brotwäger	5 fl./Jahr
		Belohnung der Bürger, die ihr Feld mit Kühen statt mit Pferden bebauen	1 frz. großer Taler für ein Jahr/Stück
		Besoldung der Geflügelschützen	3 fl./Jahr
1790	Mundingen	Pflästerung der Dorfstraße im Ausmaß von 730–740 Klafter (Voranschlag)	ca. 150 fl.

Die ortsgeschichtliche Literatur nennt bisweilen konkrete Zahlen zu den kommunalen Einkünften, allerdings sind diese vielfach nur punktuell, nennen die längerfristige Entwicklung nicht und sind nicht in einen übergeordneten Zusammenhang eingebettet.[667] Zumindest für vereinzelte Kommunen zeigt sich, daß die

---

[667] Dies im Unterschied zu der exemplarischen Studie Fouquets zu den Gemeindefinanzen der

Gemeindefinanzen sowohl auf der Einnahmen- wie auf der Ausgabenseite im 18. Jahrhundert in Bewegung gerieten. In Teningen stiegen die Einnahmen zwischen 1705 und 1779 von knapp 336 fl. auf knapp 1871 fl., die Ausgaben von 287 fl. auf 1436 fl.[668] An anderen Orten gab es erhebliche jährliche Schwankungen, so in Königschaffhausen, wo die Gemeinde zwischen 1734 und 1742 im Durchschnitt 1425 fl. im Jahr einnahm, die einzelnen Jahresbeträge jedoch zwischen 615 fl. (1740) und 3140 fl. (1735) schwankten,[669] oder in Efringen, wo zwischen 1737 und 1742 im Schnitt die Einnahmen 627 Pfund (Minimum 1739: 556 Pfund; Maximum: 1741: 759 Pfund) und die Ausgaben 574 Pfund (Minimum: 459 Pfund; Maximum: 754 Pfund) betrugen.[670] In Nimburg-Bottingen beliefen sich die Einnahmen der Gemeinde 1730 auf 378 fl., die Ausgaben auf 348 f.; 42 Jahre später – 1772 – betrugen die entsprechenden Beträge 865 fl. bzw. 714 fl., doch war die Entwicklung keineswegs linear, sondern in starken Schwankungen verlaufen.[671]

Die Anläufe der Behörden zur Hebung der Gemeindefinanzen und die Schwierigkeiten, denen sie dabei begegneten, lassen sich über die Aussagen der Vorgesetzten in den Frevelgerichtsprotokollen in den wichtigsten Konturen untersuchen. Frage 15 des reformierten Rügezettels von 1767 wollte von den Vorgesetzten wissen, ob ihre Gemeinde Gebäude besaß, die sie nicht mehr benötigte und die sie ebensogut verkaufen oder in Erbleihe geben konnte. Frage 16 erkundigte sich nach den Bemühungen der Gemeinden, ihre Einkünfte durch gezielte Maßnahmen zu steigern, etwa durch die langfristige Verleihung oder den Verkauf von Gemeindegütern.[672] Im

---

kurpfälzischen Gemeinde Dannstadt im 18. Jh. Aufgrund der Untersuchung der Einnahmen und Ausgaben gelangt Fouquet zu dem Ergebnis, daß die Finanzpolitik in erster Linie dazu diente, »die zur Finanzierung der öffentlichen Aufgaben und Leistungen notwendigen Einnahmen zu beschaffen«. Die Entwicklung der Ausgaben in Dannstadt war durch starke, sehr unregelmäßige Schwankungen geprägt, »die von Jahr zu Jahr um mehr als 100 % differieren konnten« (Fouquet, Gemeindefinanzen, S. 261).

[668] Schmidt, Teningen, S. 157.

[669] Müller, Königschaffhausen, S. 286.

[670] Schülin, Eisele, Efringen-Kirchen, S. 182–185.

[671] 1749 erwirtschaftete die Gemeinde Einnahmen in der Höhe von 1919 fl. und tätigte Ausgaben von 1033 fl., 1762 lagen die Werte bei 810 fl. bzw. 518 fl. (Schmidt, Teningen, S. 160).

[672] RepPO 2233 (GS III, S. 586–589, Fragen 15, 16). – Im Schlosser'schen Rügezettel von 1781 für das Oberamt Hochberg fand Frage 15 von 1767 keine Entsprechung, während Frage 16 der Frage 27 entsprach (s. Tab. 4.7). – Wilhelm Heinrich Posselt kam bei seinen beiden Frevelgerichten in Steinen und Hüsingen 1782 auf das Problem der Gemeindeausstände und auf die Höhe und Zusammensetzung der Gemeindeeinnahmen zu sprechen (s. Tab. 4.5). – Eine zentrale Rolle spielten die Gemeindefinanzen auch bei Gesprächen der Oberbeamten mit den Vorgesetzten bei den sechs großen Frevelgerichten im Oberamt Hochberg 1789/90 (Tab. 4.8). – Zur staatlichen Förderung des Verkaufs von Gemeindegütern an Private s. Straub, Oberland, S. 128, der diese »›liberale‹ Politik« mit dem Ziel der Rentabilisierung der Höfe erklärt und betont, daß dies letztlich »auf eine Unterstützung des vermögenden Bauern (...) bei Benachteiligung der kleineren Bauern und der Taglöhner« hinauslief (ebd.).

weiteren Sinn zielten bereits die weiter oben behandelten Fragen nach den Ertrags-
steigerungen in der Landwirtschaft indirekt auch auf die Verbesserung der Einkünfte
der Gemeinden, denn die Verbesserung der Ertragslage der Gemeindegüter mußte
sich auch positiv auf die Zinseinnahmen der Gemeinde aus der Verleihung ihrer
Güter auswirken.

Die Vermögensbestände der einzelnen Gemeinden und damit auch die Ausgangs-
lage der Gemeinden für eine Verbesserung ihrer Einkünfte waren sehr ungleich
beschaffen. Tabelle 5.41 stellt jene Angaben zusammen, die die Vorgesetzten bei
Frevelgerichten zum Bestand an Gemeindegebäuden sowie zum Umfang der Gemeindegüter machten.[673]

Der kommunale Besitz an Gebäuden und Gütern stellte die wichtigste Quelle für
regelmäßige Einkünfte der Gemeinden dar. Aus der Verleihung oder Versteigerung
der Gemeindestube an einen Wirt,[674] aus der Verleihung von Äckern und Matten im
Gemeindebesitz an einzelne Bauern sowie aus dem Verkauf von Holz aus dem
Gemeindewald resultierten hauptsächlich die kommunalen Einnahmen.[675] Die
Gemeindegüter waren in gewissen Gemeinden auf mehrere Jahre verliehen, in

---

[673] Die Angaben in den Frevelgerichtsprotokollen sind häufig nur summarisch und kaum vollständig. Daneben existieren sehr detaillierte Inventare des Gemeindebesitzes aus dem 18.
Jh., die mitunter neben den Gebäuden und Gütern auch die Einrichtungsgegenstände in den
Gemeindegebäuden angeben (s. z. B. für Königschaffhausen 1759 Müller, Königschaffhausen, S. 284 f.; s. a. die Angaben zu den sehr unterschiedlichen Vermögensbeständen der
benachbarten Gemeinden Teningen und Nimburg-Bottingen bei Schmidt, Teningen, S.
157–162).

[674] In Mundingen klagte der Stubenwirt 1761 über einen hohen Zins an die Gemeinde und
forderte, daß wenigstens die Verlehnungen der Gemeindegüter bei ihm auf der Stube und
nicht bei anderen Wirten stattfanden, was das Oberamt bewilligte (229/70240/I, Klage von
Stubenwirt Gladin; 1 VII 1761). – Der Eichstetter Stubenwirt hatte 1788 die Stube gegen
156 fl./Jahr ersteigert, hat aber 1789 beim Frevelgericht um Zinsnachlaß. Der frühere Zins
hatte nur 84 fl./Jahr betragen, doch war der neu zugezogene Wirt offenbar von einigen
Bürgern auf diesen Betrag hochgesteigert worden. Die Vorgesetzten befürworteten eine
Reduktion von 36 fl./Jahr, was der Hofrat später bewilligte, weil die Gemeinde keinen
Vorteil dabei habe, ihre Kasse um einige 20 fl. mit dem Ruin eines Bürgers zu bereichern
(229/23271/I, Abschnitt B, Pkt. ll; 2–13 II 1789). – Die Bahlinger Stubenwirtschaft trug der
Gemeinde 1789 wegen einer mangelhaften Einrichtung nur 25 fl. Pachtzins im Jahr ein; die
Vorgesetzten schlugen einen Anbau vor, für den dem Oberamt als nächstes ein Riß und
Kostenvoranschlag unterbreitet werden sollte (GA Bahlingen C VIII Nr. 4, fol. 1–179,
Abschnitt B, Pkt. 1a; 8–20 VI, 10–13 VIII 1789). – In Vörstetten betrug der Stubenzins ab
1791 15 fl./Jahr; beim Frevelgericht hatte das Oberamt die Gemeinde angewiesen, das
Stubenrecht neu auf vier statt auf zwei Jahre zu verleihen, damit sich die Beständer besser
»einrichten« konnten (229/107983, fol. 26–27'; 15–29 IX 1790). – In Teningen betrugen die
Gemeindeeinnahmen im Jahre 1731 747 fl., wobei der Zins von der Gemeindestube in Höhe
von 118 fl. der wichtigste Einnahmenposten war (Schmidt, Teningen, S. 157).

[675] Hüsingen (229/47590, fol. 11–27', Pkt. 1; 27–28 VIII 1782). – Steinen (229/100906, fol.
1–39, Abschnitt II, Pkt. 2; 20–22 VIII 1782). – Hägelberg 1782 (ebd., Pkt. 10). – Hauingen
(229/39715, ad 18; 20 III 1787).

Tabelle 5.41:
Vermögen der Gemeinden: Gebäude, Mobilien, Güter, Kapital, Ausstände

Oberamt Rötteln				
Jahr	Gemeinde	Besitz der Gemeinde (Mobilien, Immobilien)	Gemeinde-vermögen (Kapital)	Aus-stände
1768	Kirchen	Güter		
1775	Binzen	Matten, Wald		
1775	Efringen	Güter		
1775	Kirchen	Gemeindehaus, Stall. 12 J. Beundenfeld		
1775	Wintersweiler	Wachthäuslein, Orgel. Güter, Wald		
1777	Haltingen	Einzige Gemeindegebäude: Stube, Schulhaus. Einiger Wald		
1777	Hertingen	Einzige Gemeindegebäude: Schul- und Hirtenhaus. Äcker und Wiesen, Wald		92 fl.
1777	Tannenkirch	Einzige Gemeindegebäude: Schulhaus, Gemeindehaus. Matten und Äcker, Wald		201fl.
1777	Tüllingen	Einzige Gemeindegüter: ½ J. Reben, etwas Wald		
1778	Blansingen	Gemeindehaus, Schulhaus, Scheuer		
1778	Fischingen	Einziges Gemeindegebäude: Schulhaus. 1 Acker, 1 Weinberg, 4 J. Wald		
1778	Kleinkems	Schulhaus		
1778	Schallbach	Einziges Gemeindegebäude: Schulhaus haus Matten; mehr als 100 J. Wald		
1778	Welmlingen	Einziges Gemeindegebäude: Schulhaus 150 J. Wald		
1779	Egringen	Keine Gemeindegebäude, kein Schulhaus. 10 J. Acker, 5 Tauen Matten, Allmend, 100 J. Hochwald		
1779	Mappach	Einziges Gemeindegebäude: das neue Schulhaus. 5 ½ J. Acker, 5 Viertel Matten, 80 J. Wald		
1780	Dossenbach	Einziges Gemeindegebäude: neues Schulhaus. Allmend, wenig Wald		
1780	Eichen	Einziges Gemeindegebäude: Schulhaus. Äcker, Wald		

Oberamt Rötteln

Jahr	Gemeinde	Besitz der Gemeinde (Mobilien, Immobilien)	Gemeinde-vermögen (Kapital)	Aus-stände
1781	Haagen	Einziges Gemeindegebäude: ½ Schulhaus. 1 Acker, 7 Viertel Matten		
1781	Hauingen	Einziges Gemeindegebäude: Schulhaus. ½ Viertel Acker, 18 Tauen Matte, 700 J. Wald		
1781	Ötlingen	Schulhaus. 2 Tauen Matten, einige J. Wald		
1781	Tumringen	Einziges Gemeindegebäude: Schulhaus. 6 J. Güter, 30 J. Wald		
1781	Wittlingen	Keine Gemeindegebäude und -güter		
1781	Wollbach	Einziges Gemeindegebäude: Schulhaus 15 J. Wald, 1 Rebstück, sonst keine Güter		
1782	Hägelberg	Schulhaus. Matte	Kein Aktiv-vermögen	
1782	Höllstein	Scheuer, Schulhaus (⅓ Anteil am Schulhaus von Steinen). 5 Tauen Matte	214 lb.	keine
1782	Hüsingen	Gemeindegebäude: Kirche, Schulhaus 6 Viertel Matten, 9 Viertel Acker, 600 J. Wald	63 fl. (1780/81) 183 fl. (1781/82)	
1782	Steinen	Schulhaus. 8–9 Tauen Matten, 70 J. Wald		161 fl.
1782	Wieslet	Schulhaus. Wald	120 fl., wovon 90 fl. zu sicherem Kapital ange-legt sind.	
1783	Kirchen	Einzige Gemeindegebäude: Rathaus mit Schule, Scheuer, Wachthaus. Matten, Äcker, Wald		
1784	Kandern	Schule. 80–90 J. Heide, Acker, 1 Erblehengut		
1785	Binzen	Schulhaus. 10 J. Wald		
1785	Grenzach	Einzige Gemeindegebäude: Schulhaus, Feuerspritzenschopf. Wenig Allmende u. Gemeindegüter, ansehnlicher Wald.		

Oberamt Rötteln

Jahr	Gemeinde	Besitz der Gemeinde (Mobilien, Immobilien)	Gemeinde-vermögen (Kapital)	Aus-stände
1786	Welmlingen	Einzige Gemeindegebäude: Schulhaus, Bürgerhäuslein. 50 J. Wald	1200 fl. Überschuß	
1787	Eimeldingen, Märkt	Schulhaus, Bürgerhäuslein. 2 J. Acker, 1 Viertel 13 Ruten Reben, Wald		
1787	Hauingen	Einzige Gemeindegebäude: Schulhaus, Kirchturm. Matten, 700 J. Wald		
1787	Wintersweiler	Einzige Gemeindegebäude: Schul- und Wachthaus. Güter, 8–10 J. Matten, 65 Morgen Wald.		
1788	Egringen	Schulhaus u. weitere Gebäude. 4 steinerne Brunnentröge. Je 5 Tauen Matte u. Acker, 100 J. Eichenwald	Status activus: 1261 fl. Kapitalien: 321 fl.	
1789	Blansingen	Schulhaus, Wachthaus, Bürgerhäuslein. 9 J. Matten, 20 J. Matten mit Klein-kems, Rheininseln für Holz u. Weide, sonst keine Gemeindegüter.		
1789	Kleinkems	Bürgerhäuslein ist das einzige Gemeindegebäude.		
1791	Brombach	Einzige Gebäude der Gemeinde: Schulhaus, Scheuer, Schopf, Gemeindegefängnis. Einige Allmendgüter, viel Wald		1697 fl.
1791	Efringen	Schulhaus, Stube, Wachthaus. Gut 4 J. Acker, mehr als 30 J. Allmende, 70 Morgen Wald ohne die Rheininseln	1728 fl. Keine Schulden. Seit 1783 um 800 fl. vermehrt.	54 fl.

Oberamt Hochberg				
Jahr	Gemeinde	Besitz der Gemeinde (Mobilien, Immobilien)	Gemeindevermögen (Kapital)	Ausstände
1754	Teningen	Schulhaus, Stube. Wald		
1755	Maleck	Weder Wald noch Gemeindegüter		
1755	Windenreute	Wenig Wald, Matten		
1756	Köndringen	Schulstube. Acker, Matten, Wald		
1758	Emmendingen	Allmenden, Wald		
1758	Niederemmendingen	Gemeindehaus. Wald		
1761	Köndringen	Wald		
1761	Mundingen	Stube. Wald		
1767	Bötzingen	Stube. Wald, Weiden, Allmenden		
1769	Köndringen	Schulhaus, Stube. Matten, Wald		
1769	Mundingen	Schulhaus im Bau. Matten, Äcker		
1769	Teningen	Stube. Allmend		
1776	Emmendingen	Schule. Wald, Allmend		
1776	Köndringen	Stube, Hanfwage, Bürgerhäuslein		
1776	Teningen	Stube, Wachthaus. Matten, Wald, Allmend[676]		
1783	Nimburg	Einige J. Äcker u. Matten, Allmendwald[677]		
1783	Ottoschwanden	Stube. Güter, Allmende		

[676] Ein Inventar von 1779 zählte den Gemeindebesitz auf: Der Gebäudebesitz (Schulhaus, Scheuer, Stall, Hanfreibe, Pleuel, Stube, Wachthaus, Magazin) wurde zu 3450 fl. veranschlagt, der Besitz an Garten, Acker, Matten, Heuwegen, Gemeindeweiden und Wäldern zu 23518 fl., wobei der Wald (10000 fl.), die drei Matten (6818 fl.) sowie die Gemeindeweide (5500 fl.) die wichtigsten Posten waren. Somit belief sich der Wert des Teninger Gemeindevermögens 1779 auf knapp 27000 fl. (Schmidt, Teningen, S. 159).

[677] Der Nimburger Gemeindebesitz war 1760 auf 2644 fl. veranschlagt worden (Schmidt, Teningen, S. 160). Vgl. dagegen etwa den Wert des Teninger Gemeindebesitzes, der 1779 knapp 27000 fl. betrug (ebd., S. 159).

Oberamt Hochberg

Jahr	Gemeinde	Besitz der Gemeinde (Mobilien, Immobilien)	Gemeindevermögen (Kapital)	Ausstände
1789	Bahlingen	Stube, Scheuer, Schulhaus, Mühle, Wachthäuslein, Hanfreibe, Schleif- und Walkmühle. Güter, Wald, Allmende	17818 fl. (1787)	3730 fl. (1787)
1789	Eichstetten	Stube, zwei Schulhäuser, Wachthäuslein, Feuerspritzenhaus. Matten, Waage, ca. 20 J. Wald, Allmende	3515 fl. (1788)	186 fl. (1788)
1790	Denzlingen	Stube, 2 Scheuern, Meiereihaus, -stall und -scheuer, Schulhaus. Matten, Äcker, Wald	1052 fl. nach Abzug von 1231 fl. Schulden	237 fl.
1790	Mundingen	Stube, Wachtstube, Schulhaus. Feld, Wald	2342 fl. Aktiven (inkl. Ausstände). 837 fl. Passiven	1952 fl.
1790	Teningen	Schulhaus, Stube, Wachthaus, Feuerspritzenhaus, Hanfreibe und -bleumühle. Matten, Feld, viel Wald	1970 fl. (1788). Keine Schulden	1094 fl.
1790	Vörstetten	Schulhaus; Wachthaus mit Bürgergefängnis; Hirtenhaus, Kirchhofmauer, Kirchenglocken. 19 ½ J. Matten, ½ J. Acker, 24 J. Weide, 240 J. Wald	Kapitalien: 320 fl. Ausstände: 345 fl. Rezeß: 89 fl. Summe: 754 fl. Passiven: 166 fl. Total Aktiva: 588 fl.	345 fl.

Köndringen und Mundingen 1769 auf vier Jahre, in Efringen 1775 die Güter diesseits des Rheins auf sechs, jene jenseits des Rheins auf 12 Jahre, in Wintersweiler 1775 auf neun Jahre, in Köndringen 1776 nur noch auf drei Jahre, in Kirchen 1783 auf sechs bis neun Jahre, in Eimeldingen/Märkt seit 1787 neu auf neun Jahre, in Vörstetten bis 1790 auf zwei und neu auf vier Jahre.[678] Andernorts versteigerte die

---

[678] Köndringen (229/54953, Pkt. 28; 24–28 I 1769). – Mundingen (229/70240/II, Pkt. 23;

Gemeinde den Feldertrag an den Meistbietenden, so etwa in Haltingen, wo 1777 die Versteigerung des Graswuchses zwischen 60 und 100 lb. eintrug, oder in Kirchen, wo 1783 28 fl. 24 Kr. aus der Versteigerung des Heugrases auf der Matte resultierten.[679] Oder die Gemeinde bewirtschaftete ihre Güter noch selber und verkaufte die Ernte: So verkauften Tüllingen 1777 den Ertrag seiner halben J. Reben, Blansingen 1778 den jährlichen Ertrag seiner Matten oder Haagen 1781 das Futter von seinen Matten.[680] Außergewöhnlich war, wenn sich eine Gemeinde – wie Kandern 1784 – über den Besitz eines Erblehengutes auswies, für das sie einen Zins von 42 lb. im Jahr erhielt.[681] Eine Ausnahme stellte auch die Gemeinde Wintersweiler dar, die nach Auskunft ihrer Vorgesetzten zwar keine Gemeindegüter besaß, jedoch Einkünfte aus dem dritten Teil des Großzehnten bezog, der ihr mit Ausnahme des Weinzehnten in der ganzen Gemarkung zustand.[682] Die Angabe der Vorgesetzten aus Steinen von 1782, wonach ihre Gemeinde noch 6 fl. 48 Kr. Strafgelder von denjenigen, die unentschuldigt der Gemeindeversammlung ferngeblieben waren, in Ausstand hatte, belegt, daß die Gemeinden Bußen einzogen.[683] In Teningen, dessen Bewohner stark in der Hanfherstellung engagiert waren, hatte die Gemeinde eine Hanfschau zur Qualitätskontrolle eingerichtet, die ihr jährliche Einnahmen in der Höhe von ca. 150 fl. neben dem Geld für den Lohn der beiden Hanfwäger eintrugen; daneben bezog sie Zinsen von Hausbesitzern, die ihre Häuser auf Allmendland errichtet hatten.[684]

14–18 II 1769). – Efringen (229/22652; fol. 1–2, ad 16–18; 9 V 1775). – Wintersweiler (229/115111, fol. 2 f., ad 16; 9 V 1775). – Köndringen (229/54951/III, Pkt. 73 ad 16; 17–19 XII 1776). – Kirchen (229/52840, ad Pkt. 16 der Policeyfragen; 18 XI 1783). – Eimeldingen / Märkt (229/23739, fol. 5–22', ad 16; 2 X 1787). – Vörstetten (229/107983, fol. 26–27'; 15–29 IX 1790). – Beim Frevelgericht Steinen erteilte das Oberamt den Vorgesetzten die Anweisung, die Gemeindegüter nur an »sichere Leute und nicht ohnbemittelte und sonsten nicht wohl haushaltende Burger« zu verleihen (229/100906, fol. 1–39, Abschnitt II, Pkt. 2; 20–22 VIII 1782). – Für das württembergische Neckarhausen konnte Sabean eine Steigerung der Gemeindeeinkünfte aus dem Verkauf gemeindeeigenen Holzes von 24 fl. im Jahre 1710 auf 1178 fl. im Jahre 1810 feststellen (Sabean, Neckarhausen I, S. 59).

[679] Haagen (229/38041, fol. 35 f.; 18 VII 1778). – Kirchen (229/52840; 18 VII 1783).

[680] Tüllingen (229/106406, ad 16; 16 VII 1777). – Blansingen (229/112897, fol. 14–18, ad § 16; 26 V 1778) . – Haagen (229/37695, fol. 4–7, § 16; 29 V 1781).

[681] 229/50919, ad 15 u. 16 (28 IX 1784). – Weil der aktuelle Bestäder sehr verschuldet war und deswegen bei der drohenden Vermögensexekution sein Hof in Beschlag genommen werden sollte, stellte sich die Frage, ob der Hof erneut als Erblehen ausgegeben oder zu freiem Eigentum verkauft werden sollte; die Gemeinde wünschte die Beibehaltung des Erblehenstatus, »weil auf diese Art das Vermögen der Gemeinde mehr als durch Capitalien gesichert seye.«

[682] 229/115110; fol. 21–43', ad 16 (20 XI 1787).

[683] 229/100906, fol. 1–39, Abschnitt II, Pkt. 2 (20–22 VIII 1782). – Da die Buße 6 Kr. betrug, läßt sich berechnen, daß insgesamt 68 unentschuldigte Absenzen noch nicht abgegolten worden waren.

[684] 229/105132, fol. 47–126, Abschnitt B, Pkte. D, U (5–13 VIII 1790).

Die Zinseinnahmen der Gemeinden schwankten je nach Qualität und Ertrag des verliehenen Bodens erheblich: Egringen erlöste 1779 aus seinen 10 J. Acker 60 fl. im Jahr, Mappach im selben Jahr von 5 1/2 J. Acker, den die Gemeinde selber bebaute, die Summe von 38–40 fl., während Tumringen 1781 für sechs J. immerhin 122 fl. einnehmen konnte. In Vörstetten trug die Verpachtung von 20 J. Gemeindegütern (19 1/2 J. Matten, 1/2 J. Acker) 1790 332 fl. Zins ein. Die Egringer Vorgesetzten gaben 1779 auch einen Grund für ihre bescheidenen Zinseinnahmen an: Der Gemeindeacker war von schlechter Qualität und konnte deswegen nicht an Bürger verliehen, sondern mußte von der Bürgerschaft fronweise bebaut werden.[685] Daß Gemeindegüter aufgrund der gefährdeten Lage an Wasserläufen, wegen der schlechten Bodenbeschaffenheit oder wegen der schlechten Nutzung bei den Bürgern mitunter nicht besonders begehrt und deswegen kaum Interessenten für eine Leihe zu finden waren, zeigen auch die Aussagen der Vorgesetzten aus anderen Gemeinden.[686]

Gefährdet war der Gemeindebesitz aber nicht nur durch äußerliche natürliche Einwirkungen. Die Frevelgerichtsprotokolle lassen wiederholt Bürger zu Wort kommen, die sich über die schlechte Verwaltung der Gemeindegüter durch die verantwortlichen Vorgesetzten beschwerten, so etwa in Eimeldingen 1787, wo sich ein Bürger darüber beklagte, daß der Vogt die Gemeindegüter in Abgang kommen lasse, indem er die Gemeindereben und einen Acker vernachlässigte. Das Gericht und der Gemeindeschaffner stellten sich aber auf die Seite des Vogts und bestätigten die guten Gründe seiner Rechtfertigung.[687] Im selben Jahr äußerten mehrere Bürger beim Frevelgericht von Wintersweiler ihre Zweifel darüber, ob bei der Verwaltung der Gemeindeeinkünfte alles ordnungsgemäß zugehe. Zur Rede gestellt, wußten die Vorgesetzten von keiner Unordnung in den Gemeindefinanzen zu berichten, außer daß einige Kosten für die Freudenbezeugungen der Gemeinde bei der Geburt des Landesprinzen aus der Gemeindekasse bezahlt worden waren. Das Oberamt ordnete deswegen die baldige Überprüfung der Gemeinderechnung durch den Registrator Wesler an, der dabei den Gemeindeleuten Gelegenheit geben sollte, das vorzubringen, was sie an »Unordnungen« wußten.[688]

---

[685] Egringen (229/22945, § 16; 13 IV 1779). – Tumringen (229/106477, § 16; 26 VI 1781). – Mappach (229/64346, fol. 19–21'; 31 V 1779). – Vörstetten (229/107983, fol. 26–27'; 15–29 IX 1790).

[686] Mappach (229/64346, fol. 13–17, § 16; 13 IV 1779). – Haagen (229/37695, fol. 4–7, § 16; 29 V 1781): Ein Verkauf der Gemeindematte komme wegen der Lage am Wiesenfluß und der öfteren Überschwemmung nicht in Frage.

[687] 229/23739, fol. 5–22', Nr. 3 (2 X 1787).

[688] 229/115110, fol. 21–43', Pkt. 2 (20 XI, 5 XII 1787). – Diese Klage gegen die Wintersweiler Vorgesetzten ist möglicherweise im weiteren Zusammenhang der Spannungen innerhalb der Gemeinde zu deuten, die sich wegen der strittigen Schließung eines Zugangs zum Kirchhof durch die Vorgesetzten ergeben hatten (ebd., fol. 21–43' Pkt. 1, fol. 45, fol. 46f., fol. 51f., fol. 56, fol. 58, fol. 59; 27 VII, 20 XI, 7, 28 XII 1787, 13, 18, 28 I, 14 II 1788).

Vor allem aber scheinen die Gemeindegüter von Übergriffen durch die Dorfbewohner selber bzw. durch die Besitzer der anstoßenden Parzellen bedroht gewesen zu sein. Deren Begehrlichkeit scheint nicht zuletzt dadurch geweckt worden zu sein, daß die Allmende und Gemeindegüter vielfach noch nicht mit Marchsteinen abgegrenzt waren. Vor allem die Frevelgerichtsakten aus dem Oberamt Hochberg liefern zahlreiche Belege für oberamtliche Anweisungen an die Vorgesetzten, die Aussteinung des Gemeindebesitzes vornehmen zu lassen, um diesen besser vor dem Zugriff der Nachbarn zu schützen.[689] Repräsentativ ist dafür die Anzeige des Köndringer Bürgers Jacob Nierlen beim Frevelgericht von 1761, der angab, der Gemeindewald sei nicht abgesteint, und somit baue jeder Anstößer in das Gemeindegut hinein, wie es ihm gefalle. Darauf entschied das Oberamt, daß der Gemeindewald unfehlbar abgesteint und alles Land, das »davon weggebaut worden war«, wieder zur Gemeinde geschlagen werden sollte.[690] Allerdings scheint das Problem in dieser Gemeinde nicht nur den Gemeindewald betroffen zu haben, denn 1769 klagte der Köndringer Stabhalter, die Gemeinde befinde sich wegen der Gemeindeplätze »in einer großen Unrichtigkeit, indeme sie nicht wissen, wie viel ein jeder von diesen Pläzen besize, dahero es komme, daß öfters dergleichen Pläze vor eigenthumlich verkauft und verhandelt würden und die Gemeinde zulezt noch völlig um ihre Gerechtsame gebracht würde«. Um den Gemeindebesitz sicherzustellen, ordnete das Oberamt die Aussteinung des gesamten Köndringer Allmendbesitzes an Wald, Acker, Matte oder Hausplätzen an.[691] Noch deutlicher äußerte sich das Oberamt in seinem Bericht zum Kirchener Frevelgericht 1775 an den Hofrat. In Kirchen hatte demnach »ein jeder Eigner (...) wenig Bedenken (...), die Gemeinds Güter zu seinem eigenen Vortheil zu schmälern«, weshalb das Oberamt »die berainsmäsige Ausmarchung der Gemeinds Güter« anordnete.[692]

---

[689] Köndringen (229/54951/I, Anzeige 5 von Stabhalter Schmidt, Anzeige 4 von Richter Enderlin; 15–16 XII 1756). – Emmendingen (StadtA Emmendingen B 1a/1, fol. 84–92, 100'–107, Anzeige 3 des Bürgermeisters Eccardt; 19 VI 1758). – Köndringen (229/54952, Anzeige des Jac. Nierlen; 8 IX 1761). – Köndringen (229/54953, Pkt. 34; 24–28 I, 11 V 1769; 18 III 1772). – Mundingen (229/70240/II, Pkt. 21; 14, 17–18 II 1769; 15 VI 1770 ad 21; 11 IV 1772). – Kirchen (229/52838, ad 9; 9, 19 V 1775, 25 IV 1776). – Emmendingen (StadtA Emmendingen B 1a/Fasz. 9, § 110, § 254 ad 9; 9–10, 12–13 I 1776). – Köndringen (229/54951/III, Pkt. 20; 17–19 XII 1776). – Bahlingen (GA Bahlingen C VIII Nr. 4, fol. 1–179, Abschnitt B, Pkte. 32, 33; 8–20 VI, 10–13 VIII 1789). – Eichstetten (229/23271/II, Abschnitt B, Pkt. ww; 2–13 II 1789). – Denzlingen (GA Denzlingen 1 B–247, fol. 229'–230'; 22 II–10 III 1790). – Mundingen (229/70240/III, fol. 47–91', Abschnitt B, Pkte. K, S; 7–30 IX 1790; 27 II 1792). – Teningen (229/105132, fol. 47–126, Pkt. F.f.; 5–13 VIII, 16 X 1790). – Vörstetten (229/107983, fol. 27' f.; 15–29 IX, 14 XII 1790).

[690] Köndringen (229/54952, Anzeige des Jac. Nierlen; 8 IX 1761).

[691] 229/54953, Pkt. 34 (24–28 I 1769). – Eine weitere Vernehmung der Vorgesetzten 1769 ergab, daß die Allmende inzwischen ausgesteint worden war, mit der Aussteinung der Hausplätze hatte der Landkommissar 1772 aber erst begonnen (ebd.; 11 V 1769; 18 III 1772).

[692] 229/52838, 19 V 1775.

Während die meisten Gemeinden nicht ihre ganzen Einkünfte zur Bestreitung der laufenden Ausgaben verwendeten, sondern einen Teil auch in die Gemeindekasse – das »Gemeindeaerarium« – legten und als Kapital verliehen, vermeldeten mehrere Gemeinden, daß sie über keine Kasse verfügten.[693] In Wittlingen fehlte 1781 ein Gemeindeaerarium, obwohl die Gemeinde als wohlhabend taxiert wurde. Der Hofrat wies deshalb das Oberamt an, die Vorgesetzten darüber zu vernehmen, ob sie mit der Anlage eines »so nötigen und nützlichen Communaerarium« nicht beginnen wollten. Als der Vogt allerdings berichtete, ein Anfang könne nur nach und nach durch Umlagen auf die Bürgerschaft gemacht werden, hielt das Oberamt das Vorhaben für bedenklich, worauf es sistiert wurde.[694]

Fehlten einer Gemeinde Einkünfte aus der Nutzung der Vermögensbestände oder waren diese für gewisse Investitionen nicht ausreichend, blieb der Kommune kein anderer Ausweg, als die benötigten Mittel über Umlagen, d. h. über die Erhebung einer Art Gemeindesteuer, von den einzelnen Haushalten zu beschaffen.[695] Mehrere Gemeinden befanden sich nach Aussage ihrer Vorgesetzten in dieser Lage:

Im Oberamt Röteln waren dies die Orte Rümmingen, Tüllingen und Vogelbach. Die Fischinger Vorgesetzten gaben 1778 an, ihre Gemeinde müsse ihre Schulden meist über Umlagen abzahlen. Egringen mußte eine Umlage zur Finanzierung des Schulhausbaus durchführen. Weiter gaben auch die Mappacher 1779 an, über keine Gemeindeeinkünfte zu verfügen und alles durch Umlagen bestreiten zu müssen. Und schließlich erklärten Wittlingen und Wollbach 1781 übereinstimmend, sie müßten die ihnen auferlegte Anschaffung von Feuereimern über eine Umlage finanzieren, weil die Gemeinde sonst keine Einkünfte hatte.[696]

Im Oberamt Hochberg wurde die Notwendigkeit von Umlagen in den Frevelgerichtsprotokollen seltener erwähnt. Im Köndringer Filialort Landeck hieß es 1769, der Ort habe keinen Kreuzer und müsse alles durch Umlagen bestreiten. Angaben aus den beiden Gemeinden Denzlingen und Teningen zum Jahre 1790 zeigen zudem, daß Umlagen bisweilen zur Finanzierung einzelner Ausgaben durchgeführt wurden,

---

[693] Binzen (229/8882, fol. 110 f.; 27 III 1787). – Märkt (229/23739, fol. 5–22', ad 14; 2 X 1787). – Die Anlage der Gemeindegelder erfolgte u. a. in Form von Darlehen an die Ortsbürger. Vgl. dazu die aufschlußreiche fürstliche Verordnung vom 23 IV 1766, wonach »zu leichterer Unterbringung der Gemeinds-Gelder« die Gemeindekapitalien »nur summarisch mit Verschweigung des Namens des Schuldners der Gemeinde vorgelesen werden« sollten (RepPO 2167; WI I, S. 206; 23 IV 1766).
[694] 229/115325, fol. 30 f., 31 f., 32, 34 (17 X, 29 XII 1781, 14 I, 13 II 1782).
[695] Über das kommunale Umlageverfahren, dessen Voraussetzungen, Höhe, Bemessungsgrundlage etc., verlautet in den Frevelgerichtsprotokollen nichts.
[696] Rümmingen (229/8882, fol. 41 f.; 22 VIII 1775). – Tüllingen (229/106406; 21 VII 1778; 12 IV 1779, 6 VI 1781). – Vogelbach (229/107693; 25 IX 1778). – Fischingen (229/28582, fol. 9–12', ad § 14; 22 IV 1778). – Egringen (229/22945; 13 IV 1779). – Mappach (229/64346, fol. 27 f., ad 7; 13 IV 1779). – Wittlingen (229/115325, fol. 23–26', ad § 14; 24 IV 1781). – Wollbach (229/115725, fol. 28–32', ad § 14; 24 IV 1781).

in Denzlingen etwa zur Besoldung der beiden Nachtwächter und in Teningen zur Finanzierung von Beiträgen an die Hausarmen.[697]

Wenn die Ortsvorgesetzten beim Frevelgericht den Oberbeamten über den Bestand und die Nutzung des Gemeindevermögens informierten, so waren diese Ausführungen häufig in die Erörterung jenes Hauptzwecks eingebettet, den die Obrigkeit im Hinblick auf die Gemeindefinanzen verfolgte. Vor allem wollten Hofrat und Oberbeamte von den Vorgesetzten wissen, welche Möglichkeiten sie zur Steigerung der Gemeindeeinkünfte in Betracht zogen. Unterschiedliche Vorschläge sind dabei zur Sprache gekommen, die alle mehr oder weniger auf eine intensivere oder neuartige Nutzung des Gemeindevermögens hinausliefen, vorausgesetzt natürlich, die Orte besaßen solche Vermögensbestände überhaupt[698] oder konnten sich deren verbesserte Nutzung vorstellen.[699]

Die Vorschläge reichten von der Verbesserung und Wertsteigerung bestehender Einrichtungen und Güter, die im Anschluß höhere Erträge abwerfen oder gegen einen höheren Zins verliehen werden konnten (1.), über die Änderung des Leihe- und Pachtmodus der Güter (2.) bis hin zum Verkauf einzelner Vermögensteile, von denen sich die Gemeinde trennen zu können glaubte (3.). Diese Vorschläge und Maßnahmen lassen sich mit einzelnen Belegen exemplifizieren.

1. Köndringen schlug 1769 vor, die schlechte Gemeindestube zu verbessern, damit wiederum ein der Gemeinde nützlicher Wirt darauf gebracht werden konnte; zudem wollte die Gemeinde ein ödes Feld kaufen, auf dem sie Holz anpflanzen wollte. – Der Mundinger Vogt machte im gleichen Jahr darauf aufmerksam, daß die Gemeinde einige Jahre zuvor, mehr als acht J. Gemeinweide in Mattland umgewandelt hatte. – Die Efringer Vorgesetzten wiesen 1775 darauf hin, sie könnten am Rhein 13 J. Allmendland in Mattland umwandeln. Während die Bürgerschaft aber das Feld zu Eigentum unter sich aufteilen wollte, gab das Oberamt einer Erbverleihung den Vorzug, weil damit das Gemeindeaerarium jährlich um einen ergiebigen Betrag vermehrt und der Gemeinde ein ständiger Nutzen verschafft werden konnte. –

---

[697] 229/54953, Pkt. 98 (24–28 I 1769). – Denzlingen (GA Denzlingen 1 B–247, fol. 172 ff., Pkt. H; 22 II–10 III 1790). – Teningen (229/105132, fol. 127–138, Pkt. C; 5–13 VIII 1790).

[698] Der Landecker Stabhalter wußte nichts zur Verbesserung der Einkünfte anzuzeigen, weil der Ort gar keine Gemeindegüter besaß (229/54953, Pkt. 45; 24–28 I 1769).

[699] Dies war z. B. in Steinen und Hüsingen nicht der Fall, wo die Vorgesetzten angaben, sie hätten keine Allmenden, die besser genutzt oder urbarisiert werden könnten (Steinen: 229/100906; fol. 1–39, Abschnitt II, Pkt. 4; 20–22 VIII 1782; Hüsingen: 229/47590, fol. 1–30', Abschnitt II, Pkt. 7; 27–28 VIII 1782). – In den beiden großen Hochberger Gemeinden Bahlingen und Eichstetten heißt es in den Frevelgerichtsprotokollen von 1789 übereinstimmend, die Gemeinde könne ihre Einkünfte nicht mehr steigern, weil »alles bereits aufs höchste getrieben sei« (GA Bahlingen C VIII Nr. 4, fol. 1–179, Abschnitt B, Pkt. 6; 8–20 VI, 10–13 VIII 1789; 229/23271/I, Abschnitt B, Pkt. A; 2–13 II 1789). – Auch in Efringen hieß es, die Einkünfte der Gemeinde ließen sich nicht mehr steigern (229/22654, fol. 3–58, Abschnitt B, Pkt. 1; 14–16 II 1791).

In Kirchen besaß die Gemeinde ein Beundenfeld, das die Bürger am liebsten unentgeltlich genutzt hätten. Das Oberamt jedoch riet den Vorgesetzten 1775, das Gut dem Meistbietenden gegen die Entrichtung eines Erbbestandszinses zu verleihen, wodurch die Gemeindekasse namhaft profitieren würde. Die Versteigerung der Beunden an die Meistbietenden hätte jedenfalls auch nach Einschätzung der Vorgesetzten eine ansehnliche Steigerung der Einkünfte zur Folge gehabt. Allerdings stieß die Realisierung dieses Vorschlags auf den Widerstand jener Bürger, die nunmehr ihre Parzellen hätten abgeben sollen. – In Wieslet hatte die Gemeinde 1781 zur Verbesserung ihrer Einkünfte einen jungen Eichenschlag angelegt, aus dem 100 Eichen bereits versetzt worden waren, und im Frühjahr 1782 wollte die Gemeinde weitere 100 Stück versetzen. – Wintersweiler machte 1787 den Vorschlag, acht bis zehn J. Matten der Gemeinde durch Trübwässerung zu verbessern. – Die Denzlinger Vorgesetzten und Richter schlugen 1790 vor, öde Weideplätze in Matten und Acker umzuwandeln und sie anschließend zu verleihen. Von einigen Bürgern wurde im Durchgang auch vorgeschlagen, das an den Täufer Zimmermann verliehene Meiereigut nicht mehr aus der Hand, sondern am Stab zu verleihen, was Vorgesetzte und Gericht jedoch aus der Sorge ablehnten, das Gut könnte in schlechte Hände geraten und die Gemeinde in der Folge Mühe bei der Eintreibung des Zinses bekunden. Sie wollten nach dem Ende der Bestandszeit 1793 das Gut lieber um 20–30 J. verkleinern und dieses Land besonders ausleihen. – Vörstetten wies 1790 darauf hin, man könnte ein Stück Gemeindefeld als Acker einrichten und zum Besten der Gemeindekasse verleihen. – Die Vorgesetzten in Efringen, die im übrigen mitteilten, die Gemeindeeinkünfte ließen sich bei ihnen nicht mehr weiter steigern, konnten 1791 selbstzufrieden berichten, daß ein Feldstück der Gemeinde, das früher nichts eingebracht hatte, nun reichliche Erträge lieferte, seitdem der Vogt dort Esparsette angesät hatte.[700]

2. Auch die Absicht, kommunale Güter und Einrichtungen gewinnbringender zu verleihen oder zu verpachten, läßt sich mehrfach in den Frevelgerichtsprotokollen nachweisen. Der Mundinger Vogt regte 1769 an, die Gemeindegüter statt auf vier nurmehr auf ein Jahr zu verleihen, »weil er glaube, daß die Verlehner auf diese Art mehr davor geben würden«. Das Oberamt bewilligte diesen Wechsel, denn die Gemeinde brauchte Geld für den Schulhausbau. – Efringens Vorgesetzte votierten 1775 für die erbliche Verleihung der Gemeindegüter dies- und jenseits des Rheins gegen einen Zins, der in einer Versteigerung ermittelt werden sollte. Die Erbleihe sollte die bisherige zeitlich befristete Leihe auf sechs bis 12 Jahre ablösen; dies fand auch die

---

[700] Köndringen (229/54953, Pkte. 14, 17; 24–28 I 1769). – Mundingen (229/70240/II, Pkt. 17; 14, 17–18 II 1769). – Efringen (229/22652, fol. 1–2, ad 3; 9 V 1775). – Kirchen (229/52838, ad 1; 9 V 1775; 25 IV 1776). – Wieslet (229/114053; 22 X 1781). – Wintersweiler (229/115110, fol. 21–43', ad 2; 20 XI 1787). – Denzlingen (GA Denzlingen 1 B-247, fol. 183–184'; 22 II–10 III 1790). – Vörstetten (229/107983, fol. 27' f., Pkt. 3; 15–29 IX 1790). – Efringen (229/22654, fol. 3–58, Abschnitt B, Pkt. 1; 14–16 II 1791).

Unterstützung des Oberamts, das davon überzeugt war, »daß ein Mann sein beständig geniesendes Guth beßer als ein anderes unterhält und besorgt«. Zudem verfügte die Gemeinde über ein sumpfiges Gemeindefeld von 13 J., das zu guten Matten angelegt und bewässert werden konnte, sofern man das Feld zuvor ausebnete und eine Wässerung einrichtete. Während die Bürger aber die neuen Matten zu Eigentum unter sich aufteilen wollten und die Vorgesetzten deren unentgeltliche Abgabe zur Nutzung an die Bürger befürworteten, trat das Oberamt für die erbliche Verleihung ein, da der ergiebige Lehenszins für die Gemeindekasse einen längerfristigen Nutzen erbrachte. Letztlich verfügte der Hofrat die Verteilung des sumpfigen Felds zu Eigentum an die Bürger, die im April 1776 gegen die Erlegung von jeweils 2 fl. 24 Kr. in die Gemeindekasse ihren Anteil bezogen, mit welchem Geld die Gemeinde eine Feuerspritze anschaffen sollte. – Wintersweiler verlieh bis 1775 seine Gemeindegüter jeweils auf neun Jahre. Nach dem Frevelgericht 1775 beantragte das Oberamt beim Hofrat die Bewilligung der Erbleihe der Gemeindegüter, weil sie auf diese Weise angeblich besser als bei einer andern Verleihung im Stand erhalten wurden. – Die Gemeindegüter der Stadt Emmendingen waren 1776 jeweils auf drei Jahre verliehen. Offenbar hatte das Oberamt angeregt, diese zu verkaufen, doch wandte der Magistrat in der Befragung dagegen ein, er halte einen Verkauf zum gegenwärtigen Zeitpunkt nicht für »rätlich«. – In Haltingen gaben die Vorgesetzten 1777 an, die Gemeinde verfüge über keine anderen Gebäude als das Schulhaus und die Gemeindestube. Das Oberamt machte darauf der Gemeinde den Vorschlag, die Stube erblich zu verleihen, um so von der Unterhaltslast befreit zu werden. Nach Anhörung der Bürgerschaft teilten die Vorgesetzten jedoch mit, die Bürgerschaft wolle nicht in einen Verkauf als Erblehen einwilligen, sondern die Stube wie bisher behalten. Diese Ansicht teilten auch die Vorgesetzten, die darauf hinwiesen, der Unterhalt habe keine Umlagen für die Bürgerschaft zur Folge, ja der Bestandszins werfe neben den Unterhaltsmitteln jährlich noch »mehrers« ab. Der Hofrat respektierte in seinem Reskript vorläufig den Willen der Gemeinde, trug dem Oberamt aber auf, bei der Gemeinde »unter der Hand« auf die Vererbleihung der Stube zu drängen, weil dies die Möglichkeit bot, die Reparationslast dem Erbbeständer zu überbürden und die Gemeinde in der Folge die ganzen Zinseinnahmen »zu etwas anders Nützlichem« verwenden konnte. – Welche Interessengegensätze die intensivere Nutzung von Gemeindeland hervorbringen konnte, zeigt das Beispiel der Gemeinde Ottoschwanden. Bei der Behandlung der Policeyfragen ging Oberamtmann Schlosser mit den Vorgesetzten auch die Beschreibung der Allmende durch, die in Ottoschwanden zum Teil als Erblehen ausgegeben, zum Teil aber noch von der Gemeinde genutzt wurde. Bei einem Allmendstück wünschten die einen, es sollte verkauft oder verliehen werden, andere jedoch wandten dagegen ein, die Tagelöhner müßten doch auch eine Weide in der Nähe haben. – 1781 hatte die Gemeinde Nimburg ihre Gemeindematte in 36 Parzellen aufgeteilt und auf 10 Jahre verpachtet; im selben Jahr wurde eine andere Matte, die vormals Wald gewesen war, in sieben Stücken verpachtet.[701] – Das

---

[701] Ob die Maßnahmen im Zusammenhang mit dem 1781 in Nimburg durchgeführten Frevel-

Frevelgerichtsprotokoll der Gemeinde Vörstetten macht genaue Angaben darüber, welche Vorteile die Gemeinde aus einem neuen Modus der Verleihung zu ziehen vermochte, so daß sich für einmal die Nutzensteigerung auch quantifizieren läßt: Die meisten kommunalen Einnahmen stammten aus dem Leihzins für 20 J. Matten und Acker, die bis 1790 immer auf zwei Jahre verliehen worden waren. Nun wurde nach dem Vorschlag der Vorgesetzten eine vierjährige Leihefrist eingeführt. Einer späteren Marginalie des Oberamts im Frevelgerichtsprotokoll ist zu entnehmen, daß die Verlängerung der Leihefrist der Gemeinde einen um knapp 62 fl. höheren Zins pro Jahr eintrug, was auf vier Jahre Mehreinnahmen von gut 247 fl. ausmachte. Auch die Leihezeit für das Vörstetter Stubenrecht wurde bei dieser Gelegenheit von zwei auf vier Jahre erhöht, damit sich der jeweilige Beständer besser »einrichten« konnte. Ob der Stubenzins damit ebenfalls erhöht werden konnte, ist der Stelle nicht zu entnehmen.[702]

3. Die oberamtlichen Fragen nach den Möglichkeiten einer Verbesserung der gegenwärtigen Nutzung des Gemeindeguts schlossen in manchen Fällen auch die Variante des Verkaufs ein. Wie die folgenden Belege zeigen, waren von dieser Option besonders schlechte, ertragsschwache Teile des Gemeindeguts betroffen, die sich sonst nicht nutzbringend verwenden ließen. In Hertingen gaben die Vorgesetzten dem Oberamtmann 1777 an, die Äcker und Wiesen der Gemeinde erbrächten meist nur einen geringen Ertrag, weshalb sie die schlechten Güter verkaufen und den Erlös zu Kapital anlegen wollten. Dies würde der Gemeinde mehr nützen, weil die Güter bei der gegenwärtigen Nutzung nur schlecht gedüngt wurden. – Auch die Tannenkircher Gemeindeäcker und -matten hatten angeblich nicht die beste Lage. Während die befragte Gemeinde die Matten behalten wollte, »weilen hier die Gemeint keine Matten mehr zu kauffen bekäme«, hatte sie gegen den Verkauf der Äcker nichts einzuwenden, sofern dies zu einem angemessenen Preis erfolgte, ansonsten der Verkauf aufgeschoben und die Güter wieder lehensweise versteigert werden sollten. – Die Frage, ob die Gemeindegüter zu ihrem Wert verkauft werden konnten oder nicht, entzweite in Fischingen 1778 Vorgesetzte und Gemeinde: Erstere wollten zwei Stücke verkaufen und den Erlös zu Kapital anlegen, weil die Gemeinde sonst wenig Nutzen von ihnen hatte, die Gemeinde wollte die Güter aber lieber stückweise verlehnen, weil sie einen Verkauf zum wahren Wert nicht für möglich hielt. – Die Blansinger Vorgesetzten meldeten 1778, sie hätten ihre Ge-

gericht standen, ist der entsprechenden Stelle in der Literatur nicht zu entnehmen (Schmidt, Teningen, S. 161).
[702] Mundingen (229/70240/II, Pkt. 23 (14, 17–18 II 1769). – Efringen (229/22652, fol. 1–2, fol. 24 f., fol. 25, fol. 27 f.; 9, 20 V, 22 VII 1775; 22 III, 9, 26 IV 1776). – Wintersweiler (229/115111, fol. 2 f., fol. 24 f.; 9, 10 V 1775). – Emmendingen (StadtA Emmendingen B 1a/Fasz. 9, § 254 ad 15; 9–10, 12–13 I 1776). – Haltingen (229/38041, fol. 5–7', ad 15, fol. 23 f., fol. 25 ff., fol. 27–29, fol. 33 ff., fol. 42, fol. 43 f.; 16 VII, 29 VIII, 19 X 1777, 27 V, 15 VII, 25 VIII, 28 X 1778). – Ottoschwanden (229/82169, Pkt. 21 ad 27; 13–16 X 1783). – Vörstetten (229/107983, fol. 26–27'; 15–29 IX 1790).

meindeäcker mit herrschaftlicher Bewilligung bereits an Ortsbürger verkauft und würden nur noch einige Güter zum Unterhalt des Wucherviehs beibehalten. Diese Aussage wiederholten sie im wesentlichen beim Frevelgericht von 1789: Für den Wucherstier behielt die Gemeinde noch drei J. Matten, sechs weitere J. versteigerte die Gemeinde jährlich und in die Nutzung weiterer 20 J. Mattland teilte sich die Gemeinde mit Kleinkems und versteigerte jährlich das darauf wachsende Heu und Emd. – Der Nachbarort Welmlingen hatte nach Auskunft der Vorgesetzten im Jahre 1777 mit Ausnahme der 150 J. Wald seine ganzen Gemeindegüter verkauft. – Im Gegensatz zu diesen beiden Gemeinden wollten sich die Vorgesetzten von Dossenbach 1780 nicht zu einem Verkauf ihrer Gemeindegüter verstehen. Sie gaben an, daß sie ihre Allmende gemeinschaftlich bewirtschafteten und den Ertrag zur Bestreitung der Ausgaben verkauften. Ein Verkauf der Allmende war für sie ohne Nutzen, weil der vermögende Bürger diese Güter nicht kaufen wollte und der Arme sie nicht bezahlen konnte, schließlich würde der Verkauf auch kein namhaftes Kapital abwerfen, aus dem die Gemeinde Zinsen beziehen könnte. – Die Nimburger Vorgesetzten sahen 1783 keine Möglichkeit zu einer Ertragssteigerung der Gemeindegüter, da die Gemeinde kein ödes Feld hatte. Neben Privatgütern von Bürgern besaß die Gemeinde aber einige kleine Parzellen, die sie bisher verliehen hatte, von denen aber die Vorgesetzten glaubten, es wäre besser, sie an die anstoßenden Eigentümer zu verkaufen. Das Oberamt erteilte der Gemeinde daraufhin den Auftrag, diese Güter auszumessen und zu verkaufen. Die Gemeinde besaß auch noch einige J. Äcker und Matten, die sie zu einem billigen Zins verlieh und die die Vorgesetzten mit der interessanten Begründung gerne im Gemeindebesitz behalten wollten, »da (...) manche Fälle vorkämen, wo zu Ausgleichungen, Anlegung von Kanälen u. dergl. solche Güter sehr nüzlich wären«. Hier zeigt sich der Charakter des Gemeindelands als Ausgleichsfläche oder als Mittel zu gemeinnützigen Einrichtungen in der Flur. – Die Gemeinde Kandern hatte bereits im Anschluß an das letzte Frevelgericht 1776 einen Hof für 1600 fl. veräußert und den Erlös zu Kapital angelegt. Noch besaß sie ein Erblehengut, dessen Bestäder allerdings hoch verschuldet war, so daß sich für die Zeit nach der Vermögensexekution die Frage der künftigen Nutzung des Guts stellte: Vor die Alternative gestellt, den Hof nochmals als Erblehen auszugeben oder ihn als freies Eigentum zu verkaufen, wünschte die Gemeinde die Beibehaltung des status quo, »weil auf diese Art das Vermögen der Gemeinde mehr als durch Capitalien gesichert seye«. Allerdings wollte das Oberamt diesem Wunsch nicht ohne weitere Abklärungen willfahren und ordnete eine Untersuchung der Frage an, wieviel die Gemeinde im einen und im anderen Fall erlösen konnte. Die Untersuchung ergab nach Aussage der Vorgesetzten, daß ein Verkauf als Erblehen gegen 3000 lb., ein Verkauf zu freiem Eigentum aber beträchtlich mehr erbringen würde. Dennoch wollte die Gemeinde den Hof nur erblehensweise verkaufen. Wie die Entscheidung letztlich ausfiel, ist in der Frevelgerichtsakte nicht überliefert. – Die Gemeindegüter von Welmlingen waren im Jahre 1786 fast alle bereits mit herrschaftlicher Erlaubnis verkauft worden, so daß ihretwegen nichts mehr vorgekehrt werden mußte. Etliche Jucharten schlechtes Gemeindegut besaß die Gemeinde allerdings noch auf dem Kirchberg. Nach Meinung der Vorgesetzten waren diese nur dann in besseren Ertrag zu bringen, wenn sie einem Bürger zu Eigentum überlassen wurden, wozu das Oberamt die Vorgesetzten in der Folge auch anwies. Allerdings scheinen diese Güter nicht von ungefähr bis 1786 Gemeindebesitz geblieben zu sein, denn mehr als ein Jahr nach dem Frevelgericht berichteten die Vorgesetzten dem Oberamt, sie hätten dieses Land der Bürgerschaft zwar zum Kauf angetragen, doch habe es bis dahin noch keiner kaufen wollen. – Hauingen hatte viele Jahre vor 1787 etliche Jucharten unbebaute Allmende verkauft. Nun wurden dort an den besten Lagen seit zwei bis drei Jahren Reben angepflanzt, die schlechteren Lagen waren mit Obstbäumen besetzt. Die Gemeinde besaß nur noch Matten als Gemeindegut, die angeblich jährlich zum wahren Wert verliehen wurden und deren Verkauf die Vorgesetzten nicht als nützlich erachteten.[703]

Muster für eine – nach Einschätzung der Behörden – erfolgreiche Tätigkeit der lokalen Vorgesetzten zum Besten der Gemeinde finden sich in jenen Passagen der Frevelgerichtsakten, wo die Oberbeamten dem Hofrat die besonders nützliche und segensreiche Tätigkeit bestimmter Vögte meldeten. Im Oberamt Hochberg liefert die Gemeinde Bahlingen 1789, im Oberamt Rötteln die Gemeinde Efringen 1791 Beispiele für eine Gemeindeverwaltung, die in den Augen der Behörden vorbildlich war.

Die Aussage der Bahlinger Vorgesetzten und Richter, daß die Gemeindeeinkünfte bei ihnen nicht mehr gesteigert werden konnten, weil »alles bereits aufs höchste getrieben sei«, wird durch die Information erhärtet, daß nach Einsicht in die vorletzte geprüfte Gemeinderechnung das Gemeindevermögen von 1786 bis 1787 um 324 fl. auf 17818 fl. erhöht worden war. Dennoch blieben nach wie vor Ausstände in der Höhe von fast 3730 fl., welche Ortsbürger der Gemeinde schuldeten. Auf die Frage des Oberamts, weshalb die Vorgesetzten trotz mehrfachen Befehls diese Ausstände noch nicht eingetrieben hatten, rechtfertigte sich Vogt Bek mit einem aufschlußreichen Argument, »von dessen Erheblichkeit« das Oberamt »mehr als viel überzeuget« wurde: Bek wies auf die hohe Verschuldung eines großen Teils der Ortseinwohner hin, die bei seinem Amtsantritt geherrscht hatte, sowie auf den in der Folge tief gesunkenen Kredit des Ortes. Zur Wiederherstellung dieses Kredits »habe

---

[703] Hertingen (229/42806, ad 16; 9 IX 1777). – Tannenkirch (229/104371, fol. 7–9, ad § 16, fol. 10f., fol. 13, fol. 13' ff., fol. 19f.; 9 IX, 3, 11, 28 X 1777, 20 X 1778). – Fischingen (229/28582, fol. 9–12', ad § 16, fol. 14, fol. 15ff., fol. 29f.; 22 IV, 4 IX 1778, 23 I, 22 III 1779). – Blansingen (229/112897, fol. 14–18, ad § 16; 26 V 1778. – 229/9515, fol. 2–12, ad 16; 24 XI 1789). – Welmlingen (229/112897, fol. 10–13, ad § 16; 26 V 1778). – Dossenbach (229/19810, ad § 16; XI/XII 1780). – Nimburg (229/75379, Pkt. 57 ad 18, Pkt. 62 ad 27; 16–18 VI 1783). – Kandern (229/50919, ad 15, 16; 28 IX, 20 XII 1784). – Welmlingen (229/112899, fol. 3–14, ad 5, fol. 79–81; 22 VIII 1786, 27 XII 1787). – Hauingen (229/39715, ad 5, 16; 20 III 1787). – Blansingen (229/9515, 24 XI 1789).

er [der Vogt, AH] seiner Einsicht nach für nötig und gut erachtet, vor allen Dingen den Privat Glaubigern zu ihren Forderungen zu verhelfen, wobei es dann schlechterdings unmöglich gewesen, die Gemeinds Schuldigkeiten zu gleicher Zeit und mit gleicher Schärfe einzutreiben, nothwendig hätten also solche sich nach und nach etwas aufschwöllen müssen, doch halte er sich für überzeuget, daß durch den wieder hergestellten Credit die Gemeinde im Ganzen mehr gewonnen als verlohren habe«. Gleichwohl sah der Vogt die Notwendigkeit ein, die Summe der Ausstände zu verringern, und schlug deshalb vor, angesichts der schwierigen Witterungs- und Ertragslage in den kommenden Wochen die geringeren Ausstände bis zu 20 fl. »so viel nur immer möglich« einzutreiben, die größeren Beträge aber dem Schuldner als verzinsliches Kapital anrechnen und gerichtlich versichern zu lassen. Um den Druck auf die Schuldner zu erhöhen, genehmigte das Oberamt auch den letzten Vorschlag der Vorgesetzten, wonach niemand, der der Gemeinde Ausstände schuldete, bis zu deren völliger Abzahlung bei Verleihungen von Gemeindegütern mitsteigern oder von der Gemeindemühle Frucht beziehen konnte – Druckmittel, die immerhin andeuten, daß nicht nur die Ärmsten der Gemeinde ihre Rechnungen bei der Gemeinde noch zu begleichen hatten.[704]

Im Falle der Rötteler Gemeinde Efringen 1791 ließ sich die erfolgreiche Amtsführung von Vogt Gräßlin ebenfalls genau beziffern. Gemäß der zuletzt gestellten Gemeinderechnung vom Frühjahr 1790 belief sich der »Status activus« der Gemeinde auf 1728 fl. Seit 1783, dem Amtsantritt des gegenwärtigen Vogts, hatte sich das Gemeindevermögen um 800 fl. vermehrt und war schuldenfrei. Die Haupteinnahmen der Gemeinde flossen aus Güterzinsen, insbesondere von einem Feld, das durch die Bemühungen des Vogts mit Esparsette angesät wurde und dadurch zu einem beträchtlichen Ertrag gekommen war. Die Vorgesetzten versicherten, der Ertrag des Gemeindevermögens lasse sich »sonst auf keine Art« mehr vermehren, sie wollten »aber ihr möglichstes anwenden, um diesen Zwek imer mehr zu erreichen«. Dazu paßte die Aussage, unter Vogt Gräßlin seien die Gemeindeausstände nicht angewachsen, sie beliefen sich 1790 auf die relativ bescheidene Summe von 54 fl. Und weiter berichteten sie, daß die zwölfjährige Laufzeit für die Leihe des Gemeindeguts auf der französischen Rheinseite im folgenden Jahr auslief und die Gemeinde deswegen mit dem gegenwärtigen Meier in Verhandlungen über die Modalitäten einer Fortsetzung der Leihe stand: Der Beständer wollte die Leihe verlängern, wozu die Gemeinde nur unter der Bedingung bereit war, daß dem Meier das Gut immer nur auf ein Jahr verliehen wurde; die Güter jenseits des Rheins waren der Gemeinde nämlich zur Last geworden, seitdem Frankreich seit 1789 eine hohe Steuer von Efringen erhob und die Gemeinde nun diese Güter lieber verkaufen wollte, »da sie in diesem Fall mehr Interesse aus dem Capital zu ziehen hoften, als sie von dem Bestand Zins erhalten«.

---

[704] GA Bahlingen C VIII Nr. 4, fol. 1–174', Abschnitt B, Pkt. 7 (8–20 VI, 10–13 VIII 1789).

Gräßlins Verdienste um den Wohlstand der Gemeinde Efringen waren nach Einschätzung des Oberamts so groß und seine Amtsführung ein Vorbild an »Geschik-
lichkeit, Rechtschaffenheit und Unpartheilichkeit«, daß die Oberbeamten dem
Hofrat in ihrem Bericht empfahlen, dem Vogt öffentlich die obrigkeitliche Zufriedenheit zu bezeugen. Angesichts der Tatsache, daß er nur eine geringe Besoldung
von 4 fl. / Jahr erhielt und »die Gemeinds Casse eine der beträchtlichsten des OAmts
ist«, erschien Gräßlin einer ansehnlichen Zulage durchaus nicht unwürdig zu sein,
»allein weil er ein schönes Vermögen besizet und nur 1 Kind hat, auch mehr um
Ehre als Besoldung dient, so würde ihm vielleicht damit nicht geholfen seyn, daher
tragen wir [das Oberamt, AH] darauf unterth[änigst] an, daß ihm nebst der Belobung
seines Amts Eifers etwan eine Medaille zugedacht und ihm selbige bei versammelter
Gemeinde zugestellt werden möchte«.[705]

Die Einkünfte der Gemeinden ließen sich nach Auffassung der Behörden aber
auch durch eine rigorose Eintreibung der »Ausstände«, der Schulden bei der Gemeinde, wirkungsvoll steigern. Häufig finden sich in den im Anschluß an die Frevelgerichte erlassenen Verfügungen der Oberämter und des Hofrats Anweisungen an
die lokalen Vorgesetzten, im Umgang mit den Schuldnern weniger nachsichtig zu
sein. Die Berichte und Rechtfertigungen der Vögte lassen aber deutlich erkennen,
daß solche Aufträge zu den schwierigsten und heikelsten zählten, denen sich die
Ortsvorgesetzten unterziehen mußten. Einerseits stießen sie bei diesem Geschäft
vielfach auf das schiere Unvermögen der Leute, die geschuldeten Beträge aufzubringen, andererseits wird hier auch deutlich, daß das soziale Gewicht der Ange-
seheneren in der Gemeinde den Vorgesetzten Rücksichtnahmen in ihrer Amtstätigkeit abforderte.[706]

Als der Teninger Richter Hans Jerg Zimmermann beim Frevelgericht 1754 anzeigte, die Gemeinde habe einerseits so viele Ausstände und andererseits selber
Passiven, die sie verzinsen müsse, bat er die Oberbeamten um den Erlaß von Exekutionsbefehlen gegen die säumigen Zahler.[707]

Buchhalterisch betrachtet, stellten die Ausstände Gemeindevermögen dar, deren
Eintreibung den Weg für bestimmte Investitionen freimachte: So verfiel der Hofrat
1778 auf den Vorschlag, die zur Anschaffung einer Feuerspritze fehlenden Mittel in
den Gemeinden Hertingen und Tannenkirch nicht etwa durch die Auflösung ange-

---

[705] 229/22654, fol. 3–58, Abschnitt B, Pkte. 1, 2, 58; fol. 97–98'; 14–16 II, 11 III 1791.
[706] Einen Beleg für die Schwierigkeiten, Ausstände einzutreiben, liefern die Notizbücher des
Hausener Vogts Clais, die unter dem 19 V 1789 den Tadel des Oberamts Rötteln notieren,
weil viele Vorgesetzte bei der Eintreibung der Ausstände an die fürstl. Burgvogtei nicht den
erwarteten Ernst bewiesen und vielfach den Betroffenen die Zahlung bloß auferlegten »und
hernach nicht mehr gefragt haben, ob solche geleistet worden seie oder nicht«. Den Vorgesetzten wurde deswegen aufgetragen, die Schuldner nach Ablauf der Zahlungsfrist an
ihrem Vermögen anzugreifen (Schubring, Notizbücher, S. 39 f.).
[707] 229/105128, Anzeige 3 von Richter Zimmermann (3–7 XII 1754).

legter Kapitalien, sondern durch den Einzug der Ausstände zu beschaffen, für den das Oberamt binnen drei Monaten unfehlbar zu sorgen hatte.[708]

Mitunter ließen es die Oberbeamten bei Frevelgerichten nicht bei allgemeinen Ermahnungen zur Eintreibung der Ausstände bewenden. Beim Frevelgericht in Kandern 1784 gingen sie gemeinsam mit den Vorgesetzten, dem Rechnungssteller und dem Gemeindeschaffner die Gemeinderechnung durch und erteilten bei einzelnen Posten direkte Anweisungen, in welchen Fristen die jeweiligen Bürger ihre Schulden abtragen sollten; nach Ablauf dieser Fristen wollte sich das Oberamt an die Vorgesetzten selber halten, die mit ihrem eigenen Vermögen für die Ausstände haftbar gemacht wurden und zudem noch eine Strafe zu gewärtigen hatten.[709]

Die Durchsicht der Gemeinderechnung von Hauingen ergab im Frühjahr 1787, daß die Vorgesetzten mit den meist bedürftigen Einwohnern Mitleid gehabt hatten und deren Ausstände deswegen als unversicherte Kapitalien in der Rechnung hatten stehenlassen. Das Oberamt war bereit, diese Nachsicht zu entschuldigen, weil im vorangegangenen Jahr die Wein- und Kartoffelernte sehr schlecht ausgefallen war und es gegenwärtig im Frühjahr kaum möglich war, bei Schuldnern Geld einzutreiben. Bis zum Herbst sollten die Vorgesetzten aber alle Ausstände einziehen – ein Befehl, dessen Erfüllung offensichtlich einige Mühe kostete, denn im Januar 1788 waren erst zwei Drittel eingetrieben, worauf das Oberamt für den Einzug des Übrigen die Frist bis in den Herbst 1788 erstreckte, wenn die Leute nach der Ernte wieder über Geld verfügen würden.[710]

Im Januar 1791 befahl das Oberamt Rötteln auch den Brombacher Vorgesetzten, binnen sechs Wochen die ansehnliche Zahl von gerichtlich nicht versicherten Ausständen in der Gemeinde einzuziehen, nicht ohne sie bei dieser Gelegenheit daran zu erinnern, daß »nach den Landes Gesezen jeder Verrechner u. Vorgesezte vor den

---

[708] 229/104371, fol. 20 f.; 12 XII 1778, 7 I, 8 IV 1779. – Über den Erfolg verlautet in der Akte nichts, allerdings mußte das Oberamt den landesherrlichen Befehl im April 1779 bei den Vorgesetzten in Erinnerung bringen.

[709] 229/50919, nach Policeyfrage 18 (29 IX 1784).

[710] 229/39715, Pkt. 19 (20 III, 25 IX, 8 X, 18 XII 1787, 14, 17, 22 I 1788, 21, 29 VI, 2 VII 1790). – In seinem Schreiben vom 14. Januar 1788 verwies der Hauinger Vogt darauf, die Getreide- und Weinernte der letzten beiden Jahre sei schlecht ausgefallen, und weil die »Leuthe ihr Stücklein Land auch säehen müssen, so kan mann die Leuthe nicht gar unterdrücken, weilen sie nebst ihrem Brod suchen die herrschaftliche Gefälle auch bezahlen müsten«. Das Oberamt konterte diese Rechtfertigung allerdings am 22. Januar 1788 mit dem Hinweis, die verflossenen Jahre seien nicht so übel gewesen, daß die Leute überhaupt nicht mehr zahlen könnten. Wenn die Vorgesetzten die kleinen Posten nicht sofort eintrieben, wollte das Oberamt sie dafür haftbar machen, weil die kleinen Beiträge nicht gerichtlich versichert waren (ebd.). Im Juni 1790 (!) ließ sich der Hauinger Vogt schließlich vernehmen, seines Wissens hätten die Ausstände nicht eingetrieben werden können, »weil es so wöhnig Wein geben hat und diß Jahr haben die mäißte Läter die Schatzung noch nicht bezalt und von der Hörrschaft Früchen (!) empfangen« (ebd.).

Verlust dieser Art Ausstände mit seinem eigenen Vermögen zu haften habe«.[711] Das Oberamt forderte nach dem Frevelgericht von den Vorgesetzten eine Aufstellung über alle unversicherten Kapitalien, Zinsreste und Ausstände an, aus der hervorging, daß 75 Personen in der Gemeinde die Gesamtsumme von knapp 1700 fl. schuldeten. Seit dem Frevelgericht im Januar und bis zum 12. März 1791 hatten die Vorgesetzten ganze 120 fl. einziehen können. Die einzelnen Posten, die sich mitunter bis auf 80 fl. oder 120 fl. beliefen, betrafen rückständiges Bürger- oder Hintersassengeld an die Gemeinde oder rückständige Bestandszinsen, wobei auch der Vogt selber noch einen Zins in der Höhe von 21 1/2 fl. schuldig war. Mehr als die 120 fl. zu erheben, war laut den Vorgesetzten unmöglich gewesen:

Fahrende Habe wüßten wir gegenwärtig denen Schuldnern nichts auszupfänden, da die meisten Futter Früchten und was sie zu ihres Lebens Unterhalt nöthig haben ohnehin schon kauffen müssen, dann ville unserer Bürger haben gleich nach der Ernd von ihren Früchten verkauffen müssen, nur die Schulden die sie im vorigen Jahr durch die grosse Theürung vor der Ernd machen mußten, tilgen zu können. Wollen wir zum Güther Verkauff schreiten, so wissen wir schon zum voraus und hat uns seit einiger Zeit die Erfahrung zur Genüge gezeigt, daß bey dergleichen Ganthen insbesondere, wann mann um barr Bezahlung verkauffen muß, bey der gegenwertigen geltklemen Zeit sich nicht ein einiger Liebhaber zeigt, der nur ein Bott thut, geschweige daß er etwas zu kauffen verlangte. Um nun so wohl unsern Mittellossen und dermahlen von Gelt und übrigen Vigtualien entblößten Bürgern in ettwas zu schonen, als auch unsere ohnversicherte Gemeinds Capitalien und übrige Gemeinds Ausstände einzutreiben und in Sicherheit zu bringen, wäre unser ohnmaßgäbl. Vorschlag dieser: gleich nach Verfluß George darauf zu treiben, daß die Gemeinds Rechnung gestelt würde und jedem Schuldner seine Gemeind Schuldigkeit, sie bestehe worinn sie wolle, zusamen zu einem Capital geschlagen und jedem derselben gleich je nachdem die Schuld groß ist, eines der besten Stücker Guth weg- und der Gemeind zugeschätzt und ihnen alsdann eine Lössungs Zeit bis nechstkünfftigen Martiny verstatten. Sie glaubten, es würden nur wenige bis dann ihre Schulden nicht abzahlen, denn einer könte in diser Zeit solches aus Frucht, Futter, Wein oder Vieh lössen, wo er gegenwärtig nichts dergl. zu verkauffen hat, ein anderer, der dergleichen nichts zu verkauffen hat, würde wohl selbsten sehen, daß er in diser Zeit ein Stück Guth zum Verkauff anbrächte und seine Schuldigkeit abtragen könte. Und solten dann noch einige sein, die ihre Schuldigkeit bis dorthin nicht abtragen thäten, so wäre es noch Zeit genug, dise Güther an Ankauf zu nehmen, wo sich gewiß, wann die Leütte wider beser mit Lebens Mittlen versehen sind und Gelt lössen könen, mehrere Kauflustige zeigen würden.[712]

---

[711] Die einschlägige Verordnung lautete: Laufende Gemeindeausstände sollen am Ende des Rechnungsjahres eingetrieben werden; kann sich der Verrechner wegen der Verlängerung der Borgfrist nicht mit einer schriftlichen Erlaubnis legitimieren, »die von dem Oberamt nach Umständen unter Bestimmung billiger und mittelst schleuniger Vollstreckung fest zu haltender Termine ertheilet werden kan«, sollen ihm die Ausstände zur Zahlung heimgewiesen werden; Ausstände, welche die Vorgesetzten oder früheren Bürgermeister/Heimbürgen nachweislich durch Saumseligkeit vernachläßigt hatten, sollten »denselben zum Ersatz zuerkannt werden« (RepPO 2626; WI I, S. 211 f.; 29 I 1780).
[712] 229/13204 (12 III 1791).

Im Juli 1791 mußten die Brombacher Vorgesetzten erneut nach Lörrach berichten, sie hätten trotz äußerster Mühe nicht alle Ausstände einziehen können. Immerhin hatten sie sich darum bemüht, bei den Schuldnern Güter und Gütererträge ausgepfändet und im Mai eine Versteigerung angesetzt, »aber niemand an der Verstaigerung erschienen, geschweigen ein Bott auf etwas gethan worden, weßwegen man auf Ansuchen der Schuldner in ermeldetem Bericht angetragen, daß man den Schuldnern zu Abtragung ihrer Gemeinds-Schuldigkeit möchte 2 Termine, einer auf jezt und der andere auf nächsten Martinj, anberaumen, weil man Hofnung gehabt, daß die Schuldner, wan sie eingesamlet haben, von ihrem Güther Ertrag ehnder als jezt, wo die meisten alle Lebens Mittel kauffen müßen, Zahlung leisten können und dan erst, wan solche bis Martinj nicht ganz bezahlen thäten, die ausgepfänden Güther nochmalen in Verstaigerung zu nehmen und, wan solche wieder nichts gelden wollten, der Gemeind um den schon gemachten gerichtlichen Anschlag an Zahlungsstatt anzuweisen«.[713]

Die Ausführungen des Brombacher Vogts belegen, daß die Gemeindeausstände der Bürger funktional zinslosen Darlehen in Notsituationen entsprachen. Nach schlechten Ernten nahmen sie jeweils wieder zu, umgekehrt steigerte die Aussicht auf den Verkauf von Felderträgen und eine höhere Liquidität der Bürger auch die Wahrscheinlichkeit, daß die Gemeinden zumindest einen Teil ihrer Ausstände bei den Schuldnern einziehen konnten.[714]

Mitunter waren einzelne Ausstände aber keineswegs Ausdruck von Zahlungsunfähigkeit, sondern ein gezielt eingesetztes Druckmittel von seiten einzelner Bürger. Als beim Frevelgericht von 1790 die Durchsicht der Mundinger Gemeinderechnung für das Jahr 1789 ergab, daß die Gemeinde zwar ein Aktivvermögen von knapp 2342 fl. besaß, dieses aber u. a. in Ausständen in der Höhe von 1952 fl. bestand, mußten sich Vorgesetzte und Heimbürge vor dem Oberbeamten verantworten: Einmal verwiesen sie auf zwei starke Fehljahre in der Landwirtschaft, wo man die Schuldner auch mit Schärfe nicht habe zur Zahlung anhalten können. Ein namhafter Ausstand bestand in 667 fl., die ein Bürger der Gemeinde für den Kauf des kommunalen Hirtenhauses schuldete. Schließlich aber setzten drei Personen ihre Zahlungen an die Gemeinde ganz bewußt aus, bis sie von der Gemeinde ihre Belohnung für das Heimburgeramt erhielten.[715] Dem Heimburger und den Vorgesetzten wollte

---

[713] 229/13204, Pkt. 28 (11 I, 12, 29 III, 5, 16, 25 VII 1791). – Das Zitat im Schreiben von Vogt Scherrer an das Oberamt Rötteln vom 16 VII 1791 (ebd.).
[714] In Eichstetten hatten die Vorgesetzten es zustande gebracht, die Ausstände von 627 fl. auf 186 fl. zu reduzieren; der Heimburger hoffte beim Frevelgericht 1789, daß auch der Rest noch bis Georgi eingehen werde. Ein späterer Bericht zeigt allerdings, daß sich die Ausstände wegen des harten Jahres 1789 wieder vermehrt hatten (229/23271/II, Abschnitt B, Pkt. B; 2–13 II 1789. – 229/23271/II; 1 III 1791). – In Denzlingen waren die Ausstände nach einem Hagelschlag 1789 wieder gestiegen (GA Denzlingen 1 B–247, fol. 185' f.; 22 II–10 III 1790).
[715] 229/70240/III, fol. 47–91', Abschnitt B, Pkt. B (7–30 IX 1790). – Das Oberamt ordnete

das Oberamt auch in Teningen die Ausstände »zu Rezeß schlagen«, wenn es ihnen nicht gelang, in einem Dreivierteljahr die Ausstände unter 20 fl. einzutreiben und die höheren Beträge gerichtlich zu verbriefen bzw. zu »verhypothekieren«.[716]

Daß es der Obrigkeit in ihrer Gemeindepolitik ganz wesentlich darum ging, einerseits die Investitionskraft der Kommunen zu steigern und andererseits sicherzustellen, daß die Gemeinden die ihnen obliegenden Aufgaben und Ausgaben erfüllen bzw. bezahlen konnten, ist hier oben klargeworden. Die Herrschaft verfolgte mit ihrer Politik neben diesen Anliegen, die im weitesten Sinne im Interesse der Förderung der allgemeinen Wohlfahrt lagen, aber durchaus auch eigennützige Interessen. Leistungsfähige Gemeindefinanzen waren eine unabdingbare Voraussetzung für die Ablösung der Grundlasten, die auf Gemeindebesitz lasteten.[717]

Seit den 1760er Jahren wurden in der Bürokratie der Markgrafschaft Projekte zur Ablösung der Reallasten erwogen, wobei die Bestimmung des Ablösungsfußes zwischen der Rentkammer und dem Geheimrat kontrovers beurteilt wurde. In Einzelfällen kam es bereits vor der Mitte der 1780er Jahre zu Abkäufen der Bodenlasten.[718] Eine Grundsatzentscheidung wurde im Juli 1785 im Zusammenhang mit der Erörterung eines Einzelfalls getroffen und in der Folge allen Ämtern als Regel mitgeteilt,

---

darauf an, daß der Käufer unter Androhung der Vermögensexekution bis Martini seine Schulden abtragen und die übrigen Ausstände bis Lichtmeß 1791 mit Hilfe von Exekutionsbefehlen des Oberamts eingetrieben werden sollten, widrigenfalls sich das Oberamt deswegen an die Vorgesetzten halten würde. Wegen der Forderungen der drei Personen an die Gemeinde, hatte diese einen besonderen Bericht an das Oberamt zu erstatten.

[716] In Teningen belief sich das schuldenfreie Gemeindevermögen auf knapp 1971 fl., wovon knapp 1094 fl. in Ausständen bestanden; beides stand nach Einschätzung des Hofrats in keinem guten Verhältnis zueinander (229/105132, fol. 47–126, Abschnitt B, Pkt. D; 5–13 VIII 1790. – 229/105133; 16 X 1790). – Die Vörstetter Gemeinderechnung für 1789/90 wies Gemeindekapitalien von 320 fl., Ausstände in der Höhe von 344 fl. und Rezeßforderungen von knapp 89 fl. aus. (229/107983, fol. 26–27', Beilage Lit. A; 15–29 IX 1790). – Wesentlich günstiger sah das Verhältnis in dieser Hinsicht in der weiter oben bereits erwähnten Gemeinde Efringen mit ihrem vorbildlichen Vogt Gräßlin aus: Die Gemeinderechnung für 1789/90 bezifferte das Aktivvermögen auf 1728 fl., auf dem zudem keine Schulden hafteten; die Ausstände betrugen hier nur 54 fl. (3,1%) (229/22654, fol. 3–58, Abschnitt B, Pkt. 2; 14–16 II 1791).

[717] Ludwig, Bauer, S. 167–179; Moericke, Agrarpolitik, S. 22f.; Wolfgang von Hippel, Napoleonische Herrschaft und Agrarreform in den deutschen Mittelstaaten 1800–1815, in: H. Berding, H.-P. Ullmann (Hgg.), Deutschland zwischen Revolution und Restauration, Königstein/Ts. 1981, S. 296–310, hier S. 297.

[718] Ludwig, Bauer, S. 167f. – Die Frevelgerichtsakte für die Gemeinde Binzen von 1775 überliefert das Gesuch dieser Gemeinde, einen Getreide- und Geldzins auf dem Gemeindewald ablösen zu dürfen. Die zuständige Burgvogtei hatte dagegen nichts einzuwenden, sofern die Gemeinde zur Ablösung der Zinsen im gesamten Berain einverstanden war, wozu sich die Gemeinde bereit erklärte, wenn die Herrschaft den »Censiten« leidliche Bedingungen anbot (229/8882, fol. 33–34', ad 18, fol. 43, fol. 45, fol. 49f.; 10 IV 1775, 23 III, 2 IV, 17 V, 28 X 1776). Der weitere Verlauf des Geschäfts ist in der Frevelgerichtsakte nicht überliefert.

daß inländische Zinspflichtige die Ablösung zum fünfundzwanzigfachen Betrag (4%) vornehmen konnten.[719] Dieses Angebot wurde den Gemeinden und Untertanen sogleich im Rahmen der Frevelgerichte bekannt gemacht, ein weiterer Beleg dafür, daß die Frevelgerichte von den Behörden als wichtige Vermittlungsinstanzen für neue landesherrliche Projekte genutzt worden sind. Dabei fällt auf, daß nur die Frevelgerichtsakten aus dem Oberamt Rötteln die Anfrage der Oberamtleute an die Gemeinden, ob diese und deren Bürger die Bodenzinsen an die Herrschaft zu vier Prozent ablösen bzw. abkaufen wollten, in mehreren Fällen belegen, während für das Oberamt Hochberg die Frevelgerichtsalten keine einzige solche Anfrage überliefern.[720]

Die Gemeinden sollten unterstützend bei der Ablösung mitwirken, so etwa im Fall von Hauingen 1787, wo die Gemeinde geneigt war, ihre Zinsen an die Burgvogtei und an die geistliche Verwaltung abzukaufen, sich aber die Schwierigkeit ergab, daß die Zinsen an die geistliche Verwaltung alle auf einmal abgelöst werden mußten, wo doch viele Leute das Vermögen dazu nicht aufbrachten; in dieser Situation machte das Oberamt der Gemeinde Hauingen den Vorschlag, ob nicht die Gemeinde das Geld zum Abkauf aufnehmen, die Zinsen an sich bringen und jedem einzelnen Einwohner den Zinsabkauf bei der Gemeinde entsprechend seiner Möglichkeiten anbieten wollte.[721]

Wie die Aussagen von Ortsvorgesetzten bei späteren Frevelgerichten belegen, ist die Ablösung zumindest in bestimmten Gemeinden durchaus in Gang gekommen. Die Vorgesetzten Brombachs und Efringens teilten 1791 mit, sie hätten ihre Bodenzinsen an die Burgvogtei und an die geistliche Verwaltung abgelöst. Für Brombach bedeutete dies immerhin ein Kapital von ca. 3600 fl., die Efringer hatten die Ablösung ihrer Roggengült in drei Terminen vereinbart, wobei ein erster Termin in der Höhe von 700 fl. der Burgvogtei bereits entrichtet worden war; sie stellten auch den Abkauf der Weinbodenzinse in Aussicht, wenn es ihre Kräfte zuließen.[722]

---

[719] Ludwig, Bauer, S. 171 f.; Beinert, Geheimer Rat, S. 56.

[720] Mit Hinweis auf die Rötteler Belege ist Ludwigs Aussage zu korrigieren, wonach das Ablösungsangebot nur im Oberamt Badenweiler systematisch angewandt worden sei (Ludwig, Bauer, S. 171; zur Zinsablösung s.a. Straub, Oberland, S. 124; Strobel, Agrarverfassung, S. 64). Die »Befreiung« des Bodens im Sinne einer Steigerung der Marktfähigkeit war ein großes Anliegen der Spätkameralisten und Frühliberalen, (s. Sabean, Neckarhausen I, S. 45). – Für das Oberamt Rötteln vgl. die Belege für Binzen (229/8882, fol. 54–71, nach Pkt. 26 der Policeyfragen; 20 XII 1785); Eimeldingen/Märkt 1787 (229/23739, fol. 1 f., Pkt. 10), Hauingen 1787 (229/39715; 2 III 1787, Pkt. 10), Wintersweiler 1787 (229/115110, fol. 1–2', Pkt. 10), Egringen 1788 (229/22946; 24 X 1788, Pkt. 10), Blansingen 1789 (fol. 2–13, Pkt. 28). – Brombach 1791(229/13204, ad 27; 11 I 1791). – Efringen 1791 (229/22654, fol. 3–58, Pkt. 53, 56, fol. 101 f.; 14–16 II, 30 V 1791).

[721] 229/39715 (20 III, 25 IX, 18 XII 1787, 14 I 1788).

[722] Brombach (229/13204, ad 27; 11 I 1791). – Efringen (229/22654, fol. 3–58, Pkt. 53, 56, fol. 101 f.; 14–16 II, 30 V 1791). – Die Aussage der Brombacher Vorgesetzten macht auf

5.10 Diskursive Topoi in der Verwaltungssprache von Behörden und Ortsvorgesetzten

In diesem langen Kapitel zur Praxis der Frevelgerichte in den Gemeinden des badischen Oberlands sind zahlreiche Begebenheiten und Sachverhalte aus dem lokalen Zusammenleben und -arbeiten der Ortsbewohner zur Sprache gekommen. Diese Aussagen des Historikers stützen sich auf die zunächst trivial erscheinende Beobachtung, daß die untersuchten Protokolle die Anzeigen, Klagen und Nachrichten der Ortsvorgesetzten und -bewohner zur Sprache bringen. Die Protokolle bringen mit anderen Worten das zur Sprache, was andere zur Sprache gebracht haben. Diese Übersetzungsleistung gilt es noch näher zu betrachten. Dazu ist es nötig, sich etwas eingehender mit der Sprache dieser Texte zu beschäftigen und darauf zu achten, wer sich in diesen Texten mit welchen Formulierungen zu Wort meldete und damit die Textur der Protokolle prägte. Das Interesse wendet sich damit von der Betrachtung der behandelten Personen und Sachfragen – von den Armen und Bettlern, den »Übelhausern« und Policeybediensteten, den Matten und Bäumen etc. – ab und richtet sich zum einen auf die Art und Weise, wie die zur Sprache gebrachten Aussagen protokolliert worden sind, zum andern auf diskursive und argumentative Topoi in den Aussagen der Ortsvorgesetzten und -bewohner. Die verschiedenen Stimmen, die sich in einer einzigen Frevelgerichtsakte erheben, sind im folgenden besonders im Hinblick auf die Frage zu betrachten, wie sie ihr Anliegen vortrugen und mit welchen sprachlichen Mitteln sie ihr Argument als richtig und wichtig präsentierten. Die Betrachtung des diskursiven Charakters der Frevelgerichtsprotokolle ist eine weitere Möglichkeit, darauf zu sehen, was die beteiligten Akteure in den Blick nehmen konnten.[723] Es ist zu betonen, daß der geschilderte Kommunikationsprozeß, der die staatliche Reformpolitik und die entsprechenden Ordnungen an die lokalen Gesellschaften vermitteln sollte, nicht im herrschaftsfreien Raum stattfand und diese Rahmenbedingungen die Ausdrucksformen der aussagepflichtigen und der aussagewilligen Ortsbewohner beeinflußt haben wird.[724]

Dafür ist zuerst der quellenkritische Charakter der Frevelgerichtsprotokolle und -akten zu klären. Die überlieferten Faszikel sind vielschichtige Sammlungen mehrerer Dokumente. Die einzelnen Akten enthalten neben dem Protokoll als dem Zen-

---

weitere Schwierigkeiten bei diesem Vorgehen aufmerksam: In Brombach, wie in allen anderen badischen Gemeinden, besaßen auch auswärtige Grundherren Bodenzinsen, die sie z.T. nicht ablösen wollten oder z.T. nicht durften, weil es sich um Lehen handelte. Insofern blieb diese Grundentlastung im alten Herrschafts- und Rechtssystem gefangen.

[723] Zur Bedeutung der Diskursanalyse insbesondere für die Verwaltungsgeschichte vgl. Haas, Pfister, Verwaltungsgeschichte, S. 15.

[724] Zimmermann, Reformen, S. 7f.

tralstück noch weitere Stücke in wechselnder Zahl, die aufgrund ihrer sachlichen Beziehung zur jeweiligen Veranstaltung bereits von den zeitgenössischen Behörden und ihren Registratoren zu einem Faszikel gebündelt worden sind: Atteste der Pfarrer über die ordnungsgemäße »Präparation« der eidpflichtigen Bürger und Amtsträger zum Schwur, Bürgerverzeichnisse, Tabellen und Konsignationen über die Vermögens-, Berufs-, Nahrungs- und Haushaltsverhältnisse der Bürger, über die Zahl der schulentlassenen Jugendlichen, über den örtlichen Bestand an Feuerlöschgeräten etc., Abschriften der Frevelgerichtsbescheide des Oberamtmanns und des Hofratsreskripts, Schreiben des Oberamts an die Vögte und Pfarrer und umgekehrt, Protokolle von weiteren Lokalaugenscheinen oberamtlicher Personen oder von Anhörungen und Vernehmungen der Vorgesetzten etc. Die umfangreichsten Frevelgerichtsakten wuchsen dadurch zu dickleibigen, mehrere hundert Blatt starken Faszikeln oder Folianten an.

Mehrschichtig sind aber aufgrund ihres Zustandekommens auch die Protokolle selbst. Es überlagern sich in ihnen Aussagen und Vorstellungen mehrerer Akteure und Sprecher, was einerseits mit der Entstehung dieser Texte und andererseits mit ihrem bürokratischen Zweck zu erklären ist. Überliefert sind nur Reinschriften, die auf der Grundlage der vor Ort notierten Aufzeichnungen des Oberamtsaktuars über die Aussagen der Gemeindeleute verfaßt wurden.[725] Diese Reinschriften tragen deutliche Spuren eines, möglicherweise auch mehrerer Redaktionsvorgänge, an denen auch der Oberamtmann selber mitwirkte, der für die Durchführung und Abwicklung der Frevelgerichte letztlich zuständig war. Die Redaktion diente in erster Linie der Erstellung einer Textfassung, die das Oberamt mit seinem Begleitbericht an das Hofratskollegium in Karlsruhe senden konnte. Weil der Hofrat nach der Durchsicht des Protokolls und der Überprüfung der oberamtlichen Bescheide noch eigene Anweisungen zum Vollzug einzelner Maßnahmen oder auch zusätzliche Befehle erteilte und innerhalb einer gesetzten Frist wiederum vom Oberamt einen Bericht darüber erwartete, inwiefern diese Befehle umgesetzt worden waren, kam es häufiger vor, daß das Protokoll und die Akten zu einem einzelnen Frevelgericht mehrere Male zwischen Oberamt und Hofrat ausgetauscht wurden. Dabei trug der zuständige Oberbeamte selbst aufgrund seiner Nachfragen bei den Vorgesetzten die Informationen zum Stand der Ausführungen häufig als Marginalien direkt in das Protokoll ein. Erst viele Monate nach dem Frevelgericht, mitunter erst zwei, drei Jahre später konnte eine Frevelgerichtsakte geschlossen werden, wenn sich der Hofrat, gestützt

---

[725] Der Protokolliervorgang vor Ort ist in den Akten nur indirekt dokumentiert: Als die Rentkammer 1792 zur Kostenersparung vorschlug, der Oberamtsaktuar sollte künftig in der »Chaise« zum Frevelgericht auf das Land fahren oder eines der Pferde des Oberbeamten reiten, hielt der Hofrat dem entgegen, die Rentkammer sei offenbar nicht über die Durchführung der Frevelgerichte im Bild, denn bei diesen Anlässen würden zu Pferd 40–100 Augenscheine in der Gemarkung vorgenommen und die oberamtlichen Bescheide würden dem Scribenten direkt in die Schreibtafel diktiert (74/3888; 30 XII 1790; 29 IX 1792). – Die Originalniederschriften und -notizen der Aktuare haben sich in den Akten nicht erhalten.

auf die Berichte des Oberamts bzw. der Gemeindevorsteher, von der Befolgung und Umsetzung aller oder der meisten getroffenen Verfügungen überzeugt oder die bürokratische Aufmerksamkeit sich neuen Geschäften zugewandt hatte.

In den Protokollen sprechen also verschiedene Akteure – die Ortsbewohner, der protokollierende Aktuar, der redigierende Oberbeamte. Dabei sind die einzelnen Stimmen nicht durchgängig eindeutig vernehmbar bzw. voneinander unterscheidbar.[726] Die Anzeigen, Beschwerden und Bittgesuche der Ortsvorgesetzten und Gemeindeleute bilden eindeutig die Grundsubstanz dieser Texte. An ihren Informationen waren die Behörden ja unmittelbar interessiert, sie waren der Stoff, aus dem sich die Zentralbehörden in Karlsruhe ein Bild von den Zuständen im Land und bei den Leuten machen wollten. Die Nähe zur mündlichen Aussage der Dorfbewohner und eine entsprechende Unmittelbarkeit des schriftlichen Protokolls zu dieser Aussage suggerieren die Texte selber, indem sie die Anzeigen der Bürger häufig in indirekter Rede wiedergeben. Durch die erste Niederschrift der Äußerungen durch den Aktuar vor Ort sowie durch die später in der Oberamtskanzlei unter der Aufsicht des Oberamtmanns oder von diesem selbst vorgenommene Redaktion der ersten Aufzeichnungen kam es zu einer zweifachen sprachlichen Brechung der ursprünglichen Rede der Dorfleute. Dies zeigt sich schon daran, daß diese Rede in der Regel recht knapp gehalten ist und das Protokoll nur selten weiter ausholt. Die Erhebung des rechtlich-policeylichen Tatbestands bzw. Sachverhalts war für den Protokollanten offensichtlich das relevante Kriterium bei der Zusammenfassung der jeweiligen Aussage. Besonders deutlich wird die Brechung der ursprünglichen Äußerungen aber an jenen Stellen des Protokolls, wo sich der Vertreter des Oberamts unmittelbar in das Referat einer Aussage eines Gemeindebewohners einschaltete und dabei selber zum Sprecher im Protokoll wurde. Dies ist klar erkennbar, wo er Aussagen von Dorfleuten kommentierte, eigenes zusätzliches Wissen über die Dorfverhältnisse in das Protokoll einfließen ließ, sich lateinische oder juristisch-kameralistische Termini einschlichen oder da, wo der Oberamtmann dem Hofrat eigene, nicht von den Dorfbewohnern stammende Anregungen und Vorschläge unterbreitete. Nicht immer aber sind diese »Stimmwechsel« im gleichmäßigen Duktus der Protokollreinschrift sprachlich oder inhaltlich eindeutig erkennbar, so daß sich bei der Lektüre immer wieder die schwierige Frage stellt, wessen Sprech- bzw. Schreibweise dem Historiker jeweils gerade entgegentreten.

Ein eigenes Problem stellt zudem auch die Tatsache dar, daß in den Aussagen der Vorgesetzten und Bürger eine »gefilterte«, höchst selektive Außensicht[727] der Ge-

---

[726] »Although many strategies can be adopted for reading these texts, we will never encounter the ›authentic‹ voices of the various villagers.« (Sabean, Neckarhausen I, S. 76–87, Zitat S. 76). – Für grundsätzlichere Überlegungen zum Bürokratisierungsvorgang, der in der Zunahme lokaler Protokollserien in der frühen Neuzeit zum Ausdruck kommt, s. ebd. sowie Sabean, Village Court Protocolls.

[727] Das Verhältnis von Innen- und Außensicht aus bzw. auf Gemeinden schildert aus der Erfahrung volkskundlicher Forschungen Jeggle, Rules of the Village, S. 268 ff.

meinde zur Sprache kommt. Jeder einzelne Bürger mußte in Erwartung des im voraus angekündigten Frevelgerichts für sich entscheiden, ob er überhaupt etwas Rügbares wußte und was er denn davon dem Oberamtmann anbringen oder mit Stillschweigen übergehen wollte. Er hatte mit anderen Worten darüber zu befinden, wie viel er von der »inneren Wahrheit« des Dorfes zur Sprache bringen bzw. verschweigen wollte, was er zum Gegenstand obrigkeitlicher Untersuchung, Überprüfung und möglicherweise auch Sanktionierung machen, inwieweit er mit der »Veröffentlichung« seiner Stellungnahme seine Position im sozialen Beziehungsgefüge des Dorfes erproben oder belasten wollte.[728] Diese Entscheidungen dürften das Ergebnis eines schwierigen individuellen Abwägens und Ermessens der Umstände durch den Einzelnen gewesen sein, in das die individuelle und familiale Interessenlage, die jeweilige soziale Position im Dorf, die Amtsstellung und der damit verbundene Verpflichtungsgrad bzw. die daran geknüpfte Rollenerwartung eingingen.

Eine diskursanalytische Lektüre badischer Frevelgerichtsprotokolle, die sich den Texten weniger im Hinblick auf die referierten Inhalte als auf die die Sprache modellierenden und die Darstellung des Gesagten organisierenden Wörter und Wortgruppen nähert, fördert auffällige Sprach- und Deutungsmuster in dieser »bürokratischen Prosa«[729] zu Tage. Ob die Protokolle vom Zustand der Äcker und Wiesen« oder der Wege und Stege im Dorf und im Bann handeln, ob sie Anzeigen zum Amtsgebaren der Vögte, Stabhalter, Richter und der übrigen Gemeinde- und Policeybediensteten referieren, ob sie Vorfälle im Fronwesen notieren oder den Zustand der Gemeindebauten taxieren, kurz: im Schreiben über die vielen Gegenstände der Policey, die bei Frevelgerichten auf der Tagesordnung waren, kehrt in den Formulierungen der verschiedenen Oberamtsaktuare ein Sprach- und Beschreibungsmuster wieder, das offensichtlich mit dem Charakter und der Funktion der Institution Frevelgericht im Zusammenhang stand und den policeylichen Charakter dieser Veranstaltung auch in sprachlicher Hinsicht verrät.

In diesen Texten erscheint die kommunale, ländliche Welt als bedroht und gefährdet durch vielerlei Unordnungen, Unrichtigkeiten und Beschädigungen, durch Ungleichheit, Liederlichkeit und übles Haushalten, durch Nachlässigkeit und Saumsal, Schläfrigkeit und Müßiggang, Überschwang und Exzesse, durch Eigenmächtigkeiten und Unsorgfältigkeit. Mit diesen »Unwörtern« bzw. Wertbegriffen wurden in

---

[728] Zwar schützte das Verfahren bei Rügegerichten möglichst die Anonymität des Anzeigers beim Durchgang, allein die Tatsache, daß die Ortsvorgesetzten und auch die Richter in vielen Fragen durch den Oberamtmann zugezogen und um ihre Meinung befragt wurden, macht es eher unwahrscheinlich, daß die potentiellen Anbringer mit absoluter Diskretion rechnen konnten, ganz abgesehen davon, daß die Motivations- und Interessenlagen, die im Dorf Rügen hervorbringen mochten, von der dörflichen Sozialkontrolle registriert wurden.

[729] Der Ausdruck bei David Warren Sabean, Soziale Distanzierungen. Ritualisierte Gestik in deutscher bürokratischer Prosa der Frühen Neuzeit, in: Historische Anthropologie 4 (1996), S. 216–233.

den Protokollen Praktiken der Dorfleute belegt, die diese als schädlich für sich, die dörfliche Gemeinschaft oder die Herrschaft, als unbillige Verstöße wider das Herkommen oder auch als ordnungs- und gesetzeswidrig bewertet und angezeigt hatten. Die Anzeigen und Beschwerden der Ortsbewohner zielten auf eine Verordnung des Oberbeamten, die den beanstandeten Sachverhalt aus der Welt schaffen sollte. In der Sprache der Protokolle heißt es, die Leute würden um »Remedur«, um Abhilfe, um Amtshilfe, um Unterstützung in der Verfolgung ihres Anliegens bitten, und zwar mit dem Ziel, wieder »Ordnung« herzustellen, mit dem Ziel, die Dinge, die Beziehungen der Menschen zu diesen Dingen und die Beziehungen der Menschen untereinander wieder in »Richtigkeit«, in »Gehörigkeit« oder »in tüchtigen und brauchbaren Stand« zu stellen.

In Umkehrung eines bekannten Titels von Michel Foucault läßt sich von einem »Diskurs der Ordnung« in den Protokollen der Frevelgerichtsveranstaltungen sprechen.[730] In den Protokollen wurde der Ordnungsbegriff in seiner bekannten Doppeldeutigkeit, »der einerseits die zuständliche Ordnung als Realität bedeutet, andererseits den Weg dahin durch die gesetzte Ordnung (= Verordnung in Befehlsform) bezeichnet«,[731] variantenreich repetiert. Dieses Sprechen bzw. Schreiben über die Ordnung bzw. von der Ordnung entfaltete gleichzeitig auch eine performative Wirkung.[732] Indem bestimmte Zustände, Praktiken und Verhaltensweisen mit dem Begriff der »Ordnung« und mit den in diesem semantischen Feld angesiedelten Parallel- und Gegenbegriffen belegt wurden, wurden die Wahrnehmung und Bewertung lebensweltlicher Vollzüge bei den am Diskurs teilhabenden Akteuren strukturiert. Daß Ordnung »wichtig und wahr«[733] war und gewisse soziale Handlungsfelder und menschliche Verhaltensweisen dem Erfordernis der Ordnung in besonders hohem Maß unterlagen, in dieser Mitteilung lag, unabhängig von den einzelnen zur Sprache gebrachten Vorfällen, die Raison dieses Diskurses. Analog zu anderen Diskursfeldern, die es mit Ordnung zu tun hatten, wurde auch das Diskursfeld der Policey in den Texten der Amtleute und Behördenmitglieder durch starke Grenzziehungen zwischen legitimen und illegitimen, zwischen nützlichen und unnützen

---

[730] Michel Foucault, L'ordre du discours, Paris 1972 (dt.: Die Ordnung des Diskurses, Frankfurt/M. 1994). Ähnliche Beobachtungen zum Ordnungsdiskurs in englischen Quellen bei Wrightson, Two concepts, S. 22 ff. – Wichtig für eine historische Anwendung der Diskursanalyse Dinges, Justizphantasien; Ders., Maurermeister, S. 30 ff.; Sarasin, Subjekte, S. 141–164.

[731] Das Zitat von Gerhard bzw. Brigitta Oestreich in: Schulze, Oestreichs Begriff, S. 269.

[732] Im Sinne der Sozialtheorie Pierre Bourdieus verstanden als »Akt der öffentlichen Benennung einer neuen Vorstellung und einer neuen Gliederung der sozialen Welt (...). Der performative Diskurs schafft durch eine ›Aussage‹ Subjekte und Objekte der sozialen Welt, grenzt andere ›Wahrheiten‹ aus, sanktioniert abweichendes Verhalten negativ und erzwingt Konformität« (so Klaus Kraemer, in: Lexikon der Soziologie, hg. von Werner Fuchs-Heinritz u. a., Opladen 1994³, S. 146).

[733] Dinges, Justizphantasien, S. 189: »Mit der Auswahl dessen, was wichtig und wahr ist, leiten Diskurse das Handeln an.«

Verhaltens- und Handlungsweisen bzw. entsprechenden Ausgrenzungen strukturiert und damit Ordnung definiert.[734] Die Frevelgerichtsprotokolle bieten in diesem Sinne auch interessante Möglichkeiten, die häufig über theoretische und literarische Zeugnisse rekonstruierte »Entstehung ›bürgerlicher Tugenden‹« in ihrer praktischen Relevanz für das obrigkeitliche Verwaltungshandeln in den Gemeinden auszuleuchten, gleichzeitig aber auch Stoff für Versuche, Differenzen und Interferenzen zwischen dörflich-ländlichen und bürgerlich-elitären Ordnungsvorstellungen herauszuarbeiten.[735]

Während die Verwendung jenes Vokabulars, das die lokalen Verhältnisse mit Hilfe des Schemas Ordnung-Unordnung taxierte, überwiegend, wenn auch nicht ausschließlich der Sprechweise der Oberamtspersonen zuzuweisen sein dürfte, so findet sich in den Protokollen und Beiakten zu den Frevelgerichten ein weiterer argumentativer Topos, der sich überwiegend der Vorstellungswelt und Mentalität der örtlichen Vorgesetzten zuordnen läßt. Diese Zuordnung ist möglich, weil die argumentative Figur, auf die es hier ankommt, auch in den eigenhändigen Schreiben und Berichten der Vorgesetzten selbst vorkommt. In den Berichten der dörflichen Vorgesetzten an das Oberamt, in denen diese Auskunft über die Befolgung der behördlichen Anweisungen zu erstatten hatten, kehrte eine Rechtfertigungsfigur regelmäßig dann wieder, wenn diese bekennen und begründen mußten, weshalb sie bestimmte Anordnungen nicht oder noch nicht in die Tat umgesetzt hatten.

Die Köndringer Vorgesetzten und Richter meldeten dem Oberamt 1776 u. a., sie setzten »so zimmlich auf den Kleebau, wenn sie nur den Gips« etwas billiger bekommen könnten; weiter schrieben sie, der Bettelwächter verrichte sein Amt gut, doch sei es ihm bei den vielen Zugängen zum Dorf unmöglich, jedes Eindringen von Bettlern zu verhindern; auch die Scharwächter suchten, das Wirtshaussitzen und Spielen »so viel möglich« zu unterbinden.[736] 1777 ließen sich die Vorgesetzten aus Haltingen gegenüber dem Oberamt vernehmen, sie würden sich die Verbesserung ihrer sauren Matten höchst angelegen sein lassen und in Zukunft »so viel möglich

---

[734] Die Analogie erscheint besonders hervorstechend im Vergleich mit den von Susanna Burghartz untersuchten Diskursen über die Ehe- und Geschlechterordnung, wo das sexuelle Handeln von Frauen und Männern insbesondere mit den Kategorien der Reinheit und Unreinheit belegt wurde. Die Analogie reicht über die Struktur des Diskurses aber noch hinaus: Sowohl im Fall des Basler Ehegerichts als auch im Fall der badischen Frevelgerichte dienten Gerichte als Orte der Diskursivierung von Ordnung, was in beiden Fällen durch die Abgleichung von Normen und Praktiken geschah (Susanna Burghartz, Zeiten der Reinheit – Orte der Unzucht. Ehe und Sexualität in Basel während der Frühen Neuzeit, Paderborn u. a. 1999, hier S. 286).

[735] Zu den »bürgerlichen Tugenden« vgl. P. Münch (Hg.), Ordnung, Fleiß und Sparsamkeit, München 1984 und Michael Maurer, Die Biographie des Bürgers. Lebensformen und Denkweisen in der formativen Phase des deutschen Bürgertums (1680–1815), Göttingen 1996, bes. S. 352 ff.

[736] 229/54951/III.

darum besorgt sein«; die öden Plätze im Gemeindebann würden »so viel möglich« mit Weichholz und Eichen bepflanzt, und ihre Wege und Straßen seien »so viel immer möglich in gutem und brauchbarem Stand gestellt worden«.[737] 1778 erklärte der Hertinger Vogt gegenüber dem Oberamt Rötteln, mit der Wiederherstellung der Dorfstraßen sei ein Anfang gemacht worden, das Fehlende werde aber, »so bald immer möglich«, noch nachgeholt werden; die Förderung der Baumpflanzung geschehe in Hertingen »wo möglich und nützlich«.[738] 1778 erklärten sich die Vorgesetzten von Fischingen und Schallbach, sie suchten ihre Wege »so gut möglich« in »gehörigen Stand zu setzen«; bei der späteren Nachfrage, wie weit dies in der Zwischenzeit geschehen sei, meinte der Schallbacher Vogt, sie hätten die Dorf- und Nebenstraßen, »so viel möglich gewesen«, in brauchbaren Stand gestellt, »aber in einen vollkommenen Stand zu stellen, ist uns fast unmöglich, indeme wir die Materialien zu weit zu führen haben«.[739] Den Gemeinden Steinen und Hüsingen war anläßlich des Frevelgerichts unter anderem aufgetragen worden, die Waldweide abzustellen und die Stallfütterung des Viehs allgemein einzuführen sowie die Güter bei Teilungen und Inventuren nur nach den Vorschriften der fürstlichen Verordnungen zu teilen; einige Monate später ließen sich die Vorgesetzten dazu vernehmen, die Waldweide auf einmal abzustellen, sei nicht tunlich, lasse sich also nicht bewerkstelligen, und der fürstlichen Teilungsordnung wolle man »so viel möglich« nachleben.[740] Der Vogt aus Grenzach leitete 1785 seinen Bericht über die Befolgung der Frevelgerichtsverfügungen mit der Bemerkung ein, man habe diese »so viel möglich« befolgt.[741] Vogt und Stabhalter aus Binzen erachteten es 1785 als unmöglich, den Zugang zu den Matten in der Heuernte so einzurichten, daß keiner dem andern über seine Matten fahre.[742] Die Eimeldinger Vorgesetzten beteuerten 1787, sie würden »so viel möglich« darauf sehen, daß im Dorfbann Obstbäume gepflanzt würden.[743] 1789 und 1790 sagten die Bahlinger und Denzlinger Vorgesetzten übereinstimmend aus, sie würden zusammen mit den Kirchenrügern darauf sehen, daß die fürstliche Synodalverordnung »besonders in Absicht der Sabbaths Feyer so genau als moeglich gehalten werde«.[744]

Die charakteristische Argumentationsfigur der rechenschaftspflichtigen Ortsvorgesetzten dürfte aus diesen Zitaten deutlich genug hervorgegangen sein. Immer wieder wurden Anordnungen des Oberamts von den Dorfvorgesetzten nur so weit zur Anwendung gebracht, als sie deren Umsetzung in ihrer Gemeinde als tunlich oder

---

[737] 229/38041, fol. 23 f., 33–34.
[738] 229/42806.
[739] 229/28582, fol. 9–12', fol. 17 ff.
[740] 229/47590, fol. 57–59', 67 ff.
[741] 229/33917.
[742] 229/8882, fol. 95–97.
[743] 229/23739, fol. 50–52'.
[744] Bahlingen (GA Bahlingen C VIII Nr. 4, Abschnitt B, Pkt. 24; 8–20 VI, 10–13 VIII 1789). – Denzlingen (GA Denzlingen 1 B–247, fol. 220' f.; 22 II–10 III 1790).

möglich erachteten. Daß mit diesem Verweis auf die Kräfte und Möglichkeiten der lokalen Gesellschaft nicht etwa die Nachlässigkeit der Ortsvorgesetzten im Amt gerechtfertigt oder gar die mutwillige Mißachtung der Anordnungen kaschiert werden sollte, belegen m.E. die Reaktionen der Oberamtleute, die diese Mitteilungen der Vorgesetzten keineswegs als unakzeptabel zurückwiesen, sondern die Gemeinden allenfalls aufforderten, das Versäumte bis zu einem nächsten Termin nachzuholen. Offensichtlich entsprachen die Auskünfte der Vögte und Stabhalter den Erfahrungen der Oberämter bei der Umsetzung ihrer Verfügungen auf dem Land.[745] Um obrigkeitliche Anordnungen vor Ort bekannt zu machen und deren Implementierung zu bewerkstelligen und zu beaufsichtigen, gab es keine Alternative zu den Behörden der Gemeinden, so daß sich die Oberamtsbehörden in der Praxis notwendigerweise von der Einsicht leiten lassen mußten, daß die Verfügungen zur Errichtung »guter Policey« in den Gemeinden jeweils mit den gegebenen Verhältnissen und Umständen vor Ort abgestimmt werden mußten.

Zur Erklärung dieser relativen Akzeptanz des Unmöglichkeitstopos durch die Oberbeamten und Räte läßt sich möglicherweise auch deren Vertrautheit mit jenen Rechtsmaximen ins Feld führen, die die heutige Rechtswissenschaft bei der historischen Herleitung der sogenannten Unmöglichkeitslehre aufruft.[746] Die Auffassung dieser Lehre wurde in Rechtsregeln und -sprichwörtern aus dem römischen Recht, aus der Spätscholastik, der Vernunftethik und dem aufgeklärten Vernunftrecht über die Jahrhunderte hinweg tradiert. Eine prominente Formulierung fand sie seit 1298 im Liber sextus von Papst Bonifaz VIII., wo es heißt:»Nemo potest ad impossibile obligari«. Diese Maxime wurde in der Frühen Neuzeit etwa von Pufendorf und Grotius dahin interpretiert, daß physische und moralische Unmöglichkeit einen Vertragspartner von der Erfüllung seiner Schuld entband. Andere Rechtssprichwörter variierten den Gehalt dieser Lehre: »Ultra posse (oder: ultra vires) nemo obligatur«; »impotentia excusat legem« oder »impossibilium nulla obligatio«. Sie zielten alle auf die Aufhebung einer Pflicht für den Fall, daß der Verpflichtete durch die Erfüllung seiner Pflicht in seinem Können und in seinen Kräften überfordert wurde.[747]

---

[745] Auch den Oberbeamten selber war diese Argumentationsfigur nicht unbekannt. Sie verwendeten sie selber gegenüber den Zentralbehörden, wenn sie in ihren Berichten auf die praktischen Schwierigkeiten bei der Realisierung und Umsetzung policeylicher Vorschriften zu sprechen kamen (Belege dafür bei Holenstein, Erfahrung, S. 441 f.). – Die angemessene Interpretation von Anordnungen ist eine Voraussetzung, um diese den Handlungsanforderungen und -zwängen vor Ort anzupassen (so Lüdtke, Einleitung, S. 14).

[746] Christian Wollschläger, Die willenstheoretische Unmöglichkeitslehre im aristotelisch-thomistischen Naturrecht, in: Detlef Liebs (Hg.), Sympotica Franz Wieacker, Göttingen 1970, S. 154–179. Christian Wollschläger, Die Entstehung der Unmöglichkeitslehre. Zur Dogmengeschichte des Rechts der Leistungsstörungen, Köln/Wien 1970, bes. S. 23 f., 76–79, 186. – Bemerkenswert erscheint jedoch, daß die badischen Ortsvorgesetzten das Argument der Unmöglichkeit bzw. begrenzten Möglichkeit im Hinblick auf ihre aus dem Herrschaftsverhältnis rührenden Amts- und Untertanenpflichten verwendeten und es damit gleichsam in den Bereich des »öffentlichen Rechts« hineinzogen, während die Unmöglichkeitslehre ihre Anwendung im Bereich des Vertragsrechts hatte.

Nun soll hier keineswegs ein unmittelbarer Zusammenhang zwischen den Topoi der Rechtslehre und -philosophie einerseits und dem Denken badischer Ortsvorgesetzter andererseits postuliert werden. Denkbar und plausibel bleibt allerdings, daß im Horizont eines popularen Billigkeitsbegriffs die Zumutbarkeit von herrschaftlichen Leistungen von der Verhältnisbestimmung zwischen der auferlegten Leistung einerseits und der Leistungsfähigkeit des verpflichteten Gemeindeverbands andererseits abhängig gemacht wurde.

---

[747] Detlef Liebs, Lateinische Rechtsregeln und Rechtssprichwörter, Darmstadt 1982, S. 213, 87, 132.

6. »GUTE POLICEY« UND LOKALE GESELLSCHAFT IM STAAT DES ANCIEN RÉGIME

6.1 Synthese

Im Staat des Ancien Régime, der seine Regierungstätigkeit im Landesinnern unter das Vorzeichen »guter Policey« stellte, waren Gesetzgebung und Verwaltung konstitutiv durch einen starken Lokalitätsbezug geprägt. So lautete die eingangs formulierte These zu dieser Untersuchung. Inwiefern »gute Policey« in der Markgrafschaft Baden im 18. Jahrhundert tatsächlich auf die lokalen Verhältnisse reflektierte, sollte im Verlauf dieser weit ausholenden Studie in mehrfacher Hinsicht deutlich geworden sein:

– Die lokale Gesellschaft wurde von Räten und Oberbeamten im 18. Jahrhundert als zentraler Gegenstand policeylich-kameralistischer Einflußnahme wahrgenommen, als ein Hauptthema der inneren Politik und Regierung definiert und als primärer Ansatzpunkt für Reformen konzipiert. Die lokale Gesellschaft rückte in den Mittelpunkt eines politischen Konzepts, dessen Ziel in der »Verbesserung« und »Hebung« der wirtschaftlichen, sozialen und kulturellen Lage der Bevölkerung bestand (Kap. 4.4, 4.5), Dieses Konzept ist als gewichtiger Faktor bei der Dynamisierung und Modernisierung der Lebenswelten im langen Übergang vom Ancien Régime zur industriellen Gesellschaft des 19. Jahrhunderts zu sehen. Eine zentrale Aufgabe bei der Umsetzung dieses Konzepts erfüllten die Kompetenzbereiche der Gesetzgebung und Verwaltung, die noch ungeschieden in der Hand des Landesherrn und der Zentralbehörden monopolisiert waren.

– Die explosionsartige Zunahme der legislatorischen Tätigkeit am Ende des 17. und zu Beginn des 18. Jahrhunderts und die langfristig hohe Zahl jährlich erlassener Verordnungen während des 18. Jahrhunderts zeugen davon, daß die zeitgenössischen politischen Eliten in der Markgrafschaft Baden die Möglichkeiten und die Wirkung gesetzlicher Maßnahmen – bei allen Rückschlägen und trotz mancher eigener Klagen über die Schwierigkeiten beim Vollzug – grundsätzlich optimistisch eingeschätzt haben (Kap. 2.1). Politik unter dem Vorzeichen »guter Policey« erhielt einen stark voluntaristischen, instrumentellen Charakter, was einem modernen Verständnis von Politik jenseits der traditionellen Wahrung von Herrschaft und Recht Vorschub geleistet hat. Politik als Policey trat als Prozeß der absichtvollen, zweckgerichteten Gestaltung gesellschaftlicher Verhältnisse i. w. S. in Erscheinung, in dem es je länger je stärker darum ging, die in der Gesellschaft liegenden Kapazitäten und Ressourcen gezielter zum Nutzen von Staat und Bevölkerung zu aktivieren. Die staatlichen Verordnungen regulierten in der Markgrafschaft Baden(-Durlach) im letzten Jahrhundert des Ancien Régime schwerpunktmäßig die Wirtschafts-, Arbeits- und Berufsordnung, die Verwaltung und nicht zuletzt wichtige Problemfelder in der lokalen Gesellschaft und Bevölkerungspolitik (Flächenausbau und Landeskultur, Schul- und Bildungswesen, Armenfürsorge, Feuerpolicey und die Gemeindeverfassung und -ökonomie, Heiratspolicey) (Kap. 2.2).

– Mit der »Entdeckung« der Gesetzgebung als politischen Instruments entwickelten die Behörden auch vielfältige Techniken zur Kommunikation und Publikation der Ordnungen an die Bevölkerung. Diese teils mündlichen, teils schriftlichen Techniken suchten, den kulturellen Gegebenheiten einer teil-oralen und lokal verankerten Gesellschaft Rechnung zu tragen. Sie waren deshalb vielfach von allem Anfang an nicht auf einen raschen, durchgehenden Erfolg der Ordnungen im Sinne einer vollständigen »Normdurchsetzung«, sondern mittels regelmäßiger Wiederholung und Einschärfung auf die langfristige Adaptation und Gewöhnung der Normadressaten an die Ordnungen angelegt. Immer wichtiger wurde dabei zum Ende des 18. Jahrhunderts hin der Druck der Verordnungen im Wochen- und Intelligenzblatt, was unmittelbar die Entstehung des Gesetzesblatts i. e. S. beeinflußt hat, und immer dringlicher die Notwendigkeit, Ordnung und Übersicht in die unüberschaubar gewordene Masse der Verordnungen zu bringen. Gegen Ende des Ancien Régime hatte das Gesetz im Urteil der politisch Verantwortlichen bereits einiges von der ihm zu Beginn des Jahrhunderts optimistisch zugedachten Gestaltungskraft eingebüßt (Kap. 2.3).

– Eine notwendige Voraussetzung für die zielgerichtete und zweckhafte Gestaltung der Verhältnisse in der lokalen Gesellschaft durch die Behörden war die informationelle Erfassung der Lage vor Ort. Zu diesem Zweck haben die badischen Regierungskollegien Verwaltungstechniken entwickelt und genutzt, die den Stand ihrer Kenntnisse über die lokalen Verhältnisse im Hinblick auf die Feststellung von »Mängeln und Unordnung« verbessern und gleichzeitig mit der Inspektion in den Vollzug der Verordnungen eine Kontrolle über den Erfolg der getroffenen Maßnahmen ermöglichen sollten. Das System der behördlichen Inspektions- und Informationsverfahren in der badischen Verwaltung des 18. Jahrhunderts war darauf angelegt, den Transfer von Informationen von den Gemeinden über die Ämter zu den Regierungskollegien zu gewährleisten (Kap. 3). Fünf zentrale Elemente dieses Systems parallel geschalteter und behördlich vernetzter Informationskanäle sind im Einzelnen beschrieben worden.

1. Das *amtliche Berichtswesen* wurde im 18. Jahrhundert stark ausgebaut und systematisiert. Die Entwicklung in zahlreichen Bereichen »guter Policey« sollte damit einer ständigen, periodisch aktualisierten Überprüfung unterzogen werden. Das Berichtswesen ruhte zu einem erheblichen Teil auf den Nachrichten auf, die bei den Pfarrern und weltlichen Ortsvorgesetzten erhoben wurden,

und hat damit der Professionalisierung und Disziplinierung der Verwaltung bis auf die Ebene der einzelnen Gemeinde Vorschub geleistet (Kap. 3.2).

2. Die »Rechtstechnik des Verbotes (oder Gebotes) mit Erlaubnisvorbehalt« war integraler und funktionaler Bestandteil des Gesetzes im Ancien Régime, ist als solcher aber von der Forschung bis dahin nicht gebührend gewürdigt worden. Hat diese ihren Blick vorwiegend auf das allgemein gültige Gesetz gerichtet, so ist hier genauer der Zusammenhang zwischen der *Dispensationsgewalt* des Staates und den *Supplikationen* von Untertanen und Korporationen untersucht worden. Damit öffnete sich der Blick für eine kasuistische Praxis beim Vollzug der Gesetze. Die Bittgesuche in Policeysachen waren Voraussetzung dafür, daß die Behörden in policeyrechtlich sensiblen Bereichen den Einzelfall mit der nötigen Flexibilität behandeln und mit den leitenden Zielen der Politik in Übereinstimmung bringen konnten. Die landesherrliche »potestas legislatoria« realisierte sich eben auch im willentlichen Abrücken von der generellen Norm und hat damit den administrativen Vollzug der Policeyordnungen in einem bislang unterschätzten Ausmaß geprägt. Daß die Untertanen und Korporationen für manches Anliegen »ad supplicandum« an den Markgrafen oder die Behörden verwiesen wurden, hat zugleich deren Vorstellung geprägt, daß von den Regeln der Ordnungen auch dispensiert werden konnte (Kap. 3.3).

3. Die *Visitationen* erhoben gezielt lokale Informationen über neuralgische Themenbereiche der Policey. Die umfangreichen Interrogatorien für die *Landesvisitationen* und insbesondere für die *Kirchen- und Schulvisitationen* sowie für die *Rügegerichte* ließen die Schwerpunkte des staatlichen Informationsinteresses erkennen. Visitations- und Rügegerichtsprotokolle wiederum informierten über die praktische Durchführung der lokalen Inspektion (Kap. 3.4, 4.5.2–4.5.2.3). Dabei zeigten diese Visitationen den grundsätzlich interaktiven Charakter der Information und Inspektion besonders deutlich, waren doch der Gehalt und die Dichte der erhobenen Nachrichten maßgeblich davon bestimmt, wie weit die Angehörigen der lokalen Gesellschaft mit den visitierenden Beamten kooperierten.

Dieser Aspekt konnte in dieser Studie mit einer umfassenden Analyse der institutionellen Entwicklung sowie der administrativen Praxis der badischen Rüge- bzw. Frevelgerichte aufgezeigt werden. Diese Gerichte haben sich im Verlauf des 18. Jahrhunderts institutionell stark gewandelt: Aus einer Veranstaltung in der Tradition der mittelalterlichen Dinggerichte mit Aufgaben in der niederen Strafgerichtsbarkeit und lokalen Verwaltung machten die badischen Reformbeamten nach der Mitte des 18. Jahrhunderts eine grundlegend erneuerte, den veränderten Bedürfnissen »guter Policey« und der Reformpolitik angepaßte weltliche Visitation der badischen Gemeinden (Kap. 4.4–4.4.2, 5.2–5.9). Die Tatsache, daß diese Rügegerichte nur selten in den vorgeschriebenen Intervallen stattgefunden haben, ist in dieser Untersuchung – im

Gegensatz zur älteren Forschung – nicht mit dem erlahmenden Interesse der Verwaltung erklärt worden. Viel plausibler ist die Beobachtung, daß die Frevelgerichte wegen der Last der ihnen im Zuge der inneren Reformen aufgebürdeten Aufgaben weniger häufig durchgeführt worden sind, als es sich die Zentralbehörden gewünscht hätten. Die institutionelle Erneuerung der Frevelgerichte im letzten Drittel des 18. Jahrhunderts hat jedenfalls dazu beigetragen, daß sie als »Ruggericht« oder »Ortsbereisung« auch noch im badischen Großherzogtum des 19. und frühen 20. Jahrhunderts eine Rolle bei der staatlichen Aufsicht über die Gemeinden gespielt haben (Kap. 4.5.3, 4.6).

4. Die Bereitschaft zumindest von Teilen der lokalen Bevölkerung als Voraussetzung für die Erhebung von Informationen und die Inspektion vor Ort ist ebenfalls für die Wirkung der *Anzeigen und Rügen* als entscheidender Faktor in Rechnung zu stellen. Sie dokumentieren einmal, wie sehr der Staat im Ancien Régime auf die Mitarbeit der lokalen Gesellschaft bei der Strafverfolgung angewiesen war, sie zeigen aber auch, wie zweischneidig diese Kooperation grundsätzlich war. Letztlich war der Ertrag der Anzeigen für die Obrigkeit von der Anzeigebereitschaft der Amtsträger und einfachen Untertanen abhängig, und diese war aufgrund der sozialen und lokalen Einbindung dieses Personenkreises nur situativ vorhanden und wurde selektiv eingesetzt (Kap. 3.5).

5. Mit der Systematisierung seiner *Kontrolle über die Rechnungen der lokalen Korporationen (Gemeinden, Zünfte)* wollte der Staat schließlich zwei zentrale Anliegen »guter Policey« miteinander verbinden: Zum einen wollte er die konkrete Tätigkeit dieser Korporationen, die sich nicht zuletzt in deren Einnahmen und Ausgaben niederschlug, daraufhin überprüfen, ob sie mit den vorliegenden Ordnungen konform war. Zum andern ging es ihm darum, Gemeinden und Zünfte als handlungsfähige und finanziell belastbare Verwaltungs- und Organisationseinheiten zu erhalten, die im Sinne »guter Policey« vor Ort mit konkreten Aufgaben betraut werden konnten (Kap. 3.6, 5.9).

Daß dieses System der Information und Inspektion in vielem nur mangelhaft funktioniert hat, wurde in dieser Untersuchung zur Genüge sichtbar. Diese Beobachtung ist natürlich auch den verantwortlichen Behörden im Ancien Régime nicht verborgen geblieben, die deswegen aber – anders als manche Historiker in der Rückschau – ihre Bemühungen nicht für aussichtslos und nutzlos hielten. (Die Überzeugung, eine gute Sache zu vertreten oder das Recht auf seiner Seite zu haben, verhilft noch heute manchem Politiker oder Beamten über Rückschläge hinweg). Vor allem aber tun das vielfältige Scheitern oder der Leerlauf mancher politischer Initiative der Räte und Beamten im 18. Jahrhundert dem Argument keinen Abbruch, daß die lokale Gesellschaft im Ancien Régime im Brennpunkt der behördlichen Aufmerksamkeit stand.

– Politik als Policey hat ein neues Interesse für das Lokale und für das »Volk« hervorgebracht, die beide zunehmend zum Gegenstand statistisch-volkskundlicher Erforschung und Beschreibung gemacht wurden. Die Generierung dieser neuen Wissensbestände entsprang keineswegs einem »rein« wissenschaftlichen Interesse (Kap. 1.2, Absatz 5; 5.4.1). Sie war unauflösbar damit verbunden, daß die Bevölkerung in den Politikkonzepten politischer Autoren und der Angehörigen der Verwaltungseliten die entscheidende Ressource für die Stärke des Staates und den Wandel der Gesellschaft darstellte.

Indem staatliche Behörden das Lokale als zentrales Bezugs- und Wirkungsfeld des Regierungshandelns definierten, konstituierte sich ein komplexer Handlungs- und Wirkungszusammenhang, in den Räte, Beamte, lokale Amtsträger und letztlich auch die Untertanen eingebunden waren. Das kommunikative Handeln zwischen diesen Gruppen und weniger direktives Handeln entlang hierarchischer Strukturen von oben nach unten war für die Ausgestaltung dieses Zusammenhangs entscheidend.

Selbstredend liefert diese Studie vorerst einmal Ergebnisse zu einem einzelnen Fallbeispiel. Inwiefern die Beobachtungen zur Markgrafschaft Baden(-Durlach) und ihrer Entwicklung im 18. Jahrhundert auch für andere Territorien gelten können, läßt sich für den Moment nicht abschließend beurteilen. An verschiedenen Punkten hat die Darstellung jeweils versucht, auf parallele Erscheinungen oder Problemlagen in anderen Territorien aufmerksam zu machen. Dies gilt besonders für die Beschreibung des institutionellen Charakters der badischen Rügegerichte und ihres funktionalen Wandels im Verlauf des 18. Jahrhunderts, die beide – wenn auch vorerst nur punktuell – auch für andere, mitunter weit entfernte Gebiete festzustellen waren (Landgerichte in Althannover; Ruggerichte in Württemberg). Dies gilt aber auch für bestimmte Aspekte des geschilderten Informations- und Inspektionssystems: Das amtliche Berichtswesen, die Rolle von Supplikationen bei der Handhabung der obrigkeitlichen Dispensation, die Visitationen von Kirchen und Schulen, die Verwendung von Anzeigen als Instrumente der Strafverfolgung und die Kontrolle des kommunal-korporativen Rechnungswesens sind allesamt keine badischen Erfindungen gewesen und haben auch anderswo die Verwaltungstätigkeit des Staates im Ancien Régime geprägt.[1] Diese Untersuchung des badischen Fallbeispiels mag in dem Punkt originell sein, daß sie den systematischen Zusammenhang dieser administrativen Verfahren rekonstruiert und deren Verortung im Horizont einer Politik der »guten Policey« nachgewiesen hat. In dieser Hinsicht liefert sie einen konzeptionellen Rahmen, der für weitere praxisorientierte Studien zur Verwaltung im Ancien Régime genutzt und gegebenenfalls auch variiert werden kann.

---

[1] Vgl. dazu die Hinweise in den Kap. 3.2 bis 3.6.

Die Ergebnisse der Untersuchung berühren auch allgemeinere Probleme der Geschichte der (Frühen) Neuzeit. Inwiefern die Beobachtungen am badischen Material einen Beitrag zur Erörterung oder gar zur Erhellung dieser Fragen zu leisten vermögen, soll hier diskutiert werden. Zuerst geht es darum, den spezifischen Charakter »guter Policey« als Regierungskonzept des Staats im Ancien Régime zu bestimmen (6.2). In engem Zusammenhang damit steht die Frage nach der Rolle der Policey, des Staates und der lokalen Gesellschaft für die Gestaltung der Formationsphase der Moderne (6.3). Getreu dem Ansatzpunkt und der spezifischen Maßstäblichkeit der Untersuchung soll zum Schluß nicht eine Antwort auf die ganz große Frage nach den letzten Ursachen und treibenden Kräften der Modernisierung im Vordergrund stehen. Vielmehr soll es um eine Bewertung der Frage gehen, welche Gestalt der Prozeß der Modernisierung aufgrund seiner lokalen Einbindung in die örtliche Praxis erhalten hat (6.4).

6.2 Ambiguitäten »guter Policey«

Der Endzweck der Policey ist (...), durch gute innerliche Verfassungen die Erhaltung und Vermehrung des allgemeinen Vermögens des Staates zu bewirken; und gleichwie das allgemeine Vermögen des Staats nicht allein alle, der gesammten Republik und allen Mitgliedern derselben zuständige Güter, sondern auch die Geschicklichkeiten und Fähigkeiten aller, zu der Republik gehörigen, Personen unter sich begreift; so muß die Policey beständig bemühet sein, den allgemeinen Zusammenhang aller dieser verschiedener Güter vor Augen zu haben, und eine jede Art derselben zu Beförderung der gemeinschaftlichen Glückseligkeit immer dienlicher und brauchbarer zu machen. (...) Dieser Endzweck der Policey kann ohne vollkommene Kenntniß dieser verschiedenen Güter nicht erreicht werden. Alle ihre Maaßregeln müssen sich demnach auf die Kenntniß des gegenwärtigen Zustandes des gemeinen Wesens, sowohl in seinem Zusammenhange, als in allen seinen verschiedenen Theilen, gründen. Und ohne diese Kenntniß ist es gar nicht möglich, heilsame und wirksame Policey-Anstalten und Gesetze zu bringen.[2]

Das Zitat aus Justis Abhandlung über die Policeywissenschaft faßt noch einmal zentrale Elemente des Policeybegriffs, wie er für das 18. Jahrhundert galt, zusammen. »Gute Policey« bezweckte die *Erhaltung und Vermehrung* des allgemeinen Staatsvermögens, was die sowohl bewahrende als auch dynamische Komponente der Policey zum Ausdruck brachte. Justi zählte in bezeichnendem Unterschied zur heutigen Vorstellung auch die Güter der Bürger und Untertanen sowie deren kulturelles Können im Sinne von »Geschicklichkeiten« und »Fähigkeiten« zum Vermögen des Staates, das hier nicht im engen Sinn als Summe seiner finanziellen und materiellen

---

[2] Johann Heinrich Gottlob von Justi, Grundsätze der Policeywissenschaft in einem vernünftigen, auf den Endzweck der Policey gegründeten, Zusammenhange (1756), Göttingen 1782³ (Neudruck Frankfurt/Main 1969), §§ 5, 6, 8.

Mittel verstanden wurde, sondern als die Gesamtheit der in den Staatsangehörigen ruhenden Fertigkeiten und Kapazitäten. Für Justi bestand ein unauflösbarer Zusammenhang zwischen der Wohlfahrt des Staates und dem Wohlergehen der Staatsangehörigen. Justis Konzept der Policey hob damit auf die Dialektik zwischen Staatsmacht und gesellschaftlicher Entwicklung ab. Die Macht des Staates war mit der sozialen, wirtschaftlichen und kulturellen Entwicklung in der Gesellschaft unlösbar verschränkt.

Justi sprach vom notwendigen Zusammenhang *aller* Güter im Hinblick auf die Beförderung der gemeinschaftlichen Glückseligkeit, die als materielle und geistig-sittliche Glückseligkeit oder Wohlfahrt aufgefaßt wurde. Policey hatte es mit der Regulierung eines systemischen Zusammenhangs komplexer Kräfte zu tun, was nichts besser verdeutlicht als die Metapher vom Staat als Maschine, die sich in der politischen Literatur des 18. Jahrhunderts großer Beliebtheit erfreute.[3] Das Bild nährte die Vorstellung einer idealen Regierung als einer planvollen, geordneten, zweckhaften, von Gesetzen bestimmten Lenkung eines komplexen Geschehens. Justis Staatsmaschinerie konnte allerdings nur funktionieren, wenn die Obrigkeit als Konstrukteurin und Lenkerin der Maschine genaue Kenntnisse von der Beschaffenheit und Stärke der mechanischen Teile hatte.

Justis Gedankengang verrät allerdings auch etwas von der tiefen Ambiguität des Konzepts »Policey«: Dynamik und Statik standen in seinem Konzept unvermittelt nebeneinander. Erhaltung und Vermehrung des staatlichen und gesellschaftlichen Vermögens wurden zur Hauptaufgabe eines politischen Systems erklärt, das das produktive Potential der Gesellschaft wecken und von der Vermehrung der Ressourcen profitieren wollte, ohne jedoch letztlich selber in seinem Bestand grundsätzlich von dieser Dynamisierung in Frage gestellt zu werden. Policey zielte auf Wandel als Verbesserung und nicht als Überwindung des Systems.

Die Forschung hat solche Ambiguitäten und Paradoxien geradezu als Charakteristikum »guter Policey« im Ancien Régime bezeichnet. Marc Raeff hat im Korpus der Policeyordnungen vier Grundwidersprüche hinsichtlich der Zwecksetzung und der Mittel »guter Policey« ausgemacht:[4]

1. Die Ordnungen – besonders die Aufwands- und Kleiderordnungen – wollten noch im 18. Jahrhundert Konsum und Ausgaben der breiten Bevölkerung beschränken, trieben aber gleichzeitig die Untertanen zur Steigerung ihrer Arbeitsleistung an.
2. Die Ordnungen wollten soziale Stabilität und Ordnung bewahren, förderten aber in der Bevölkerung den Unternehmergeist und das dynamische Wachstum der wirtschaftlichen Leistung.[5]

---

[3] Barbara Stollberg-Rilinger, Der Staat als Maschine. Zur politischen Metaphorik des absoluten Fürstenstaates, Berlin 1986, S. 105 ff, 124 ff.
[4] Raeff, Police State, S. 173–176.
[5] »The contradictory character of the ordinances arose from the fact that their stress on the

3. Die territorialen Ordnungen waren in der Regel am geographischen Rahmen des jeweiligen Herrschaftsgebietes orientiert und trafen vielfach protektionistische Maßnahmen zum Schutz der einheimischen Wirtschaft, gleichzeitig nahmen die ökonomische Vernetzung und Marktverflechtung stark zu.

4. Das administrative Instrumentarium zur Umsetzung der Policeyordnungen operierte mit strikten staatlichen Anweisungen und Kontrollen, mithin mit dirigistischen Mitteln, während die dynamische Expansion der Wirtschaft ein Hauptzweck der Politik war.[6] Zum einen akzentuierte die Policeygesetzgebung die Rolle des schöpferischen Individuums, zum andern baute sie weiterhin auf die bestehenden Korporationen, Stände und Institutionen sowie auf den »Glaube[n] an ein harmonisches Zusammenspiel und Funktionieren der verschiedenen Stände in der gesamtgesellschaftlichen Ökonomie«, die die Unterordnung der Interessen und Bemühungen der Einzelnen unter die Gruppe mit sich brachten.[7]

Raeffs Urteil zum paradoxen Charakter »guter Policey« hat allerdings die Policeygesetzgebung der Frühen Neuzeit als ganzes im Auge. Im diachronen Längsschnitt treten die genannten Widersprüchlichkeiten auch stärker hervor, als wenn nur ein kürzerer Zeitraum in den Blick genommen wird. Bleibt auch für das 18. Jahrhundert noch die Spannung zwischen den unterschiedlichen Zwecken der Policeygesetzgebung sowie auch zwischen den Zielen und Mitteln »guter Policey« unverkennbar, so ist bei der Untersuchung der badischen Policey insbesondere für die zweite Hälfte des 18. Jahrhunderts insgesamt doch ein entschieden innovatorischer, dynamischer und reformorientierter Grundzug in der Ordnungsgesetzgebung und in der Praxis der Behörden festzustellen gewesen. Daß in den Gesetzen und Verwaltungsakten unablässig von der »Verbesserung«, »Hebung« oder »Aufnahme«[8] der

---

productive individual and on new standards of efficiency and productivity went counter to the notion of a harmonious socioeconomic organism.« (Ebd., S. 148). – Eine Variation dieses Gedankens an anderer Stelle: »Zusammenfassend ergibt sich das Paradox, daß die Herausbildung von Klassen (...) das Ergebnis der Anstöße und Anregungen darstellt, die auf Initiative des wohlgeordneten *Polizeistaates* vermittelt wurden. Indem er in die täglichen Belange seiner Untertanen eingriff und eine maximale Ausnutzung aller Ressourcen und schöpferischen Energien förderte, untergrub der absolutistische Staat die ständische Struktur, auf die er in der Praxis oftmals zurückgriff, und trieb so den Gang der Modernisierung und der Klassenbildung voran.« (Raeff, Polizeistaat, S. 317). – Zum kausalen Komplex zwischen Wachstumsdenken, Ökonomisierung der Natur, Erziehung der Menschen zur Arbeitsamkeit und der Suche nach technischen Problemlösungen s. Meyer, Wirtschaftswachstum, S. 4–9, 25–59.

6 Zur »basic ambiguity of the enterprise«: »Guidance, supervision, and prescriptions, often taking the form of excessive regulation, were contrary to the avowed aim of developing individual initiative and energetic involvement in the process of maximizing resources« (Raeff, Police State, S. 252). – Vgl. allerdings zu Widerspruch 4 den Hinweis von Preu, der feststellt, daß in der Gesetzgebung zunehmend unterschieden wurde zwischen staatlichen Zielen, die über Zwang, und solchen, die über positive Förderung erreicht werden sollten (Preu, Polizeibegriff, S. 208–213).

7 Raeff, Polizeistaat, S. 317 f.

8 Vgl. zur »Aufnahme« als Schlüsselbegriff den Hinweis bei Brednich, Tessedik, S. 56 f.

Verhältnisse die Rede war, indiziert auch von der begrifflichen Seite her die starke Dynamisierung der Konzeption. Freilich blieb diese Politik am tradierten politischen und sozialen System orientiert, welches mit »Verbesserungen« leistungsfähiger werden, in seinem Bestand aber bewahrt werden sollte (Kap. 4.5, 5).

Widersprüchlichkeit und Zwiespältigkeit sind als Kennzeichen der Policey vor allem im Hinblick auf die gesetzliche Gestaltung der Arbeits- und Wirtschaftsordnung betont worden. Einerseits wollte sie ältere Strukturen der Sozialordnung absichern, andererseits neue Wirtschaftsformen fördern.[9] Die policeylichen Ordnungsversuche »waren von Anfang an zwiespältiger Natur. Sie reagierten auf die mit dem ökonomisch-sozialen Transformationsprozeß einhergehenden Auflösungserscheinungen der ständischen Ordnung mit einer konservativen Stabilisierungspolitik und nahmen zugleich notgedrungen an diesem Modernisierungsprozeß aktiv teil bzw. trieben ihn zielgerichtet durch Reformen voran.« Einerseits war die Policey »ständisch-konservative Politik der Einbindung gesellschaftlicher Gruppen in ein herrschaftliches, ständisch begründetes Arbeitsverhältnis« und andererseits zielte sie als »Modernisierungs- und Arbeitsdisziplinierungspolitik« auf die »Entfesselung der gesellschaftlichen Produktivkräfte«. Im weiteren prägte der Zwiespalt zwischen »der herrschaftsfunktionalen – sei es ständisch-konservativen oder modernisierend-disziplinierenden – Intention« und dem »emanzipatorischen Gehalt des damit in Anspruch genommenen Arbeitsbegriffs« diese Politik. Der emanzipatorische Gehalt des Arbeitsbegriffs (Bedeutung der selbstverantworteten Arbeit; soziales Selbstbewußtsein, das auf eigener Arbeit basiert) wurde von der Obrigkeit nolens volens rezipiert, »wenn sie aus Gründen des sozialen Krisenmanagements eine allgemeine Arbeitspflicht zum Grundprinzip ihrer Armen- und Arbeitsordnungspolitik macht[e] und dadurch die Gesellschaft als ›Arbeitsgesellschaft‹ definiert[e]« (Kap. 5.3, 5.5.1); in dieser Hinsicht propagierte der frühneuzeitliche Staat mit der Arbeitspflicht für Bauern und Bürger eine soziale Grundnorm, die sich mit der Zeit »als Kern des bürgerlichen Selbstverständnisses gegen die Ständeordnung selbst« kehren sollte.[10] »Bezogen auf die Frühe Neuzeit läßt sich kaum ein anderer Zentralbegriff der Moderne finden, in dem sich die Widersprüchlichkeit des Modernisierungsprozesses deutlicher niedergeschlagen hat. Als politische Kategorie der Dynamik in einer auf Statik beruhenden ständischen Gesellschaft, als aufklärerische Kategorie der bürgerlichen Emanzipation und zugleich rechtliche und politische Kategorie der Sozialdisziplinierung hatte der Arbeitsbegriff eine Schlüsselstellung sowohl im Aufklärungs- als auch im staatlichen Machtdiskurs inne und bildete einen der zentralen Kreuzungspunkte im gesellschaftspolitischen Denken und Handeln während der Frühgeschichte der modernen Gesellschaft«.[11]

---

[9] Schulze, Wirtschafts- und Arbeitsordnung, S. 183 ff.
[10] Schuck, Arbeit und Policey, S. 122, S. 147–150.
[11] Ebd., S. 150.

Daß der Charakter frühneuzeitlicher Policey von den Historikern als paradox bestimmt wird, hängt eng damit zusammen, daß das Konzept der Policey als Faktor des Staatsbildungs- und Modernisierungsprozesses in der Frühen Neuzeit eine gewichtige Rolle spielt und somit von den Deutungsversuchen nicht unberührt bleibt, die diesen Prozeß selbst als zwiespältig, ambivalent und widersprüchlich charakterisieren.

6.3 »Gute Policey«, Staat und lokale Gesellschaft in der Formationsphase der Moderne

Gerhard Schuck hat eine Reihe prominenter Urteile aus der neueren Frühneuzeit-Forschung zusammengestellt, die das Miteinander, Ineinander und Gegeneinander von Statik und Dynamik und die »spezifischen Widersprüchlichkeiten gesellschaftlicher Modernisierung in der Frühen Neuzeit« betonen. Schuck zufolge ist die neuere Frühneuzeit-Forschung bestrebt, »mit der Betonung der ›Gleichzeitigkeit von Modernisierung und Traditionalität‹ [H. Schilling] und der ›Überlagerung von statischen und dynamischen Elementen‹ in der frühneuzeitlichen Ständegesellschaft [W. Schulze] sowie der Forderung nach Einbeziehung der ›Kostengeschichte der Modernisierung‹ [H. E. Bödeker, E. Hinrichs] und der Erfahrung der ›Gleichzeitigkeit des Ungleichzeitigen‹ [W. Schulze] auf eine Revision der unilinearen Fortschrittsperspektive älterer modernisierungstheoretischer Ansätze im Sinne eines ›reflektierten Modernisierungsansatzes‹ [H. E. Bödeker, E. Hinrichs] [hinzuwirken], der die ›tiefe Ambivalenz‹ des Modernisierungs- und Rationalisierungsprozesses [H.-U. Wehler] ernst nimmt.«[12]

Es scheint, als stellte diese auffallend starke Betonung der Ambivalenzen und Zwiespältigkeiten in der Formationsphase der Moderne das Ergebnis eines Lernprozesses bei den Historikern dar, die darum bemüht sind, die abstrakte idealtypische Gegenüberstellung von »modernen« und traditionalen« Gesellschaften, wie sie früheren, stark dichotomisch konzipierten Modernisierungstheorien eigen war,[13] zu überwinden.

Historisches Denken in den Kategorien der Ambivalenz und Zwiespältigkeit erkennt in den Widersprüchen von Systemen nicht nur die dysfunktionalen Faktoren, die ein System beeinträchtigen, sondern ebensosehr die potentiellen Ansatzpunkte für Wandel. In der historischen Betrachtung erhalten damit Phänomene eine besondere Bedeutung, die unter den Parametern eines älteren Systems entstehen, dann

---

[12] Ebd., S. 147; für die Belegstellen vgl. die Angaben ebd.

[13] Reinhard, Modernisierung, S. 50 f.; Winfried Schulze, Einführung in die Neuere Geschichte, Stuttgart 1991², S. 46 ff.; Hans van der Loo, Willem van Reijen, Modernisierung. Projekt und Paradox, München 1992, bes. S. 11–40.

aber unter dem Eindruck veränderter Rahmenbedingungen und neuer Herausforderungen ihren Charakter verändern und damit selber Teil des Systemwandels werden können.

Die Geschichte der badischen Frevelgerichte erhellt einen solchen Vorgang auf exemplarische Weise. Diese Institution war in der zweiten Hälfte des 16. Jahrhunderts unter dem Eindruck der Konfessionalisierung im Rückgriff auf das institutionelle Muster der Dinggerichte des Spätmittelalters geschaffen worden (Kap. 4.2, 4.3). Unter dem Einfluß der gesellschaftlichen und wirtschaftlichen Herausforderungen seit der Mitte des 18. Jahrhunderts wurden die Frevelgerichte mit Aufgaben betraut, die sich anfänglich als bloße Erweiterungen der traditionellen Funktionen präsentierten, dann aber rasch zu einer neuen Rationalität und einem neuen Sinn dieser Einrichtung führten (Kap. 4.4, 4.5). Ursprünglich als Instrument obrigkeitlicher Kontrolle und Strafjustiz konzipiert, wandelte sich das badische Frevelgericht zu einer Einrichtung, die das auf »Verbesserung« der lokalen Verhältnisse zielende Reformprogramm der Regierung vor Ort kommunizieren und ihm dort zum Durchbruch verhelfen sollte. Repression und Strafe traten als Hauptinstrumente der Frevelgerichte ausdrücklich in den Hintergrund, vielmehr sollten es diese Gemeindevisitationen künftig dem Oberbeamten und der Regierung ermöglichen, »durch persönliche Einsicht die Verfassungen einzelner Gemeinden einzusehen, ihr Wohl und Weh zu erkennen und mit Zuziehung der Vorgesetzten, des Gerichts und des gemeinen Ausschusses, auch solcher Bürger, welche das gemein Wohl sich angelegen seyn lassen, zu sorgen, wie die Gemeinde in bessere Aufnahme zu bringen« sein mochte.[14] Die auf Veränderung und Innovation tradierter Arbeits- und Lebensweisen gerichteten Punkte dieses Programms (Steigerung der agrarischen Produktivität [Kap. 5.4], Verbesserung des Schulunterrichts [Kap. 5.2], Erhöhung des Brandschutzes [Kap. 5.6], Gewährleistung einer örtlichen Leistungsverwaltung in den Bereichen der Lebensmittelversorgung und der öffentlichen Sicherheit [Kap. 5.7], Konsolidierung und Ausbau der Gemeindefinanzen [Kap. 3.6, 5.9]) rückten in den Vordergrund,[15] ohne jedoch traditionellere Aspekte »guter Policey« wie die Kir-

---

[14] Das Zitat aus Johann Georg Schlossers Begründung für den neuen Rügezettel für das Oberamt Hochberg 1781 (137/105; 22 I 1781).

[15] Wolfgang Kaschuba, Aufbruch in die Moderne: Volkskultur und Sozialdisziplin in Württemberg (1987), neu in: Ders., Volkskultur zwischen feudaler und bürgerlicher Gesellschaft, Frankfurt/M., New York 1988, S. 73–126, hier S. 123: »Viele (...) Verstaatlichungs- und Disziplinierungsmaßnahmen besitzen neben ihrem Verbots -und Verregelungscharakter noch andere Wirkungsseiten, die durchaus vorantreibend, dynamisierend wirken können. Sei es nun in der damit beabsichtigten oder auch in der gerade entgegengesetzten Richtung, wenn dadurch soziale Unruhe- und Widerstandspotentiale frei gemacht werden. (...) Anderen Reformplänen wiederum mag man das Etikett ›Modernisierung‹ fast ganz uneingeschränkt anheften, wenn man etwa an die verbesserte Schulbildung als Voraussetzung einer tiefergehenden Alphabetisierung und Literarisierung der württembergischen Gesellschaft denkt, an landwirtschaftliche Reformen, an Verbesserungen des Straßensystems oder auch an medizinische Eindämmungsmaßnahmen gegen die wellenartig immer wieder auftreten-

chen- und die Moralpolicey sogleich ganz zu verdrängen. Die moralisch-religiöse und die leibliche Wohlfahrt der Menschen wurden durchaus noch als notwendiger Zusammenhang verstanden, wenn auch der Eindruck vorherrscht, daß in der zweiten Hälfte des 18. Jahrhunderts an die Stelle der »Besserung« – in der alten Bedeutung von Strafe, Buße[16] – zunehmend die (Ver)Besserung der »Nahrung« und leiblichen Wohlfahrt der Untertanen trat, daß (Land)Wirtschafts- und Sozialpolitik die Sitten- und Religionspolicey in den Hintergrund drängten. Wenn Wilhelm Heinrich Posselt die Durchführung von Frevelgerichten und damit die Förderung des »öffentlichen Wohls« in den badischen Gemeinden als ein Werk der »thätigen Menschenliebe« bezeichnete,[17] so erscheint diese philanthropische Formel gleichsam als säkularisierte Fassung des Gedankens der christlichen Nächstenliebe und zeigt den Übergang vom älteren zum neueren Paradigma »guter Policey« an.

Die Verschiebung der inhaltlichen Prioritäten von der Religions-, Kirchen- und Moralpolicey zur Ökonomie und Bevölkerungspolicey sowie die Verlagerung der prozeduralen Prioritäten von der Strafe zur Anweisung, Hilfe und Belehrung indizieren den Beginn einer Phase beschleunigten Wandels, die der Gesellschaft des späteren 18. Jahrhunderts den Charakter einer »Übergangsgesellschaft« verleiht.[18] Bereits im ausgehenden Ancien Régime – und damit lange vor dem Einsetzen der Industrialisierung und dem damit verbundenen Auftreten von Pauperismus und »sozialer Frage« – setzte unter dem Druck sozio-demographischer Entwicklungen jenes »gesellschaftliche Krisenmanagement«[19] durch den Staat ein, das von den Bürokratien des 19. Jahrhunderts fortgesetzt wurde. Wolfgang Kaschuba hat diese Phase als »Aufbruch in die Moderne« beschrieben.[20]

---

den Seuchen und Epidemien. Vieles davon ist in der Tat in unserem heutigen Sinne ›Reform‹: Verbesserung der materiellen und sozialen Lebenschancen und bessere gesellschaftliche Erfahrungs- und Wissensorganisation.

[16] Deutsches Wörterbuch, Bd. 1, s. v. »Besserung«; Schweizerisches Idiotikon, Bd. IV, Sp. 1679.

[17] Posselt, Vogt- oder Rügegerichte, S. 180.

[18] Christof Dipper, Übergangsgesellschaft. Die ländliche Sozialordnung in Mitteleuropa um 1800, in: ZHF 23 (1996), S. 57–87. – Dipper geht es mit seinem begrifflichen Vorschlag darum, dichotomische Vorstellungen zu überwinden, die ein dynamisches 19. Jh. von einer weitgehend unbeweglichen Frühen Neuzeit abheben; damit sollen die »dynamischen Aspekte der gesellschaftlichen und wirtschaftlichen Entwicklung am Ende des 18. Jahrhunderts« stärker betont und die Kontinuitätslinien zum 19. Jh. hervorgehoben werden (S. 57ff.). Die »Annahme einer vollständigen Zäsur um 1800 oder gar im Jahre 1789« sei »auf das korrekte Maß zurückzuführen« (S. 87). – S. a. Meyer, Wirtschaftswachstum, S. 8, für den die »›historische Tiefe‹ der Industrialisierung nur durch Einbezug des 18. Jahrhunderts auslotbar ist«.

[19] Kaschuba, Aufbruch, S. 75.

[20] Für das Folgende ebd., S. 75ff. – Während Kaschuba in seinem Aufsatz von 1987 die entscheidenden Veränderungen in der Rheinbundzeit (1803–1814) ansiedelt, als Württemberg (wie Baden auch) eine politisch-territoriale Umstrukturierung erlebte (Kaschuba, Aufbruch, S. 75–81), sind aufgrund der Ergebnisse der eigenen Studie die Kontinuitäten vom letzten Drittel des 18. Jhs. zur ersten Hälfte des 19. Jhs. wesentlich stärker zu betonen; der

Ziel des »gesellschaftlichen Krisenmanagements« durch den Staat des Ancien Régime war es, »die noch zu rettenden Bestände des alten Systems und die drängenden Ideen und Kräfte einer neuen Gesellschaft (...) in ein ausbalanciertes Verhältnis zueinander« zu bringen. »›Reform statt Revolution‹ heißt das Projekt, integrierter Wandel statt sozialer Bruch: ein von oben gelenkter und kontrollierter Weg in die neue Zeit, damit das Neue nicht allzuweit aus dem alten Flußbett heraustritt.«[21] Staatliche Verwaltungsorgane und lokale Polizeiapparate, örtliche Beamte und Pfarrer waren die Agenten dieses staatlich organisierten Reformprogramms, das »nicht nur die Veränderung der materiellen Welt, ihrer wirtschaftlichen und politischen Strukturen« bezweckte, sondern auch »eine grundlegende Veränderung der Welt-Anschauungen, des geistigen Horizonts, der mentalen Einstellungen« beabsichtigte.[22]

Diese neuen Welt-Anschauungen wurzelten ebenfalls in Konzepten, die lange vor dem 19. Jahrhundert ausgebildet und maßgeblich unter dem Vorzeichen »guter Policey« während der Frühen Neuzeit entwickelt worden waren. Deutlich wird dies an der Ausformulierung der sogenannten bürgerlichen Tugenden, deren Konzeptuali-

---

»Aufbruch« hatte seine Wurzeln nicht erst im frühen 19. Jh.; er ist sowohl in der mentalen Prädisposition einzelner reformorientierter Gruppen (s. Kap. 4.4.1) als auch in den praktisch-organisatorischen Maßnahmen zur Umsetzung der Reformen (s. Kap. 4.5, 5) eindeutig bereits in der zweiten Hälfte des 18. Jhs. zu fassen. Die Kontinuitäten werden nicht zuletzt durch die Geschichte der Frevelgerichte unterstrichen: Diese konnten in Baden im 19. Jh. als policeyliche Gemeindevisitation bzw. Ortsbereisung weiterhin so durchgeführt werden, wie sie seit den 1760er Jahren konzipiert und eingerichtet worden waren. – Diese Einschätzung gilt es auch gegenüber der verwaltungsgeschichtlichen Studie von Lutz Raphael zu betonen, der die entscheidenden Umbrüche zur »Durchstaatlichung lokaler Verwaltung« auch erst in der Revolutionsära sieht (Raphael, Verwaltung, S. 146 f.). – Ähnlich die Kritik von Clemens Zimmermann an Norbert Franz und Michael Knauff: Für Zimmermann ist »das Interesse der Zentralverwaltungen an Moralisierung und Leistungsfähigkeit der Dorfgemeinden sowie an deren informationellen Durchdringung« nicht ein Phänomen der ersten Hälfte des 19. Jhs., sondern bereits des Reformabsolutismus (Clemens Zimmermann, Zentralstaatliche Bürokratien und Dorfgemeinden um 1800. Anmerkungen zum Beitrag von Norbert Franz und Michael Knauff, in: N. Franz u. a. (Hgg.), Landgemeinden im Übergang zum modernen Staat, Mainz 1999, S. 43–46, hier S. 45 f.).

[21] Kaschuba, Aufbruch, S. 75.

[22] Kaschuba nennt an dieser Stelle – in der bekannten historiographischen Tradition – Preußen und Österreich als Pionierländer, wo das Reformprogramm im letzten Drittel des 18. Jhs. eingesetzt habe, während Württemberg diesem Beispiel Anfang des 19. Jhs. nachgefolgt sei. – Es sollte mit der vorliegenden Studie deutlich geworden sein, daß den beiden Großterritorien Preußen und Österreich die Vorreiterrolle bei der Entwicklung staatlicher Reformen nicht konkurrenzlos überlassen werden kann. Auch die Markgrafschaft Baden-Durlach betrat spätestens im letzten Drittel des 18. Jhs. dezidiert den Weg innerer Reformen, und es ist durchaus fraglich, ob sie damit unter den Klein- und Mittelstaaten allein dastand oder ob die genauere Untersuchung des Zusammenhangs von »guter Policey« und lokaler Gesellschaft für weitere Territorien nicht noch weitere Beispiele zu Tage fördern wird. (Ebd.)

sierung seit dem späten 15. Jahrhundert die Frühe Neuzeit wiederum als »Inkubationszeit der Moderne« erscheinen läßt.[23] Diese sittlichen Normen entwickelten sich aus dem Kanon der alten oikonomischen Tugenden (virtutes oeconomicae) und rückten im 18. Jahrhundert ins Zentrum der »bürgerlichen« Verhaltenslehre. Das »›ökonomische‹ und ›bürgerliche‹ Verhaltenssyndrom« waren beide gleichermaßen dadurch charakterisiert, daß »erst im Ensemble (...) Fleiß, Sparsamkeit, Ordnungsliebe und Reinlichkeit die Wirkung [entfalteten], die sie zunächst als unverzichtbare Voraussetzungen des Bestandes der frühneuzeitlichen Hauswirtschaften, dann aber auch als Garanten und Stabilisatoren der späteren bürgerlichen Gesellschaft erscheinen lassen.«[24]

Die oikonomischen Tugenden definierten aber keineswegs nur das richtige Haushalten in den Häusern der Untertanen, womit sie auch die soziale Ordnung befestigten. Ihre unmittelbare policeyliche, d. h. politische Relevanz erhielten sie, indem das richtige Haushalten der einzelnen Untertanen und die Regierung der Herrschaft zur Sicherung der Wohlfahrt im Land in einem inneren Zusammenhang gesehen wurden. Die gute Regierung des Landesherrn über seine Untertanen wurde geradezu nach dem Vorbild des Hausregiments modelliert. Die »gute Policey« war Michel Foucault zufolge der Versuch, die Prinzipien der Haushaltsführung durch den Hausvater auf den Staat anzuwenden. Die Kunst einer guten Regierung über die Landesuntertanen übertrug die Grundsätze der Ökonomik auf den Bereich des Staates: »Gouverner un État sera donc mettre en oeuvre l'économie [i. S. von oikonomía, Ökonomik, AH], une économie au niveau de l'État tout entier, c'est-à-dire avoir à l'égard des habitants, des richesses, de la conduite de tous et de chacun une forme de surveillance, de contrôle non moins attentive que celle du père de famille sur la maisonnée et ses biens.«[25]

Die zentrale Bedeutung der oikonomischen Tugenden im Politikkonzept der »guten Policey« konnte am badischen Fallbeispiel in mehrfacher Hinsicht aufgezeigt werden.

Für Justi zählte die Pflicht eines jeden Bürgers, »mit seinem Vermögen wohl zu wirthschaften«, wegen ihrer Bedeutung für das Gemeinwohl zu den spezifisch »bürgerlichen Tugenden«, mithin zu den Tugenden mit politischer Relevanz.[26] Mit dem Hinweis auf den notwendigen Zusammenhang zwischen individuellem Haushalten und dem allgemeinen Wohl legitimierten die badischen Behörden im 18. Jahrhundert ihr Vorgehen gegen die »Übelhauser«, deren Lebensführung die Oberbeamten bei

---

[23] Münch, Einleitung, S. 14 f., 2.
[24] Ebd., S. 25 f.
[25] Foucault, Gouvernementalité, S. 642. – Zur Parallelität des Hausvaters und Landesherrn s. Paul Münch, Die ›Obrigkeit im Vaterstand‹ – Zu Definition und Kritik des ›Landesvaters‹ während der frühen Neuzeit, in: Daphnis 11, 1982, 15–40.
[26] Zit. nach Münch, Einleitung, S. 21.

den Frevelgerichten zu »corrigiren«, d. h. wieder auf die »ökonomischen Tugenden« eines gut geführten Hauses (u. a. Ordnungsliebe, Fleiß, Genügsamkeit, Sparsamkeit, Reinlichkeit) zu verpflichten suchten.[27]

Die Praxis der Frevelgerichte zeigte noch an anderen Punkten, wie sich die Durchsetzung oikonomischer Tugenden und die Realisierung »guter Policey« im 18. Jahrhundert verschränkten, aus dieser Verschränkung aber wiederum neue Akzentuierungen hergebrachter Konzepte resultierten. Mit der Hausideologie ließ sich im 18. Jahrhundert auch der Versuch rechtfertigen, von staatlicher Seite einen Dienstzwang für Jugendliche durchzusetzen, die in der elterlichen Wirtschaft nicht gebraucht wurden. Dieser Gesindedienst befriedigte den Bedarf größerer Häuser an billigen Arbeitskräften, er galt gleichzeitig als Mittel, dem drohenden Müßiggang zu wehren und der Jugend »Industriosität« einzupflanzen. Die Interessen »ganzer Häuser« (O. Brunner) und das staatliche Interesse an der Regulierung des Verhaltens der Untertanen reichten sich hier die Hand.[28]

Die Aufforderungen der Behörden an die Untertanen und Gemeinden, ihren Fleiß auf die intensivere Nutzung der Güter in der Flur[29] sowie auf die Verbesserung der Gemeindehaushalte[30] zu richten, hatten ihre Wurzeln klar in den oikonomischen Tugenden des Fleißes und der Sparsamkeit, sie verweisen aber mit ihrem Maximierungspostulat gleichzeitig auf die ökonomischen Kategorien der Rationalisierung, Effizienzsteigerung und des Wachstums, die für die politische Ökonomie des 19. Jahrhunderts bestimmend wurden.[31]

Wie aber sind die Rolle des Staates im allgemeinen und die Funktion der Policeygesetzgebung im besonderen für die Interpretation des Wandels und der Modernisierung im 18. und frühen 19. Jahrhundert zu bestimmen?

Mary Lindemann befand in ihrer Untersuchung zur Medizinalpolicey im Staat des Ancien Régime: »The state's role in the formation of modern society remains enigmatic. While almost everyone agrees that something critical occurred in the development of the modern state and of modern society in the late seventeenth and the eighteenth centuries, the character and timing of the changes, their impetus and direction, their success and pervasiveness linger as contested points of historical debate.«[32]

In der Tat werden dazu in der Literatur konträre Auffassungen dezidiert vorgetragen. Marc Raeff hat die Auffassung von der positiven, ausschlaggebenden Wir-

---

[27] S. oben Kap. 5.5.1.
[28] S. oben Kap. 5.3.
[29] S. oben Kap. 5.4.
[30] S. oben Kap. 5.9.
[31] Meyer, Wirtschaftswachstum, S. 4–9, 25–59.
[32] Lindemann, Health, S. 22.

kung der gesetzgeberischen Tätigkeit des Staates auf den Prozeß der Modernisierung am prononciertesten verfochten. Für ihn setzten sich auf die Dauer die wirtschaftliche und soziale Dynamik – trotz aller inneren Widersprüche in der Policeygesetzgebung – dank der legislatorisch-administrativen Bemühungen der Staaten gegenüber den konservativen Kräften durch.[33] Hans Maier hat bereits früher in ideengeschichtlicher Hinsicht den neuzeitlichen »Kultur- und Wohlfahrtsstaat« als Erben der auf Schaffung »gemeiner Wohlfahrt« abzielenden »guten Policey« dargestellt.[34]

Auch aus einer stärker sozialgeschichtlich verankerten, komparatistischen Perspektive ist die Bedeutung des Staates als zentraler Kraft des Transformationsprozesses in Deutschland betont worden. Für Helmut Berding und Hans-Peter Ullmann waren die Veränderungen in Deutschland an der Wende vom 18. zum 19. Jahrhundert »Bestandteil des säkularen Transformationsprozesses, in dem sich das Alte Europa zur Moderne hin wandelte«. Während aber die Transformation in England von der überseeischen Expansion und der Industrialisierung und in Frankreich von der Revolution vorangetrieben worden sei, sei der Wandel wegen der relativen politischen, gesellschaftlichen und wirtschaftlichen Rückständigkeit in Deutschland maßgeblich unter Leitung des Staates erfolgt. Dieser habe schon »in der Zeit des aufgeklärten Absolutismus ein weitreichendes Reformprogramm in Angriff genommen«, an das »der bürokratische Absolutismus der Rheinbundzeit« anknüpfen konnte. »Unter dem Einfluß der Französischen Revolution sowie der napoleonischen Herrschaft« erhielt dieses Programm im frühen 19. Jahrhundert jedoch »eine ganz andere Durchschlagskraft und vor allem eine neue Qualität: Seine Reformen zielten jetzt darauf ab, die feudale Ordnung in eine bürgerliche Eigentümergesellschaft zu überführen.«[35] Wenn Berding und Ullmann allerdings »Planbarkeit, Allgemeingültigkeit, Gleichförmigkeit, Regelhaftigkeit und Kontrollierbarkeit« zu den typischen Merkmalen der Rheinbundreformen zählen, die diese »qualitativ von den Neuordnungsversuchen des 18. Jahrhunderts« unterschieden, so scheint die Trennlinie vor dem Hintergrund der eigenen Beobachtungen zur administrativen und policeylichen Praxis im 18. Jahrhundert sowie der neuesten Studien zur Staatsverwaltung im 19. Jahrhundert zu stark ausgezogen zu sein.[36]

---

[33] Raeff, Police State, S. 41 ff., 179.

[34] Maier, Staats- und Verwaltungslehre, S. 293.

[35] Helmut Berding, Hans-Peter Ullmann, Veränderungen in Deutschland an der Wende vom 18. zum 19. Jahrhundert, in: Dies. (Hgg.), Deutschland zwischen Revolution und Restauration, Königstein/Ts. 1981, S. 11–40, hier S. 11 f. – Im klassischen, letztlich marxistisch inspirierten Modernisierungskonzept der beiden Autoren waren insbesondere die Schwäche des Bürgertums und das Vorherrschen traditionaler Eliten zentrale Merkmale dieser Rückständigkeit. – S. a. Hans-Ulrich Wehler, Deutsche Gesellschaftsgeschichte, Bd. 1, München 1987, bes. S. 218–267, 353–485.

[36] Berding, Ullmann, Veränderungen, S. 18 f. – Für die Verwaltung des 19. Jhs. s. Eibach, Staat vor Ort; Ellwein, Staat.

Andere hingegen haben die Rolle des Staates stark relativiert und die bewegenden Kräfte hinter der großen Transformation anderswo lokalisiert. Für Christof Dipper war im späten 18. Jahrhundert »die gesellschaftliche Ordnung von alleine in Bewegung geraten (...). Was die Obrigkeiten unternahmen, geschah entweder ohne direkten Bezug auf diese Dynamik oder verfehlte seine Wirkung. Staat und Gesellschaft, in der ständischen Ordnung noch eine Einheit bildend, folgten immer stärker ihren eigenen Gesetzen und wurden von hellsichtigen Zeitgenossen nunmehr auch als ›an sich unterschieden‹ begriffen. Beide standen (...) gewissermaßen unverbunden nebeneinander.«[37] Dipper rückt damit das 18. und 19. Jahrhundert nahe zueinander und postuliert bereits für das frühere Jahrhundert die entscheidende Bedeutung gesellschaftlicher und wirtschaftlicher Kräfte (Demographie, Markt) als Motoren der Transformation. Dipper relativiert die von Berding und Ullmann postulierte Bedeutung der institutionellen und politischen Zäsuren der Rheinbundzeit und hebt dagegen »die dynamischen Aspekte der gesellschaftlichen und wirtschaftlichen Entwicklung am Ende des 18. Jahrhunderts« hervor.[38]

Spricht man den Positionen von Berding/Ullmann und von Dipper eine gewisse Repräsentativität zu, so will es fast scheinen, als habe die historische Forschung mit dem Wandel ihrer Interpretationsansätze Entwicklungen mit- oder nachvollzogen, die auch in den Paradigmenwechseln der politisch-soziologischen Implementationsforschung der letzten Jahrzehnte Ausdruck gefunden haben.[39]

Die Implementationsforschung rückte – nach Auffassung einer ihrer maßgeblichen Vertreterinnen – unter dem Eindruck der »Enttäuschung« über die Unfähigkeit des Staates, mit den seit den 60er Jahren auftretenden bzw. bewußt werdenden Problemen fertig zu werden«,[40] von der »Vorstellung vom Staat als zentraler gesellschaftlicher Steuerungsinstanz und Garant öffentlicher Wohlfahrt« ab.[41] Unter der Dominanz der Systemtheorie wurde das politisch-administrative System in der funktionell differenzierten Gesellschaft »nur noch [als] ein Funktionssystem unter anderen« vorgestellt: »Die Gesellschaft der Moderne hat kein Zentrum mehr, der Staat ist ›entzaubert‹ und zentrale Gesellschaftssteuerung eine Utopie.«[42] Schließlich aber ist die Implementationsforschung zu einem neuen steuerungstheoretischen Paradigma gelangt, das in einer komplexeren Konzeptualisierung staatliche und gesell-

---

[37] Dipper, Übergangsgesellschaft, S. 87. – »(...) die gleichsam naturwüchsige gesellschaftliche Dynamik [überstieg] bei weitem dasjenige, was der Staat beeinflussen konnte und wollte« (ebd., S. 86).

[38] Ebd., S. 58. – »(...) das sachliche wie methodische Gebot, das historische Kontinuum [vom 18. zum 19. Jahrhundert, AH] nicht zu zerstören, zwingt zu einer Neubewertung der Gesellschaftsgeschichte des späten 18. Jahrhunderts« (ebd., S. 60).

[39] S. zum Folgenden prägnant Mayntz, Politische Steuerung, S. 263–292.

[40] Ebd., S. 266.

[41] Ebd., S. 265.

[42] Ebd., S. 270 f.

schaftliche Kräfte relationiert.[43] »Die ›neue‹ Theorie politischer Steuerung negiert nicht die fortdauernde Existenz autoritativer Staatsintervention mit dem Ziel einer direkten Verhaltenssteuerung, konzentriert sich jedoch (daneben) auf die Möglichkeiten und Folgen der absichtsvollen ›staatlichen‹ (öffentlichen, politischen) Einwirkung auf Entscheidungsprozesse in rein gesellschaftlichen und in gemischten Verhandlungssystemen staatlicher und gesellschaftlicher Akteure. Von ›Steuerung‹ allerdings darf man lediglich im Sinne einer bestimmten Art zielgerichteten Handelns von Subjekten sprechen. Das heißt, daß von der überholten Gleichsetzung von politischem Steuerungshandeln und Gesellschaftssteuerung Abschied zu nehmen ist. Das politische Steuerungshandeln ist nur ein sozialer Teilprozeß, der mit vielen anderen Teilprozessen interferiert und so zum sozialen Wandel beiträgt, ohne ihn lenken zu können. (...) Das bedeutet, daß es zwar Steuerung *in* der funktionell differenzierten Gesellschaft gibt, aber keine politische Steuerung *der* Gesellschaft. (...) Eine Theorie, die die Dynamik gesellschaftlicher Entwicklung zum Gegenstand hat, muß vielmehr die Interferenz zwischen autoritativer Staatsintervention, Verhandlungsprozessen zwischen politischen und gesellschaftlichen Akteuren, organisierter Selbstregulierung, Marktprozessen und spontaner Strukturbildung zu ihrem zentralen Thema machen.«[44]

Das von Renate Mayntz vorgestellte »neue steuerungstheoretische Paradigma« weist mehrere definitorische Elemente auf, die im Hinblick auf die Systematisierung der empirischen Beobachtungen zum badischen Fallbeispiel nutzbar gemacht werden können:

1. Die Reichweite autoritativer Staatsinterventionen ist im Zusammenhang mit den Verhandlungsprozessen zu sehen, die zwischen politischen und gesellschaftlichen Akteuren stattfinden.
2. Diese Prozesse wiederum spielen sich unter dem Einfluß von Marktprozessen und organisierter Selbstregulierung ab.
3. Politisches Steuerungshandeln interferiert mit anderen Teilprozessen und trägt damit zum Wandel bei, ohne ihn lenken zu können.

Die Einrichtung der badischen Frevelgerichte – aber auch die nicht näher untersuchte Institution der Schul- und Kirchenvisitationen – belegen die Tatsache, daß die Behörden im Staat des Ancien Régime zwar nicht mit gesellschaftlichen Akteuren in eigentliche Verhandlungen über ihr Programm eintraten, daß sie aber nach Wegen suchten, um dieses Programm im direkten Austausch mit Vertretern der lokalen Gesellschaft an die Bevölkerung zu kommunizieren (Kap. 3, 4.4, 4.5). Die Behörden waren überzeugt, bei der Umsetzung ihres Programms auf der lokalen Ebene ansetzen zu müssen. Wenn der Oberbeamte mit den Ortsvorgesetzten und Richtern die

---

[43] Ebd., S. 283–286.
[44] Ebd., S. 285 f.

Policeyfragen aus den Rügezetteln durchging (Kap. 4.5.2, 5), so lag diesem Vorgehen ein pädagogisch-didaktisches Konzept zur Implementation von normativen Vorgaben zugrunde, das jenseits der simplen Logik von Befehl und Gehorsam angesiedelt war und auf die Überzeugungskraft des Zuspruchs und der praktisch-konkreten Anweisung baute. In diesem Sinne leistet die Aufarbeitung der Geschichte der badischen Frevelgerichte auch einen Beitrag zur Praxis der Volksaufklärung, die aufgrund der starken Konzentration der Forschung auf das Schrifttum noch viel zu sehr als intellektuell-literarische Bewegung aufgefaßt wird.[45] Die Frevelgerichte als Instrumente der Volksaufklärung zu deuten, erscheint insofern gerechtfertigt, als hier nicht nur die Umsetzung von Verordnungen überprüft wurde, sondern sich für die Oberbeamten auch die Gelegenheit ergab, Vorgesetzte und Gemeinden im Gespräch durch Überredung und Überzeugung zu Verhaltensänderungen zu motivieren. Dies entsprach einem Grundanliegen der Volksaufklärung, die durch Überzeugung und Vorbild motivieren und die »Traditionalität« auf einer subjektiven Ebene aufbrechen wollte.[46]

Den Frevelgerichten lag – wie auch den Kirchen- und Schulvisitationen – eine repetitive Grundstruktur zugrunde. Diese Inspektionsveranstaltungen sollten im Prinzip regelmäßig durchgeführt werden, was, unbesehen davon, daß die vorgeschriebenen Intervalle häufig nicht eingehalten wurden, auf einen weiteren Aspekt des Handlungskonzepts der Obrigkeit verweist (Kap. 4.2, 4.4). Penetration und Gewöhnung scheinen für die Verwaltung des Ancien Régime eine zentrale Rolle gespielt zu haben.[47] Thomas Ellweins Beobachtungen zur Praxis der Verwaltung im 19. Jahrhundert lassen sich in diesem Punkt durchaus auf die Situation im Ancien Régime übertragen: Das Verhältnis von Gemeinde und Staat war ein »Wechselverhältnis, in dem die Gemeinde meist über ein deutliches, aber von Ort zu Ort wie auch über die Zeit stark wechselndes Maß an Selbständigkeit bewahrt: Es wurde auch gegenüber dem klaren staatlichen Gebot bewahrt: Gebote, die den eigenen Interessen entsprachen, wurden rascher und eindeutiger befolgt als andere. Die Regierung setzte in dieser Situation – wie heute – nur im Ausnahmefall auf ihre Sanktionsmöglichkeiten. Regierungspräsidenten und Landräte übten sich vielmehr in Verwaltungskunst, indem sie die nicht akzeptierten Gebote immer und immer wiederholten (Penetration), das aber mit Aufklärung verbanden, um Akzeptanz zu mehren. Dabei spielten durchaus auch Belohnungen eine Rolle. (...) Regierungspräsidenten und Landräte übten sich also in Verwaltungskunst, indem sie vieles, aber

---

[45] Loetz, Polyvalenzen, S. 258.
[46] Zimmermann, Reformen, S. 50 f.
[47] Ellwein, Verwaltungskunst, S. 96 f. – Zur Gewöhnung als Faktor bei der Implementation von Ordnungen s. Max Weber, Rechtssoziologie, hg. J. Winckelmann, Neuwied 1967, S. 90. – Vgl. dazu Wolfgang Sellert, Gewohnheit, Formalismus und Rechtsritual im Verhältnis zur Steuerung sozialen Verhaltens durch gesatztes Recht, in: H. Duchhardt u. a. (Hgg.), Im Spannungsfeld von Recht und Ritual, Köln u. a. 1997, S. 29–47, hier S. 32.

nicht alles taten, um die vorgegebenen Ziele zu erreichen, indem sie mehr auf Einsicht und Akzeptanz setzten (...). (...) Verwaltungskunst im 19. Jahrhundert und im Verhältnis der Zentrale zur Peripherie bewirkt in der Regel, daß von der Zentrale in der faktischen Wirkung mehr Impulse als eindeutige Anordnungen ausgehen, was umgekehrt bedeutet, daß die untere und ausführende Verwaltung ›auch‹ ihre situative Logik ins Spiel bringen kann und soll.«[48] Das Verhältnis zwischen bürokratischer Mittelbehörde und relativ autonomer Unterbehörde war Ellwein zufolge »weniger durch Befehl und Gehorsam und mehr durch Penetration und Gewöhnung charakterisiert (...). Im übrigen aber finden wir alles vor, was heute diskutiert wird: Das informale Verwaltungshandeln, die Aushandlungsprozesse, die vorläufige Nichtanwendung von Vorschriften, den großzügig an örtliche Verhältnisse angepaßten Gesetzesvollzug. Nach unten verstärkte sich das noch einmal. Die Amtmänner waren unbedingt Einmann-Behörden und die Gemeindevorsteher waren im Regelfall größere Bauern, die im Zweifel lieber die Ernte einbrachten als Polizeiverordnungen durchzusetzen. Verwaltung hat sich nicht verweigert, sie stand aber auch nicht stramm. Staatliche Steuerung vollzog sich in langsamer Gewöhnung.«[49]

Das auf Lokalaugenscheinen basierende Implementationskonzept der Obrigkeit trug der Tatsache Rechnung, daß die Umstände der lokalen Verhältnisse maßgeblich die Umsetzung des politischen Programms bestimmten. In diesem Sinne lassen sich die lokalen Augenscheine der Oberbeamten und Speziale in den badischen Landgemeinden als Versuche zur »Übersetzung« abstrakter Vorgaben auf die lokale Situation auffassen. »Policies sprang up in the course of concrete interactions and represented a process of bargaining, mediation, and compromise, rather than the exercise of arbitrary authority in the pursuit of well-coordinated programs. In this context, any attempt to ascertain what policy ›was‹ and then examine how ›it‹ was implemented is misconceived. Policy was fluid, and consequently is slippery to analyze historically.«[50]

Daß »organisierte Selbstregulierung« im Sinne des Mayntz'schen Steuerungsparadigmas in der lokalen Gesellschaft der Reichweite staatlicher Intervention Grenzen setzte, ließ sich in dieser Untersuchung mehrfach nachweisen, so etwa, wenn sich die Pfarrer beim Oberbeamten über die Schwierigkeiten beschwerten, Vergehen von Ortsbewohnern gegen die Aufwand- und Sittlichkeitsordnungen auf die Spur zu kommen (Kap. 3.5, 4.5.2.1). Hier scheiterte der Zugriff des Staates daran, daß die lokale Gesellschaft bestimmte Bereiche des Zusammenlebens nach Maßgabe ihrer sozialen Ordnungsnormen selber steuerte und durch das Instrument der sozialen Kontrolle auch über ein wirksames Mittel verfügte, ihre Vorstellungen von der richtigen Ordnung durchzusetzen, ohne die Obrigkeit dabei einschalten zu wollen. Um-

---

[48] Ellwein, Verwaltungskunst, S. 102.
[49] Ebd., 96 f.
[50] Lindemann, Health, S. 50.

gekehrt eröffneten sich der Obrigkeit Möglichkeiten, auf die lokalen Verhältnisse Einfluß zu nehmen, wo die »organisierte Selbstregulierung« aufgrund der Interessenkonflikte und des geschwundenen Vertrauens bestimmter Gruppen in die lokalen Verfahren der Konfliktregulierung nicht mehr funktionierte und viele Gemeindebürger es vorzogen, den Oberbeamten in die Klärung ihrer Streitigkeiten mit Nachbarn oder mit der lokalen Elite einzuschalten[51] (Kap. 4.4, 4.5.1, 5.8).

Die Geschichte der badischen Frevelgerichte hat diese Konfliktkonstellation, die sich aus der veränderten Struktur der lokalen Gesellschaften ergab und die wichtige Veränderungen im Verhältnis zwischen staatlichen Autoritäten und lokaler Gesellschaft zeitigte, deutlich machen können. Die statistischen Erhebungen in den Gemeinden des badischen Oberlandes zeigten die stark fortgeschrittene soziale Differenzierung innerhalb einzelner Orte (Kap. 5.4.1). Die Masse der »Privatklagen« der Bürger im Durchgang, die Störungen der individuellen Wirtschaft und des sozialen Zusammenlebens zur Sprache brachten, legte die starke Nachfrage örtlicher Gruppen nach autoritativen Resolutionen zur Klärung innerörtlicher Streitigkeiten an den Tag (Kap. 4.4, 4.6). Schließlich nahmen bestimmte Bürger die Anwesenheit der Oberbeamten dazu wahr, Spannungen und Faktionsbildungen unter den Vorgesetzten und Richtern, gestörte Autoritätsbeziehungen zwischen der Bürgerschaft und den lokalen Vorgesetzten sowie Konflikte um die Verteilung kommunaler Ressourcen und Lasten auf die verschiedenen Gruppen innerhalb der Bürgerschaft vorzutragen (Kap. 4.5.1, 5.8).

In diesem Punkt stimmen die Beobachtungen zu Baden mit den Ergebnissen anderer Lokalstudien überein. Insbesondere Michael Frank hat betont, wie in der Grafschaft Lippe Krisenerscheinungen in der lokalen Gesellschaft einerseits die Regierung unter einen erhöhten Reformdruck setzten (Modernisierung der Landwirtschaft, Regulierung des Arbeitsmarktes, Begrenzung der Luxusentfaltung, Erzie-

---

[51] Ähnlich die Beobachtungen Franks zum lippischen Heiden, wo auch ein »Wandel im System der sozialen Kontrolle« festzustellen ist, und zwar »weg von der privaten, direkten und informellen hin zu einer öffentlichen, indirekten und bürokratisch bestimmten Form.« (Frank, Dörfliche Gesellschaft, S. 351 f.). Allerdings sieht Frank eine einseitige Annäherung der Positionen »zwischen den Interessen der dörflichen Oligarchie und denen des Staates«. Der Staat habe jener ein Ordnungskonzept angeboten, das sie zur Stabilisierung der eigenen Position nutzen konnte. – Meines Erachtens läßt sich die Annäherung zwischen dörflichen Gruppen und Obrigkeit sozial nicht auf die lokale Elite begrenzen, wie Frank an anderer Stelle auch einräumt, wo er unterschiedliche Koalitionsbildungen zwischen Obrigkeit und lokaler Gesellschaft als möglich erachtet (ebd., S. 359 f.). Es handelte sich nicht nur um den Erhalt von Machtpositionen, sondern auch um die Lösung lokaler Konflikte, für die auch Angehörige der breiteren Dorfbevölkerung Unterstützung beim Oberamt suchten. Zwar waren die dörflichen Eliten durchaus unentbehrlich für den Vollzug obrigkeitlicher Politik und genossen einen bevorzugten Status, doch zeigten die Äußerungen der badischen Oberbeamten Saltzer und Posselt deutlich, daß staatliche Beamte auch ein tiefes Mißtrauen gegenüber den »Dorfkönigen« hegten, die eigennützig ihre Interessen vertraten und ein Hindernis für die Umsetzung der Gesetzgebung darstellen konnten.

hung der Menschen zur Gehorsam und Fleiß) und andererseits die dörfliche Gesellschaft »gravierenden Ordnungsproblemen« und hohen Belastungen aussetzte.[52] Frank zufolge stiegen die Aussichten auf eine effektivere Umsetzung des staatlichen Programms in der lokalen Gesellschaft mit der Akzentuierung der Krise der bäuerlichen Welt, in deren Folge im Lippischen die dörflichen Eliten mit der Obrigkeit zu kooperieren begannen, um ihre Interessen als landbesitzende, vollberechtigte Bauern gegen die anwachsenden Unterschichten behaupten zu können. »Die soziale Polarisierung und Erosion dörflicher Regulierungsmechanismen war (...) geradezu die Voraussetzung für eine Ausweitung staatlicher Zugriffsmöglichkeiten. Die Krise der bäuerlichen Welt ist daher ein Markstein im Prozeß der inneren Staatsbildung.«[53]

6.4 »Gute Policey«, Lokalität und die Umstände der Normen

Welche Gestalt erhielt aber dieser Prozeß der inneren Staatsbildung aufgrund seiner eminenten Anbindung an die Lokalität?

Wenn in der Forschung die Geschichte des 17./18. Jahrhunderts lange Zeit mit den Kategorien des Absolutismus und der Sozialdisziplinierung interpretiert worden ist, so ging damit zwangsläufig die schematisch dichotomische Vorstellung einher, der absolute Staat habe über eine politisch willenlose, passive Gesellschaft von

---

[52] Frank, Dörfliche Gesellschaft, S. 349–360.

[53] Ebd., S. 352. – Die Konfliktmuster im Lippischen scheinen jedoch insofern von denen im badischen Oberland abzuweichen, als der Rückgriff lokaler Gruppen auf die Entscheidungs- und Sanktionsgewalt der Behörden in Baden sozial nicht so einseitig wie in Lippe zu verorten ist. Frank betont stark die Annäherung der Interessen zwischen dörflicher Oligarchie und Staat, die »die Kooperation zwischen lokalen Eliten und Obrigkeit« ermöglichte. Das obrigkeitliche Ordnungskonzept schien den Bauern ein geeignetes Mittel zu sein, um ihre Stellung gegenüber den anwachsenden landlosen Unterschichten zu behaupten. »Erst durch die Kooperation zwischen lokalen Eliten und Obrigkeit gab es Ansätze zu einer Effektivierung. Für den Staat dürfte sich durch die Allianz erstmals die Chance eröffnet haben, das Herrschafts- und Disziplinierungskonzept mit größerem Erfolg auf der dörflichen Ebene umzusetzen.« (Ebd.). – Das Anzeige- und Klageverhalten bei den badischen Frevelgerichten zeigte demgegenüber, daß es auch von seiten der sozial benachteiligten Gruppen im Dorf ein Interesse daran geben konnte, die Obrigkeit bei der Klärung lokaler Konflikte anzurufen und ins Spiel zu bringen und damit die lokale Machtkonstellation zu beeinflussen zu suchen. – Wie individuelles Handeln von Privatpersonen und die Steigerung staatlicher Macht ineinandergreifen, haben Foucault/Farge deutlich gemacht: »Es ist also ein komplexer Mechanismus entstanden, in dem Privatleute, ›natürlicher Gegenstand‹ der polizeilichen Tätigkeit, versucht haben, sich deren Instrumente anzueignen und ihre Wirkungen zur Verstärkung oder Wiederherstellung ihrer eigenen Machtverhältnisse in der Familie zu manipulieren; demgegenüber hat die Behörde diese Fremdbestimmung unter gewissen Bedingungen akzeptiert, in dem Maße wie die Privatleute, ohne es ausdrücklich zu wollen, auf diese Weise spontan Agenten der öffentlichen Ordnung werden konnten.« (Foucault/Farge, Familiäre Konflikte, S. 273 f.).

Untertanen geherrscht und seine Gewalt nicht zuletzt durch die einseitige, effiziente soziale Gestaltung von Gesellschaft, Wirtschaft und Moral/Kultur auf dem Weg der Gesetzgebung und Strafjustiz manifestiert.[54]

Diese Studie ging von einer anderen Vorstellung aus. Es ging ihr um den Nachweis der Interaktionen und Vermittlungen zwischen Regierung und lokaler Gesellschaft. Die Modalitäten dieser Interaktion wurden an einem ihrer kennzeichnenden Punkte untersucht, und zwar an den Fragen nach der Einbindung der lokalen Gesellschaft in die informationelle Vorbereitung der Gesetzgebung (Kap. 3), nach deren Rolle im Vollzug der Ordnungen (Kap. 3–5) und nicht zuletzt nach deren Status in den policeylich-kameralistischen Politik- und Verwaltungskonzepten der Räte und Beamten (Kap. 4.4).

Auch Mary Lindemann hat die Interaktion zwischen Behörden und Untertanen als zentralen Ansatzpunkt für die Erhellung der spezifischen Bedeutung der Policeygesetzgebung betont. Sie bezeichnete das Gesetz (»law«) als »one constant point of interaction between the state and its subjects«, wobei für sie Gesetze den Charakter von Rahmenbedingungen besaßen, innerhalb derer die Beamten handelten: »They [edicts, ordinances, AH] functioned as guidelines, yet these guidelines were constantly being renegotiated.«[55]

Gesetze als »guidelines« zu bezeichnen, kommt dem Vorschlag sehr nahe, den Achim Landwehr für die Erklärung der spezifischen Funktionalität von Policeygesetzen in der Frühen Neuzeit gemacht hat. Die Gesetzgebungsgewalt gab dem frühneuzeitlichen Territorialstaat ein Instrument der Herrschaft in die Hand, das »Definitionsmacht« verlieh. »Durch die Policeyordnungen kam es zur Produktion einer normativen Struktur, die zu den neuartigen Signen der Frühen Neuzeit gehört. Durch die Policeyordnungen legten die Obrigkeiten für sämtliche Lebensbereiche bestimmte, normativ definierte Korridore an, innerhalb derer sich die Untertanen zu bewegen hatten. Um es mit den Worten Foucaults auszudrücken: ›Regieren heißt in diesem Sinne, das Feld eventuellen Handelns der anderen zu strukturieren‹.«[56]

Das Bild der Korridore hat seine Berechtigung, wenn man diese nicht von vornherein als schmale Pfade oder gar als Einbahnstraßen auffaßt. Die Anzeigepflicht auf eine Vielzahl von Gesetzesverstößen (Kap. 3.5), die Genehmigungspflicht für zahlreiche individuelle Handlungen und Verrichtungen (Kap. 3.3) oder die Berichtspflicht von Amtsträgern an die vorgesetzten Behörden (Kap. 3.2) waren in der zeitgenössischen Gesetzgebung zwar allesamt als Pflichten definiert, sie stellten aber gleichzeitig Handlungsmöglichkeiten dar, deren sich die nachgeordneten Amtsträger und Untertanen bedienen konnten, nicht zuletzt auch im Hinblick auf die Realisie-

---

[54] Vgl. die forschungskritischen Hinweise in Kap. 1.2, Abschnitt 4.
[55] Lindemann, Health, S. 26f.
[56] Landwehr, Policey vor Ort, S. 68f.; s.a. Ders., Policey im Alltag, S. 323ff.

rung ihrer eigenen Interessen. Die Policeygesetzgebung zeitigte durchaus Wirkung, indem die lokale Gesellschaft sich mit entsprechenden bürokratischen Verfahren und Anforderungen auseinandersetzen mußte, dadurch mit bestimmten neuen Forderungen und Handlungsmöglichkeiten konfrontiert wurde und diese tatsächlich selektiv und punktuell adaptierte, nutzte oder auch ignorierte. Gesellschaft und Verwaltung mußten sich den Gesetzen stellen. Diese zwangen der Bevölkerung und den Beamten bestimmte Umgangsweisen mit Gesetzen auf: Von der Akzeptanz aus unterschiedlichen Gründen, über das Aushandeln situativer, den Umständen angepaßter Lösungen und die selektive Nutzung bis hin zur Ignorierung.

Innerhalb dieser normativen Rahmenbedingungen haben sich denn auch tatsächlich neue Interaktionsmuster zwischen der lokalen Gesellschaft und den Behörden entwickelt. Die Berichte, Tabellen und Konsignationen, die Supplikationen (Kap. 3) und die Frevelgerichts- und Visitationsprotokolle (Kap. 5), die sich in der Überlieferung der badischen Verwaltung des 18. Jahrhunderts dichter als jemals zuvor finden lassen, sprechen in dieser Hinsicht eine deutliche Sprache, auch wenn das, was tatsächlich realisiert worden ist, aufgrund der zahlreichen Reibungsflächen und Widerstände auf allen Ebenen der Verwaltung nur ein Bruchstück dessen darstellte, was insgesamt einmal geplant und beschlossen worden war.

Lindemanns Insistieren auf der Interpretations- und Auslegungsbedürftigkeit der normativen Vorgaben durch die Behörden berührt sich mit der von Michaela Hohkamp vertretenen Auffassung, wonach lokale Herrschaft die Resultante von »landesherrliche[n] Absichten, bäuerliche[m] Verhalten und [der] Handlungsspielräume der lokalen Obrigkeit vor Ort« war. Dieses »Kräftefeld zwischen Herrschenden und Beherrschten« (nach Lüdtke) war dynamisch strukturiert und läßt sich deshalb nur unter Berücksichtigung der unterschiedlichen Akteure innerhalb des Kräftefelds beschreiben. »Denn erst im Zusammenspiel aller Komponenten (...) entstand das Kräftefeld, in dem sich Herrschaft letztlich doch stabilisieren und etablieren konnte. (...) Aus dieser Sicht stellt sich die Frage nach erfolgreicher bzw. erfolgloser staatlicher Herrschaft neu. Der Blick richtet sich nicht mehr so sehr auf von ›oben‹ vorgegebene Ziele bzw. auf von ›unten‹ uminterpretierte oder umgedeutete obrigkeitliche Maßnahmen. Von Belang ist vielmehr, inwiefern lokale Obrigkeiten die verschiedenen Faktoren zu berücksichtigen vermochten und auf sie reagierten.«[57]

Der Auftrag, das Programm der »guten Policey« an die lokale Gesellschaft zu kommunizieren und die allgemein formulierten Ordnungsnormen auf die jeweiligen örtlichen Verhältnisse anwenden bzw. abstimmen zu müssen, läßt die Tätigkeit der Behörden als lange Kette von Einzelfallentscheidungen, Verwaltung als Kasuistik erscheinen. »The cardinal aim of ›governors‹ was to govern on a daily basis. That does not mean, of course, that they harbored no schemes or launched no long-term

---

[57] Hohkamp, Herrschaft, S. 11–25, hier bes. S. 20.

projects. Still the vast majority of decisions that seem ›conclusive‹ or ›pioneering‹ or appear to mark ›turning points‹ were merely single actions in a lengthy series of daily decisions, whose primary purposes were the preservation of domestic order, the maintenance of internal integrity, and – especially – the resolution of individual, quotidian dilemmas.«[58] Für Mary Lindemann scheint deswegen der Ausdruck »pastiche« die Realität von Regierung und Verwaltung in der Frühen Neuzeit adäquater zu beschreiben als »design«. »This does not, of course, mean that particular plans could not be conceived of and set in motion. It does, however, undercut any idea of a premeditated, clearly articulated scheme driven by sweeping demands for modernization.«[59]

Die Bedeutung der lokalen Ebene für den Prozeß der Staatsbildung in den mittleren und kleineren deutschen Staaten ist neulich von Sheilagh Ogilvie unterstrichen worden. Als »corporative model of state formation« bezeichnete sie einen eigenen, dritten Typus der Staatsbildung in Europa, der vom westlichen Modell Englands und vom feudal-militärischen Modell Preußen/Österreich zu unterscheiden sei.[60] In diesen Staaten war die Obrigkeit ausgesprochen stark auf wechselnde Koalition mit lokalen Gruppen (Herrschaften, Gemeinden, Zünfte) angewiesen.[61] »In the localities, corporate groups – guilds, town and village communities, and the *Amt* itself – formed the fundamental building-blocks of society, and administration. The interaction between these special features of central and local government shaped the growth of the states in territories such as Württemberg.« Charakteristisch ist also die Einbettung der Territorien in das Reich und in die lokalen Institutionen: »In Württemberg and many of the other secondary German territories, the state had to pay close attention to the powers of local groups and institutions, and placate them with a large share of power and spoils from the expansion of government. It is not possible to understand the German state without taking into account its symbiosis with this corporative system of local interest groups.«[62]

---

[58] Lindemann, Health, S. 25. – Lindemann verweist an dieser Stelle auf James Allen Vann, der in seiner Untersuchung zu Württemberg Staatsbildung als »bargaining process, rather than a linear evolution« dargestellt habe. »›State builders‹, according to Vann, had ›no *five-year plans*, and they never spoke of the future as differing fundamentally from the present‹«.

[59] Ebd., S. 26.

[60] Ogilvie, State.

[61] Ebd., S. 172.

[62] Ebd., S. 200f. – In einem jüngeren forschungskritischen Aufsatz hat Werner Troßbach auf die Notwendigkeit hingewiesen, den gesellschaftlichen Wandel unter Anregung mikrohistorischer Studien historisch als einen Vorgang zu konzipieren, in dem die ländliche Gesellschaft »Einflüsse von außen geschickt aufnimmt, Institutionen und Netzwerke umbaut, Impulse z.T. aber auch mit dem mittlerweile sprichwörtlichen bäuerlichen Eigensinn unterläuft« (Werner Troßbach, Historische Anthropologie und frühneuzeitliche Agrargeschichte. Anmerkungen zu Gegenständen und Methoden, in: Historische Anthropologie 5 (1997), S. 187–211, hier S. 204).

Wenn auch Ogilvies Modell seine Verwurzelung in den Verhältnissen Württembergs klar zu erkennen gibt, wo dank der Landschaft und Ehrbarkeit die korporativen Interessen der Gemeinden und Zünfte auf zentralstaatlicher Ebene unmittelbar repräsentiert waren,[63] so vermag es doch auch die Verhältnisse in der Markgrafschaft Baden zu erhellen: Der eminente Lokalitätsbezug der badischen Policeyverwaltung belegt auch für dieses Territorium die Tatsache, daß der Ausbau der Staatsverwaltung und die Realisierung der Reformpolitik im 18. Jahrhundert an die erfolgreiche Einbindung der lokalen Ebene geknüpft blieb. Die Einbindung der lokalen Ebene aber hatte unweigerlich zur Folge, daß die lokalen Verhältnisse, die in der Verwaltungssprache des 18. Jahrhunderts vielfach als die »Umstände« bezeichnet worden sind, entscheidend über die Reichweite bestimmten, die Ordnungsnormen in der lokalen Gesellschaft erreichten.

---

[63] Ogilvie, State, S. 181 f.

Oberamt Rötteln			
Datum	Gemeinde(n)	Leitung des Frevelgerichts[2]	Signatur des Protokolls bzw. der Akte[3]
1651	Nicht spezifizierte Gemeinden		_[4]
bis ca. 1695	Nicht spezifizierte Gemeinden		_[5]
1708	Nicht spezifizierte Gemeinden im Oberamt		_[6]
vor 18 II 1742	Haltingen		_[7]
1750 und früher	Nicht spezifizierte Gemeinden im Oberamt		_[8]
vor 13 III 1757	Weil	Oberamtmann Süß	_[9]

[1] Ein Überblick über die tatsächlich durchgeführten badisch(-durlachischen) Vogt- und Rüge- bzw. Frevelgerichte erscheint nicht zuletzt deswegen als nützlich, weil noch in der jüngsten Literatur unbestimmte, unvollständige und bisweilen auch unkorrekte Angaben über die Häufigkeit der Durchführung und den Charakter dieser Veranstaltung anzutreffen sind (vgl. Ludwig, Bauer, S. 11 f.; Dietrich, Verwaltung, S. 26 f.; Windelband, Verwaltung, S. 285; Strobel, Neuaufbau, S. 44 f.; Strobel, Agrarverfassung, S. 180, Anm. 73; Stier, Zucht- und Waisenhaus, S. 47; Zimmermann, Grenzen, S. 31 f.; Maurer, Einleitung, S. 8 f.). – Für die beiden Oberämter Rötteln und Hochberg wurde versucht, die Überlieferung systematisch zu rekonstruieren, für die weiteren Gebiete teilt die Übersicht bloß die im Verlauf der Untersuchung ermittelten Belege mit. In diesem Sinne erhebt die Tabelle keinen Anspruch auf Vollständigkeit, sie liefert aber zumindest für die Oberämter Rötteln und Hochberg eine festere Grundlage für die künftige Forschung. Der Autor nimmt Hinweise auf weitere Frevelgerichte gerne entgegen.

[2] Wo eine Angabe fehlt, ist der Name des leitenden Beamten nicht dokumentiert.

[3] Bezieht sich, sofern nichts anderes vermerkt ist, auf das Generallandesarchiv Karlsruhe (GLAK).

[4] Indirekter Beleg bei Schaab, Landesstatistik, S. 98, der für 1651 eine Liste der bei Frevelgerichten anwesenden Leibeigenen erwähnt.

[5] Indirekte Belege. – Die Rötteler Oberbeamten v. Leutrum und Binder berichten am 25. August 1728 an die Zentralbehörden, daß in Sausenberg und Rötteln nach Ausweis der Akten seit 1695 keine Frevelgerichte mehr stattgefunden haben (74/3888).

[6] Indirekte Belege. – Bei Abhörung der Rötteler Frevelschreiberrechnung stellt die Rentkammer (?) im Juli 1728 fest, daß im Oberamt Rötteln seit 1708 keine Frevelgerichte mehr stattgefunden haben, wodurch kein Huldigungsschilling mehr eingezogen worden und die fälligen Strafen zurückgeblieben seien (74/3888). In einem Memoriale an den Geheim Rat erwähnt die Rent-Kammer am 4 IX 1728 daß im Oberamt Rötteln-Sausenberg habe das letzte Frevelgericht 1708 stattgefunden (74/3887).

[7] Bei der Sitzung der Kirchencensur in der Gemeinde Weil a.Rh. vom 18 II 1742 wird ohne Angabe eines genaueren Datums auf das Haltinger Frevelgericht Bezug genommen; an diesem Tag habe sich Friedle Mehlin vollgetrunken (M.O. Ulbrich, Versöhnt und vereinigt. Die badische Kirchen-Censur in Weil 1741–1821, Binzen 1997, S. 32 Nr. 8).

[8] Nicht genauer spezifizierter Hinweis auf verschiedene, im Jahr 1750 und in vorangegangenen Jahren im Oberamt Rötteln abgehaltene Frevelgerichte in einem Bericht des Oberamts Rötteln an den Hofrat v. 27 I 1750 (74/3887).

[9] Bei der Weiler Kirchen-Censur vom 13 III 1757 verweist der Pfarrer auf eine Anzeige beim letzten Frevelgericht (M.O. Ulbrich, Versöhnt und vereinigt. Die badische Kirchen-Censur in Weil 1741–1821, Binzen 1997, S. 118 N 209).

Oberamt Rötteln			
Datum	Gemeinde(n)	Leitung des Frevelgerichts	Signatur des Protokolls bzw. der Akte
1761	Nicht spezifizierte Gemeinden im Oberamt	Oberamtmann Süß	_[10]
vor 1 X 1768[11]	Hauingen		229/39713
vor 1 X 1768[12]	Kirchen		229/39713
vor 1 X 1768[13]	Märkt		229/39713
vor IV 1770	Tannenkirch		_[14]
vor IV 1770	Tüllingen		_[15]
vor IV 1770	Weil		_[16]
vor 22 XI 1774	Nicht spezifizierte Gemeinde(n) im Oberamt		_[17]
vor 30 XI 1774	Auggen		_[18]
vor 30 XI 1774	Eimeldingen		_[19]
vor 30 XI 1774	Holzen		_[20]
vor 30 XI 1774 (?)	Riedlingen		_[21]
vor 30 XI 1774 (?)	Feuerbach		_[22]

10 Süß berichtet am 14 III 1761 im Zusammenhang mit Überprüfungen der Befolgung des Hochzeit-
und Kindstaufedikts von 1754, er habe abermals Frevelgerichte abgehalten (74/993).

11 Datierung ergibt s. aus 229/39713. Am 1 X 1768 sandte das Oberamt Rötteln dem Hofrat die
Protokolle der in Hauingen, Märkt und Kirchen durchgeführten Frevelgericht ein.

12 Datierung ergibt s. aus 229/39713. Am 1 X 1768 sandte das Oberamt Rötteln dem Hofrat die
Protokolle der in Hauingen, Märkt und Kirchen durchgeführten Frevelgericht ein.

13 Datierung ergibt s. aus 229/39713. Am 1 X 1768 sandte das Oberamt Rötteln dem Hofrat die
Protokolle der in Hauingen, Märkt und Kirchen durchgeführten Frevelgericht ein.

14 Indirekter Beleg in: 120/966. Terminus ante quem ist der Bericht des Oberamts Rötteln an den
Hofrat v. 7 IV 1770.

15 Indirekter Beleg in: 120/966. Terminus ante quem ist der Bericht des Oberamts Rötteln an den
Hofrat v. 7 IV 1770.

16 Indirekter Beleg in: 120/966. Terminus ante quem ist der Bericht des Oberamts Rötteln an den
Hofrat v. 7 IV 1770.

17 Indirekter Beleg in 120/966. – Das Rötteler Oberamt erbittet unter diesem Datum die Dekretur von
Frevelgerichtskosten in der Höhe von 39 fl. 36 x. – Zumindest teilweise muß es sich bei diesen
Gemeinden um jene Orte gehandelt haben, die in den folgenden Einträgen ohne genaues Datum
genannt sind (Eimeldingen, Weil, Grenzach, Holzen, Riedlingen, Feuerbach, Auggen, Vögisheim).

18 Indirekter Beleg im Hofratsprotokoll vom 28 II 1776, wo auf die Verfügungen vom 30 XI 1774
zum Auggener Frevelgericht Bezug genommen wird (61/2122; 28 II 1776; HRN 2040).

19 Indirekter Beleg im Hofratsprotokoll vom 28 II 1776, wo auf die Verfügungen vom 30 XI 1774
zum Eimeldinger Frevelgericht Bezug genommen wird (61/2122; 28 II 1776; HRN 2040).

20 Indirekter Beleg im Hofratsprotokoll vom 28 II 1776, wo auf die Verfügungen vom 30 XI 1774
zum Holzener Frevelgericht Bezug genommen wird (61/2122; 28 II 1776; HRN 2040).

21 Indirekter Beleg im Hofratsprotokoll vom 28 II 1776, wo auf ein undatiertes Dekret zum Ried-
linger Frevelgericht Bezug genommen wird (61/2122; 28 II 1776; HRN 2040).

22 Indirekter Beleg im Hofratsprotokoll vom 28 II 1776, wo auf ein undatiertes Dekret zum Feuer-
bacher Frevelgericht Bezug genommen wird (61/2122; 28 II 1776; HRN 2040).

Oberamt Rötteln			
Datum	Gemeinde(n)	Leitung des Frevelgerichts	Signatur des Protokolls bzw. der Akte
vor 30 XI 1774	Vögisheim		[23]
vor 30 XI 1774	Weil		[24]
10 IV 1775	Binzen u. Rümmingen, in Binzen	Landvogt v. Berckheim[25]	229/ 8882, fol. 1–49'
9 V 1775	Kirchen, in Efringen	Landvogt v. Berckheim	229/52838[26]
9 V 1775	Efringen	Landvogt v. Berckheim	229/22652
9 V 1775	Wintersweiler, in Efringen	Landvogt v. Berckheim	229/115111
vor 10 VII 1775	Grenzach		[27]
1776	Kandern		[28]
16 VII 1777	Haltingen	Landvogt v. Berckheim	229/38041
16 VII 1777	Tüllingen, in Haltingen	Landvogt v. Berckheim	229/106406
VII 1777	Schopfheim		229/94368
9 IX 1777	Tannenkirch	Landvogt v. Berckheim	229/104371
9 IX 1777	Hertingen, in Tannenkirch	Landvogt v. Berckheim	229/42806
22 IV 1778	Fischingen und Schallbach, in Fischingen	Landvogt v. Berckheim	229/28582
26 V 1778	Welmlingen, Blansingen und Kleinkems, in Blansingen	Landvogt v. Berckheim	229/112897
vor 25 IX 1778	Vogelbach	Landvogt v. Berckheim	229/107693[29]
vor 10 X 1778	Feldberg		[30]

[23] Indirekter Beleg im Hofratsprotokoll vom 28 II 1776, wo auf die Verfügungen vom 30 XI 1774 zum Vögisheimer Frevelgericht Bezug genommen wird (61/2122; 28 II 1776; HRN 2040).

[24] Indirekter Beleg im Hofratsprotokoll vom 28 II 1776, wo auf die Verfügungen vom 30 XI 1774 zum Weiler Frevelgericht Bezug genommen wird (61/2122; 28 II 1776; HRN 2040).

[25] GLAK Dienerakte 76/662–664; 232/Conv. 34.

[26] In der gleichen Akte 229/52838 befinden sich auch Protokoll und Akte des Rügegerichts zu Kirchen vom 30 I 1816, das in Beisein des Lörracher Oberamtmanns Baumüller durchgeführt worden ist.

[27] Indirekter Beleg im Hofratsprotokoll vom 28 II 1776, wo auf ein Dekret vom 10 VII 1778 zum Grenzacher Frevelgericht Bezug genommen wird (61/2122; 28 II 1776; HRN 2040).

[28] Indirekter Beleg in 229/50919 (Rüge-Gericht Kandern 1784).

[29] Terminus ante quem ergibt sich aus dem Bericht des Oberamts Rötteln über das in der Vogtei Vogelbach abgehaltene Frevelgericht. Das Protokoll ist nicht überliefert.

[30] Das Hofratsprotokoll notiert am 10 X 1778 das Eintreffen eines Berichts des Oberamts Rötteln über das Frevelgericht in Feldberg (61/2234; HRN 8464).

Oberamt Rötteln			
Datum	Gemeinde(n)	Leitung des Frevelgerichts	Signatur des Protokolls bzw. der Akte
vor 10 X 1778	Gersbach		[31]
vor 10 X 1778	Neuenweg		[32]
13 IV 1779	Egringen, in Mappach	Landvogt v. Berckheim	229/22945
13 IV 1779	Mappach	Landvogt v. Berckheim	229/64346
Sommer 1779	Niedereggenen		[33]
August 1779	Hausen		[34]
August 1779	Raitbach		[35]
zw. 23 IV 1780 und 11 X 1780	Maulburg		[36]
zw. 23 IV 1780 und 11 X 1780	Langenau		[37]
zw. 23 IV 1780 und 11 X 1780	Gündenhausen		[38]
zw. 23 IV 1780 und 11 X 1780	Eichen		229/23156, 23158[39]

[31] Das Hofratsprotokoll notiert am 10 X 1778 das Eintreffen eines Berichts des Oberamts Rötteln über das Frevelgericht zu Gersbach (61/2234; HRN 8464).

[32] Das Hofratsprotokoll notiert am 10 X 1778 das Eintreffen eines Berichts des Oberamts Rötteln über das Frevelgericht zu Neuenweg (61/2234; HRN 8464).

[33] Das Hofratsprotokoll v. 2 X 1779 erwähnt das im Sommer 1779 zu Niedereggenen durchgeführte Frevelgericht (61/2294; HRN 4206).

[34] Das Hofratsprotokoll v. 23 X 1779 erwähnt das im August d. J. durchgeführte Frevelgericht zu Hausen (61/2299; HRN 4512).

[35] Das Hofratsprotokoll v. 23 X 1779 erwähnt das im August d. J. durchgeführte Frevelgericht in der Vogtei Raitbach (61/2299; HRN 4513).

[36] Indirekter Beleg in: 120/966. – Terminus post quem ergibt sich aus dem Bericht des Oberamts Rötteln an den Hofrat v. 4 V 1781 darüber, welche Frevelgerichte zwischen Georgi 1780 und 1781 durchgeführt worden sind. Terminus ante quem ergibt sich aus dem Hofratsprotokoll v. 11 X 1780, wo der Antrag des Oberamts auf Dekretur dieser Frevelgerichtskosten entschieden wird.

[37] Indirekter Beleg in: 120/966. – Terminus post quem ergibt sich aus dem Bericht des Oberamts Rötteln an den Hofrat v. 4 V 1781 darüber, welche Frevelgerichte Georgi 1780 und 1781 durchgeführt worden sind. Terminus ante quem ergibt sich aus dem Hofratsprotokoll v. 11 X 1780, wo der Antrag des Oberamts auf Dekretur dieser Frevelgerichtskosten entschieden wird.

[38] Indirekter Beleg in: 120/966. – Terminus post quem ergibt sich aus dem Bericht des Oberamts Rötteln an den Hofrat v. 4 V 1781 darüber, welche Frevelgerichte Georgi 1780 und 1781 durchgeführt worden sind. Terminus ante quem ergibt sich aus dem Hofratsprotokoll v. 11 X 1780, wo der Antrag des Oberamts auf Dekretur dieser Frevelgerichtskosten entschieden wird.

[39] Die approximative Datierung ist dank 120/966 möglich. Terminus post quem ergibt sich aus dem Bericht des Oberamts Rötteln an den Hofrat v. 4 V 1781 darüber, welche Frevelgerichte Georgi 1780 und 1781 durchgeführt worden sind. Terminus ante quem ergibt sich aus dem Hofratsprotokoll v. 11 X 1780, wo der Antrag des Oberamts auf Dekretur dieser Frevelgerichtskosten entschieden wird.

Oberamt Rötteln

Datum	Gemeinde(n)	Leitung des Frevelgerichts	Signatur des Protokolls bzw. der Akte
Herbst 1780	Fahrnau		_[40]
vor 6 XII 1780	Dossenbach		229/19810[41]
24 IV 1781	Wollbach	Landvogt v. Berckheim	229/115725
24 IV 1781	Wittlingen, in Wollbach	Landvogt v. Berckheim	229/115325
15, 16, 17 oder 18 V 1781	Tegernau		_[42]
15, 16, 17 oder 18 V 1781	Bürchau		_[43]
15, 16, 17 oder 18 V 1781	Wies		_[44]
29 V 1781	Hauingen	Landvogt v. Berckheim	229/39714
29 V 1781	Haagen, in Hauingen	Landvogt v. Berckheim	229/37695[45]
26 VI 1781	Tumringen	Landvogt v. Berckheim	229/106477
26 VI 1781	Ötlingen, in Tumringen	Landvogt v. Berckheim	229/81556, 81557
2 VIII 1781	Weitenau		_[46]
21 VIII 1781	Wieslet, Eichholz, Henschenberg und Schillighof, in Wieslet		229/114053
20–22 VIII 1782	Steinen, Hägelberg und Höllstein, in Steinen	Oberamtsassessor Posselt[47]	229/100906

[40] Beleg im Hofratsprotokoll v. 7 IV 1781 (61/2413; HRN 3480).
[41] Datum des Berichts des Oberamts Rötteln an den Hofrat.
[42] Indirekter Beleg in 120/966. – Am 17 X 1781 sendet das Oberamt Rötteln die Kostenverzeichnisse der Frevelgerichte zu Tegernau, Bürchau und Wies ein, die am 15, 16, 17 und 18 V 1781 stattgefunden haben.
[43] Indirekter Beleg in 120/966. – Am 17 X 1781 sendet das Oberamt Rötteln die Kostenverzeichnisse der Frevelgerichte zu Tegernau, Bürchau und Wies ein, die am 15, 16, 17 und 18 V 1781 stattgefunden haben.
[44] Indirekter Beleg in 120/966. – Am 17 X 1781 sendet das Oberamt Rötteln die Kostenverzeichnisse der Frevelgerichte zu Tegernau, Bürchau und Wies ein, die am 15, 16, 17 und 18 V 1781 stattgefunden haben.
[45] Am 11 V 1782 berichtet das Oberamt Rötteln dem Hofrat, in welchen Orten das Oberamt von Georgi 1781 bis Georgi 1782 Frevelgerichte abgehalten habe. Neben Haagen waren dies noch Wieslet, Weitenau, Tegernau, Bürchau, Wies, Wittlingen, Wollbach, Tumringen, Ötlingen und Hauingen (120/966).
[46] Beleg im Hofratsprotokoll vom 8 XII 1781 (61/2471; HRN 11692).
[47] GLAK Dienerakte 76/5962–5963; 136/282.

Oberamt Rötteln			
Datum	Gemeinde(n)	Leitung des Frevelgerichts	Signatur des Protokolls bzw. der Akte
27, 28 VIII 1782	Hüsingen	Oberamtsassessor Posselt	229/47590
18 XI 1783	Kirchen	Hofrat Reinhard[48]	229/52840
vor 21 II 1784	Auggen		_[49]
vor 16 XI 1784	Neuenweg		_[50]
28 IX 1784	Kandern	Hofrat Reinhard	229/50919
vor 1785	Grenzach		_[51]
22 III 1785	Grenzach	Hofrat Reinhard	229/33917
vor 24 VIII 1785	Schopfheim		_[52]
20 XII 1785	Binzen u. Rümmingen, in Binzen	Hofrat Reinhard	229/8882, fol. 50–133
25 IV 1786	Vogelbach		_[53]
22 VIII 1786	Welmlingen	Oberamtsassessor Maler[54]	229/112898, 112899[55]
20 III 1787	Hauingen	Hofrat Reinhard	229/39715
2 X 1787	Eimeldingen u. Märkt, in Eimeldingen	Oberamtsassessor Maler	229/23739
20 XI 1787	Wintersweiler	Hofrat Reinhard	229/115110
28 X 1788	Egringen	Oberamtsassessor Maler	229/22946
vor 24 I 1789	Maulburg		_[56]

48 GLAK Dienerakte 76/6136–6140; 120/215, 298.
49 Indirekter Beleg in der Frevelgerichtsakte Kirchen 1783 (229/52840). Das Oberamt Rötteln bezieht sich dort auf einen am 21 II 1784 wegen des Auggener Frevelgerichts an den Hofrat erstatteten Bericht.
50 Indirekter Beleg aus 74/1126. Der Lörracher Oberamtsassessor Maler erwähnt in einem Bericht an den Hofrat vom 16 XI 1784 btrf. Feuerlöschanstalten, daß er sich bei dem »letzthin« abgehaltenen Frevelgericht in Neuenweg von der Tunlichkeit eines Vorschlags des dortigen Pfarrers habe überzeugen können. – Es dürfte damit kaum das Frevelgericht von ca. 1778 gemeint sein, denn nach Ausweis des Hofratsprotokolls erteilt der Hofrat am 24 VIII 1785 seine Weisungen zum Frevelgerichtsprotokoll von Neuenweg (61/2894; 5 VII 1786; HRN 8319).
51 Im Grenzacher Frevelgerichtsprotokoll von 1785 (229/33917) wird – ohne Datumsangabe – mehrfach auf das letzte Frevelgericht oder »Rüge-Gericht« Bezug genommen.
52 Am 24 VIII 1785 erließ der Hofrat seine Resolution auf das letzte Frevelgericht zu Schopfheim und behandelte am 5 VII 1786 den Bericht des Oberamts Rötteln über die Befolgung der Hofratsanweisungen (61/2894; 5 VII 1786; HRN 8318).
53 Beleg im Hofratsprotokoll v. 9 V 1787 (61/2979; HRN 5743).
54 GLAK 206/1371 (?).
55 229/112898 enthält eine Abschrift der Antworten der Vorgesetzten auf die Policeyfragen und der entsprechenden Bescheide des Oberamts dar, enthält aber nicht die späteren Bemerkungen ad marginem prot. Die eigentliche Frevelgerichtsakte bildet 229/112899.
56 Beleg im Hofratsprotokoll (61/3157; 24 I 1789; HRN 758).

Oberamt Rötteln

Datum	Gemeinde(n)	Leitung des Frevelgerichts	Signatur des Protokolls bzw. der Akte
24 XI 1789	Blansingen u. Kleinkems, in Blansingen	Hofrat Reinhard	229/ 9515
vor 31 V 1790	Weitenau		_57
26 III 1791	Mappach		_58
11 I 1791	Brombach	Hofrat Reinhard	229/13204
14–16 II 1791	Efringen	Oberamtsassessor Maier[59]	229/22654
vor 10 XI 1792	Niedereggenen		_60
vor 10 XI 1792	Weil		_61

Oberamt Hochberg
Badische Oberamtsgemeinden

Datum	Gemeinde(n)	Leitung des Frevelgerichts[62]	Signatur des Protokolls bzw. der Akte[63]
11 VI 1657	Stadt und Stab Emmendingen, Vogtei Mundingen	Rat u. Oberamtmann Joh. Ulr. Mahler, Pfarrer Isaac Bader, geistl. Verwalter Joh. Christoph Ginheimer als Frevelschreiber, Forstschreiber Daniel Lerner, Stadtschreiber	StadtA Emmendingen B 1 A, Fasz. 1, 2–3'

---

[57] Am 31 V 1790 geht beim Hofrat der Bericht des Oberamts Rötteln zum Weitenauer Frevelgericht ein (61/3200; HRN 7177).

[58] In einem Promemoria von Oberamtsaktuar Würz, dat. 8 XI 1793, nimmt dieser Bezug auf die Berichtigung der Frevelgerichte in Mappach und Efringen. Das Efringer Frevelgericht von 1791 (229/22654) war im November 1792 »berichtigt« worden, d.h. das Oberamt hatte damals durch Augenschein die Befolgung der oberamtlichen Verfügungen und des entsprechenden Hofratsreskripts überprüft. Somit muß etwa zeitgleich mit dem Efringer auch ein Frevelgericht für Mappach stattgefunden haben. – Die Datierung auf den 26 III 1791 ergibt sich aus dem Hinweis in der Rötteler Burgvogteirechnung 1791, wonach an diesem Tag in Mappach 20 junge Bürger gehuldigt haben (62/6625).

[59] GLAK Dienerakte 76/5222 (?).

[60] Das Protokoll des Frevelgerichts zu Niedereggenen ging mit dem Bericht des Oberamts Rötteln am 10 XI 1792 beim Hofrat ein (61/3233; HRN 11794).

[61] Das Protokoll des Frevelgerichts zu Weil ging mit dem Bericht des Oberamts Rötteln am 10 XI 1792 beim Hofrat ein (61/3233; HRN 11799).

[62] Wo eine Angabe fehlt, ist der Name des leitenden Beamten nicht dokumentiert. – Zu den in Emmendingen residierenden Landvögten und Oberamtmännern s. Schmölz-Häberlein, Emmendingen, S. 127–130.

[63] Bezieht sich auf das Generallandesarchiv Karlsruhe, sofern nichts anderes vermerkt ist.

Oberamt Hochberg
Badische Oberamtsgemeinden

Datum	Gemeinde(n)	Leitung des Frevelgerichts	Signatur des Protokolls bzw. der Akte
12 I 1660	Stadt und Stab Emmendingen, Vogtei Mundingen		StadtA Emmendingen B 1 A, Fasz. 1, 4–5
2 XII 1661	Stadt und Stab Emmendingen		StadtA Emmen- B 1 A, Fasz. 1, 5'–7
17 VIII 1664	Stadt und Stab Emmendingen		StadtA Emmendingen B 1 A, Fasz. 1, 8'–9
24 V 1665	Stadt und Stab Emmendingen		StadtA Emmendingen B 1 A, Fasz. 1, 9'–10
16 V 1666	Stadt und Stab Emmendingen		StadtA Emmendingen B 1 A, Fasz. 1, 10'–11'
22 V 1667	Stadt und Stab Emmendingen		StadtA Emmendingen B 1 A, Fasz. 1, 12–12'
27 V 1668	Stadt und Stab Emmendingen		StadtA Emmendingen B 1 A, Fasz. 1, 12'–14
18 VIII 1669	Stadt und Stab Emmendingen	Landvogt, Landschreiber, beide Pfarrer, geistl. Verwalter, Forstschreiber, Stadtschreiber	StadtA Emmendingen B 1 A, Fasz. 1, 14'–15
6 IX 1671	Stadt und Stab Emmendingen	Landvogt, Landschreiber, Pfarrer, Diakon, geistl. Verwalter, Stadtschreiber	StadtA Emmendingen B 1 A, Fasz. 1, 15'–18
11 IV 1673	Stadt und Stab Emmendingen	Landvogt, Landschreiber, Diakon, geistl. Verwalter	StadtA Emmendingen B 1 A, Fasz. 1, 18–20'
19 V 1680	Stadt und Stab Emmendingen		StadtA Emmendingen B 1 A Fasz. 1, 20'–21
29 V 1682	Stadt und Stab Emmendingen		StadtA Emmendingen B 1 A, Fasz. 1, 21'–23

Oberamt Hochberg

Badische Oberamtsgemeinden

Datum	Gemeinde(n)	Leitung des Frevelgerichts	Signatur des Protokolls bzw. der Akte
4 VI 1684	Stadt und Stab Emmendingen		StadtA Emmendingen B 1 A, Fasz. 1, 23–23'
21 XI 1691	Stadt und Stab Emmendingen	Landkommissar Joh. Georg Fürderer, Spezial, geistl. Verwalter Balthasar ... ?	StadtA Emmendingen B 1 A, Fasz. 1, 24–25
4 XII 1693	Stadt und Stab Emmendingen	Landvogt, Landschreiber, Johann Erhardt Link, geistl. Verwalter und Frevelschreiber Zandter	StadtA Emmendingen B 1 A, Fasz. 1, 25'–26
26 VIII 1698	Stadt und Stab Emmendingen		StadtA Emmendingen B 1 A, Fasz. 1, 26'–27'
7 I 1701	Stadt Emmendingen und Stab Niederemmendingen	Rat und Oberamt mann Otto Wilh. v. Dungern	StadtA Emmendingen B 1 A, Fasz. 1, 28–28'
17 XII 1701	Stadt Emmendingen und Stab Niederemmendingen	Herren Räte Oberamtmann und Landschreiber Otto Wilh. v. Dungern und Zembh (?)	StadtA Emmendingen B 1 A, Fasz. 1, 28'–29
6 XII 1702	Stadt Emmendingen und Stab Niederemmendingen	Herr Rat und Oberamtmann, Forstmeister, Landschreiber	StadtA Emmendingen B 1 A, Fasz. 1, 29–29'
11 XII 1703	Stadt Emmendingen und Stab Niederemmendingen	Herr Rat und Landvogt Zandt	StadtA Emmendingen B 1 A, Fasz. 1, 29–31
2 III 1705	Stadt Emmendingen und Stab Niederemmendingen	Rat und Oberamtmann Otto Wilh. v. Dungern, Forstmeister und Landschreiber	StadtA Emmendingen B 1 A, Fasz. 1, 31'
5 II 1706	Stadt Emmendingen und Stab Niederemmendingen	Rat und Oberamtmann Otto Wilh. v. Dungern, Forstmeister	StadtA Emmendingen B 1 A, Fasz. 1, 31'–32'

Oberamt Hochberg
Badische Oberamtsgemeinden

Datum	Gemeinde(n)	Leitung des Frevelgerichts	Signatur des Protokolls bzw. der Akte
13 V 1707	Stadt und Stab Emmen-dingen, Mundingen, Freiamt	Rat und Oberamt-mann Otto Wilh. v. Dungern, Forst-meister, Rat und Landschreiber	StadtA Emmen-dingen B 1 A, Fasz. 1, 33–33'
19 V 1708	Stadt und Stab Emmendingen	Rat und Oberamt-mann Otto Wilh. v. Dungern	StadtA Emmen-dingen B 1 A, Fasz. 1, 33'–34'
27 III 1711	Stadt und Stab Emmendingen sowie Vogtei Mundingen	Rat und Oberamt-mann Otto Wilh. v. Dungern	StadtA Emmen-dingen B 1 A, Fasz. 1, 34'–37[64]
22 IV 1713	Stadt und Stab Emmendingen	Rat und Landvogt Otto Wilh. v. Dungern	StadtA Emmen-dingen B 1 A, Fasz 1, 37'–39
8 IV 1715	Stadt und Stab Emmendingen	Geheimrat und Landvogt Otto Wilh. v, Dungern, Landschreiber und Rat Scheid	StadtA Emmen-dingen B 1 A, Fasz 1, 41–42'
26 I 1717	Stadt und Stab Emmendingen	Geheimrat und Landvogt Otto Wilh. v. Dungern, Landschreiber und Rat Scheid	StadtA Emmen-dingen B 1 A, Fasz 1, 43–44
10 IX 1718	Stadt und Stab Emmendingen	Geheimrat und Landvogt Otto Wilh. v. Dungern, Landschreiber und Rat Scheid	StadtA Emmen-dingen B 1 A, Fasz 1, 44–45[65]
15 VIII 1721	Stadt und Stab Emmendingen	Geheimrat und Land-vogt Otto Wilh. v. Dungern, Landschrei-ber und Rat Scheid	StadtA Emmen-dingen B 1 A, Fasz 1, 45'–47[66]

[64] Die Durchführung von Frevelgerichten im Frühjahr 1711 ist indirekt auch durch die Hochberger Burgvogteirechnung 1710/1711 belegt, allerdings ohne genaue Angabe, wo dies der Fall war (62/4534, fol. 97').

[65] Im Frevelgerichtsprotokoll über Stadt und Stab Emmendingen von 1758 wird vermerkt, in den Jahren 1718 und 1721 hätten »hier« die beiden letzten Frevelgerichte stattgefunden (StadtA Emmendingen B 1a/1).

[66] Im Frevelgerichtsprotokoll über Stadt und Stab Emmendingen von 1758 wird vermerkt, in den Jahren 1718 und 1721 hätten »hier« die beiden letzten Frevelgerichte stattgefunden (StadtA Emmendingen B 1a/1).

Oberamt Hochberg Badische Oberamtsgemeinden			
Datum	Gemeinde(n)	Leitung des Frevelgerichts	Signatur des Protokolls bzw. der Akte
1726	Windenreute und Maleck		_67
6 IX 1726	Sulzburg ((Forst)frevelgericht über Sulzburg, Ballrechten u. Dottingen)[68]	Rechnungsrat und Landschreiber Menzer	62/4570, Nr. 71
29 X 1726	Sexau ((Forst)frevelgericht)[69]	Rechnungsrat und Landschreiber Menzer	62/4570, Nr. 72[70]
13 XII 1726	Weisweil ((Forst)frevelgericht)[71]	Rechnungsrat und Landschreiber Menzer	62/4570, Nr. 73[72]
26 II 1727	Ihringen (Forstfrevelgericht)[73]	Rechnungsrat und Landschreiber Menzer	62/4570, Nr. 74
28 II 1727	Eichstetten (Forstfrevelgericht)[74]	Rechnungsrat und Landschreiber Menzer	62/4570, Nr. 74
1 III 1727	Bahlingen (Forstfrevelgericht)[75]	Rechnungsrat und Landschreiber Menzer	62/4570, Nr. 74

[67] Indirekter Beleg aus dem Frevelgerichtsprotokoll von 1755, wo es heißt, es habe seit 1726 kein Frevelgericht in diesen beiden Gemeinden mehr stattgefunden. – Unter dem 25 III 1726 findet sich in den Frevelgerichtsakten der Stadt Emmendingen die Abnahme der Huldigung von 6 Burgern, 19 Burgerssöhnen und 1 Hintersassen unter der Leitung von Hofrat und Landvogt von Günzer protokolliert, ohne daß das Protokoll die Durchführung eines Rüge- und Frevelgerichts wie zuletzt 1721 vermerkt (StadtA Emmendingen B 1 A, Fasz. 1, 47'–48).

[68] Diese Gemeinden aus dem Oberamt Badenweiler unterstanden der Forsthoheit und damit der Forstfrevelgerichtsbarkeit des Oberamts Hochberg. Es ist unklar, ob zusammen mit dem Forstfrevelgericht auch ein Frevelgericht (des Oberamts Badenweiler) stattgefunden hat oder ob es bei der Durchführung des Forstfrevelgerichts blieb.

[69] Es ist unklar, ob zusammen mit dem Forstfrevelgericht auch ein Frevelgericht stattgefunden hat oder ob es bei der Durchführung des Forstfrevelgerichts blieb.

[70] Das Protokoll notiert, daß vor Durchführung des Gerichts die Forstordnung verlesen wurde.

[71] Es ist unklar, ob zusammen mit dem Forstfrevelgericht auch ein Frevelgericht stattgefunden hat oder ob es bei der Durchführung des Forstfrevelgerichts blieb.

[72] Das Protokoll notiert, daß vor Durchführung des Gerichts die Forstordnung verlesen wurde.

[73] Es ist unklar, ob zusammen mit dem Forstfrevelgericht auch ein Frevelgericht stattgefunden hat oder ob es bei der Durchführung des Forstfrevelgerichts blieb.

[74] Es ist unklar, ob zusammen mit dem Forstfrevelgericht auch ein Frevelgericht stattgefunden hat oder ob es bei der Durchführung des Forstfrevelgerichts blieb.

[75] Es ist unklar, ob zusammen mit dem Forstfrevelgericht auch ein Frevelgericht stattgefunden hat oder ob es bei der Durchführung des Forstfrevelgerichts blieb.

Oberamt Hochberg			
Badische Oberamtsgemeinden			
Datum	Gemeinde(n)	Leitung des Frevelgerichts	Signatur des Protokolls bzw. der Akte
8 I 1737	Ottoschwanden ((Forst)frevelgericht)[76]		_[77]
14 I 1737	Ihringen, Bickensohl ((Forst)frevelgericht)[78]		_[79]
2 II 1737	Eichstetten ((Forst)frevelgericht)[80]		_[81]
7 II 1737	Freiamt (Forst)frevelgericht[82]		_[83]
8 III 1737	Bahlingen		_[84]
9 III 1737	Nimburg und Bottingen ((Forst)frevelgericht)[85]		_[86]
22 III 1737	Teningen ((Forst)frevelgericht)[87]		_[88]
30 III 1737	Mundingen ((Forst)frevelgericht)[89]		_[90]
2 IV 1737	Stadt Emmendingen		StadtA Emmendingen C/IX (Stadtrechnung 1737)[91]

[76] Es ist unklar, ob zusammen mit dem Forstfrevelgericht auch ein Frevelgericht stattgefunden hat oder ob es bei der Durchführung des Forstfrevelgerichts blieb.

[77] Indirekter Beleg in der Hochberger Forstverwaltungsrechnung 1736/37 (62/4571), fol. 80'.

[78] Es ist unklar, ob zusammen mit dem Forstfrevelgericht auch ein Frevelgericht stattgefunden hat oder ob es bei der Durchführung des Forstfrevelgerichts blieb.

[79] Indirekter Beleg in der Hochberger Forstverwaltungsrechnung 1736/37 (62/4571), fol. 78.

[80] Es ist unklar, ob zusammen mit dem Forstfrevelgericht auch ein Frevelgericht stattgefunden hat oder ob es bei der Durchführung des Forstfrevelgerichts blieb.

[81] Indirekter Beleg in der Hochberger Forstverwaltungsrechnung 1736/37 (62/4571), fol. 79'.

[82] Es ist unklar, ob zusammen mit dem Forstfrevelgericht auch ein Frevelgericht stattgefunden hat oder ob es bei der Durchführung des Forstfrevelgerichts blieb.

[83] Indirekter Beleg in der Hochberger Forstverwaltungsrechnung 1736/37 (62/4571), fol. 80.

[84] Indirekter Beleg in der Hochberger Forstverwaltungsrechnung 1736/37 (62/4571), fol. 81.

[85] Es ist unklar, ob zusammen mit dem Forstfrevelgericht auch ein Frevelgericht stattgefunden hat oder ob es bei der Durchführung des Forstfrevelgerichts blieb.

[86] Indirekter Beleg in der Hochberger Forstverwaltungsrechnung 1736/37 (62/4571), fol. 82.

[87] Es ist unklar, ob zusammen mit dem Forstfrevelgericht auch ein Frevelgericht stattgefunden hat oder ob es bei der Durchführung des Forstfrevelgerichts blieb.

[88] Indirekter Beleg in der Hochberger Forstverwaltungsrechnung 1736/37 (62/4571), fol. 82'.

[89] Es ist unklar, ob zusammen mit dem Forstfrevelgericht auch ein Frevelgericht stattgefunden hat oder ob es bei der Durchführung des Forstfrevelgerichts blieb.

[90] Indirekter Beleg in der Hochberger Forstverwaltungsrechnung 1736/37 (62/4571), fol. 82'.

[91] Frdl. Mitteilung von Frau Dr. M. Schmölz-Häberlein.

Oberamt Hochberg Badische Oberamtsgemeinden			
Datum	Gemeinde(n)	Leitung des Frevelgerichts	Signatur des Protokolls bzw. der Akte
10 VIII 1746	Sulzburg ((Forst)frevelgericht)[92]		_93
1747	Teningen		_94
23 I 1747	Mundingen ((Forst)frevelgericht)[95]		_96
24, 25 I 1747	Köndringen, Landeck ((Forst)frevelgericht)[97]		_98
26, 27 I 1747	Malterdingen ((Forst)frevelgericht)[99]		_100
10, 11 II 1747	Teningen ((Forst)frevelgericht)[101]		_102
2, 3 III 1747	Denzlingen ((Forst)frevelgericht)[103]		_104
6, 7 III 1747	Weisweil ((Forst)frevelgericht)[105]		_106
8 III 1747	Bischoffingen ((Forst)frevelgericht)[107]		_108

[92] Es ist unklar, ob zusammen mit dem Forstfrevelgericht auch ein Frevelgericht stattgefunden hat oder ob es bei der Durchführung des Forstfrevelgerichts blieb.

[93] Indirekter Beleg in der Hochberger Forstverwaltungsrechnung 1746/47 (62/4572), fol. 43.

[94] Indirekter Beleg aus der Teninger Frevelgerichtsakte von 1754 (229/105128).

[95] Es ist unklar, ob zusammen mit dem Forstfrevelgericht auch ein Frevelgericht stattgefunden hat oder ob es bei der Durchführung des Forstfrevelgerichts blieb.

[96] Indirekter Beleg in der Hochberger Forstverwaltungsrechnung 1746/47 (62/4572), fol. 41'.

[97] Es ist unklar, ob zusammen mit dem Forstfrevelgericht auch ein Frevelgericht stattgefunden hat oder ob es bei der Durchführung des Forstfrevelgerichts blieb.

[98] Indirekter Beleg in der Hochberger Forstverwaltungsrechnung 1746/47 (62/4572), fol. 42.

[99] Es ist unklar, ob zusammen mit dem Forstfrevelgericht auch ein Frevelgericht stattgefunden hat oder ob es bei der Durchführung des Forstfrevelgerichts blieb.

[100] Indirekter Beleg in der Hochberger Forstverwaltungsrechnung 1746/47 (62/4572), fol. 42.

[101] Es ist unklar, ob zusammen mit dem Forstfrevelgericht auch ein Frevelgericht stattgefunden hat oder ob es bei der Durchführung des Forstfrevelgerichts blieb. In Teningen ist für dieses Jahr die Durchführung eines Frevelgerichts belegt.

[102] Indirekter Beleg in der Hochberger Forstverwaltungsrechnung 1746/47 (62/4572), fol. 42.

[103] Es ist unklar, ob zusammen mit dem Forstfrevelgericht auch ein Frevelgericht stattgefunden hat oder ob es bei der Durchführung des Forstfrevelgerichts blieb.

[104] Indirekter Beleg in der Hochberger Forstverwaltungsrechnung 1746/47 (62/4572), fol. 42.

[105] Es ist unklar, ob zusammen mit dem Forstfrevelgericht auch ein Frevelgericht stattgefunden hat oder ob es bei der Durchführung des Forstfrevelgerichts blieb.

[106] Indirekter Beleg in der Hochberger Forstverwaltungsrechnung 1746/47 (62/4572), fol. 42'.

[107] Es ist unklar, ob zusammen mit dem Forstfrevelgericht auch ein Frevelgericht stattgefunden hat oder ob es bei der Durchführung des Forstfrevelgerichts blieb.

[108] Indirekter Beleg in der Hochberger Forstverwaltungsrechnung 1746/47 (62/4572), fol. 42'.

Oberamt Hochberg Badische Oberamtsgemeinden			
Datum	Gemeinde(n)	Leitung des Frevelgerichts	Signatur des Protokolls bzw. der Akte
9 III 1747	Leiselheim ((Forst)frevelgericht)[109]		_[110]
vor 21 XII 1754	Sulzburg	Landvogt F.G. v. Koseritz	_[111]
vor 21 XII 1754	Ballrechten, Dottingen	Landvogt F.G. v. Koseritz	_[112]
vor 21 XII 1754	Königschaffhausen	Landvogt F.G. v. Koseritz	_[113]
vor 21 XII 1754	Leiselheim	Landvogt F.G. v. Koseritz	_[114]
vor 21 XII 1754	Bischoffingen	Landvogt F.G. v. Koseritz	_[115]
vor 21 XII 1754	Ihringen	Landvogt F.G. v. Koseritz	_[116]
vor 21 XII 1754	Bickensohl	Landvogt F.G. v. Koseritz	_[117]

[109] Es ist unklar, ob zusammen mit dem Forstfrevelgericht auch ein Frevelgericht stattgefunden hat oder ob es bei der Durchführung des Forstfrevelgerichts blieb.

[110] Indirekter Beleg in der Hochberger Forstverwaltungsrechnung 1746/47 (62/4572), fol. 42'.

[111] Indirekter Beleg in einem Bericht des Hochberger Landvogts v. Koseritz v. 21 XII 1754 an den Hofrat, in dem dieser alle von ihm seit seinem Amtsantritt durchgeführten Frevelgerichte erwähnt (229/105128).

[112] Indirekter Beleg in einem Bericht des Hochberger Landvogts v. Koseritz v. 21 XII 1754 an den Hofrat, in dem dieser alle von ihm seit seinem Amtsantritt durchgeführten Frevelgerichte erwähnt (229/105128).

[113] Indirekter Beleg in einem Bericht des Hochberger Landvogts v. Koseritz v. 21 XII 1754 an den Hofrat, in dem dieser alle von ihm seit seinem Amtsantritt durchgeführten Frevelgerichte erwähnt (229/105128).

[114] Indirekter Beleg in einem Bericht des Hochberger Landvogts v. Koseritz v. 21 XII 1754 an den Hofrat, in dem dieser alle von ihm seit seinem Amtsantritt durchgeführten Frevelgerichte erwähnt (229/105128).

[115] Indirekter Beleg in einem Bericht des Hochberger Landvogts v. Koseritz v. 21 XII 1754 an den Hofrat, in dem dieser alle von ihm seit seinem Amtsantritt durchgeführten Frevelgerichte erwähnt (229/105128).

[116] Indirekter Beleg in einem Bericht des Hochberger Landvogts v. Koseritz v. 21 XII 1754 an den Hofrat, in dem dieser alle von ihm seit seinem Amtsantritt durchgeführten Frevelgerichte erwähnt (229/105128).

[117] Indirekter Beleg in einem Bericht des Hochberger Landvogts v. Koseritz v. 21 XII 1754 an den Hofrat, in dem dieser alle von ihm seit seinem Amtsantritt durchgeführten Frevelgerichte erwähnt (229/105128).

Oberamt Hochberg Badische Oberamtsgemeinden			
Datum	Gemeinde(n)	Leitung des Frevelgerichts	Signatur des Protokolls bzw. der Akte
3–7 XII 1754	Teningen	Landvogt F.G. v. Koseritz[118], Hofrat u. Landschreiber Wild[119], Rechnungsrat u. Forstverwalter Zimmer	229/105128
1755	Gundelfingen		_[120]
4–5 VI 1755	Windenreute und Maleck, in Emmendingen	Landvogt F.G. v. Koseritz, Hofrat u. Landschreiber Wild (am 5 VI), Rechnungsrat u. Forstverwalter Zimmer	Stadtarchiv Emmendingen B 1a/1, 77–83'
vor 1756	Köndringen		_[121]
1756	Denzlingen		_[122]
1756	Mundingen		_[123]
4 VIII 1756	Denzlingen ((Forst)frevelgericht)[124]		_[125]
24, 25 XI 1756	Eichstetten		_[126]
15–16 XII 1756	Köndringen	Hofrat und Landschreiber Wild	229/54951[127]

[118] GLAK Dienerakte 76/4404–4407.

[119] GLAK Dienerakte 76/8603–8605; 137/18–20.

[120] Indirekter Beleg aus der Teninger Frevelgerichtsakte von 1754/55 (229/105128), wo ein Hofratsreskript v. 1 X 1755 (HRN 3426) ein jüngst eingegangenes Frevelgerichtsprotokoll der Gemeinde Gundelfingen erwähnt.

[121] Das Frevelgerichtsprotokoll v. 15, 16 XII 1756 (229/54951) verweist ohne Datierung auf ein vorangegangenes Frevelgericht.

[122] Indirekter Hinweis im Frevelgerichtsprotokoll von Denzlingen 1790 (GA Denzlingen 1 B-247), wo es heißt, daß seit 1756 kein Frevelgericht mehr in Denzlingen stattgefunden habe.

[123] Indirekter Hinweis im Frevelgerichtsprotokoll von Mundingen 1761 (229/70240/I), wo es heißt, daß seit 1756 kein Frevelgericht mehr in Mundingen stattgefunden habe.

[124] Es ist unklar, ob zusammen mit dem Forstfrevelgericht auch ein Frevelgericht stattgefunden hat oder ob es bei der Durchführung des Forstfrevelgerichts blieb.

[125] Indirekter Hinweis in Forstverwaltungsrechnung von Joh. Jakob Zimmer für 1756/57.

[126] Indirekter Hinweis aus der Forstverwaltungsrechnung 1756/57, wonach zu diesem Termin das Frevelgericht und das Forstfrevelgericht in Eichstetten abgehalten wurde (62/4573).

[127] Die Akte ist unklar signiert. Während auf dem Deckel des Faszikels die Signatur 229/54951/I steht, ist auf dem Film die Signatur 229/54951 angegeben. – Das Köndringer Frevelgericht fungierte gemäß der Forstverwaltungsrechnung für 1756/57 auch als Forstfrevelgericht (62/4573).

Oberamt Hochberg			
Badische Oberamtsgemeinden			
Datum	Gemeinde(n)	Leitung des Frevelgerichts	Signatur des Protokolls bzw. der Akte
vor 28 IX 1757; wahrsch. 5 I 1757	Königschaffhausen und Leiselheim		_[128]
vor 28 IX 1757, wahrsch. 6, 7 I 1757	Bischoffingen		_[129]
vor 28 IX 1757	Sulzburg		_[130]
19 VI 1758	Stadt und Stab[131] Emmendingen, ohne Windenreute u. Maleck	Hofrat u. Land-schreiber Wild	Stadtarchiv Emmendingen B 1a/1, 84–92, 100'–107[132]
1757/58, aber vor 3 VII 1758	Freiamt		_[133]
1757/58, aber vor 3 VII 1758	Ottoschwanden		_[134]

[128] Beleg in: 137/170. – Terminus ante quem ist die Bezugnahme auf das Frevelgericht in einem Dekret des Hofrats an das Oberamt Hochberg (HRN 2972). – Die wahrscheinliche Datierung auf den 5 I 1757 sowie der Hinweis, daß dabei das Frevelgericht auch über Leiselheim gehalten wurde, geht aus der Forstverwaltungsrechnung 1756/57 hervor, wonach gleichzeitig auch das Forstfrevel-gericht abgehalten wurde (62/4573).

[129] Beleg in: 137/170. – Terminus ante quem ist die Bezugnahme auf das Frevelgericht in einem Dekret des Hofrats an das Oberamt Hochberg (HRN 2972). – Der wahrscheinliche Termin geht aus der Forstverwaltungsrechnung 1756/57 hervor, wonach das Frevelgericht zu Bischoffingen gleich-zeitig als Forstfrevelgericht diente (62/4573).

[130] Beleg in: 137/170. – Terminus ante quem ist die Bezugnahme auf das Frevelgericht in einem Dekret des Hofrats (?) an den Müllheimer Burgvogt Erhard. – Das Hofratsprotokoll v. 7 IX 1757 (HRN 2795) spricht allerdings von mehreren Frevelgerichtsprotokollen, die das Oberamt Hochberg einsandte. – Evtl. findet sich bei dieser HRN genaueres als im Protokollauszug, der in 137/170 zugrundeliegt. – Laut 229/104002 wurden beim Frevelgericht von 1757 markgräfliche Untertanen wegen Waldfrevels im Heitersheimer Hochwald bestraft, deren Strafgelder Anfang 1760 noch ausstanden und vom Oberamt Hochberg beim Oberamt Badenweiler zur Eintreibung angemahnt wurden.

[131] Stabsorte sind Niederemmendingen, Kolmarsreute und Wasser sowie Windenreute und Maleck, die beide bei dieser Gelegenheit nicht vorgenommen wurden.

[132] Am 3 VII 1758 sandte Landschreiber Wild dem Hofrat (HRN 1954) die Protokolle der in den Jahren 1757 und 1758 abgehaltenen Frevelgerichte ein (GLAK 137/170).

[133] Beleg in 137/170. – Terminus ante quem und post quem ergibt sich vom 3 VII 1758 datierten Bericht von Landschreiber Wild an den Hofrat (HRN 1954), mit dem er die Protokolle der in den Jahren 1757 und 1758 abgehaltenen Frevelgerichte einsandte.

[134] Beleg in 137/170. – Terminus ante quem und post quem ergibt sich vom 3 VII 1758 datierten Bericht von Landschreiber Wild an den Hofrat (HRN 1954), mit dem er die Protokolle der in den Jahren 1757 und 1758 abgehaltenen Frevelgerichte einsandte.

Oberamt Hochberg Badische Oberamtsgemeinden			
Datum	Gemeinde(n)	Leitung des Frevelgerichts	Signatur des Protokolls bzw. der Akte
1757/58, aber vor 3 VII 1758	Malterdingen		_135
1757/58, aber vor 3 VII 1758	Broggingen		_136
1757/58, aber vor 3 VII 1758	Tutschfelden		_137
1757/58, aber vor 3 VII 1758	Nimburg		_138
1757/58, aber vor 3 VII 1758	Ihringen		_139
1757/58, aber vor 3 VII 1758	Weisweil		_140
1757/58, aber vor 3 VII 1758	Sexau		_141
1757/58, aber vor 3 VII 1758	Vörstetten		_142
28–29 VIII 1759	Teningen	Hofrat und Land- schreiber Wild	229/105129

[135] Beleg in 137/170. – Terminus ante quem und post quem ergibt sich vom 3 VII 1758 datierten Bericht von Landschreiber Wild an den Hofrat (HRN 1954), mit dem er die Protokolle der in den Jahren 1757 und 1758 abgehaltenen Frevelgerichte einsandte.

[136] Beleg in 137/170. – Terminus ante quem und post quem ergibt sich vom 3 VII 1758 datierten Bericht von Landschreiber Wild an den Hofrat (HRN 1954), mit dem er die Protokolle der in den Jahren 1757 und 1758 abgehaltenen Frevelgerichte einsandte.

[137] Beleg in 137/170. – Terminus ante quem und post quem ergibt sich vom 3 VII 1758 datierten Bericht von Landschreiber Wild an den Hofrat (HRN 1954), mit dem er die Protokolle der in den Jahren 1757 und 1758 abgehaltenen Frevelgerichte einsandte.

[138] Beleg in 137/170. – Terminus ante quem und post quem ergibt sich vom 3 VII 1758 datierten Bericht von Landschreiber Wild an den Hofrat (HRN 1954), mit dem er die Protokolle der in den Jahren 1757 und 1758 abgehaltenen Frevelgerichte einsandte.

[139] Beleg in 137/170. – Terminus ante quem und post quem ergibt sich vom 3 VII 1758 datierten Bericht von Landschreiber Wild an den Hofrat (HRN 1954), mit dem er die Protokolle der in den Jahren 1757 und 1758 abgehaltenen Frevelgerichte einsandte.

[140] Beleg in 137/170. – Terminus ante quem und post quem ergibt sich vom 3 VII 1758 datierten Bericht von Landschreiber Wild an den Hofrat (HRN 1954), mit dem er die Protokolle der in den Jahren 1757 und 1758 abgehaltenen Frevelgerichte einsandte.

[141] Beleg in 137/170. – Terminus ante quem und post quem ergibt sich vom 3 VII 1758 datierten Bericht von Landschreiber Wild an den Hofrat (HRN 1954), mit dem er die Protokolle der in den Jahren 1757 und 1758 abgehaltenen Frevelgerichte einsandte.

[142] Beleg in 137/170 sowie im Frevelgerichtsprotokoll von 1790 (229/107983). – Terminus ante quem und post quem ergibt sich vom 3 VII 1758 datierten Bericht von Landschreiber Wild an den Hofrat (HRN 1954), mit dem er die Protokolle der in den Jahren 1757 und 1758 abgehaltenen Frevelgerichte einsandte.

Oberamt Hochberg
Badische Oberamtsgemeinden

Datum	Gemeinde(n)	Leitung des Frevelgerichts	Signatur des Protokolls bzw. der Akte
1 VII 1761	Mundingen	Kammerjunker und Landvogt Karl Wilh. v. Geusau[143], Hofrat und Landschreiber Wild, Forstmeister v. Zinck	229/70240/I
8 IX 1761	Köndringen	Hofrat und Landschreiber Wild	229/54952[144]
1763	Eichstetten		_[145]
1766	Bahlingen		_[146]
28 VII 1767	Bötzingen (mit dem Kondominat Wittenbach)		137/170[147]
vor 5 X 1767	Oberschaffhausen		_[148]
vor 5 X 1767	Weisweil		_[149]
vor 5 X 1767	Ihringen		_[150]
1768	Bickensohl		_[151]
24–27 I 1769	Köndringen u. Landeck, in Köndringen	Hofrat und Landschreiber Wild	229/54953[152]

[143] GLAK Dienerakte 76/2762.

[144] Die Akte ist unklar signiert. Während auf dem Deckel des Faszikels die Signatur 229/54951/II steht, ist auf dem Film die Signatur 229/54952 angegeben.

[145] Indirekter Beleg im Frevelgerichtsprotokoll vom Februar 1789 (229/23271/I bzw. II), wo die Rede davon ist, daß das letzte Frevelgericht in Eichstetten vor 25 Jahren stattgefunden habe; unter Nr. 68 der Privatbeschwerden wird sodann auf einen ganz bestimmten oberamtl. Ausspruch aus dem Frevelgerichtsprotokoll von 1763 Bezug genommen.

[146] Beleg in 137/170. – Am 14 III 1767 berichtet das Oberamt Hochberg ad Hofratsdekret HRN 961 v. 25 II 1767, daß im Jahr 1766 wegen anderer »dringender Geschäfte« des Oberamts und der langwierigen Krankheit von Landschreiber Wild im Oberamtsbezirk nur in Bahlingen ein Frevelgericht stattgefunden habe.

[147] Der Beleg in 137/170 bringt nur einen Auszug aus dem mit dem Kondominat Wittenbach gemeinsam durchgeführten Frevelgericht. Am 5 X 1767 übersandte das Oberamt Hochberg das Original des Frevelgerichtsprotokolls an den Hofrat (HRN 4479) (ebd.).

[148] Beleg in 137/170. Unter dem Terminus ante quem übersandte das Oberamt Hochberg das Original des Frevelgerichtsprotokolls an den Hofrat (HRN 4479).

[149] Beleg in 137/170. Unter dem Terminus ante quem sandte das Oberamt Hochberg dem Hofrat (HRN 4588) das Protokoll des Frevelgerichts ein.

[150] Beleg in 137/170. Unter dem Terminus ante quem sandte das Oberamt Hochberg dem Hofrat (HRN 4588) das Protokoll des Frevelgerichts ein.

[151] In einem Bittgesuch um käufliche Überlassung einiger Güterplätze zwecks landwirtschaftlichen Versuchen vom 9 IV 1777 nimmt Pfarrer Andreas Krämer aus Bickensohl Bezug auf das Protokoll des Frevelgerichts von 1768 (Oskar Sator, Bickensohl, o.O., o.J., S. 95).

[152] Die Akte ist unklar signiert. Während auf dem Deckel des Faszikels die Signatur 229/54951/III steht, ist auf dem Film die Signatur 229/54953 angegeben.

Oberamt Hochberg
Badische Oberamtsgemeinden

Datum	Gemeinde(n)	Leitung des Frevelgerichts	Signatur des Protokolls bzw. der Akte
14, 17, 18 II 1769	Mundingen	Hofrat und Land- schreiber Wild	229/70240/II
vor 27 II 1769	Königschaffhausen		_153
vor 27 II 1769	Leiselheim		_154
vor 27 II 1769	Bischoffingen		_155
vor 27 II 1769	Malterdingen		_156
vor 27 II 1769	Broggingen		_157
vor 27 II 1769	Tutschfelden		_158
10, 11 X 1769	Teningen	Landvogt Karl Wilh. v. Geusau, Forst- verwalter Pfeiffer	229/105130
vor 12 IX 1770	Sulzburg		_159
9–10, 12–13 I 1776	Emmendingen		Stadtarchiv Emmendingen B 1a/9
vor 2 IV 1776	Ihringen		_160
11, 27 VI 1776	Teningen	Hofrat u. Oberamts- verweser Joh. Georg Schlosser	229/105131
IX 1776	Bötzingen u. Oberschaffhausen	Hofrat u. Oberamts- verweser Joh. Georg Schlosser	_161

153 Beleg in: 137/105. Der Terminus ante quem ergibt sich aus der Berichterstattung des Oberamts Hochberg an den Hofrat.

154 Beleg in: 137/105. Der Terminus ante quem ergibt sich aus der Berichterstattung des Oberamts Hochberg an den Hofrat.

155 Beleg in: 137/105. Der Terminus ante quem ergibt sich aus der Berichterstattung des Oberamts Hochberg an den Hofrat.

156 Beleg in: 137/105. Der Terminus ante quem ergibt sich aus der Berichterstattung des Oberamts Hochberg an den Hofrat.

157 Beleg in: 137/105. Der Terminus ante quem ergibt sich aus der Berichterstattung des Oberamts Hochberg an den Hofrat.

158 Beleg in: 137/105. Der Terminus ante quem ergibt sich aus der Berichterstattung des Oberamts Hochberg an den Hofrat.

159 Beleg in 137/170 und 61/1932 (HRN 587). – Die Frevelgerichtverfügungen des Oberamts Hochberg hat der Hofrat am 12 IX 1770 genehmigt.

160 Beleg im Oberamtsprotokoll Hochberg (61/6708): Am 2 IV 1776 vermerkt das Protokoll, daß dem Ochsenwirt zu Ihringen am Abend des Forstfrevelgerichts die Fenster eingeschlagen worden seien (OAN 1767). Am 16 IV 1776 registriert das Protokoll (OAN 2011) die vom Hofrat mitgeteilte Dekretur der Kosten des Ihringer Frevelgericht. – Frevelgericht und Forstfrevelgericht schei- nen hier bei derselben Gelegenheit durchgeführt worden zu sein.

161 Das Hofratsprotokoll vom 11 XII 1776 datiert das Bötzinger und Oberschaffhauser Frevelgericht auf den September d. J. (61/2156; 11 XII 1776; HRN 11953).

Oberamt Hochberg

Badische Oberamtsgemeinden

Datum	Gemeinde(n)	Leitung des Frevelgerichts	Signatur des Protokolls bzw. der Akte
17–19 XII 1776	Köndringen u. Landeck, in Köndringen	Hofrat u. Oberamtsverweser Joh. Georg Schlosser	229/54951/III[162]
1781	Bahlingen		_[163]
16–18 VI 1783	Nimburg u. Bottingen, in Nimburg[164]	Hofrat u. Oberamtsverweser Joh. Georg Schlosser	229/75379
13–16 X 1783	Ottoschwanden		229/82169
2–13 II 1789	Eichstetten	Hofrat und Landschreiber Friedr. August Roth[165]	229/23271/I, 23271/II
18–27 V 1789	Bickensohl		229/8091a, 229/8089[166]
vor 6 VI 1789	Ihringen		_[167]
8–20 VI, 10–13 VIII 1789	Bahlingen	Hofrat und Landschreiber Friedr. August Roth	GA Bahlingen C VIII Nr. 4, fol. 1–179[168]
22 II–10 III 1790	Denzlingen	Hofrat und Landschreiber Friedr. August Roth	GA Denzlingen 1 B–247

[162] Die Akte ist unklar signiert. Während auf dem Deckel des Faszikels die Signatur 229/54951/IV steht, ist auf dem Film die Signatur 229/54951/III angegeben.

[163] Indirekter Beleg. Das Bahlinger Frevelgerichtsprotokoll von 1789 hält fest, daß 1781 letztmals ein Frevelgericht in diesem Ort stattgefunden habe (GA Bahlingen C VIII Nr. 4).

[164] Scheinbar blieb das Nimburger Frevelgericht das einzige, tatsächlich durchgeführte Frevelgericht einer ganzen Reihe solcher Veranstaltungen, die das Oberamt Hochberg dem Hofrat gegenüber Anfang 1782 in Aussicht gestellt hatte; am 16 I 1782 kündigte das Oberamt Hochberg für Januar und Februar 1782 Frevelgericht in Königschaffhausen, Leiselheim, Bischoffingen und Bickensohl an, für den November und Dezember 1782 solche in Nimburg und Eichstetten (61/2480; 16 I 1782; HRN 465).

[165] GLAK Dienerakte 137/50. – Roth ist in der kriminalitätsgeschichtlichen Forschung als Verfasser einer »General≠Jauner≠Liste« bekannt (Andreas Blauert, Eva Wiebel, Gauner- und Diebeslisten. Unterschichten- und Randgruppenkriminalität in den Augen des absolutistischen Staates, in: M. Häberlein (Hg.), Devianz, Widerstand und Herrschaftspraxis in der Vormoderne, Konstanz 1999, S. 67–96).

[166] Ohne Protokoll, nur zwei Akten, wovon die eine nur indirekt – im Hinblick auf ein beim Frevelgericht beschlossenes Geschäft (Rebanlage) – über das Frevelgericht informiert.

[167] Indirekt belegt in den Frevelgerichtsakten Bickensohl 1789/90 (229/8091a) und Eichstetten 1790 (229/23271/I). – Am 6 VI 1789 erließ der Hofrat Verfügungen zum Ihringer Frevelgericht an das Oberamt Hochberg (61/3184; HRN 6533, 6535).

[168] GA Bahlingen C VIII Nr. 4, fol. 181–254 enthält das Protokoll des nächsten »Rügegerichts« in Bahlingen, das unter der Leitung des Endinger Bezirksamtmanns Baumüller am 13, 14, 19, 20, 22, 26–28 und 30 V 1812 stattfand.

Oberamt Hochberg
Badische Oberamtsgemeinden

Datum	Gemeinde(n)	Leitung des Frevelgerichts	Signatur des Protokolls bzw. der Akte
5–13 VIII 1790	Teningen	Hofrat und Landschreiber Roth	229/105132, 105133
7–30 IX 1790 (mit Unterbr.)	Mundingen	Hofrat und Landschreiber Roth	229/70240/III
15–18, 21–25, 28–29 IX 1790	Vörstetten	Kammerherr u. Landvogt v. Liebenstein[169]	229/107983
vor 16 X 1790	Malterdingen		_[170]
vor 29 IX 1792	Broggingen		_[171]
vor 29 IX 1792	Tutschfelden		_[172]
vor 5 X 1798	Ihringen		61/3314[173]

Kondominat Prechtal (Baden-Durlach, Fürstenberg)

Datum	Gemeinde(n)	Leitung des Frevelgerichts	Signatur des Protokolls bzw. der Akte
5 XI 1709	Jahrgericht Prechtal		_[174]
29 IV 1710	Jahrgericht Prechtal		_[175]
vor 21 VII 1718	Jahrgericht Prechtal	Frevel- und Forstverwalter Männer	_[176]
vor 23 V 1772	Jahrgericht Prechtal		_[177]
23 IV 1774	Jahrgericht Prechtal		_[178]

[169] GLAK Dienerakte 76/4880.

[170] Am 16 X 1790 geht beim Hofrat der Bericht des Oberamts Hochberg mit dem Malterdinger Frevelgerichtsprotokoll ein (61/3205; HRN 13147).

[171] Das Brogginger Frevelgerichtsprotokoll ging mit dem Bericht des Oberamts Hochberg am 29 IX 1792 beim Hofrat ein (61/3231; HRN 10676).

[172] Das Tutschfelder Frevelgerichtsprotokoll ging mit dem Bericht des Oberamts Hochberg am 29 IX 1792 beim Hofrat ein (61/3231; HRN 10675).

[173] Der Hofrat nimmt am 5 X 1798 die fürstl. Resolution zur Kenntnis, daß den Gemeindeangehörigen von Ihringen ¾ von ihrer beim letzten Frevelgericht angesetzten (Forst)Frevelstrafen erlassen werden, wenn die Vermögenden den Rest bezahlen und die Unvermögenden für jeden Gulden 1 Tag für die Waldkultur öffentlich arbeiten (61/3314).

[174] Beleg in der Hochberger Burgvogteirechnung 1710/1711 (62/4534, fol. 98). Das Jahrgericht war von Fürstenberg angesetzt worden und trug 81 Kronen ein, die zur Hälfte Baden zustanden = 54 fl.

[175] Beleg in der Hochberger Burgvogteirechnung 1710/1711 (62/4534, fol. 98). Das Jahrgericht war vom Oberamt Hochberg angesetzt worden und brachte 32 Kronen ein, die zur Hälfte Baden zustanden = 21 fl. 20 X.

[176] Indirekter Hinweis in einem Bericht des Oberamts Hochberg an die Zentralbehörden (74/9322).

[177] Beleg aus dem Hofratsprotokoll, das das Eintreffen des entsprechenden Berichts des Oberamts Hochberg vermerkt (61/1947; 23 V 1772; HRN 4735).

[178] Beleg aus der Burgvogteirechnung Hochberg 1774/75 (62/4552, fol. 601').

Oberamt Hochberg			
Kondominat Prechtal (Baden-Durlach, Fürstenberg)			
Datum	Gemeinde(n)	Leitung des Frevelgerichts	Signatur des Protokolls bzw. der Akte
1775	Jahrgericht Prechtal		_[179]
zw. 5 u. 25 VII 1776	Jahrgericht Prechtal	Oberamtmann Joh. Georg Schlosser	_[180]
1781–1807	Jahrgerichte Prechtal		_[181]

Hinweise auf Frevelgerichte in weiteren badisch(-durlachischen) Oberämtern[182]			
Oberamt Badenweiler			
Datum	Gemeinde(n)	Leitung des Frevelgerichts[183]	Signatur des Protokolls bzw. der Akte[184]
1631–1700	nicht näher spezifiziert		_[185]
1708–1715	nicht näher spezifiziert		_[186]
vor 21 VII 1718	Tiengen, Opfingen, Mengen, Schallstadt, Haslach, Wolfenweiler[187]	Hochberger Forst- und Frevelverwalter Männer	_[188]

[179] Belege aus dem Oberamtsprotokoll Hochberg (61/6709, OAN 2743 oder 61/6711, OAN 3516, wo die Bezahlung der Jahrgerichtsgebühren für die Jahre 1774 und 1775 vermerkt wird).

[180] Indirekte Belege für die Termini post quem und ante quem aus dem Oberamtsprotokoll Hochberg (61/6711, OAN 3413 bzw. OAN 3613).

[181] Für die Jahre 1781–1807 sind die Protokolle des Jahrgerichts fast lückenlos im GLAK überliefert (61/10311–10315 c).

[182] Im Gegensatz zu den Angaben zu den Oberämtern Rötteln und Hochberg sind die folgenden Belege nicht systematisch recherchiert worden.

[183] Wo eine Angabe fehlt, ist der Name des leitenden Beamten nicht dokumentiert.

[184] Bezieht sich auf das Generallandesarchiv Karlsruhe, sofern nichts anderes vermerkt ist.

[185] In einem Bericht vom 29 VIII 1725 an den Markgrafen erwähnt der Badenweiler Oberamtsverweser Cellarius die Tatsache, daß den Akten gemäß zwischen 1631 und 1700 sowie zwischen 1708 und 1715 Frevelgerichte durchgeführt worden seien (74/3887).

[186] In einem Bericht vom 29 VIII 1725 an den Markgrafen erwähnt der Badenweiler Oberamtsverweser Cellarius die Tatsache, daß den Akten gemäß zwischen 1631 und 1700 sowie zwischen 1708 und 1715 Frevelgerichte durchgeführt worden seien (74/3887).

[187] Diese Orte des Oberamts Badenweiler unterstanden der Forsthoheit des Oberamts Hochberg. – Der Hinweis in der Korrespondenz des Oberamts Hochberg mit den Zentralbehörden bezieht sich in erster Linie auf das Forstfrevelgericht, das unter Leitung von Hochberger Beamten stand (74/9322).

[188] In einem Bericht des Oberamts Hochberg vom 21 VII 1718 wird die Durchführung von Frevel- und Forstfrevelgerichten in diesen Orten erwähnt (74/9322). – In einem Bericht vom 9 V 1725 an den Markgrafen weist der Badenweiler Oberamtsverweser Cellarius darauf hin, daß seit 1718 kein Frevelgericht mehr im Oberamt durchgeführt worden sei (74/3887).

Hinweise auf Frevelgerichte in weiteren badisch(-durlachischen) Oberämtern Oberamt Badenweiler			
Datum	Gemeinde(n)	Leitung des Frevelgerichts	Signatur des Protokolls bzw. der Akte
27 VIII 1726	Opfingen ((Forst)frevelgericht über Haslach, Mengen, Tiengen, Schallstadt, Opfingen und Wolfenweiler)[189]	Rechnungsrat u. Forstverwalter Mentzer (?) auf Geheiß von Landvogt u. Forstmeister v. Günzer	62/4570, Nr. 70[190]
23 X 1741	Vogtei Badenweiler	Oberamtmann Saltzer[191]	GA Badenweiler A/IV/1
22, 23 VIII 1746	Wolfenweiler, Leutersberg, Schallstadt ((Forst)frevelgericht)[192]		_[193]
18 XI 1748	Niederweiler	Oberamt Saltzer	GA Badenweiler A/IV/1
3 X 1749	Niederweiler	Oberamt Saltzer	GA Badenweiler A/IV/1
1753	nicht näher spezifiziert		_[194]
11 V 1753	Niederweiler	Oberamt Saltzer	GA Badenweiler A/IV/1
21 V 1754	Tiengen, Haslach, Opfingen		_[195]

[189] Diese Gemeinden aus dem Oberamt Badenweiler unterstanden der Forsthoheit und damit der Forstfrevelgerichtsbarkeit des Oberamts Hochberg. Es ist unklar, ob zusammen mit dem Forstfrevelgericht auch ein Frevelgericht (des Oberamts Badenweiler) stattgefunden hat oder ob es bei der Durchführung des Forstfrevelgerichts blieb.

[190] Das Protokoll des Forstfrevelgerichts notiert zu den einzelnen Orten Anzeige der Waidgesellen zum Jahr 1721 und 1726. Möglicherweise hatte seit 1721 kein Forstfrevelgericht mehr stattgefunden. – Auffallend ist, daß das Protokoll bei allen Orten eigens vermerkt, die Bürgerschaft bzw. Gemeinde hätten nichts angezeigt. Als Anzeiger traten die Forstknechte bzw. Waidgesellen in Aktion.

[191] Zu Saltzers Biographie und Bedeutung in der badischen Verwaltung der 1750er Jahre vgl. oben Kap. 4.4.1; Lenel, Rechtsverwaltung, S. 63–76; Windelband, Verwaltung, S. 35 f., 283; Liebel, Enlightened Bureaucracy, S. 26 f.

[192] Diese Gemeinden aus dem Oberamt Badenweiler unterstanden der Forsthoheit und damit der Forstfrevelgerichtsbarkeit des Oberamts Hochberg. Es ist unklar, ob zusammen mit dem Forstfrevelgericht auch ein Frevelgericht (des Oberamts Badenweiler) stattgefunden hat oder ob es bei der Durchführung des Forstfrevelgerichts blieb.

[193] Indirekter Beleg in der Hochberger Forstverwaltungsrechnung 1746/47 (62/4572), fol. 43.

[194] In seinem Bericht über den Zustand der Gemeinden des Oberamts Badenweiler vom 3 IX 1754 bezieht sich Oberamtsverweser Saltzer auf Angaben, die ihm die Vorgesetzten »bei denen ferndigen Jahrs vorgenommenen Frevelgerichten« gemacht hatten (108/265, fol. 35).

[195] Indirekter Beleg im Bericht von Oberamtsverweser Johann Michael Saltzer über den Zustand der Gemeinden seines Oberamts an den Markgrafen v. 2 IX 1754 (108/265). Saltzer spricht in dem Bericht von den »jährlichen Frevel-Gerichten« im Oberamt Badenweiler.

Hinweise auf Frevelgerichte in weiteren badisch(-durlachischen) Oberämtern
Oberamt Badenweiler

Datum	Gemeinde(n)	Leitung des Frevelgerichts	Signatur des Protokolls bzw. der Akte
nach 20 VI 1761	Müllheim, Hügelheim, Buggingen, Seefelden, Laufen, Dattingen, Niederweiler	Oberamtmann Wielandt[196]	GA Badenweiler A/IV/1[197]
1762	nicht näher spezifiziert, sicher in Hügelheim	Oberamtmann Wielandt	_[198]
1763	nicht näher spezifiziert	Oberamtmann Wielandt	_[199]
vor 6 VII 1763	Vogtei Badenweiler	Oberamtmann Wielandt	GA Badenweiler A/IV/1[200]
26–29 I 1767	Opfingen		_[201]
1769	Opfingen		_[202]
1769	Haslach		_[203]
vor 13 IV 1776	nicht näher spezifiziert		_[204]
zw. 3 IV u. 11 XII 1776	Tiengen		_[205]
vor 19 IV 1777	Ballrechten, Dottingen		_[206]

[196] Windelband rechnete C.F. Wielandt, Saltzers Nachfolger im Oberamt Badenweiler, zu den besonders tüchtigen Oberbeamten in Baden-Durlach (Windelband, Verwaltung, S. 284).

[197] Am 20 VI 1761 kündigte Oberamtmann Wielandt den Pfarrern und Vorgesetzten der erwähnten Orte die Abhaltung von Frevelgerichten für die nächste Zeit an.

[198] Oberamtmann Wielandt berichtet am 8 II 1762 an den Hofrat, er habe bei Frevelgerichten und Visitationen nichts gefunden, was den Berichten der Vorgesetzten wegen Befolgung des Hochzeitsedikts von 1754 zuwiderlaufe (74/997). – Das Inventar des Gemeindearchivs Hügelheim von 1952 vermerkt das Fehlen eines Auszugs aus dem Frevelgerichtsprotokoll von 1762.

[199] Wielandt berichtet am 23 II 1763 an den Hofrat, er habe bei Frevelgerichten und Visitationen nichts gefunden, was den Berichten der Vorgesetzten wegen Befolgung des Hochzeitsedikts von 1754 zuwiderlaufe (74/997).

[200] In einem Schreiben an die Vorgesetzten zu Niederweiler vom 6 VI 1763 erwähnte Oberamtmann Wielandt das kürzlich durchgeführte Frevelgericht über die Vogtei Badenweiler.

[201] Indirekter Beleg in der Hochberger Forstverwaltungsrechnung für 1766/67. Wahrscheinlich diente das Frevelgericht gleichzeitig als Forstfrevelgericht, denn Opfingen unterstand der Forsthoheit des Oberamts Hochberg.

[202] Das Hofratsprotokoll v. 11 XII 1776 (!) registriert den Eingang eines Berichts des Oberamts Badenweiler zur Befolgung von Anordnungen von 1769 zu den Frevelgerichten in Opfingen und Haslach (61/2156; 11 XII 1776; HRN 11951).

[203] Das Hofratsprotokoll v. 11 XII 1776 (!) registriert den Eingang eines Berichts des Oberamts Badenweiler zur Befolgung von Anordnungen von 1769 zu den Frevelgerichten in Opfingen und Haslach (61/2156; 11 XII 1776; HRN 11951).

[204] Das Hofratsprotokoll v. 13 IV 1776 erwähnt den Eingang eines Berichts des Oberamts Badenweiler über die Befolgung von Frevelgerichtsanordnungen (61/2127; 13 IV 1776; HRN 3760).

[205] Gemäß Hofratsdekret v. 11 XII 1776 an das Oberamt Badenweiler (61/2156; HRN 11951) hatte das Oberamt Badenweiler am 3 IV 1776 die Abhaltung eines Frevelgerichts in Tiengen angekündigt. Am Ende des Jahres erwartete der Hofrat nun den entsprechenden Bericht.

[206] Gemäß Hofratsprotokoll vom 5 VII 1777 (61/2181; HRN 6857b) hatte der Hofrat das Oberamt Badenweiler bereits am 19 IV 1777 an dessen Bericht über das Frevelgericht zu Ballrechten und Dottingen erinnert.

Hinweise auf Frevelgerichte in weiteren badisch(-durlachischen) Oberämtern Oberamt Durlach,[207] Amt Stein			
Datum	Gemeinde(n)	Leitung des Frevelgerichts[208]	Signatur des Protokolls bzw. der Akte[209]
1726	Langensteinbach		_210
1733	Langensteinbach		_211
1734 und früher	nicht spezifizierte Gemeinden		_212
30 X -3 XI 1747	Wilferdingen	Rat und Amtmann Hugo	_213

[207] Anweisungen aus den Hofratsprotokollen lassen darauf schließen, daß das Oberamt Durlach zumindest im letzten Drittel des 18. Jhs. mit der Durchführung von Frevelgerichten besonders nachlässig war: Im Juli 1776 erstattete das Oberamt dem Hofrat einen Bericht über die Durchführung von Frevelgerichten (61/2141; 27 VII 1776; HRN 7490), der den Hofrat dazu bewog, dieses Oberamt dazu aufzufordern, den Verordnungen nachzuleben, »weilen der Nuzen davon [von den Frevelgerichten, AH] die Kosten weit übersteigen wird, wan die dißfalsigen Vorschriften, weswegen vieles auf das Locale ankommt, genau beobachtet werden, zu malen dadurch viele durch Augenscheine kurz zu berichtigende Irrungen abgethan werden können« (61/2156; 11 XII 1776; HRN 11947). – Als dem Hofrat bis zum Juli 1777 nichts von der Durchführung eines Frevelgerichts im Oberamt Durlach bekannt geworden war, erinnerte er das Oberamt daran, daß es trotz seiner Einwendungen die gesetzlich verordneten und im Dezember 1776 vom Hofrat eingeschärften Frevelgerichte abhalten sollte; baldmöglichst sollte es ein solches veranstalten (61/2181; 5 VII 1777; HRN 6860). – Ende 1781 mußte der Hofrat erneut feststellen, daß das Oberamt Durlach im verflossenen Jahr kein einziges Frevelgericht veranstaltet hatte und dies damit entschuldigte, die große Hitze habe alle Früchte außerordentlich getrieben, so daß die Bauern allzu sehr mit ihrer Wirtschaft beschäftigt gewesen seien; es versprach jedoch, noch im Winter einige Frevelgerichte durchführen zu wollen. Der Hofrat wies in seinem Bescheid das Oberamt an, sich künftig besser an die Vorschriften zu halten und die Frevelgerichte im Frühjahr und nach der Ernte im Herbst zu veranstalten, weil im Winter viele »Endzwecke« der Frevelgerichte – so die Visitation der Brunnen, des Futterkräuteranbaus, der Wässerungseinrichtungen u.a.m – durch die rauhe Witterung erschwert wurden (61/2471; 8 XII 1781; HRN 11690). – Im September 1793 gehörte Durlach zu jenen Oberämtern, deren Frevelgerichtsprotokolle beim Hofrat immer noch erwartet wurden (61/3244; 17 IX 1793; HRN 8081). – 1802 stellte der Hofrat fest, daß im Oberamt Durlach und im Amt Stein schon seit langer Zeit kein Frevelgericht mehr durchgeführt worden war; per Dekret an die Unterländer Oberämter Karlsruhe, Pforzheim, Durlach und das Amt Stein gab der Hofrat seiner Erwartung Ausdruck, diese würden im Verlauf des Jahres 1802 einige Frevelgerichte veranstalten (61/3413; 13 II 1802; HRN 1566).

[208] Wo eine Angabe fehlt, ist der Name des leitenden Beamten nicht dokumentiert.

[209] Bezieht sich auf das Generallandesarchiv Karlsruhe, sofern nichts anderes vermerkt ist.

[210] Indirekter Hinweis im Vogtgerichtsprotokoll von 1747 (229/58080, fol. 1').

[211] Indirekter Hinweis im Vogtgerichtsprotokoll von 1747 (229/58080, fol. 1'). Das Vogtgericht von 1733 war nach Aussage des Protokolls von 1747 das letzte, vor 1747 in Langensteinbach durchgeführte Vogtgericht.

[212] In einem Bericht des Steiner Amtmanns Hugo an den Markgrafen bzw. Hofrat vom 13 XII 1747 erwähnt dieser, daß in den Amtsorten seit 13 und mehr Jahren die Vogt- und Rügegerichte unterlassen worden seien (74/3887).

[213] Indirekter Beleg (74/3887).

Hinweise auf Frevelgerichte in weiteren badisch(-durlachischen) Oberämtern
Oberamt Durlach, Amt Stein

Datum	Gemeinde(n)	Leitung des Frevelgerichts	Signatur des Protokolls bzw. der Akte
6–7 XI 1747	Nöttingen	Hofrat und Ober-amtsverweser Sonntag, Rat und Amtmann Hugo	_[214]
8, 10 XI 1747	Langensteinbach	Hofrat und Oberamtsverweser Sonntag, Rat und Amtmann Hugo	229/58080, fol. 1–59'
7–10 XII 1747	Ittersbach	Rat und Amtmann Hugo	_[215]
30 X 1760	Langensteinbach	Rat und Amtmann Obrecht	229/58080, 61–140
Herbst 1780	Wössingen		_[216]
Herbst 1780	Dürrn		_[217]
vor 9 VIII 1783	Wilferdingen		_[218]

Oberamt Pforzheim[219]			
Datum	Gemeinde(n)	Leitung des Frevelgerichts[220]	Signatur des Protokolls bzw. der Akte[221]
V 1661	Dürrn		_[222]
XI 1682[223]	Dürrn[224]		_[225]
1683	Dürrn		_[226]

[214] Indirekter Hinweis aus dem Vogtgerichtsprotokoll von Langensteinbach (229/58080, fol. 1) sowie aus 74/3887.

[215] Indirekter Beleg (74/3887).

[216] Beleg im Hofratsprotokoll vom 7 IV 1781 (61/2413; HRN 3479).

[217] Beleg im Hofratsprotokoll vom 7 IV 1781 (61/2413; HRN 3479).

[218] Am 9 VIII 1783 behandelte der Hofrat Bericht und Protokoll des Amts Stein zum Wilferdinger Frevelgericht (61/2610; HRN 7526).

[219] Anweisungen aus den Hofratsprotokollen lassen darauf schließen, daß das Oberamt Pforzheim zumindest im letzten Drittel des 18. Jhs. mit der Durchführung von Frevelgerichten besonders nachlässig war: Am 30 VII 1768 wurde es vom Hofrat ermahnt, bis Ende des Jahres wenigstens noch in einigen Orten ein Frevelgericht zu veranstalten (61/1054; 30 VII 1768; HRN 4102). – Ende 1776 wollte der Hofrat wiederum an das Oberamt Pforzheim dekretieren, es habe im kommenden Frühjahr in einem der »unruhigsten« Orte des Oberamts bestimmt ein Frevelgericht abzuhalten, »da man von dem vielfältigen Nutzen derer Frevelgerichte gäntzlich überzeugt ist und aber bey denen vielen im Oberamt Pfortzheim verlegenen Angelegenheiten deren Nothwendigkeit um so mehr einsieht«. Die Verabschiedung des Dekrets unterblieb dann jedoch, weil die Stelle des Pforzheimer Obervogts gerade vakant war (61/2156; 11 XII 1776; HRN 11952). – Im September 1793 gehörte Pforzheim zu jenen Oberämtern, deren Frevelgerichtsprotokolle beim Hofrat immer noch erwartet wurden (61/3244; 17 IX 1793; HRN 8081).

Hinweise auf Frevelgerichte in weiteren badisch(-durlachischen) Oberämtern			
Oberamt Pforzheim			
Datum	Gemeinde(n)	Leitung des Frevelgerichts	Signatur des Protokolls bzw. der Akte
1684	Dürrn		_227
3 XII 1685	Dürrn	Der bad.-durlach. Untervogt zu Pforzheim, der Herr Leutrum v. Ertingen, der württemberg. Amtmann zu Enzberg und der Vogt zu Maulbronn	229/21362
21 VI 1688[228]	Dürrn	Der bad.-durlach. Untervogt zu Pforzheim, der Herr Leutrum v. Ertingen	229/21362
VI 1699	Mehrere Gemeinden des Oberamts sowie Stadt Pforzheim	Jacob Heyland, Oberamtsverweser	_229
15 III 1701	Dürrn	Pforzheimer Obervogt von Wallbronn, Oberamtsverweser Jacob Heyland; der Herr Leutrum v. Ertingen	229/21362

[220] Wo eine Angabe fehlt, ist der Name des leitenden Beamten nicht dokumentiert.

[221] Bezieht sich auf das Generallandesarchiv Karlsruhe, sofern nichts anderes vermerkt ist.

[222] Indirekter Beleg in den Vogtgerichtsbescheiden des Jahres 1705.

[223] Im Zusammenhang mit der Verschiebung des gewöhnlichen Vogtgerichtstermins auf die Auffahrt Christi war im Vogtgerichtsrezeß von 1685 davon die Rede, daß das Vogtgericht früher etliche Jahre an Martini stattgefunden habe. Die Verlegung auf einen früheren Termin und damit auf eine Jahreszeit mit längeren Tagen wurde 1685 mit dem entsprechenden Zeitgewinnung bzw. Kostenersparnis begründet (GLAK 229/21362; 3 XII 1685).

[224] Der Flecken Dürrn war eine Kondominatsherrschaft, an der neben Baden-Durlach die Herren Leutrum v. Ertingen und v. Stein teilhatten. Kurz vor 1685 kaufte Württemberg den steinischen Anteil, tauschte ihn aber schon 1687 mit Baden-Durlach ab, sodaß das Vogtgericht seit 1688 noch von den beiden Herrschaften Baden-Durlach und Leutrum geleitet wurde. – Die von den Kondominatsherren im Anschluß an das Vogtgericht verabschiedeten Rezesse und Bescheide datierten vom 22 XI 1682.

[225] Indirekter Hinweis in den Vogtgerichtsbescheiden von 1685.

[226] Indirekter Hinweis in den Bescheiden des Vogtgerichts von Dürrn 1685.

[227] Indirekter Hinweis in den Bescheiden des Vogtgerichts von Dürrn 1685.

[228] Das erste Vogtgericht in Dürrn seit jenem von 1685.

[229] Indirekter Hinweis aus 171/745.

Hinweise auf Frevelgerichte in weiteren badisch(-durlachischen) Oberämtern
Oberamt Pforzheim

Datum	Gemeinde(n)	Leitung des Frevelgerichts	Signatur des Protokolls bzw. der Akte
XI 1701	Langenalb	Obervogt von Wallbronn, Oberamtsverweser Jacob Heyland	_230
28 VI 1705[231]	Dürrn	Pforzheimer Obervogt von Wallbronn, Oberamtsverweser Caspar Gottfried Mayen	229/21362
13–16 III 1715[232]	Dürrn	Geheimer Rat und Pforzheimer Obervogt Scheid, Friedrich Christoph v. Leutrum, Rat und Amtmann Graeter, Stadtschreiber Wild, Forstverwalter Meerwein	229/21449
11 III 1721	Dürrn		229/21362[233]
21 III 1726	Dürrn		229/21362[234]
1733	Mehrere unbestimmte Gemeinden des Oberamts		_235
VI, VII 1744 oder III 1745	Grötzingen		_236
VI, VII 1744 oder III 1745	Dietlingen		_237

[230] Indirekter Beleg 171/745.

[231] Aus einer Bemerkung zu Rezeßpunkt 1 geht hervor, daß der Stab letztmals beim Vogtgericht 1701 von Baden-Durlach an Leutrum gewechselt hatte, was darauf schließen läßt, daß zwischen 1701 und 1705 kein Vogtgericht stattgefunden hatte; die Kriegstroublen wurden als Ursache für die Verzögerung angegeben (GLAK 229/21362; 1 VII 1705).

[232] Laut Protokoll des Vogtgerichts von 1715 hatte seit 10 Jahren in Dürrn wegen der Kriegszeiten kein Vogtgericht mehr stattgefunden (229/21449).

[233] Überliefert ist kein Protokoll, sondern alleine Notizen über einige beim Vogtgericht vorgetragene Punkte.

[234] Überliefert ist kein Protokoll, sondern eine Auflistung der vom Mitherrn Freiherrn v. Leutrum beim Vogtgericht eingereichten Gravamina. – Möglicherweise war zwischen 1721 und 1726 in Dürrn kein Vogtgericht mehr durchgeführt worden; darauf läßt die formelle Protestation schließen, die Mitherr v. Leutrum 1726 bei den markgräflichen Beamten einlegte, weil das Vogtgericht lange aufgehalten und Baden-Durlach den Stab über die Zeit hinaus geführt hatte (GLAK 229/21362; 21 III 1726).

[235] Indirekter Beleg 74/2823. – Kammermeister, Hofräte und Rentkammerräte senden am 29 X 1733 Vogtgerichtskostenzettel an das Oberamt Pforzheim zurück.

[236] Indirekter Hinweis (171/768a).

[237] Indirekter Hinweis (171/768a).

Hinweise auf Frevelgerichte in weiteren badisch(-durlachischen) Oberämtern
Oberamt Pforzheim

Datum	Gemeinde(n)	Leitung des Frevelgerichts	Signatur des Protokolls bzw. der Akte
VI, VII 1744 oder III 1745	Weiler		_238
VI, VII 1744 oder III 1745	Langenalb		_239
VI, VII 1744 oder III 1745	Ispringen		_240
VI, VII 1744 oder III 1745	Eisingen		_241
VI, VII 1744 oder III 1745	Bauschlott		_242
VI, VII 1744 oder III 1745	Dürrn		_243
VI, VII 1744 oder III 1745	Eutingen		_244
VI, VII 1744 oder III 1745	Niefern		_245
VI, VII 1744 oder III 1745	Huchenfeld		_246
VI, VII 1744 oder III 1745	Büchenbronn		_247
VI, VII 1744 oder III 1745	Dill und Weisenstein		_248
1757/58, vor 12 VIII 1758	Mehrere Gemeinden (u.a. Dürrn, Niefern)		_249
vor 15 IX 1793	Brötzingen		_250

[238] Indirekter Hinweis (171/768a).
[239] Indirekter Hinweis (171/768a).
[240] Indirekter Hinweis (171/768a).
[241] Indirekter Hinweis (171/768a).
[242] Indirekter Hinweis (171/768a).
[243] Indirekter Hinweis (171/768a).
[244] Indirekter Hinweis (171/768a).
[245] Indirekter Hinweis (171/768a).
[246] Indirekter Hinweis (171/768a).
[247] Indirekter Hinweis (171/768a).
[248] Indirekter Hinweis (171/768a).
[249] Indirekte Belege in: 61/919, 236/3155 (12 VIII 1758). – Das Forstamt Pforzheim erwähnt in einem Bericht an die Rentkammer vom 2 I 1759, daß, nachdem in den meisten Amtsorten seit 6–7 Jahren kein Rügegericht mehr stattgefunden habe, im letzten Jahr ein solches wieder durchgeführt worden sei (171/768a).
[250] Indirekter Beleg 236/3155. – Laut einer Notiz von Hofrat Fischer vom 15 IX 1793 hat das Oberamt Pforzheim zuletzt in Brötzingen ein Frevelgericht durchgeführt.

Hinweise auf Frevelgerichte in weiteren badisch(-durlachischen) Oberämtern Weitere Oberämter			
Datum	Gemeinde(n)	Leitung des Frevelgerichts[251]	Signatur des Protokolls bzw. der Akte[252]
Frühjahr 1778	Mehrere Pflegen im Oberamt Kirchberg (u.a. wohl die Pflegen Koppen- stein und Denzen)		_253
1778–1781	Mehrere Orte im Oberamt Birkenfeld (u.a. Ellenberg Gollenberg, Pflege Hambach, Rinzenberg)		_254
Februar 1781	Amt Koppenstein (Oberamt Kirchberg)		_255

251 Wo eine Angabe fehlt, ist der Name des leitenden Beamten nicht dokumentiert.

252 Bezieht sich auf das Generallandesarchiv Karlsruhe, sofern nichts anderes vermerkt ist.

253 Beleg aus dem Hofratsprotokoll v. 27 V 1778, das den Bericht des Oberamts Kirchberg über die Durchführung mehrerer »Rüggerichte« erwähnt (61/2219; HRN 5156). – Am 7 VII 1781 wird im Hofratsprotokoll Bezug genommen auf die entsprechenden Frevelgerichtsreskripte (61/2436; HRN 6916). – 1707 war die bis dahin mit Kurpfalz als Kondominium regierte Vordere Grafschaft Sponheim zwischen der Kurpfalz und der Markgrafschaft Baden-Baden geteilt worden; die Ämter Kirchberg mit Koppenstein, Naumburg, Sprendlingen sowie die Orte Denzen und Reckertshausen wurden ganz badisch. 1771 gingen diese badischen Ämter an die wiedervereinigte Markgrafschaft Baden über (Historischer Atlas von Baden-Württemberg, Beiwort v. Joachim Fischer zu den Karten VI,1 und VI, 1a, Stuttgart 1974). – Offensichtlich hat die Karlsruher Regierung versucht, in den neuen Gebieten die Institution der Frevelgerichte einzuführen.

254 Belege in den Hofratsprotokollen v. 17, 27 u. 31 X 1781 (61/2458, 2460, 2461; HRNN 10078, 10450, 10510). – Erst 1776 war die Hintere Grafschaft Sponheim zwischen Baden und Pfalz-Zweibrücken geteilt worden. Ganz bei Baden verblieben die Ämter Birkenfeld, Herrstein und Winterburg, das neugebildete Amt Dill und die unweit Koblenz gelegene Vogtei Winningen (Historischer Atlas von Baden-Württemberg, Beiwort v. Joachim Fischer zu den Karten VI,1 und VI, 1a, Stuttgart 1974). – Offensichtlich hat die Karlsruher Regierung rasch nach der Klärung der Herrschaftslage in diesen Gebieten die Institution der Frevelgerichte neu eingeführt; der Hofrat belobigte in seinem Reskript v. 17 X 1781 »dieses alldort erst eingeführte Veranstalten« des Oberamts Birkenfeld, ordnete aber für die Zukunft an, daß die Protokolle jeweils spätestens vier Wochen nach dem Frevelgericht an den Hofrat einzusenden waren, »damit unsere darauf ertheilende Weisungen desto eher und würcksamer in Vollzug gesetzt und nicht von mehreren Jahren in suspenso bleiben«. – Es ist denkbar, daß die Einführung der Frevelgerichte im Oberamt Birkenfeld dem Einfluß des Amtmanns Maximilian Wilhelm Reinhard zuzuschreiben ist, der seit Dezember 1776 als Amtmann und Amtschreiber beim Oberamt Birkenfeld tätig war und seit seiner Ernennung als Oberamtmann und Landschreiber im Oberamt Rötteln 1782 auffallend häufig in den 1780er Jahren auch in diesem Oberländer Oberamt Frevelgerichte geleitet hat (s. hier oben). Reinhard – ein Sohn des einflußreichen badischen Geheimrats Johann Jakob Reinhard – wurde 1792 zum Geheimrat und Direktor des Hofgerichts bestellt (76/6136–6140).

255 Beleg im Hofratsprotokoll vom 5 IX 1781 (61/2450; HRN 8838).

Hinweise auf Frevelgerichte in weiteren badisch(-durlachischen) Oberämtern Weitere Oberämter			
Datum	Gemeinde(n)	Leitung des Frevelgerichts	Signatur des Protokolls bzw. der Akte
vor 22 VIII 1781	Mehrere Orte im Oberamt Kirchberg (u.a. die Pflegen Belg u. Sohren)		_256
vor 9 VIII 1783	Mehrere Orte im Oberamt Mahlberg (Oberweier, Oberschopfheim, Ottenheim, Wagenstadt)[257]		_258
vor 5 VII 1786	Mehrere Ämter und Pflegen im Oberamt Kirchberg (Belg, Dill, Kappel, Koppenstein, Herrstein, Kostenz, Naumburg)		_259
XI 1786	Friesenheim (Oberamt Mahlberg)		_260
vor 24 I 1789	Mehrere Orte im Oberamt Birkenfeld (Ellenberg, Dienstweiler, Hattgenstein, Rötsweiler (?), Hußweiler (?), Leisel)		_261
Ende 1791	Burbach Forbach (Oberamt Gernsbach ?)		74/988[262]
1798	Liedolsheim (Oberamt Karlsruhe ?)		_263

[256] Der Hofrat hatte im August 1781 Weisungen auf die Frevelgerichtsprotokolle in diesen beiden Pflegen erteilt und nahm am 20 II 1782 deren weitgehende Befolgung zur Kenntnis (61/2489; 20 II 1782; HRN 1684).

[257] In dem früher badisch-badischen Oberamt Mahlberg hatte man mit den Frevelgerichten nach badisch-durlachischem Muster noch wenig Erfahrung, so daß der Hofrat in seinem Bescheid die mangelnde Deutlichkeit und Umständlichkeit im Protokoll, »ohne welche die nötigen Weisungen mit Nuzen nicht wohl erteilt werden können«, sowie die unterlassene Behandlung mehrerer Punkte monierte (61/2610; 9 VII 1783; HRN 7527).

[258] Am 9 VIII 1783 behandelte der Hofrat Bericht und Protokolle des Oberamts Mahlberg über die in verschiedenen Orten abgehaltenen »Rug und Frevelgerichte« (61/2610; HRN 7527).

[259] Belege im Hofratsprotokoll v. 5 VII 1786 (61/2894; HRNN 8313–8316, 8321–8322). – Begriffsgeschichtlich interessant, daß der Hofrat für die Pflegen Kostenz und Dill von einem »Herren und Rug Gericht« spricht.

[260] Beleg im Hofratsprotokoll v. 28 II 1787 (61/2959; HRN 2559).

[261] Beleg im Hofratsprotokoll v. 24 I 1789 (61/3157; HRN 759).

[262] Beim Ruggericht Ende 1791 sei das Verbot, Dächer mit Schindeln zu decken, allen Einwohnern publiziert worden, heißt es in einem Bericht des Oberamts vom 3 VII 1793.

[263] Beleg in: Drais, Geschichte der Regierung II, S. 257.

SUMMARY IN ENGLISH

The attempts by eighteenth-century rulers and administrations to shape and regulate in the interests of discipline and order were fraught with ambiguity. They applied a conservative, stabilizing policy to the obvious symptoms of dissolution in the social order based on estates, which resulted from the process of socio-economic change. At the same time, they were forced to take an active part in this process of modernization or even to steer it by means of reforms. On the one hand, the regulative policy was »a socially conservative one of embedding social groups in an authoritarian labor system based on estates«. On the other, they pressed a »policy of modernization and disciplining of labor« aimed at »unleashing social forces of productivity«.[1]

The present investigation of »good policing« and local society in a state of the Old Regime emphasizes the extraordinarily firm link to locality that characterized the state's lawmaking and administration under the motto of »good policing«. In the eighteenth century, councilors and higher officials regarded local society as a central object of cameralist influence, defined it as a principal subject of domestic policy and government, and conceived it as the primary starting point for reforms. Local society was thus thrust into the center of a political plan, the goal of which was the »improvement« and »elevation« of the economic, social, and cultural condition of the population. This plan was an important factor in the energizing and modernizing of the life during the long transition from the Old Regime to the industrial society of the nineteenth century.

Politics as »good policing« meant a specific interest of the state in local life and in the people, both of which were increasingly made into an object of statistical and descriptive study and description. The generation of these new areas of knowledge by no means arose from a »purely« scientific interest. The operation was, on the contrary, connected intimately to the fact that, in the conceptions of policy formulated by writers on politics and by the administrative elites, the population formed the decisive resource for the strength of the state and the transformation of society.

As governmental bureaus defined the local as the central object and sphere of influence of governmental action, there formed a complex nexus of action and influence, into which councilors, administrative officers, local officials, and even the subjects were incorporated. The decisive element in the construction of this com-

---

[1] Schuck, Arbeit und Policey, p. 122, pp. 147–150.

bination was less contacts following the hierarchy between above and below than communications among these groups.

The explosive growth of legislative activity at the end of the seventeenth and beginning of the eighteenth century indicates that the political elite of the Margraviate of Baden regarded the possibilities and effects of legislative measures in a fundamentally optimistic light. Politics under the label of »good policing« contained a strongly voluntarist, instrumental character, which promoted the formation of a modern understanding of politics that went beyond the traditional maintenance of authority and law. Politics as »policy« appeared as a process of deliberate, purposeful shaping of social relations in the broad sense, as the aim became more and more deliberately to activate existing social capacities and resources for the welfare of the state and the population. During the final century of the Old Regime, official ordinances in Baden-Durlach concentrated regulatory attention to economic, labor, and occupational rules, on administration, and last but not least on important areas of policy for local society and population, such as the expansion of agricultural land, conservation of the land, schools and education, poor relief, fire protection, the communal constitution and economy, and marriage policy.

With the »discovery« of legislation as a political instrument, governmental bureaus also developed many techniques for the communication and publication of ordinances to the people. From the very beginning they often aimed not at a quick, thoroughgoing success of the rules in the sense of a complete »enforcement of norms«, but on a long-term adaptation and habituation of the audiences by means of regular repetition and reminders.

A prerequisite for the bureaus' deliberate, purposeful formation of relations in local society was gathering information about local conditions. For this purpose the collegial bodies of Baden's government developed administrative ways to improve their knowledge of local relationships in order to ascertain »faults and disorders« and at the same time to make possible through surveillance of the ordinances' enforcement the monitoring of the measures' success. The eighteenth-century Baden system of official inspections and information-gathering was organized to ensure the transfer of information from the communities via the district officials to the bureaus of the regime. The study describes in detail five central elements of this system of parallel, inter-bureau chanells of informations.

1. A system of official reporting was much built up and systematized during the eighteenth century.
2. The »legal practice of prohibition and command with the reservation of ad hoc permission« (»Rechtstechnik des Verbotes (oder Gebotes) mit Erlaubnisvorbehalt«; Otto Mayer) was an integral and functional element of legislation under the Old Regime. It reveals the strong connection between the state's power of dispensation and the petitions submitted by subjects and corporate bodies.

3. Visitations purposefully collected local knowledge about neuralgic areas of »policy«.
4. Reports and reprimands document the local populations readiness to relay information relevant to policing.
5. With the systematization of its reviews of the accounts of local communities (communes and guilds), the state desired to ascertain if the concrete activities of these corporations conformed to the regulations in force, and at the same time to preserve the communes and guilds as functioning, financially capable units of administration.

To think historically in terms of ambivalence and ambiguity can enable us to recognize in the contradictions within systems not only the dysfunctional elements that weakened a system, but also the potential starting points for change. Viewed historically, these phenomena gain a special importance, which, developing within the parameters of an older system, could, under the pressure of change conditions and new challenges, change their character and become themselves part of the system's change.

The history of Baden's local criminal courts (»Frevelgerichte«; »Vogt- und Rügegerichte«) sheds light on just such a process. This institution had been created in the second half of the sixteenth century under the pressure of confessionalization, based on an institutional model taken from the late medieval »Dinggerichte«. Under the influence of social and economic challenges since the mid-eighteenth century, the »Frevelgerichte« were charged with tasks which, though at first appearing simply as expansions of their traditional functions, quickly led to a new rationality and meaning. Originally conceived as an instrument of the ruler's control and criminal justice, the Baden »Frevelgerichte« evolved into a governmental organ charged with informing local people about and promote the local acceptance of the government's reform program, which in turn aimed at the »improvement« of local conditions. Following this change, repression and punishment no longer were the local criminal courts' chief weapons, for its new tasks were to carry out local inspections for the higher officials and the government, to plan problem-solving analyses of the conditions on the bases of personal inspections, and to promote the program of political reform. This program, which aimed to introduce change and innovation into traditional ways of work and life, centered on a number of points: raising agricultural productivity, improvement of the schools, increasing fire protection, forming a local administration for supplying foodstuffs and security, and consolidation and expansion of communal finances. They moved into the foreground, however, without marginalizing traditional aspects of »good policing« such as religious and moral discipline. The spiritual and the physical welfare of the individual were still recognized as belonging together, even if one gains the impression that in the second half of the eighteenth century »improvement« (»Besserung«) in the old sense of punishment and penance[2] (»Busse«) increasingly tended to be replaced by the improve-

---

[2] Deutsches Wörterbuch, Bd. 1, s.v. »Besserung«; Schweizerisches Idiotikon, Bd. IV, Sp. 1679.

ment of the subjects' living standard and physical welfare, so that economic (chiefly agricultural) and social policy pushed aside moral and religious policing. Wilhelm Heinrich Posselt designated the realization of the »Frevelgerichte« and the promotion of the »commonweal« in the Baden communities as a work of »active love of humanity«,[3] a philanthropic formula which seems a secularized version of the idea of Christian love of neighbor, and marks the transition from the older to the newer paradigm of »good policing«.

The shift of priorities of content from religious, ecclesiastical, and moral policing to economic and population policy, plus the shift from procedural priorities of punishment to information, help, and instruction, mark the beginning of a phase of accelerated change that lends to the society of the later eighteenth century the character of a »transition society«.[4] Already in the later part of the Old Regime – long before the beginnings of industrialization, its attendant pauperization, and the »social question« – socio-demographic changes created a »social management of crises« by the state, which was continued by nineteenth-century bureaucrats. Wolfgang Kaschuba has called this phase a »take-off into modernity«.[5]

The governmental bureaus' orders to the subjects and the communities to direct their energies to a more intensive usage of their fields and to an improvement of their communal finances had their roots in the ancient economic virtues of energy and thrift. At the same time, however, their demand for maximization also expressed the economic categories of rationalization, greater efficiency, and growth, which became decisive for the political economy of the nineteenth century.

The central significance of traditional economic virtues in the political concept of »good policing« can be demonstrated in several respects by the example of Baden. The govermental bureaus of eighteenth-century Baden made reference to the necessary connection between individual householding to the general welfare to legitimize their measures against »bad householders« (»Übelhauser«), the conduct of which the higher officials in the local »Frevelgerichte« sought to »correct«, that is, force observance of the »economic virtues« of a well-managed household (i.a., love of order, energy, moderation, thrift, and cleanliness). In other areas, too, the local criminal courts' practice demonstrates for the eighteenth century an intertwining of maintaining the old economic virutes with realizing »good policing«, from which arose newly nuanced versions of traditional ideas. The ideology of the household in the eighteenth century could also justify the state's attempt to force into service those young people who could not be accommodated in the parental household economy. This type of service satisfied larger households' need for cheap labor, and

---

[3] Posselt, Vogt- oder Rügegerichte, p. 180.
[4] Christof Dipper, Übergangsgesellschaft. Die ländliche Sozialordnung in Mitteleuropa um 1800, in: ZHF 23 (1996), pp. 57–87.
[5] Kaschuba, Aufbruch, p. 75.

it was thought to ward off the dangers of indolence and to inculcate »industriosity« in youth. The interest of the »whole house« (O. Brunner) and the state's interest in regulating the behavior of subjects went hand-in-hand.

What significance do we ascribe to the state's role in general and the function of legislating good policing in particular with respect to change and modernization in the eighteenth and early nineteenth centuries?

The organization of Baden's »Frevelgerichte« supports the general observation that although the state bureaus of the Old Regime did not introduce their program through persons engaging in actual negotations, they did seek ways to communicate this program to the population in direct exchanges with representatives of local society. The bureaus were convinced that the realization of their program had to begin on the local level. When the higher officials discussed policing issues point-by-point with the local leaders and the judges, this procedure was based on a pedagogical-didactic plan for implementing prescriptive guidelines that went beyond the simple logic of command and obedience and built upon the convincing power of words of encouragement and upon practical, concrete directions.

In this light, investigating the history of the »Frevelgerichte« of Baden also contributes to the practice of popular Enlightenment, which because of excessive concentration on writings has been conceived far too much as an intellectual and literary movement. Interpreting the »Frevelgerichte« as instruments of the popular Enlightenment seems justified, because not only was the inculcation of rules examined, but the higher officials also had the opportunity, to move the communes and their officers toward changes in behavior by means of persuasion and conviction. This corresponded to a fundamental goal of the popular Enlightenment, which aimed to motivate through conviction and example and to open up »traditionalism« on the subjective level.

The basic structure of the local criminal courts rested on routine. Penetration and habituation appear to have played a central role for the administrations of the Old Regime. By basing its plan of implementation on on-site inspections, the government took account of the fact that local conditions decisively determined the realization of its political program. In this sense, the local inspections of the upper secular and ecclesiastical officials in Baden's rural communities can be understood as attempts to »translate« abstract rules for the local situation.

There nonetheless existed limits to state intervention in local society. The state's grasp often foundered on the fact that the local community itself managed the social rules for certain areas of life, and in social control it also possessed an effective instrument for enforcing its notion of proper order without any need to call upon the government. Conversely, when local self-administration was made dysfunctional by conflicts of interest and particular group's loss of trust in local means of regulating conflict, many burghers preferred to call on the upper officials to settle quarrels with neighbors or with the local elite, thereby offering the government possibilities for influencing local conditions.

While all rules of policing were defined as obligations, to be sure, they also presented possibilities for negotiation, which subordinate officials and subjects could use, not least for gaining their own interests. Policing legislation brought results, when local society had to come to grips with the appropriate bureaucratic procedures and demands. Then it was confronted with certain new requirements and new possibilities. Both society and administration had to conform to the laws, which both the people and the officials could deal with in particular ways, ranging from acceptance for various reasons, to selective use and solutions adapted to conditions, and finally to simply ignoring it. Within these parameters developed a new pattern of interaction between local society and the bureaus.

The history of Baden's local criminal courts (»Frevelgerichte«) reveals constellations of conflict that grew out of the changed structure of local societies and led to important changes in the relationship between state authority and local society. The mass of »private complaints« by burghers, who spoke of disruptions of individual enterprises and social solidarity, drews attention to the strong demand of local groups for authoritative actions to arbitrate local quarrels. Finally, certain burghers took advantage of the presence of upper officials to present tensions and factionalism among the local leaders and judges, disrupted relations of authority between the burghers and the local officials, and conflicts over the distribution of communal resources and burdens among the various groups of burghers.

What form was taken by the state's emphasis on the local in the process of its own inner articulation?

The history of the seventeenth and eighteenth centuries has long been interpreted in terms of the categories of absolutism and social disciplining, which necessarily involves a schematic dichotomy: the absolute state ruled over a passive society of subjects, and its power manifested itself not least in the unilateral, efficient shaping of society, economy, and morality and culture by means of legislative and criminal justice.

The present study works from a different concept, namely, the demonstration of interactions and mediations between government and local society. It investigates the modes of this interaction, how local society became included in the gathering of knowledge that led to formulating new laws, and what role local society played in, and what significance it had for, the policing-cameralist ideas of policy and administration held by the councilors and officials.

Recently, Sheilagh Ogilvie has pointed out the importance of the local level for the process of state-formation in the middling and smaller German states. She describes a »corporative model of state formation« as a distinct, third type of state-formation in Europe, alongside the western model of England and the feudal-military model of Prussia and Austria.[6] In these smaller states, the ruler was markedly dependent on a changing coalition with local groups, such as nobles, communes, and guilds.[7] »In the localities, corporate groups – guilds, town and village communities, and the *Amt* itself – formed the fundamental building-blocks of society, and administration. The interaction between these special features of central and local government shaped the growth of the states in territories such as Württemberg.« Also characteristic of these states was the embedding of the territories in both the Empire and the local institutions: »In Württemberg and many of the other secondary German territories, the state had to pay close attention to the powers of local groups and institutions, and placate them with a large share of power and spoils from the expansion of government. It is not possible to understand the German state without taking into account its symbiosis with this corporative system of local interest groups.«[8]

Ogilvie's model also sheds light on relations in the Margraviate of Baden. The emphasis placed on the local context by the Baden policing administration demonstrates for this territory, too, that the expansion of state administration and the realization of the eighteenth-century reform program was tied to a successful incorporation of the local level. As a necessary consequence, this incorporation of the local level meant that local relationships, which in eighteenth-century administrative language often were called »circumstances« (»Umstände«) were decisive in determining how far into local society the legislated norms reached.

Englische Übersetzung: Th. A. Brady Jr. (Berkeley), P.-A. Nielson (Bern).

---

[6] Ogilvie, State.
[7] Ogilvie, State, p. 172.
[8] Ogilvie, State, pp. 200–201.

Abkürzungen

fl.	Gulden (1 fl. = 60 Kr.)
GA	Gemeindearchiv
GG	Geschichte und Gesellschaft
GLAK	Badisches Generallandesarchiv, Karlsruhe
GS I-III	Carl Fridrich Gerstlacher, Sammlung aller Baden-Durlachischen (...) Anstalten und Verordnungen, 3 Bde, Karlsruhe 1773, 1774 (Voller bibliographischer Nachweis im Verzeichnis der gedruckten Quellen)
GWU	Geschichte in Wissenschaft und Unterricht
HRG	Handwörterbuch zur deutschen Rechtsgeschichte
HRN	Nummer des Hofratsprotokolls
HZ	Historische Zeitschrift
J.	Jucherte(n)[1]
Kr.	Kreuzer
LO	Landesordnung von 1622/1654/1715
Mh.	Mannshauet[2]
OAN	Oberamtsprotokollnummer
RepPO	Julia Maurer, Baden, in: A. Landwehr, Th. Simon (Hgg.), Baden und Württemberg (Repertorium der Policeyordnungen der Frühen Neuzeit, Bd. 4), Frankfurt/Main 2001, S. 1–553
StadtA	Stadtarchiv

---

[1] Die Flächenmaße variierten von Oberamt zu Oberamt leicht. Im Folgenden werden die Maße für die beiden Oberämter Hochberg und Rötteln mitgeteilt, in denen die meisten Orte lagen, die in dieser Studie detailliert zur Sprache kommen. Die Ortschaften des Oberamts Badenweiler folgten den Maßen des Oberamts Rötteln (nach Wolfgang von Hippel, Maß und Gewicht im Gebiet des Großherzogtums Baden am Ende des 18. Jahrhunderts, Mannheim 1996, S. 98 f., 160 f.).

Hochberg

1 Juchert	=	4 Viertel	=	3920,400 m^2
1 Viertel	=	2 Mannshauet	=	980,100 m^2
1 Mannshauet	=	45 Quadratruten	=	490,050 m^2
1 Quadratrute	=	10,890 m^2		

Rötteln

1 Juchert	=	4 Viertel	=	3873,629 m^2
1 Viertel	=	72 Quadratruten	=	968,407 m^2
1 Quadratrute	=	13,450 m^2		

[2] Vgl. die Angaben in der vorangehenden Anmerkung.

VSWG	Vierteljahrschrift für Sozial- und Wirtschaftsgeschichte
WI I, II	Wesentlicher Inhalt, Bd. I bzw. Bd. II
	(Voller bibliographischer Nachweis im Verzeichnis der gedruckten Quellen)
ZBLG	Zeitschrift für Bayerische Landesgeschichte
ZGO	Zeitschrift für Geschichte des Oberrheins
ZHF	Zeitschrift für Historische Forschung
ZRG GA	Zeitschrift der Savigny-Stiftung für Rechtsgeschichte, Germanistische Abteilung
ZWLG	Zeitschrift für Württembergische Landesgeschichte

Quellen und Literatur

Ungedruckte Quellen

Badisches Generallandesarchiv, Karlsruhe:[1]

Bestand	*Faszikel- bzw. Bandnummer*
61	801–3408 (Einzelstücke), 3314, 6707–6714
62	4570, 4577, 4579, 4580
74	948, 993, 994, 997, 998, 1120, 1124, 1132, 1133, 1153, 1197, 1201, 1228, 1229, 1322, 1364, 1366, 1378, 1404, 1423, 1429, 1431, 1433, 1439, 1443, 1469, 1509, 1555, 1556, 1557, 1561, 1568, 1569, 1570, 1571, 1572, 1573, 1575, 1576, 1577, 1578, 1580, 1583, 1591, 1613, 1705, 1847, 2028, 2060, 2062, 2616, 2617, 2619, 2621, 2628, 2820–2824, 2828, 3120, 3121, 3778, 3885, 3887, 3888, 4074, 4317, 4400, 4489, 4491, 4493, 4497, 4501, 4502, 4503, 4518, 4524, 5086, 5088, 5089, 5090, 5091, 5092, 5093, 5095, 5096, 5097, 5100–5105, 5108, 5109, 5376, 5377, 5423, 5787, 5793, 9321, 9339, 9342, 10411
108	84, 111, 112, 113–115, 116–156, 157, 247a, 265, 346a, 582
115	100, 217–225, 227, 229–258, 397, 401
120	11, 273a, 328, 330, 407, 551, 552, 554, 555, 561, 563, 564, 566, 656, 723–755, 756–759, 760–765a, 765b, 766–800, 904, 905a, 905b, 966
137	105, 150, 170, 186, 267
171	745
229	8089, 8091a, 8882, 9515, 13204, 19810, 21362, 21449, 22652, 22654, 22945, 22946, 23154, 23155, 23156, 23158, 23271/I, 23271/II, 23272, 23739, 28582, 33917, 37695, 38040, 38041, 39713, 39714, 39715, 42806, 47590, 48355, 50919, 52838, 52840, 54951/I–IV, 54952, 54953, 58080, 64346, 69889, 70240/I–III, 75379, 81556, 81557, 82169, 94368, 100906, 104371, 105128, 105129, 105130, 105131, 105132, 105133, 106406, 106477, 107693, 107983, 112897, 112898, 112899, 114053, 115110, 115111, 115325, 115725
236	3155

Gemeindearchiv Bahlingen: C VIII Nr. 4

Gemeindearchiv Denzlingen: 1 B–247

Stadtarchiv Emmendingen: B 1 A, Fasz. 1, B 1a/9

---

[1] Aufgeführt sind alle in den Anmerkungen genannten Bestände.

Gedruckte Quellen[2]

Dollmätsch, B. (Hg.), Sammlung Sämmtlicher Gesetze, Verordnungen, Verfügungen und Anordnungen, welche in den Markgraffschaften und in dem Großherzogthum Baden über Gegenstände der Orts-Polizei seit dem Jahre 1712 bis 1832 erschienen sind, und nach den Bestimmungen des vierten Capitels der Gemeinde-Ordnung durch die Bürgermeister vollzogen werden, 2 Teile, Karlsruhe-Baden 1836/37.

Drais, Carl Wilhelm Friedrich Ludwig v., Geschichte der Regierung und Bildung von Baden unter Carl Friederich, 2 Bde, Karlsruhe 1816, 1818. [*Drais I; Drais II*]

Duill, Friedrich Ernst, Dissertatio iuridica de iudiciis censoriis vulgo Ruge-Gerichten speciatim de iis, quae in Dynastia Wedano-Roncaliensi semel per annum solemniter celebrantur, Marburg 1753.

Eberhard, Jakob Friedrich, Von dem *geschwornen Montage* oder den Rügegerichten an der Lahn, Marburg 1768.

Erneuerte Kirchen-Censur-Ordnung für sämtlich Evangelische Kirchspiele der Marggravschaft Baden und Ihro zugehörigen Lande, Karlsruhe [1798]. [*Kirchenzensurordnung*]

Geisheimer, Friedrich Christian Ludwig, Ueber die zwekmäßige Haltung der *Vogtruggerichte* in Württemberg, Stuttgart 1814.

Gerstlacher, Carl Fridrich, Sammlung aller Baden-Durlachischen, das Kirchen- und Schulwesen, das Leben und die Gesundheit der Menschen, die Versorgung der Armen und Steurung des Bettels, die innerliche Landes-Sicherheit, die Versorgung der Wittwen und Waisen, die Verhütung der Feuers-Gefahr, und Entschädigung derer durch Brand Verunglükten, die Aufnahme der Communen, die Erhaltung der Wege und Strasen, die Beförderung des Nahrungsstandes, und der Landwirthschaft, und endlich die Aufnahme der Profeßionen und Handwerker betreffenden Anstalten und Verordnungen, 3 Bde, Karlsruhe 1773, 1774. [*GS I–III*]

Gönner, Nicolaus Thaddäus, Teutsches Staatsrecht, Landshut 1804.

Häberlin, Carl Friedrich, Handbuch des teutschen Staatsrechts, Bd. 1, Berlin 1794[2].

Härter, Karl / Stolleis, Michael (Hgg.), *Repertorium* der Policeyordnungen der frühen Neuzeit, Bd. 1 ff., Frankfurt/Main 1996 ff.

Härter, Karl (Hg.), Deutsches Reich und geistliche Kurfürstentümer (Kurmainz, Kurköln, Kurtrier) (*Repertorium* der Policeyordnungen der frühen Neuzeit, Bd. *1*), Frankfurt/Main 1996.

Holzer, Niklaus Anton Rudolf, Beschreibung des Amtes Laupen, hg. H. Michel, Bern 1984.

---

[2] Die in den Fußnoten verwendeten Kurztitel und Abkürzungen sind kursiv gesetzt.

Holzmann, J. M., Ueber das rechtliche Verhältniß der Juden im Badischen, in: Magazin von und für Baden 1 (1802), S. 72–104; 2,1 (1802), S. 34–76.

Holtzmann, J. M., Nachricht von einer Culturverbesserung zu Graben, in: Magazin von und für Baden 2,2 (1802), S. 81–99.

Holtzmann, J. M., Resultat aus dem 41jährigen Gang der Badendurlachischen Brandversicherungsanstalt, aufgestellt als Einladung zur Theilnahme an dieser höchstwohlthätigen Anstalt, in: Magazin von und für Baden 2,2 (1803), S. 156–169.

Instruction Unser Carl Fridrichs von Gottes Gnaden Marggraven zu Baden und Hochberg (...), wornach sich die zu Unserm Fürstlichen Hofraths-Collegio verordnete Präsident, Director, Räthe und Assessoren in Verwaltung des ihnen übertragenen Diensts zu achten (...), Karlsruhe 28. VII 1794. [*Hofratsinstruktion*]

Justi, Johann Heinrich Gottlob v., Grundsätze der Policeywissenschaft in einem vernünftigen, auf den Endzweck der Policey gegründeten, Zusammenhange (1756), Göttingen 1782³ (Neudruck Frankfurt/Main 1969).

Justi, Johann Heinrich Gottlob v., Die *Grundfeste* zu der Macht und Glückseeligkeit der Staaten oder ausführliche Vorstellung der gesamten Polizeiwissenschaft, Königsberg, Leipzig 1760/61 (Neudruck Aalen 1965).

Lands-Ordnung der Fürstenthummer und Landen Baden und Hachberg/ Landgraffschafft Sausenberg/ und Herrschafft Rötteln/ Badenweiler/ Lahr und Mahlberg, Durlach 1715. [*Landesordnung*]

Landwehr, Achim / Simon, Thomas (Hgg.), Baden und Württemberg (Repertorium der Policeyordnungen der Frühen Neuzeit, Bd. 4), Frankfurt/Main 2001.

Malblanc, Julius Friedrich, Dissertatio de judiciis quae *Ruege-Gerichte* vocantur, Tübingen 1773.

Mors, J. B., Alphabetisches *Real-Repertorium* über sämtliche Großherzoglich Badische ältere und neuere Gesetze und Landes- auch Provinzial-Verordnungen vom Jahre 1710 bis 1810, zur Erleichterung des Nachsuchens für den Geschäftsmann, 2 Bde, Freiburg i. Br. 1811.

Moser, Johann Jacob, Von der Landeshoheit in *Gnadensachen* (Neues teutsches Staatsrecht, Bd. 16,7), Frankfurt/Leipzig 1773 (Neudruck Osnabrück 1968).

Murhard, Fr., Artikel Absolutismus, in: H. v. Rotteck / C. Welcker (Hgg.), Das Staats-Lexikon. Encyklopädie der sämmtlichen Staatswissenschaften für alle Stände, Bd. 1, Altona 1845.

Mylius, Gustav Heinrich (Präs.), De iudiciis Saxonicis Rüge-Gerichte dictis, Leipzig 1737.

NN, Anzeige des SynodalRescripts von 1802, in: Magazin von und für Baden 1 (1802), S. 359–382.

NN, Versuch einer kurzen Darstellung der Form der Markgräflich Badischen *Staatspraxis*, in: Magazin von und für Baden 1 (1802), S. 177–230; 2,1 (1802), S. 135–191; 2,2 (1802), S. 122–181.

Obser, Karl, Aus Karl Friedrichs hinterlassenen *Papieren*, in: ZGO NF 26 (1911), S. 443–481.

Posselt, Wilhelm Heinrich, Ueber *Vogt- oder Rügegerichte* in allgemeiner Hinsicht auf die jetzigen Zeitumstände und insbesondere als vorzügliches Mittel: das Glück der Regenten und Völker durch inneren Wohlstand und Anhänglichkeit dauerhaft zu gründen und zu befördern, Leipzig 1801.

Pütter, Johann Stephan, Institutiones iuris publici Germanici, Göttingen 1782[3].

Rettig, Fr., Die *Policeygesetzgebung* des Großherzogtums Baden, Karlsruhe 1826.

Schilling, Lothar / Schuck, Gerhard (Hgg.), Wittelsbachische Territorien (Kurpfalz, Bayern, Pfalz-Neuburg, Pfalz-Sulzbach, Jülich-Berg, Pfalz-Zweibrücken) (*Repertorium* der Policeyordnungen der frühen Neuzeit, *3,1; 3,2*), Frankfurt/Main 1999.

Schmelzeisen, Gustaf Klemens (Hg.), Polizei- und Landesordnungen, 2 Bde, Köln, Graz 1968/1969.

Schubring, Klaus (Bearb.), Das Jahr 1789 im Markgräflerland. Aus den *Notizbüchern* eines Dorfvogtes, Binzen 1989.

Seckendorff, Veit Ludwig v., Teutscher *Fürstenstaat* (1656), Jena 1737.

Simon, Thomas (Hg.), Brandenburg/Preußen mit Nebenterritorien (Kleve-Mark, Magdeburg und Halberstadt) (*Repertorium* der Policeyordnungen der frühen Neuzeit, Bd. *2,1, 2,2*), Frankfurt/Main 1998.

Ulbrich, Manfred Otto, Versöhnt und vereinigt. Die badische Kirchen-Censur in der Gemeinde *Weil* 1741–1821, Binzen 1997.

»Vogt- und Rüg-Gerichts-Ordnung« (=Lands-Ordnung der Fürstenthummer und Landen Baden und Hachberg/ Landgraffschafft Sausenberg/ und Herrschafft Rötteln/ Badenweiler/ Lahr und Mahlberg, 9. Teil, 11. Titel), Durlach 1715, S. 342–356. [*Vogt- und Rügegerichtsordnung*]

Wesentlicher Inhalt des beträchtlichsten Theils der neuern Hochfürstlich-Markgräflich-Badischen Gesezgebung oder alphabetischer Auszug aus den in den Carlsruher und Rastatter Wochenblättern befindlichen, auch mehrern andern dazu gehörigen, noch nicht gedruckten Hochfürstlich-Markgräflich-Badischen Verordnungen, Bd. 1, Karlsruhe 1782; Bd. 2, Karlsruhe 1801. [*WI I, II*]

Literatur

Adamovich, Ludwig K. / Funk, Bernd-Christian, Allgemeines Verwaltungsrecht, Wien, New York 1987[3].

Agena, Carl-August, Der Amtmann im 17. und 18. Jahrhundert, Diss. jur. Göttingen 1972.

Albrecht, Peter, Die Förderung des *Landesausbaus* im Herzogtum Braunschweig-Wolfenbüttel im Spiegel der Verwaltungsakten des 18. Jahrhunderts (1671–1806), Braunschweig 1980.

Albrecht, Peter / Hinrichs, Ernst (Hgg.), Das niedere Schulwesen im Übergang vom 18. zum 19. Jahrhundert, Tübingen 1995.

Andreas, Willy, Geschichte der badischen Verwaltungsorganisation und Verfassung in den Jahren 1802–1818, Leipzig 1913.

Aretin, Karl Otmar v., *Einleitung*. Der Aufgeklärte Absolutismus als europäisches Problem, in: Ders. (Hg.), Der Aufgeklärte Absolutismus, Köln 1974, S. 11–51.

Axtmann, Roland, ›Police‹ and the Formation of the Modern State. Legal and Ideological Assumptions on State Capacity in the Austrian Lands of the Habsburg Empire, 1500–1800, in: German History 10 (1992), S. 39–61.

Bächtold, Kurt, Beiträge zur Verwaltung des Stadtstaates Schaffhausen von der Reformation bis zur Revolution, Schaffhausen 1947.

Bächtold, Kurt, Die *Rüger* und das Rügen im Schaffhauser Stadtstaat, in: Schaffhauser Beiträge zur Geschichte 63 (1986), S. 137–151.

Bader, Karl S., Dorf und Dorfgemeinde im Naturrecht [1959], neu in: Ders., Schriften zur Rechtsgeschichte, Bd. 2, Sigmaringen 1984, S. 69–104.

Bader, Karl S., *Dorfgenossenschaft* und Dorfgemeinde, Köln, Graz 1962.

Bauer, Ina, Von der Administrativjustiz zur Verwaltungsgerichtsbarkeit. Die Entwicklung des Rechtsschutzes auf dem Gebiet des öffentlichen Rechts in Baden im 19. Jahrhundert, Sinzheim 1996.

Baumgart, Peter, Absolutismus ein Mythos? Aufgeklärter Absolutismus ein Widerspruch? Reflexionen zu einem kontroversen Thema gegenwärtiger Frühneuzeitforschung, in: ZHF 27 (2000), S. 573–589.

Bausinger, Hermann, *Volkskunde*, Darmstadt 1971.

Becker, Klaus, Die behördliche *Erlaubnis* des absolutistischen Fürstenstaates, Diss. jur. Marburg 1970.

Beinert, Berthold, *Geheimer Rat* und Kabinett in Baden unter Karl Friedrich (1738–1811), Berlin 1937.

Berding, Helmut / Ullmann, Hans-Peter, *Veränderungen* in Deutschland an der Wende vom 18. zum 19. Jahrhundert, in: Dies. (Hgg.), Deutschland zwischen Revolution und Restauration, Königstein/Ts. 1981, S. 11–40.

Bierbrauer, Peter, Die ländliche Gemeinde im oberdeutsch-schweizerischen Raum, in: P. Blickle (Hg.), Landgemeinde und Stadtgemeinde in Mitteleuropa, München 1991, S. 169–190.

Bindschedler, Ursula, Die *Dispensation*, Diss. jur. Zürich 1958.

Birtsch, Günter, Der *Idealtyp* des aufgeklärten Herrschers. Friedrich der Große, Karl Friedrich von Baden und Joseph II. im Vergleich, in: Aufklärung 2, 1 (1987), S. 9–47.

Birtsch, Günter, Aufgeklärter Absolutismus oder *Reformabsolutismus?*, in: Ders. (Hg.), Reformabsolutismus im Vergleich. Staatswirklichkeit – Modernisierungsaspekte – Verfassungsstaatliche Positionen, in: Aufklärung 9,1 (1996), S. 101–109.

Blänkner, Reinhard, »*Absolutismus*« und »frühmoderner Staat«. Probleme und Perspektiven der Forschung, in: R. Vierhaus u. a. (Hgg.), Frühe Neuzeit – Frühe Moderne? Forschungen zur Vielschichtigkeit von Übergangsprozessen, Göttingen 1992, S. 48–74.

Blänkner, Reinhard, »Der Absolutismus war ein Glück, der doch nicht zu den Absolutisten gehört«. Eduard Gans und die hegelianischen Ursprünge der *Absolutismusforschung* in Deutschland, in: HZ 256 (1993), S. 31–66.

Blänkner, Reinhard, Überlegungen zum Verhältnis von Geschichtswissenschaft und Theorie politischer Institutionen, in: G. Göhler (Hg.), Die Eigenart der Institutionen. Zum Profil politischer Institutionentheorie, Baden-Baden 1994, S. 85–122.

Blänkner, Reinhard / Jussen, Bernhard, Institutionen und Ereignis. Anfragen an zwei alt gewordene geschichtswissenschaftliche Kategorien, in: Dies. (Hgg.), Institutionen und Ereignis. Über historische Praktiken und Vorstellungen gesellschaftlichen Ordnens, Göttingen 1998, S. 9–16.

Blaschke, Karlheinz, Die fünf neuen Leipziger Universitätsdörfer, in: Wissenschaftliche Zeitschrift der Universität Leipzig, Heft 5 (1951/52).

Blaschke, Karlheinz, Dorfgemeinde und Stadtgemeinde in *Sachsen*, in: P. Blickle (Hg.), Landgemeinde und Stadtgemeinde in Mitteleuropa, München 1991, S. 119–143.

Blauert, Andreas / Wiebel, Eva, Gauner- und Diebeslisten. Unterschichten- und Randgruppenkriminalität in den Augen des absolutistischen Staates, in: M. Häberlein (Hg.), Devianz, Widerstand und Herrschaftspraxis in der Vormoderne, Konstanz 1999, S. 67–96.

Blickle, Peter, *Landschaften* im Alten Reich, München 1973.

Blickle, Peter, Deutsche Untertanen. Ein Widerspruch, München 1981.

Blickle, Peter, *Untertanen* in der Frühneuzeit. Zur Rekonstruktion der politischen Kultur und der sozialen Wirklichkeit Deutschlands im 17. Jahrhundert, in: VSWG 70 (1983), S. 483–522.

Blickle, Peter, Friede und Verfassung. Voraussetzungen und Folgen der Eidgenossenschaft von 1291, in: Innerschweiz und frühe Eidgenossenschaft, hg. v. Historischen Verein der Fünf Orte, Bd. 1, Olten 1990, S. 13–202.

Blickle, Peter (Hg.), *Landgemeinde* und Stadtgemeinde in Mitteleuropa, München 1991.

Blickle, Peter, *Kommunalismus* – Begriffsbildung in heuristischer Absicht, in: Ders. (Hg.), Landgemeinde und Stadtgemeinde in Mitteleuropa, München 1991, S. 5–38.

Blickle, Peter, Arbeit, Alltag und Recht. Wandlungen in der Ochsenhausener Grundherrschaft an der Wende vom Mittelalter zur Neuzeit, in: M. Herold (Hg.), Ochsenhausen. Von der Benediktinerabtei zur oberschwäbischen Landstadt, Weissenhorn 1994, S. 127–138.

Blickle, Peter (Hg.), *Gemeinde und Staat* im Alten Europa, München 1998.

Blickle, Renate, Hausnotdurft. Ein Fundamentalrecht in der altständischen Ordnung Bayerns, in: G. Birtsch (Hg.), Grund- und Freiheitsrechte von der ständischen zur bürgerlichen Gesellschaft, Göttingen 1987, S. 42–64.

Blickle, Renate, Nahrung und Eigentum als Kategorien in der ständischen Gesellschaft, in: W. Schulze (Hg.), Ständische Gesellschaft und soziale Mobilität, München 1988, S. 73–93.

Blickle, Renate, Supplikationen und Demonstrationen. Mittel und Wege der Partizipation im bayerischen Territorialstaat, in: W. Rösener (Hg.), Kommunikation in der ländlichen Gesellschaft vom Mittelalter bis zur Moderne, Göttingen 2000, S. 263–317.

Blickle, Renate, Denunziation. Das Wort und sein historisch-semantisches Umfeld: Delation, Rüge, Anzeige, in: M. Hohkamp / C. Ulbrich (Hgg.). Der Staatsbürger als Spitzel. Denunziation während des 18. und 19. Jahrhunderts aus europäischer Perspektive, Leipzig 2001, S. 25–59.

Bödeker, Hans Erich, *»Verwaltung«*, *»Regierung«* und *»Polizei«* in deutschen Wörterbüchern und Lexika des 18. Jahrhunderts, in: E. V. Heyen (Hg.), Formation und Transformation des Verwaltungswissens in Frankreich und Deutschland (18., 19. Jh.) (Jahrbuch für europäische Verwaltungsgeschichte, 1), Baden-Baden 1989, S. 15–32.

Bödeker, Hans Erich, Aufklärung als Kommunikationsprozeß, in: Aufklärung 2,2 (1988), S. 89–111.

Böning, Holger, Das Intelligenzblatt als Medium praktischer Aufklärung, in: Internationales Archiv für Sozialgeschichte der deutschen Literatur 12 (1987), S. 107–133.

Böning, Holger, Die Genese der *Volksaufklärung* und ihre Entwicklung bis 1780, in: Ders. / R. Siegert (Hgg.), Volksaufklärung. Biobibliographisches Handbuch zur Popularisierung aufklärerischen Denkens im deutschen Sprachraum von den Anfängen bis 1850, Bd. 1, Stuttgart, Bad Cannstatt 1990, S. XX–IL.

Böning, Holger, Das Intelligenzblatt – eine literarisch-publizistische Gattung des 18. Jahrhunderts, in: Internationales Archiv für Sozialgeschichte der deutschen Literatur 19 (1994), S. 22–32.

Böning, Holger, Die Entdeckung des niederen Schulwesens in der deutschen Aufklärung, in: P. Albrecht / E. Hinrichs (Hgg.), Das niedere Schulwesen im Übergang vom 18. zum 19. Jahrhundert, Tübingen 1995, S. 75–108.

Böning, Holger / Siegert, Reinhart, *»Volksaufklärung«*. Biobibliographisches Handbuch zur Popularisierung aufklärerischen Denkens im deutschen Sprachraum – Ausgewählte Schriften. Ein *Werkstattbericht*, in: A. Conrad u.a. (Hgg.), Das Volk im Visier der Aufklärung. Studien zur Popularisierung der Aufklärung im späten 18. Jahrhundert, Hamburg 1998, S. 17–34.

Boltanski, Luc, La dénonciation, in: Actes de la recherche en sciences sociales, no. 51 (1984), S. 3–40.

Borst, Otto, Geschichte der Stadt *Esslingen* am Neckar, 1978.

Brakensiek, Stefan, *Lokalbehörden* und örtliche Amtsträger im Spätabsolutismus. Die Landgrafschaft Hessen-Kassel 1750–1806, in: Ders. u.a. (Hgg.), Kultur und Staat in der Provinz, Bielefeld 1992, S. 129–164.

Brakensiek, Stefan, *Fürstendiener*-Staatsbeamte-Bürger. Amtsführung und Lebenswelt der Ortsbeamten in niederhessischen Kleinstädten (1750–1830), Göttingen 1999.

Braun, Rudolf, Das ausgehende Ancien Régime in der Schweiz, Göttingen, Zürich 1984.

Brauneder, Wilhelm, Der soziale und rechtliche Gehalt der österreichischen *Polizeiordnungen* des 16. Jahrhunderts, in: ZHF 3 (1976), S. 205–219.

Brednich, Rolf Wilhelm, »Das schöne Bild eines wohlregulierten Dorfes«. Der ungarische Aufklärer und Sozialreformer Sámuel *Tessedik* (1741–1820), in: U. Jeggle u. a. (Hgg.), Volkskultur in der Moderne, Reinbek b. Hamburg 1986, S. 54–68.

Breuer, Stefan, Sozialdisziplinierung. Probleme und Problemverlagerungen eines Konzepts bei Max Weber, Gerhard Oestreich und Michel Foucault, in: Ch. Sachße / F. Tennstedt (Hgg.), Soziale Sicherheit und soziale Disziplinierung, Frankfurt/Main 1986, S. 45–69.

Brewer, John / Hellmuth, Eckhart (Hgg.), Rethinking *Leviathan*. The Eighteenth-Century State in Britain and Germany, Oxford 1999.

Brewer, John / Hellmuth, Eckhart, *Introduction*, in: Dies. (Hgg.), Rethinking Leviathan. The Eighteenth-Century State in Britain and Germany, Oxford 1999, S. 1–21.

Brian, Éric, La Mesure de l'État. Administrateurs et géomètres au XVIIIe s., Paris 1994.

Brieler, Ulrich, Die Unerbittlichkeit der Historizität. *Foucault als Historiker*, Köln, Weimar, Wien 1998.

Brockel, W., Die *Diözese Rötteln* in den Jahren 1749–1751 nach den Protokollen der damaligen Kirchenvisitationen, in: Das Markgräflerland 27 (1968), S. 1–41.

Brückner, Jutta, *Staatswissenschaften*, Kameralismus und Naturrecht. Ein Beitrag zur Geschichte der Politischen Wissenschaft im Deutschland des späten 17. und frühen 18. Jahrhunderts, München 1977.

Bruning, Jens, Das pädagogische Jahrhundert in der Praxis. Schulwandel in Stadt und Land in den preußischen Westprovinzen Minden und Ravensberg 1648–1816, Berlin 1998.

Brunner, Heinrich, Zeugen- und Inquisitionsbeweis der karolingischen Zeit (1865), neu in: Ders., Forschungen zur Geschichte des deutschen und französischen Rechts (1894), Neudruck Stuttgart, Aalen 1969, S. 88–247.

Brunner, Karl, Einleitung, in: Ders. (Hg.), Die Badischen *Schulordnungen*, Bd. 1, Berlin 1902, S. XIX–CXXVIII.

Brunner, Otto, Das »ganze Haus« und die alteuropäische »Ökonomik«, in: Ders., Neue Wege der Verfassungs- und Sozialgeschichte, Göttingen 1980³, S. 103–127.

Bulst, Neithard / Hoock, Jochen, *Bevölkerungsentwicklung* und Aktivitätsstruktur als statistisches und polizeiliches Problem in der Grafschaft Lippe in der zweiten Hälfte des 18. Jahrhunderts, in: Dies. / F. Irsigler (Hgg.), Bevölkerung, Wirtschaft und Gesellschaft. Stadt-Land-Beziehungen in Deutschland und Frankreich 14. bis 19. Jahrhundert, Trier 1983, S. 231–278.

Bumiller, Casimir, Die Junginger Audienzprotokolle von 1600–1625, in: Zeitschrift für Hohenzollerische Geschichte 107 (1984), S. 17–46.

Burchel, Graham / Gordon, Colin / Miller, Peter, Vorbemerkung, in: Dies. (Hgg.), The Foucault Effect. Studies in Governmentality, London u. a. 1991.

Burguière, André, La centralisation monarchique et la naissance des sciences sociales. Voyageurs et statisticiens à la recherche de la France à la fin du 18e siècle, in: Annales HSS 2000, no. 1, S. 199–218.

Burkhardt, Johannes, Das Haus, der Staat und die Ökonomie. Das Verhältnis von Ökonomie und Politik in der neuzeitlichen Institutionengeschichte, in: G. Göhler u. a. (Hgg.), Die Rationalität politischer Institutionen, Baden-Baden 1990, S. 169–187.

Burkhardt, Johannes, Artikel Wirtschaft, in: O. Brunner / W. Conze / R. Koselleck (Hgg.), Geschichtliche Grundbegriffe, Bd. 7, Stuttgart 1992, S. 550–559.

Burghartz, Susanna, Leib, Ehre und Gut. Delinquenz in Zürich Ende des 14. Jahrhunderts, Zürich 1990.

Burghartz, Susanna, Zeiten der Reinheit – Orte der Unzucht. Ehe und Sexualität in Basel während der Frühen Neuzeit, Paderborn u. a. 1999.

Burke, Peter, Zivilisation, Disziplin, Unordnung: Fallstudien zu Geschichte und Gesellschaftstheorie, in: N. Boškovska Leimgruber (Hg.), Die Frühe Neuzeit in der Geschichtswissenschaft. Forschungstendenzen und Forschungserträge, Paderborn u. a. 1997, S. 57–70.

Butz, Horst, Bedeutung und Ausprägung von *Gnadengewalt* und Gnadensachen in der Entstehungsphase des modernen Verwaltungsrechts, Köln 1975.

Cole, John W., Gemeindestudien der Cultural Anthropology in Europa, in: G. Wiegelmann (Hg.), Gemeinde im Wandel. Volkskundliche Gemeindestudien in Europa, Münster 1979, S. 15–31.

Coleby, Andrew M., Central Government and the Localities: Hampshire 1649–1689, Cambridge u. a. 1987.

Conrad, Anne u. a. (Hgg.), Das *Volk im Visier* der Aufklärung, Studien zur Popularisierung der Aufklärung im späten 18. Jahrhundert, Hamburg 1998.

Conrad, Anne, *Aufgeklärte Elite* und aufzuklärendes Volk? Das Volk im Visier der Aufklärung, in: Dies. u. a. (Hgg.), Das Volk im Visier der Aufklärung, Hamburg 1998, S. 1–15.

Dehesselles, Thomas, Policey, Handel und Kredit im Herzogtum Braunschweig-Wolfenbüttel in der Frühen Neuzeit, Frankfurt / Main 1999.

Desrosières, Alain, La politique des grands nombres. Histoire de la raison statistique, Paris 1993.

Demel, Walter, Vom aufgeklärten *Reformstaat* zum bürokratischen Staatsabsolutismus, München 1993.

Diestelkamp, Bernhard, Einige *Beobachtungen* zur Geschichte des Gesetzes in vorkonstitutioneller Zeit, in: ZHF 10 (1983), S. 385–420.

Dietrich, Heinrich, Die Verwaltung und Wirtschaft Baden-Durlachs unter Karl Wilhelm 1709–1738, Heidelberg 1911.

Dinges, Martin, Frühneuzeitliche *Armenfürsorge* als Sozialdisziplinierung? in: GG 17 (1991), S. 5–29.

Dinges, Martin, Michel Foucault, *Justizphantasien* und die Macht, in: G. Schwerhoff / A. Blauert (Hgg.), Mit den Waffen der Justiz, Frankfurt/Main 1993, S. 189–212.

Dinges, Martin, Der *Maurermeister* und der Finanzrichter. Ehre, Geld und soziale Kontrolle im Paris des 18. Jahrhunderts, Göttingen 1994.

Dinges, Martin, *Aushandeln* von Armut in der Frühen Neuzeit. Selbsthilfepotential, Bürgervorstellungen und Verwaltungslogiken, in: WerkstattGeschichte 4, Heft 10 (1995), S. 7–15.

Dinges, Martin, *Normsetzung* als Praxis? Oder: warum werden die Normen zur Sachkultur und zum Verhalten so häufig wiederholt und was bedeutet dies für den Prozeß der ›Sozialdisziplinierung‹? in: G. Jaritz (Hg.), Norm und Praxis im Alltag des Mittelalters und der Frühen Neuzeit, Wien 1997, S. 39–53.

Dinges, Martin, Medicinische Policey zwischen Heilkundigen und »Patienten« (1750–1830), in: K. Härter (Hg.), Policey und frühneuzeitliche Gesellschaft, Frankfurt/Main 2000, S. 263–295.

Dipper, Christof, Deutsche Geschichte 1648–1789, Frankfurt/Main 1991.

Dipper, Christof, *Übergangsgesellschaft*. Die ländliche Sozialordnung in Mitteleuropa um 1800, in: ZHF 23 (1996), S. 57–87.

Dirlmeier, Ulf, *Obrigkeit* und Untertanen in den oberdeutschen Städten des Spätmittelalters. Zum Problem der Interpretation städtischer Verordnungen und Erlasse, in: W. Paravicini / K. F. Werner (Hgg.), Histoire comparée de l'administration (IVe–XVIIIe siècles), München 1980, S. 437–449.

Dölemeyer, Barbara / Mohnhaupt, Heinz (Hgg.), Das Privileg im europäischen Vergleich, Frankfurt/Main 1997.

Dolezalek, G., Artikel Supplikation, in: HRG, Bd. 5, Berlin 1998, S. 94–97.

Dubach, Philipp, Recht und Gesetz – ein konfligierendes Verhältnis im 16. Jahrhundert, Lizenziatsarbeit Universität Bern 1997.

Duchhardt, Heinz, Absolutismus – Abschied von einem Epochenbegriff?, in: HZ 258 (1994), S. 113–122.

Dülmen, Richard v., Kultur und Alltag in der Frühen Neuzeit, Bd. 2: Dorf und Stadt, München 1992.

Dünninger, J., Rügegerichte eines unterfränkischen Dorfes im 19. Jahrhundert, in: P. Assion (Hg.), Ländliche Kulturformen im deutschen Südwesten. Festschrift H. Heimberger, Stuttgart 1971, S. 31–36.

Dürr, Renate, *Mägde* in der Stadt. Das Beispiel Schwäbisch Hall in der Frühen Neuzeit, Frankfurt/Main, New York 1995.

Ebel, Wilhelm, Der *Bürgereid* als Geltungsgrund und Gestaltungsprinzip des deutschen mittelalterlichen Stadtrechts, Weimar 1958.

Ebel, Wilhelm, Geschichte der *Gesetzgebung* in Deutschland, Göttingen 1958[2].

Eibach, Joachim, Der *Staat vor Ort*. Amtmänner und Bürger im 19. Jahrhundert am Beispiel Badens, Frankfurt/Main, New York 1994.

Eibach, Joachim, Die *Bekanntmachung* der Gesetze und Verordnungen in den badischen Gemeinden ab 1803, in: ZGO 142 (1994), S. 431–440.

Eibach, Joachim, Kriminalitätsgeschichte zwischen Sozialgeschichte und Historischer Kulturforschung, in: HZ 263 (1996), S. 681–715.

Eibach, Joachim, Konflikt und Arrangement. Lokalverwaltung in Bayern, Württemberg und Baden zwischen Reformära und 48er Revolution, in: E. Laux / K. Teppe (Hgg.), Der neuzeitliche Staat und seine Verwaltung. Beiträge zur Entwicklungsgeschichte seit 1700, Stuttgart 1998, S. 137–162.

Ehrenpreis, Stefan, Sozialdisziplinierung durch *Schulzucht*? Bildungsnachfrage, konkurrierende Bildungssysteme und der ›deutsche Schulstaat‹ des siebzehnten Jahrhunderts, in: H. Schilling (Hg.), Institutionen, Instrumente und Akteure sozialer Kontrolle und Disziplinierung im frühneuzeitlichen Europa, Frankfurt/Main 1999, S. 167–185.

Ellwein, Thomas, *Verwaltungsgeschichte* und Verwaltungstheorie, in: Jahrbuch zur Staats- und Verwaltungswissenschaft 3 (1989), S. 465–475.

Ellwein, Thomas, Über *Verwaltungskunst* oder: Grenzen der Verwaltungsführung und der Verwaltungswissenschaft, in: Staatswissenschaft und Staatspraxis 1 (1990), S. 89–104.

Ellwein, Thomas, Der *Staat* als Zufall und Notwendigkeit. Die jüngere Verwaltungsentwicklung in Deutschland am Beispiel Ostwestfalen-Lippe, 2 Bde, Opladen 1993.

Endres, Rudolf, Absolutistische Entwicklungen in fränkischen Territorien im Spiegel der Dorfordnungen, in: Jahrbuch für Regionalgeschichte 16/II (1989), S. 81–93.

Endres, Rudolf, Stadt- und Landgemeinde in Franken, in: P. Blickle (Hg.), Landgemeinde und Stadtgemeinde in Mitteleuropa, München 1991, S. 101–117.

Engelhardt, Ulrich, Zum Begriff der Glückseligkeit in der kameralistischen Staatslehre des 18. Jahrhunderts (J. H. G. v. Justi), in: ZHF 8 (1981), S. 37–79.

Ertman, Thomas, Explaining Variation in Early Modern State Structure. The Cases of England and the German Territorial States, in: J. Brewer / E. Hellmuth (Hgg.), Rethinking *Leviathan*. The Eighteenth-Century State in Britain and Germany, Oxford 1999, S. 23–52.

Esders, Stefan / Scharff, Thomas (Hgg.), *Eid und Wahrheitssuche*. Studien zu rechtlichen Befragungspraktiken in Mittelalter und früher Neuzeit, Frankfurt/Main u. a. 1999.

Esders, Stefan / Scharff, Thomas, Die *Untersuchung* der Untersuchung. Methodische Überlegungen zum Studium rechtlicher Befragungs- und Weisungspraktiken in Mittelalter und früher Neuzeit, in: Dies. (Hgg.), Eid und Wahrheitssuche. Studien zu rechtlichen Befragungspraktiken in Mittelalter und früher Neuzeit, Frankfurt/Main u. a. 1999, S. 11–47.

Esders, Stefan, Regionale Selbstbehauptung zwischen Byzanz und dem Frankenreich. Die *inquisitio* der Rechtsgewohnheiten Istriens durch die Sendboten Karls des Großen und Pippins von Italien, in: Ders. / Th. Scharff (Hgg.), Eid und Wahrheitssuche. Studien zu rechtlichen Befragungspraktiken in Mittelalter und früher Neuzeit, Frankfurt/Main u. a. 1999, S. 49–112.

Farge, Arlette / Foucault, Michel, *Familiäre Konflikte*. Die »Lettres de cachet«, Frankfurt/Main 1989.

Farr, Ian, ›Tradition‹ and the Peasantry. On the Modern Historiography of Rural Germany, in: R. J. Evans / W. R. Lee (Hgg.), The German Peasantry, London u. a. 1986, S. 1–36.

Fehr, Otto, Das Verhältnis von *Staat und Kirche* in Baden-Durlach in protestantischer Zeit (1556–1807) vornehmlich im 18. Jahrhundert, Lahr 1931.

Fischer, Wolfram, Ansätze zur Industrialisierung in Baden 1770–1870, in: VSWG 47 (1960), S. 186–231.

Fitzpatrick, Sheila / Gellately, Robert, *Introduction* to the Practices of Denunciation in Modern European History, in: Dies. (Hgg.), Practices of Denunciation in Modern European History, 1789–1989 (=Journal of Modern History 68 [1996]), S. 747–767.

Fogleman, Aaron, Die *Auswanderung* aus Südbaden im 18. Jahrhundert, in: Zeitschrift des Breisgau-Geschichtsvereins (»Schau-ins-Land«) 106 (1987), S. 95–162.

Foucault, Michel, La *gouvernementalité*, in: Ders., Dits et Écrits 1954–1988, Bd. 3, Paris 1994, S. 635–657.

Foucault, Michel, Sécurité, territoire et population, in: Ders., Dits et Écrits 1954–1988, Bd. 3, Paris 1994, S. 719–723.

Fouquet, Gerhard, *Gemeindefinanzen* und Fürstenstaat in der Frühen Neuzeit: Die Haushaltsrechnungen des kurpfälzischen Dorfes Dannstadt (1739–1797), in: ZGO 136 (1988), S. 247–291.

Frank, Michael, *Dörfliche Gesellschaft* und Kriminalität. Das Fallbeispiel Lippe 1650–1800, Paderborn u. a. 1995.

Frank, Michael, Exzeß oder Lustbarkeit? Die policeyliche Reglementierung und Kontrolle von Festen in norddeutschen Territorien, in: K. Härter (Hg.), Policey und frühneuzeitliche Gesellschaft, Frankfurt/Main 2000, S. 149–178.

Franz, Norbert / Grewe, Bernd-Stefan / Knauff, Michael (Hgg.), Landgemeinden im Übergang zum modernen Staat. Vergleichende Mikrostudien im linksrheinischen Raum, Mainz 1999.

Frühsorge, Gotthardt, ›Oeconomie des Hofes‹. Zur politischen Funktion der Vaterrolle des Fürsten im ›Oeconomus prudens et legalis‹ des Franz Philipp Florinus, in: A. Buck u.a (Hgg.), Europäische Hofkultur im 16. und 17. Jahrhundert, Bd. 2, Hamburg 1979, S. 211–215.

Fuhrmann, Rosi / Kümin, Beat / Würgler, Andreas, Supplizierende Gemeinden. Aspekte einer vergleichenden Quellenbetrachtung, in: P. Blickle (Hg.), Gemeinde und Staat im Alten Europa, München 1998, S. 267–323.

Gayraud, J.-F., La *dénonciation*, Paris 1995.

Gerstenberger, Heide, Die *subjektlose Gewalt*. Theorie der Entstehung bürgerlicher Staatsgewalt, Münster 1990.

Gerteis, Klaus, Bürgerliche *Absolutismuskritik* im Südwesten des Alten Reiches vor der Französischen Revolution, Trier 1983.

Gestrich, Andreas, Politik im Alltag. Zur Funktion politischer Information im deutschen Absolutismus des frühen 18. Jahrhunderts, in: Aufklärung 5,2 (1990), S. 9–27.

Gestrich, Andreas, *Absolutismus* und Öffentlichkeit. Politische Kommunikation in Deutschland zu Beginn des 18. Jahrhunderts, Göttingen 1994.

Gestrich, Andreas, *Vergesellschaftungen* des Menschen. Einführung in die Historische Sozialisationsforschung, Tübingen 1999.

Giesecke, Michael, Der *Buchdruck* in der frühen Neuzeit. Eine historische Fallstudie über die Durchsetzung neuer Informations- und Kommunikationstechnologien, Frankfurt/Main 1991.

Gleixner, Ulrike, Rechtsfindung zwischen Machtbeziehungen, Konfliktregelung und Friedenssicherung. Historische Kriminalitätsforschung und Agrargeschichte in der Frühen Neuzeit, in: W. Troßbach / C. Zimmermann (Hgg.), Agrargeschichte. Positionen und Perspektiven, Stuttgart 1998, S. 57–71.

Gothein, Eberhard, Die Hofverfassung auf dem Schwarzwald dargestellt an der Geschichte des Gebiets von St. Peter, in: ZGO NF 1 (1886), S. 257–316, hier S. 304–307.

Gothein, Eberhard, Die *oberrheinischen Lande* vor und nach dem dreißigjährigen Kriege, in: ZGO NF 1 (1886), S. 1–45.

Gothein, Eberhard, Johann Georg *Schlosser* als badischer Beamter, Heidelberg 1899.

Gothein, Eberhard, *Beiträge* zur Verwaltungsgeschichte der Markgrafschaft Baden unter Karl Friedrich, in: ZGO NF 26 (1911), S. 377–414.

Graf, Walter, Die Selbstverwaltung der fricktalischen Gemeinden im 18. Jahrhundert. Ein Beitrag zur innern Geschichte des absolutistischen Staates, Frick 1966.

Grawert, Rolf, Historische *Entwicklungslinien* des neuzeitlichen Gesetzesrechts, in: Der Staat 11 (1972), S. 1–25.

Greiling, Werner, »Intelligenzblätter« und gesellschaftlicher Wandel in Thüringen. Anzeigenwesen, Nachrichtenvermittlung, Räsonnement und Sozialdisziplinierung, München 1995.

Grémion, Pierre, Pouvoir local, pouvoir central. Essai sur la fin de l'administration républicaine, Lille 1978.

Grewe, Bernd-Stefan, Lokale Eliten im Vergleich. Auf der Suche nach einem tragfähigen Konzept zur Analyse dörflicher Herrschaftsstrukturen, in: N. Franz u. a. (Hgg.), Landgemeinden im Übergang zum modernen Staat, Mainz 1999, S. 93–119.

Grube, Walter, *Vogteien,* Ämter, Landkreise in Baden-Württemberg, Bd. 1, Stuttgart 1975.

Gustafsson, Harald, *Political Interaction* and the Old Regime. Central Power and Local Society in the Eighteenth Century Nordic States, Lund 1994.

Haas, Stefan / Pfister, Ulrich, *Verwaltungsgeschichte* – eine einleitende Perspektive, in: U. Pfister / M. de Tribolet (Hgg.), Sozialdisziplinierung – Verfahren –

Bürokraten. Entstehung und Entwicklung der modernen Verwaltung, Basel 1999, S. 11–26.

Hacker, Werner, *Auswanderungen* aus Baden und dem Breisgau, Stuttgart, Aalen 1980.

Häberlein, Mark, Vom Oberrhein zum Susquehanna. Studien zur badischen Auswanderung nach Pennsylvanien im 18. Jahrhundert, Stuttgart 1993.

Härter, Karl, Entwicklung und Funktion der Policeygesetzgebung des Heiligen Römischen Reiches Deutscher Nation im 16. Jahrhundert, in: Ius Commune XX (1993), S. 61–141.

Härter, Karl, *Disciplinamento* sociale e ordinanze di polizia nella prima età moderna, in: P. Prodi (Hg.), Disciplina dell'anima, disciplina del corpo e disciplina della società tra medioevo ed età moderna, Bologna 1994, S. 635–658.

Härter, Karl / Stolleis, Michael, *Einleitung*, in: Dies. (Hgg.), Deutsches Reich und geistliche Kurfürstentümer (Repertorium der Policeyordnungen der Frühen Neuzeit, Bd. 1), Frankfurt/Main 1996, S. 1–36.

Härter, Karl, Bettler-Vaganten-Delinquenten. Ausgewählte Neuerscheinungen zu Armut, Randgruppen und Kriminalität im frühneuzeitlichen Europa, in: Ius Commune 23 (1996), S. 281–321.

Härter, Karl, *Social Control* and the Enforcement of Police-Ordinances in Early Modern Criminal Procedure, in: H. Schilling (Hg.), Institutionen, Instrumente und Akteure sozialer Kontrolle und Disziplinierung im frühneuzeitlichen Europa, Frankfurt/Main 1999, S. 39–63.

Härter, Karl, »... zum Besten und Sicherheit des gemeinen Weesens...« Kurkölnische Policeygesetzgebung während der Regierung des Kurfürsten Clemens August, in: F. G. Zehnder (Hg.), Im Wechselspiel der Kräfte. Politische Entwicklungen des 17. und 18. Jahrhunderts in Kurköln, Köln 1999, S. 203–235.

Härter, Karl, *Soziale Disziplinierung* durch Strafe? Intentionen frühneuzeitlicher Policeyordnungen und staatliche Sanktionspraxis, in: ZHF 26 (1999), S. 365–379.

Härter, Karl (Hg.), *Policey und frühneuzeitliche Gesellschaft*, Frankfurt/Main 2000.

Härter, Karl, Strafverfahren im frühneuzeitlichen Territorialstaat. Inquisition, Entscheidungsfindung, Supplikation, in: A. Blauert / G. Schwerhoff (Hgg.), Kriminalitätsgeschichte. Beiträge zur Sozial- und Kulturgeschichte der Vormoderne, Konstanz 2000, S. 459–480.

Hahn, Peter-Michael, »Absolutistische« *Polizeigesetzgebung* und ländliche Sozialverfassung, in: Jahrbuch für die Geschichte Mittel- und Ostdeutschlands 29 (1980), S. 13–29.

Ham, Hermann van, Die *Gerichtsbarkeit* an der Saar im Zeitalter des Absolutismus, Bonn 1938.

Harnisch, Hartmut, Die Landgemeinde in der Herrschaftsstruktur des feudalabsolutistischen Staates. Dargestellt am Beispiel von Brandenburg-Preußen, in: Jahrbuch für Geschichte des Feudalismus 13 (1989), S. 201–245.

Harnisch, Hartmut, Die Landgemeinde im ostelbischen Gebiet (mit Schwerpunkt Brandenburg), in: P. Blickle (Hg.), Landgemeinde und Stadtgemeinde in Mitteleuropa, München 1991, S. 309–332.

Harnisch, Hartmut, Gemeindeeigentum und Gemeindefinanzen im Spätfeudalismus, in: Jahrbuch für Regionalgeschichte 8 (1991), S. 126–174.

Hartmann, Andreas, Die *Anfänge* der Volkskunde, in: R. W. Brednich (Hg.), Grundriß der Volkskunde, Berlin 1994², S. 9–30.

Hartung, Fritz, Der aufgeklärte *Absolutismus* (1955), neu in: W. Hubatsch (Hg.), Absolutismus, Darmstadt 1973, S. 118–151.

Hartung, Fritz / Mousnier, Roland, Quelques problèmes concernant la monarchie absolue, in: Relazioni del X congresso internazionale di scienze storiche, Bd. IV, Firenze 1955, S. 1–55.

Heindl, Waldtraud, Gehorsame Rebellen. Bürokratie und Beamte in Österreich 1780 bis 1848, Wien, Köln, Graz 1991.

Heinsius, Wilhelm, J. Fr. Oberlins ›Schul- und Erziehungsreise‹ in die Markgrafschaft Hochberg, in: Schau-ins-Land 70 (1951/52), S. 88–99.

Helm, Johannes, Das Zunftwesen in der Landgrafschaft Sausenberg und der Herrschaft Rötteln zur Zeit des Landvogts E. F. von Leutrum (1717–1747), in: Das Markgräflerland 30, Heft 2 (1968), S. 1–24; Heft 3 (1968), S. 1–42. [*Zunftwesen I, II*]

Henshall, Nicholas, The *Myth* of Absolutism. Change & Continuity in Early Modern Monarchy, London 1992.

Heuvel, Christine v. d., Beamtenschaft und Territorialstaat. Behördenentwicklung und Sozialstruktur der Beamtenschaft im Hochstift Osnabrück 1550–1800, Osnabrück 1984.

Heyen, Erk Volkmar (Hg.), Formation und Transformation des Verwaltungswissens in Frankreich und Deutschland (18./19. Jh.), Baden-Baden 1989.

Hinrichs, Ernst, Zum Stand und zu den Aufgaben gegenwärtiger *Absolutismusforschung*, in: Ders. (Hg.), Absolutismus, Frankfurt/Main 1986, S. 7–32.

Hinrichs, Ernst, Abschied vom Absolutismus? Eine Antwort auf Nicholas Henshall, in: R. G. Asch / H. Duchhardt (Hgg.), Der Absolutismus ein Mythos? Strukturwandel monarchischer Herrschaft, Köln u. a. 1996, S. 353–371.

Hinrichs, Ernst, Zur Erforschung der *Alphabetisierung* in Nordwestdeutschland in der Frühen Neuzeit, in: A. Conrad u. a. (Hgg.), Das Volk im Visier der Aufklärung, Studien zur Popularisierung der Aufklärung im späten 18. Jahrhundert, Hamburg 1998, S. 35–56.

Hintze, Otto, Die *Behördenorganisation* und die allgemeine Staatsverwaltung Preußens im 18. Jahrhundert (Acta Borussica, Bd. 6,1), Berlin 1901.

Hinsberger, Rudolf, Die *Weistümer* des Klosters St. Matthias/Trier, Stuttgart, New York 1989.

Hippel, Wolfgang v., Napoleonische Herrschaft und Agrarreform in den deutschen Mittelstaaten 1800–1815, in: H. Berding / H.-P. Ullmann (Hgg.), Deutschland zwischen Revolution und Restauration, Königstein/Ts. 1981, S. 296–310.

Hippel, Wolfgang v., *Armut*, Unterschichten, Randgruppen in der Frühen Neuzeit, München 1995.

Hippel, Wolfgang v., »Landesbeschreibung« im Zeitalter der Aufklärung. Eine württembergische ›Landesstatistik‹ aus dem Jahr 1769, in: ZGO 147 (1999), S. 537–549.

Hochstrasser, Olivia, Armut und Liederlichkeit. Aufklärerische *Sozialpolitik* als Disziplinierung des weiblichen Geschlechts – das Beispiel Karlsruhe, in: U. Weckel u. a. (Hgg.), Ordnung, Politik und Geselligkeit der Geschlechter im 18. Jahrhundert, Göttingen 1998, S. 323–343.

Hofmeister, Andrea / Prass, Reiner / Winnige, Norbert, Elementary Education, Schools, and the Demands of Everyday Life: Northwest Germany in 1800, in: CEH 31 (1998), S. 329–384.

Hohkamp, Michaela, *Herrschaft* in der Herrschaft. Die vorderösterreichische Obervogtei Triberg von 1737 bis 1780, Göttingen 1998.

Hohkamp, Michaela / Ulbrich, Claudia (Hgg.), Der Staatsbürger als Spitzel. *Denunziation* während des 18. und 19. Jahrhunderts aus europäischer Perspektive, Leipzig 2001.

Holenstein, André, Die *Huldigung* der Untertanen. Rechtskultur und Herrschaftsordnung (800–1800), Stuttgart u. a. 1991.

Holenstein, André, *Seelenheil* und Untertanenpflicht. Zur gesellschaftlichen Funktion und theoretischen Begründung des Eides in der ständischen Gesellschaft, in: P. Blickle (Hg.), Der Fluch und der Eid (ZHF Beiheft, 15), Berlin 1993, S. 11–63.

Holenstein, André, *Bauern* zwischen Bauernkrieg und Dreißigjährigem Krieg, München 1996.

Holenstein, André, »Local-Untersuchung« und »Augenschein«. Reflexionen auf die Lokalität im Verwaltungsdenken und -handeln des Ancien Régime, in: Werkstatt-Geschichte 16 (1997), S. 19–31.

Holenstein, André, *Bittgesuche*, Gesetze und Verwaltung. Zur Praxis »guter Policey« in Gemeinde und Staat des Ancien Régime am Beispiel der Markgrafschaft Baden(-Durlach), in: P. Blickle (Hg.), Gemeinde und Staat im Alten Europa, München 1998, S. 325–357.

Holenstein, André, Die ›*Ordnung*‹ *und die* ›*Mißbräuche*‹. ›Gute Policey‹ als Institution und Ereignis, in: R. Blänkner / B. Jussen (Hgg.), Institution und Ereignis. Über historische Praktiken und Vorstellungen gesellschaftlichen Ordnens, Göttingen 1998, S. 253–273.

Holenstein, André, *Gesetzgebung* und administrative Praxis im Staat des Ancien Régime. Beobachtungen an den badischen Vogt- und Rügegerichten des 18. Jahrhunderts, in: B. Dölemeyer / D. Klippel (Hgg.), Gesetz und Gesetzgebung im Europa der Frühen Neuzeit, Berlin 1998, S. 171–197.

Holenstein, André, Ordnung und Unordnung im Dorf. Ordnungsdiskurse, Ordnungspraktiken und Konfliktregelungen vor den badischen Frevelgerichten des 18. Jahrhunderts, in: M. Häberlein (Hg.), Devianz, Widerstand und Herrschaftspraxis in der Vormoderne, Konstanz 1999, S. 165–196.

Holenstein, André, Bitten um den *Schutz*. Staatliche Judenpolitik und Lebensführung von Juden im Lichte von Schutzsupplikationen aus der Markgrafschaft

Baden(-Durlach) im 18. Jahrhundert, in: R. Kießling / S. Ullmann (Hgg.), Landjudentum im deutschen Südwesten während der Frühen Neuzeit, Berlin 1999, S. 97–153.

Holenstein, André, Die *Umstände* der Normen – die Normen der Umstände. Policeyordnungen im kommunikativen Handeln von Verwaltung und lokaler Gesellschaft, in: K. Härter (Hg.), Policey und frühneuzeitliche Gesellschaft, Frankfurt/Main 2000, S. 1–46.

Holenstein, André, Normen und Praktiken der *Anzeige* in der Markgrafschaft Baden-Durlach in der zweiten Hälfte des 18. Jahrhunderts, in: M. Hohkamp / C. Ulbrich (Hgg.), Der Staatsbürger als Spitzel. Denunziation während des 18. und 19. Jahrhunderts aus europäischer Perspektive, Leipzig 2001, S. 111–146.

Holenstein, André, »Gute Policey« und lokale Gesellschaft: *Erfahrung* als Kategorie im Verwaltungshandeln des 18. Jahrhunderts, in: P. Münch (Hg.), »Erfahrung« als Kategorie der Frühneuzeitgeschichte (HZ-Beiheft 31), München 2001, S. 433–450.

Holenstein, André, *Klagen*, anzeigen und supplizieren. Kommunikative Praktiken und Konfliktlösungsverfahren in der Markgrafschaft Baden im 18. Jahrhundert, in: M. Eriksson / B. Krug-Richter (Hgg.), Streitkulturen. Gewalt, Konflikt und Kommunikation in der ländlichen Gesellschaft (16.–19. Jh.), Köln, Weimar, Wien 2003, S. 335–369.

Holzem, Andreas, Eid und Eidschwörer. Wahrheitssuche und Loyalitätsverpflichtung im frühneuzeitlichen Sendgericht, in: S. Esders / Th. Scharff (Hgg.), Eid und Wahrheitssuche. Studien zu rechtlichen Befragungspraktiken in Mittelalter und früher Neuzeit, Frankfurt/Main u. a. 1999, S. 211–236.

Holzem, Andreas, Religion und Lebensform. Katholische Konfessionalisierung im Sendgericht des Fürstbistums Münster 1570–1800, Paderborn 2000.

Hülle, Werner, Das *Supplikenwesen* in Rechtssachen, Anlageplan für eine Dissertation, in: ZRG GA 90 (1973), S. 194–212.

Hülle, Werner, Artikel Supplikation, in: HRG, Bd. 5, Berlin 1998, Sp. 91 f.

Hüllinghorst, Bernd, *Verwaltungspraxis* und Sozialdisziplinierung an einem lokalen Beispiel. Die ravensbergische Vogtei Enger im 17. Jahrhundert, in: Westfälische Forschungen, 42 (1992), S. 252–272.

Hunecke, Volker, Überlegungen zur Geschichte der *Armut* im vorindustriellen Europa, in: GG 9 (1983), S. 480–512.

Huneke, Friedrich, Die »Lippischen *Intelligenzblätter*« (Lemgo 1767–1799), Bielefeld 1989.

Ingrao, Charles, The Hessian *mercenary state*. Ideas, institutions, and reform under Frederick II, 1760–1785, Cambridge u. a. 1987.

Ingrao, Charles, The *Smaller German States*, in: H. M. Scott (Hg.), Enlightened Absolutism, London 1990, S. 221–243.

Isenmann, Eberhard, Die deutsche Stadt des Mittelalters. Stuttgart 1988.

Jaritz, Gerhard, Norm und Praxis in Alltag und Sachkultur des Spätmittelalters: »Widerspruch« und »Entsprechung«, in: Ders. (Hg.), Norm und Praxis im Alltag des Mittelalters und der Frühen Neuzeit, Wien 1997, S. 7–19.

Jeggle, Utz, The *Rules of the Village*. On the Cultural History of the Peasant World in the Last 150 Years, in: R. J. Evans / W. R. Lee (Hgg.), The German Peasantry, London u. a. 1986, S. 265–289.

Johannisson, Karin, Society in *Numbers*: The Debate over Quantification in 18th-Century Political Economy, in: T. Frängsmyr u. a. (Hgg.), The Quantifying Spirit in the Eighteenth Century, Berkeley u. a. 1990, S. 343–361.

Jütte, Robert, *Poverty* and Deviance in Early Modern Europe, Cambridge 1994.

Just, Leo, Stufen und Formen des Absolutismus (1961), neu in: W. Hubatsch (Hg.), Absolutismus, Darmstadt 1973, S. 288–308.

Kaplan, Steven L., Bread, Politics and Political Economy in the Reign of Louis XV, 2 Bde, Den Haag 1976.

Kaplan, Steven L., Réflexions sur la police du monde du travail, 1700–1815, in: Revue historique 261 (1979), S. 3–77.

Kaplan, Steven L., Note sur le commissaire de police de Paris au XVIIIe siècle, in: Revue d'histoire moderne et contemporaine 28 (1981), S. 669–686.

Kaschuba, Wolfgang, *Neue Konzepte* – neue Perspektiven ? (1986), neu in: Ders., Volkskultur zwischen feudaler und bürgerlicher Gesellschaft, Frankfurt / Main, New York 1988, S. 15–71.

Kaschuba, Wolfgang, *Aufbruch* in die Moderne: Volkskultur und Sozialdisziplin im napoleonischen Württemberg (1987), neu in: Ders., Volkskultur zwischen feudaler und bürgerlicher Gesellschaft, Frankfurt / Main, New York 1988, S. 73–126.

Kaschuba, Wolfgang, Kommunalismus als sozialer »common sense«. Zur Konzeption von Lebenswelt und Alltagskultur im neuzeitlichen Gemeindegedanken, in: P. Blickle (Hg.), Landgemeinde und Stadtgemeinde in Mitteleuropa, München 1991, S. 65–91.

Kaschuba, Wolfgang, *Einführung* in die Europäische Ethnologie, München 1999.

Kent, Joan R., The English Village *Constable* 1580–1642. A Social and Administrative Study, Oxford 1986.

Kissling, Peter, »Gute Policey« im Berchtesgadener Land. Rechtsentwicklung und Verwaltung zwischen Landschaft und Obrigkeit 1377 bis 1803, Frankfurt / Main 1999.

Klippel, Diethelm, Reasonable Aims of Civil Society. Concerns of the State in German Political Theory in the Eighteenth and Early Nineteenth Centuries, in: J. Brewer / E. Hellmuth (Hgg.), Rethinking *Leviathan*. The Eighteenth-Century State in Britain and Germany, Oxford 1999, S. 71–98.

Knapp, Theodor, *Gesammelte Beiträge* zur Rechts- und Wirtschaftsgeschichte vornehmlich des deutschen Bauernstandes, Tübingen 1902 (Neudruck Aalen 1964).

Knapp, Theodor, *Neue Beiträge* zur Rechts- und Wirtschaftsgeschichte des württembergischen Bauernstandes, Tübingen 1919 (Neudruck Aalen 1964).

Knemeyer, Franz-Ludwig, *Polizeibegriffe* in Gesetzen des 15. bis 18. Jahrhunderts, in: Archiv des öffentlichen Rechts 92 (1967), S. 154–180.

Knemeyer, Franz-Ludwig, Artikel *Polizei*, in: O. Brunner / W. Conze / R. Koselleck (Hgg.), Geschichtliche Grundbegriffe, Bd. 4, Stuttgart 1978, S. 875–897.

Knöbl, Wolfgang, Polizei und Herrschaft im Modernisierungsprozeß, Frankfurt, New York 1998.

König, Benno, Luxusverbote im Fürstbistum Münster, Frankfurt/Main 1999.

König, Imke, Judenverordnungen im Hochstift Würzburg (15.–18. Jh.), Frankfurt/Main 1999.

Koeniger, Albert Michael, Die Sendgerichte in Deutschland, München 1907.

Konersmann, Frank, Kirchenregiment und Kirchenzucht im frühneuzeitlichen Kleinstaat, Köln 1996.

Konersmann, Frank, Städtische Strafgerichtsbarkeit unter dem Einfluß fürstenstaatlicher Policeyverwaltung. Das Schöffengericht der Residenzstadt Zweibrücken zwischen 1688 und 1796, in: Mitteilungen des Historischen Vereins der Pfalz 96 (1999), S. 171–200.

Konersmann, Frank, Auftrag und Amtspraxis der *Policeygarden* im Herzogtum Pfalz-Zweibrücken (1757–1793), in: K. Härter (Hg.), Policey und frühneuzeitliche Gesellschaft, Frankfurt/Main 2000, S. 525–559.

Konold, Werner (Bearb.), Historische *Wasserwirtschaft* im Alpenraum und an der Donau, Stuttgart 1994.

Konold, Werner / Popp, Susanne, Zur Geschichte der *Wiesenwässerung* im Bereich der württembergischen Donau, in: W. Konold (Bearb.), Historische Wasserwirtschaft im Alpenraum und an der Donau, Stuttgart 1994, S. 377–398.

Kopfmann, Klaus, Die Bemühungen des Johannes Schindler um die Bürgerannahme seiner Braut in Köndringen. Eine kleine Sozial- und Sittengeschichte der Markgrafschaft Hachberg im 18. Jahrhundert, in: ›s'Eige zeige‹. Jahrbuch des Landkreises Emmendingen für Kultur und Geschichte 10 (1996), S. 47–68.

Koser, Reinhold, Die Epochen der absoluten Monarchie in der neueren Geschichte (1889), neu in: W. Hubatsch (Hg.), Absolutismus, Darmstadt 1973, S. 1–44.

Kramer, Karl-Sigismund, *Grundriß* einer rechtlichen Volkskunde, Göttingen 1974.

Krieger, Albert, Die *kirchlichen Verhältnisse* in der Markgrafschaft Hochberg im letzten Drittel des 17. Jahrhunderts, in: ZGO NF 15 (1900), S. 259–324.

Krüger, Kersten, Politische Ämtervisitationen unter Landgraf Wilhelm IV., in: Hessisches Jahrbuch für Landesgeschichte 27 (1977), S. 1–36.

Krüger, Kersten, Policey zwischen Sozialregulierung und Sozialdisziplinierung, Reaktion und Aktion – *Begriffsbildung* durch Gerhard Oestreich 1972–1974, in: K. Härter (Hg.), Policey und frühneuzeitliche Gesellschaft, Frankfurt/Main 2000, S. 107–119.

Krug-Richter, Barbara, *Konfliktregulierung* zwischen dörflicher Sozialkontrolle und patrimonialer Gerichtsbarkeit. Das Rügegericht in der Westfälischen Gerichtsherrschaft Canstein, in: Historische Anthropologie 5 (1997), S. 212–228.

Kümin, Beat / Würgler, Andreas, Petitions, Gravamina and the early modern state: local influence on central legislation in England and Germany (Hesse), in: Parliaments, Estates & Representation 17 (1997), S. 39–60.

Kumpf, J. H., Artikel Petition, in: HRG, Bd. 3, Berlin 1984, Sp. 1639–1646.

Der *Landkreis Lörrach*, hg. v. Landesarchivdirektion Baden-Württemberg 2 Bde, Sigmaringen 1993.

Landwehr, Achim, *Policey im Alltag.* Die Implementation frühneuzeitlicher Policeyordnungen in Leonberg, Frankfurt/Main 2000.

Landwehr, Achim, *Policey vor Ort.* Die Implementation von Policeyordnungen in der ländlichen Gesellschaft der Frühen Neuzeit, in: K. Härter (Hg.), Policey und frühneuzeitliche Gesellschaft, Frankfurt/Main 2000, S. 47–70.

Landwehr, Achim, *»Normdurchsetzung«* in der Frühen Neuzeit? Kritik eines Begriffs, in: Zeitschrift für Geschichtswissenschaft 48 (2000), S. 146–162.

Landwehr, Achim, »...das ein *Nachbar* uff den andern heimblich achtung gebe.« ›Denunciatio‹, Rüge und ›gute Policey‹ im frühneuzeitlichen Württemberg, in: F. Ross / A. Landwehr (Hgg.), Denunziation und Justiz. Historische Dimensionen eines sozialen Phänomens, Tübingen 2000, S. 25–53.

Landwehr, Götz, Die althannoverschen *Landgerichte*, Hildesheim 1964.

Landwehr, Götz, Gogericht und Rügegericht, in: ZRG GA 83 (1966), S. 127–143.

Lang, Peter Thaddäus, Reform im Wandel. Die katholischen Visitationsinterrogatorien des 16. und 17. Jahrhunderts, in: E. W. Zeeden / Ders. (Hgg.), Kirche und Visitation. Beiträge zur Erforschung des frühneuzeitlichen Visitationswesens in Europa, Stuttgart 1984, S. 131–190.

Lang, Peter Thaddäus, Die katholischen *Kirchenvisitationen* des 18. Jahrhunderts. Der Wandel vom Disziplinierungs- zum Datensammlungsinstrument, in: Römische Quartalschrift für christliche Altertumskunde und Kirchengeschichte 83 (1988), S. 265–295.

Laufs, Adolf, Die Verfassung und Verwaltung der Stadt *Rottweil*, Stuttgart 1963.

Leiser, Wolfgang, Privilegierte Untertanen. Die badischen Städte im Ancien Régime, in: E. Maschke / J. Sydow (Hgg.), Verwaltung und Gesellschaft in der südwestdeutschen Stadt des 17. und 18. Jahrhunderts, Stuttgart 1969, S. 22–45.

Leiser, Wolfgang, Fürstenruhm und staatliche Integration: Geschichtsschreibung und Gesetzgebung unter Karl Friedrich von Baden, in: ZGO NF 94 (1985), S. 211–220.

Lemke, Thomas, Eine *Kritik* der politischen Vernunft. Foucaults Analyse der modernen Gouvernementalität, Hamburg 1997.

Lenel, Paul, Badens *Rechtsverwaltung* und Rechtsverfassung unter Markgraf Karl Friedrich 1738–1803, Karlsruhe 1913.

Lenman, Bruce / Parker, Geoffrey, The State, the Community and the Criminal Law in Early Modern Europe, in: V. A. C. Gatrell / Dies. (Hgg.), Crime and the Law. The Social History of Crime in Western Europe since 1500, London 1980, S. 11–48.

Liebel, Helen P., Enlightened *Bureaucracy* versus Enlightened Despotism in Baden, 1750–1792, Philadelphia 1965.

Lieberich, Heinz, Die Anfänge der Polizeigesetzgebung des Herzogtums Baiern, in: D. Albrecht u. a. (Hgg.), Festschrift für Max Spindler zum 75. Geb., München 1969, S. 307–378.

Liebs, Detlef, Lateinische Rechtsregeln und Rechtssprichwörter, Darmstadt 1982.

Lindemann, Mary, *Health* & Healing in Eighteenth-Century Germany, Baltimore u. a. 1996.

Lindenfeld, David F., The Decline of Polizeiwissenschaft: Continuity and Change in the Study of Administration in German Universities during the 19th Century, in: E. V. Heyen (Hg.), Formation und Transformation des Verwaltungswissens in Frankreich und Deutschland (18., 19. Jh.) (Jahrbuch für europäische Verwaltungsgeschichte, 1), Baden-Baden 1989, S. 141–159.

Lipp, Carola, Alltagskulturforschung im Grenzbereich von Volkskunde, Soziologie und Geschichte. Aufstieg und Niedergang eines interdisziplinären Forschungskonzepts, in: ZfVolkskunde 89 (1993), S. 1–33.

Loetz, Francisca, Vom Kranken zum Patienten. *»Medikalisierung«* und medizinische Vergesellschaftung am Beispiel Badens 1750–1850, Stuttgart 1993.

Loetz, Francisca, »... nicht durch Einschreiten oder Zwang, sondern durch Belehrung und Warnung«: *Polyvalenzen* als Modellelemente zur Erforschung der Volksaufklärung, in: A. Conrad u. a. (Hgg.), Das Volk im Visier der Aufklärung, Hamburg 1998, S. 239–259.

Loo, Hans v. d. / Reijen, Willem v., Modernisierung. Projekt und Paradox, München 1992.

Lottes, Günther, Disziplin und Emanzipation. Das Sozialdisziplinierungskonzept und die Interpretation der frühneuzeitlichen Geschichte, in: Westfälische Forschungen 42 (1992), S. 63–74.

Lucas, Colin, The Theory and Practice of Denunciation in the French Revolution, in: Sh. Fitzpatrick / R. Gellately (Hgg.), Practices of Denunciation in Modern European History, 1789–1989 (= Journal of Modern History 68 (1996)), S. 768–785.

Ludwig, A., Die Diözese *Hochberg* zur Zeit Karl Friedrichs, Heidelberg 1911.

Ludwig, Theodor, Der badische *Bauer* im achtzehnten Jahrhundert, Straßburg 1896.

Lüdtke, Alf, *»Gemeinwohl«*, Polizei und »Festungspraxis«. Staatliche Gewaltsamkeit und innere Verwaltung in Preußen, 1815–1850, Göttingen 1982.

Lüdtke, Alf, *Polizeiverständnis* preußischer Polizeihandbücher im 19. Jahrhundert. Zur Folgenlosigkeit akademischer Diskurse, in: E. V. Heyen (Hg.), Wissenschaft und Recht von der Verwaltung seit dem Ancien Régime, Frankfurt/Main 1984, S. 307–346.

Lüdtke, Alf, *Einleitung*: Herrschaft als soziale Praxis, in: Ders. (Hg.), Herrschaft als soziale Praxis, Göttingen 1991, S. 9–63.

Lüdtke, Alf, Einleitung: »Sicherheit« und »Wohlfahrt«. Aspekte der Polizeigeschichte, in: Ders. (Hg.), »Sicherheit« und »Wohlfahrt«. Polizei, Gesellschaft und Herrschaft im 19. und 20. Jahrhundert, Frankfurt/Main 1992, S. 7–33.

Lüdtke, A. / Fürmetz, G., *Denunziation* und Denunzianten: Politische Teilnahme oder Selbstüberwachung?, in: Sowi, 27 (1998), S. 80–86.

Lukas, Josef, Über die *Gesetzes-Publikation* in Österreich und dem Deutschen Reiche, Graz 1903.

Macfarlane, Alan, History, anthropology and the study of communities, in: Social History 5 (1977), S. 631–652.

Magerl, Horst, Verwaltungsrechtsschutz in Württemberg in der Zeit von 1760–1850, Diss. jur. Freiburg i. Br. 1965.

Maier, Hans, Die ältere deutsche *Staats- und Verwaltungslehre*, München 1980².

Maier, Hans; Schmelzeisen, Gustaf Klemens, Artikel »Polizei«, »Polizeiordnungen«, in: Handwörterbuch zur deutschen Rechtsgeschichte, Bd. 3, Berlin 1984, Sp. 1800–1808.

Maier, Hans, Sozialdisziplinierung – ein Begriff und seine Grenzen (Kommentar), in: P. Prodi (Hg.), Glaube und Eid. Treueformeln, Glaubensbekenntnisse und Sozialdisziplinierung zwischen Mittelalter und Neuzeit, München 1993, S. 237–240.

Maier, Karl, Die Anfänge der Polizei- und Landesgesetzgebung in der Markgrafschaft Baden, Pfaffenweiler 1984.

Maisch, Andreas, Notdürftiger Unterhalt und gehörige Schranken. Lebensbedingungen und Lebensstile in württembergischen Dörfern der frühen Neuzeit, Stuttgart, Jena, New York 1992.

Mannoni, Stefano, Une et indivisible. Storia dell'*accentramento* amministrativo in Francia, 2 Bde, Mailand 1994.

Matsumoto, Naoko, *Polizeibegriff* im Umbruch. Staatszwecklehre und Gewaltenteilungspraxis in der Reichs- und Rheinbundpublizistik, Frankfurt/Main 1999.

Maurer, Heinrich, Emmendingen vor und nach seiner Erhebung zur Stadt, Emmendingen 1912.

Maurer, Julia, *Policeygesetzgebung* und Verwaltungspraxis in Baden-Durlach im 18. Jahrhundert, in: K. Härter (Hg.), Policey und frühneuzeitliche Gesellschaft, Frankfurt/Main 2000, S. 453–472.

Maurer, Julia, *Einleitung*, in: A. Landwehr / Th. Simon (Hgg.), Baden und Württemberg (Repertorium der Policeyordnungen der Frühen Neuzeit, Bd. 4), Frankfurt/Main 2001, S. 1–35.

Maurer, Michael, Die Biographie des Bürgers. Lebensformen und Denkweisen in der formativen Phase des deutschen Bürgertums (1680–1815), Göttingen 1996.

Mayntz, Renate, *Politische Steuerung*: Aufstieg, Niedergang und Transformation einer Theorie (1996), in: Dies., Soziale Dynamik und politische Steuerung. Theoretische und methodische Überlegungen, Frankfurt/Main, New York 1997, S. 263–292.

Merkel, Friedemann, Geschichte des evangelischen Bekenntnisses in Baden von der Reformation bis zur Union, Karlsruhe 1960.

Meyer, Torsten, Natur, Technik und *Wirtschaftswachstum* im 18. Jahrhundert. Risikoperzeption und Sicherheitsversprechen, Münster u. a. 1999.

Mieck, Ilja, Preußischer *Seidenbau* im 18. Jahrhundert, in: VSWG 56 (1969), S. 478–498.

Mitter, Friedrich Wolfgang, Die Grundlagen der Gerichtsverfassung und das Eheding der Zittauer Ratsdörfer von Beginn des 16. Jahrhunderts bis zum Ende des 18. Jahrhunderts, Leipzig 1928.

Möller, Helmut, Aus den Anfängen der *Volkskunde* als Wissenschaft. A. Volkskunde, Statistik, Völkerkunde 1787, in: Zeitschrift für Volkskunde 60 (1964), S. 218–233.

Moericke, Otto, Die *Agrarpolitik* des Markgrafen Karl Friedrich von Baden, Karlsruhe 1905.

Mohnhaupt, Heinz, *Potestas legislatoria* und Gesetzesbegriff im Ancien Régime, in: Ius Commune 4 (1972), S. 188–239.

Mohnhaupt, Heinz, Untersuchungen zum Verhältnis Privileg und Kodifikation im 18. und 19. Jahrhundert, in: Ius Commune 5 (1975), S. 71–121.

Mohnhaupt, Heinz, Vom Privileg zum Verwaltungsakt. Beobachtungen zur dogmengeschichtlichen Entwicklung in Deutschland seit der Mitte des 18. Jahrhunderts, in: E. V. Heyen (Hg.), Wissenschaft und Recht der Verwaltung seit dem Ancien Régime, Frankfurt/Main 1984, S. 41–58.

Mohnhaupt, Heinz, Vorstufen der Wissenschaft von »Verwaltung« und »Verwaltungsrecht« an der Universität Göttingen (1750–1830), in: E. V. Heyen (Hg.), Formation und Transformation des Verwaltungswissens in Frankreich und Deutschland (18., 19. Jh.) (=Jahrbuch für europäische Verwaltungsgeschichte 1, 1989), Baden-Baden 1989, S. 73–103.

Mohnhaupt, Heinz, Die Mitwirkung der *Landstände* an der Gesetzgebung. Argumente und Argumentationsweisen in der Literatur des 17. und 18. Jahrhunderts, in: M. Stolleis u. a. (Hgg.), Die Bedeutung der Wörter. Festschrift S. Gagnér zum 70. Geb., München 1991, S. 249–264.

Mohnhaupt, Heinz, *Gesetzgebung* des Reichs und Recht im Reich vom 16. bis 18. Jahrhundert, in: B. Dölemeyer / D. Klippel (Hgg.), Gesetz und Gesetzgebung im Europa der Frühen Neuzeit, Berlin 1998, S. 83–108.

Müller, Anneliese, *Königschaffhausen*, in: B. Oeschger (Hg.), Endingen am Kaiserstuhl, Endingen 1988, S. 275–303.

Müller, Anneliese, *Gemeinde*, in: Der Landkreis Lörrach, hg. v. Landesarchivdirektion Baden-Württemberg, Bd. 1, Sigmaringen 1993, S. 179–186.

Müller, Anneliese, Bevölkerung, in: Der Landkreis Lörrach, Bd. 1, Sigmaringen 1993, S. 205–211.

Müller, Waltraud, »Zur Wohlfahrt des gemeinen Wesens«. Ein Beitrag zur Bevölkerungs- und Sozialpolitik Max III. Joseph (1745–1777), München 1984.

Münch, Paul, Haus und Regiment – Überlegungen zum Einfluß der alteuropäischen Ökonomie auf die fürstliche Regierungstheorie und -praxis während der frühen Neuzeit, in: A. Buck u.a (Hgg.), Europäische Hofkultur im 16. und 17. Jahrhundert, Bd. 2, Hamburg 1979, S. 205–210.

Münch, Paul, *Einleitung*, in: Ders. (Hg.), Ordnung, Fleiß und Sparsamkeit, München 1984.

Münch, Paul, The Growth of the *Modern State*, in: Sh. Ogilvie (Hg.), Germany. A New Social and Economic History, Bd. 2 (1630–1800), London u. a. 1996, S. 196–232.

Mußgnug, Reinhard, Der *Dispens* von gesetzlichen Vorschriften, Heidelberg 1964.

Napoli, Paolo, »Police«: La conceptualisation d'un modèle juridico-politique sous l'Ancien Régime, in: Droits. Revue française de théorie juridique 20 (1994), S. 183–196; 21 (1995), S. 151–160.

Narr, Dieter / Bausinger, Hermann, Aus den Anfängen der *Volkskunde* als Wissenschaft. B. »Volkskunde« 1788, in: Zeitschrift für Volkskunde 60 (1964), S. 233–241.

Neuhaus, Helmut, *Reichstag* und Supplikationsausschuß. Ein Beitrag zur Reichsverfassungsgeschichte der ersten Hälfte des 16. Jahrhunderts, Berlin 1977.

Neuhaus, Helmut, *Supplikationen* als landesgeschichtliche Quellen, in: Hessisches Jahrbuch für Landesgeschichte 28 (1978), S. 110–190; 29 (1979), S. 63–97.

Naucke, Wolfgang, Vom Vordringen des Polizeigedankens im Recht, d.i.: vom Ende der Metaphysik im Recht, in: G. Dilcher / B. Diestelkamp (Hgg.), Recht, Gericht, Genossenschaft und Policey, Berlin 1986, S. 177–187.

Neugebauer, Wolfgang, Absolutistischer Staat und *Schulwirklichkeit* in Brandenburg-Preußen, Berlin 1985.

Nitschke, Peter, *Verbrechensbekämpfung* und Verwaltung. Die Entstehung der Polizei in der Grafschaft Lippe, 1700–1814, Münster, New York 1990.

Nitschke, Peter, Von der Politeia zur Polizei. Ein Beitrag zur Entwicklung des Polizei-Begriffs und seiner herrschaftspolitischen Dimensionen von der Antike bis ins 19. Jahrhundert, in: ZHF 19 (1992), S. 1–27.

Nolte, Paul, Der südwestdeutsche Frühliberalismus in der Kontinuität der Frühen Neuzeit, in: GWU 43 (1992), S. 743–756.

Notheisen, Emil, Die *Gemeinden* der Herrschaft Badenweiler. Nach einem Bericht des badischen Oberamtmanns Johann Michael Saltzer (1754), in: Schau-ins-Land 81 (1963), S. 116–123.

Nowosadtko, Jutta, Die *policierte Fauna* in Theorie und Praxis. Frühneuzeitliche Tierhaltung, Seuchen- und Schädlingsbekämpfung im Spiegel der Policeyvorschriften, in: K. Härter (Hg.), Policey und frühneuzeitliche Gesellschaft, Frankfurt/Main 2000, S. 297–340.

Nubola, Cecilia, Visite pastorali fra Chiesa e Stato nei secoli XVI e XVII, in: P. Prodi / W. Reinhard (Hgg.), Il concilio di Trento e il moderno (Annali dell' Istituto storico italo-germanico in Trento, Quaderno 45), Bologna 1996, S. 383–413.

Oestreich, Gerhard, *Strukturprobleme* des europäischen Absolutismus, in: VSWG 55 (1968), S. 329–347.

Ogilvie, Sheilagh, State corporatism and proto-industry. The Württemberg Black Forest, 1580–1797, Cambridge u.a. 1997.

Ogilvie, Sheilagh, The *State* in Germany. A Non-Prussian View in: J. Brewer / E. Hellmuth (Hgg.), Rethinking Leviathan. The Eighteenth-Century State in Britain and Germany, Oxford 1999, S. 167–202.

Ogorek, Regina, Das Machtspruchmysterium, in: Rechtshistorisches Journal 3 (1984), S. 82–107.

Ogorek, Regina, Individueller *Rechtsschutz* gegenüber der Staatsgewalt. Zur Entwicklung der Verwaltungsgerichtsbarkeit im 19. Jahrhundert, in: J. Kocka (Hg.), Bürgertum im 19. Jahrhundert. Deutschland im europäischen Vergleich, Bd. 1, München 1988, S. 372–405.

Ogris, W., Artikel Nachbarrecht, in: HRG, Bd. 3, Berlin 1984, Sp. 815–819.

Ohler, Norbert, Die Gemeinden im 19. und 20. Jahrhundert, in: P. Schmidt (Hg.), Teningen. Ein Heimatbuch, Teningen 1990, S. 337–466.

Oswalt, Vadim, *Staat und ländliche Lebenswelt* in Oberschwaben 1810–1871, Leinfelden-Echterdingen 2000.

Pankoke, Eckart, Fortschritt und Komplexität. Die Anfänge moderner Sozialwissenschaft in Deutschland, in: R. Koselleck (Hg.), Studien zum Beginn der modernen Welt, Stuttgart 1977, S. 352–74.

Pasquino, Pasquale, Politisches und historisches Interesse. ›*Statistik*‹ und historische Staatslehre bei Gottfried Achenwall (1719–1772), in: H. E. Bödeker u. a. (Hgg.), Aufklärung und Geschichte. Studien zur deutschen Geschichtswissenschaft im 18. Jahrhundert, Göttingen 1986, S. 144–168.

Pauser, Josef, Gravamina und Policey. Zum Einfluß ständischer Beschwerden auf die landesfürstliche Gesetzgebungspraxis in den niederösterreichischen Ländern vornehmlich unter Ferdinand I. (1521–1564), in: Estates, Parliaments & Representation 17 (1997), S. 13–38.

Pfister, Christian, Bevölkerungsgeschichte und historische Demographie 1500–1800, München 1994.

Pfister, Christian, Geschichte des Kantons Bern, Bd. IV: Im Strom der Modernisierung. Bevölkerung, Wirtschaft und Umwelt 1700–1914, Bern 1995.

Plodeck, Karin, Zur sozialgeschichtlichen Bedeutung der absolutistischen Polizei- und Landesordnungen, in: ZBLG 39 (1976), S. 79–125.

Pirson, Dietrich, Das *Baurecht* des fürstlichen Absolutismus im hohenzollerischen Franken, Düsseldorf o. J. [1960].

Pohl, Hans, Preußische Wirtschaftsverwaltung und Wirtschaftspolitik im 18. Jahrhundert am Beispiel des Seidengewerbes, in: H. Neuhaus (Hg.), Verfassung und Verwaltung. Festschrift f. K. G. A. Jeserich zum 90. Geb., Köln, Weimar, Wien 1994, S. 65–102.

Prak, Maarten, The Carrot and the Sick: Social Control and *Poor Relief* in the Dutch Republic, Sixteenth to Eighteenth Centuries, in: H. Schilling (Hg.), Institutionen, Instrumente und Akteure sozialer Kontrolle und Disziplinierung im frühneuzeitlichen Europa, Frankfurt/Main 1999, S. 149–166.

Prass, Reiner, *Reformprogramm* und bäuerliche Interesse. Die Auflösung der traditionellen Gemeindeökonomie im südlichen Niedersachsen, 1750–1883, Göttingen 1997.

Preu, Peter, *Polizeibegriff* und Staatszwecklehre. Die Entwicklung des Polizeibegriffs durch die Rechts- und Staatswissenschaften des 18. Jahrhunderts, Göttingen 1983.

Prinz, Michael, Sozialdisziplinierung und Konfessionalisierung. Neuere Fragestellungen in der Sozialgeschichte der Frühen Neuzeit, in: Westfälische Forschungen 42 (1992), S. 1–25.

Prodi, Paolo (Hg.), Disciplina dell'anima, disciplina del corpo e disciplina della società tra medioevo ed età moderna, Bologna 1994.

Pröve, Ralf, *Dimensionen* und Reichweite der Paradigmen »Sozialdisziplinierung« und »Militarisierung« im Heiligen Römischen Reich, in: H. Schilling (Hg.), Institutionen, Instrumente und Akteure sozialer Kontrolle und Disziplinierung im frühneuzeitlichen Europa, Frankfurt/Main 1999, S. 65–85.

Radkau, Joachim, *Holzverknappung* und Krisenbewußtsein im 18. Jahrhundert, in: GG 9 (1983), S. 513–543.

Raeff, Marc, The Well-Ordered *Police State*, New Haven, London 1983.

Raeff, Marc, Der wohlgeordnete *Polizeistaat* und die Entwicklung der Moderne im Europa des 17. und 18. Jahrhunderts. Versuch eines vergleichenden Ansatzes, in: E. Hinrichs (Hg.), Absolutismus, Frankfurt/Main 1986, S. 310–343.

Rankl, Helmut, Der bayerische Rentmeister in der frühen Neuzeit. Generalkontrolleur der Finanzen und Justiz, Mittler zwischen Fürst und Bevölkerung, Promotor der »baierischen« Libertät, in: Zeitschrift für bayerische Landesgeschichte 60 (1997), S. 617–648.

Rankl, Helmut, *Landvolk* und frühmoderner Staat in Bayern 1400–1800, München 1999.

Raphael, Lutz, »Die Sprache der Verwaltung«. Politische Kommunikation zwischen Verwaltern und Landgemeinden zwischen Maas und Rhein (1814–1880), in: N. Franz u. a. (Hgg.), Landgemeinden im Übergang zum modernen Staat, Mainz 1999, S. 183–205.

Raphael, Lutz, Recht und Ordnung. Herrschaft durch *Verwaltung* im 19. Jahrhundert, Frankfurt/Main 2000.

Rassem, Mohammed, Die Volkstumswissenschaften und der Etatismus (1951), Mittenwald 1979[2].

Rassem, Mohammed u. a. (Hg.), Statistik und Staatsbeschreibung in der Neuzeit, vornehmlich im 16.–18. Jahrhundert, Paderborn 1980.

Rassem, Mohammed, *Bemerkungen* zur »Sozialdisziplinierung« im frühmodernen Staat, in: Zeitschrift für Politik 30 (1983), S. 217–238.

Rauser, Jürgen, Das Sindringer Ruggericht 1688–1788 (Hohenloher historische Hefte, 21), Schloß Stetten 1968.

Reinhard, Wolfgang, Sozialdisziplinierung – Konfessionalisierung – *Modernisierung*, in: N. Boškovska Leimgruber (Hg.), Die Frühe Neuzeit in der Geschichtswissenschaft. Forschungstendenzen und Forschungserträge, Paderborn u. a. 1997, S. 39–55.

Reinhard, Wolfgang, Geschichte der *Staatsgewalt*, München 1999.

Revel, Jacques, Micro-analyse et construction du social, in: Ders. (Hg.), Jeux d'échelles. La micro-analyse à l'expérience, 1996.

Reyer, Herbert, Die Dorfgemeinde im nördlichen Hessen. Untersuchungen zur hessischen Dorfverfassung im Spätmittelalter und in der frühen Neuzeit, Marburg 1983.

Richarz, Irmintraut, Oikos, Haus und Haushalt. Ursprung und Geschichte der Haushaltsökonomik, Göttingen 1991.

Roeck, Bernd, Außenseiter, Randgruppen, Minderheiten, Göttingen 1993.

Rösener, Werner, Dinggenossenschaft und Weistümer im Rahmen mittelalterlicher Kommunikationsformen, in: Ders. (Hg.), Kommunikation in der ländlichen Gesellschaft vom Mittelalter bis zur Moderne, Göttingen 2000, S. 47–75.

Rublack, Ulinka, *Magd*, Metz' oder Mörderin. Frauen vor frühneuzeitlichen Gerichten, Frankfurt/Main 1998.

Rüfner, Wolfgang, Verwaltungsschutz in Preußen von 1749 bis 1842, Bonn 1962.

Sabean, David Warren, Das zweischneidige *Schwert*. Herrschaft und Widerspruch im Württemberg der frühen Neuzeit (1986), Frankfurt/Main 1990.

Sabean, David Warren, Property, Production, and Family in Neckarhausen, 1700–1870, Cambridge u. a. 1990. [*Neckarhausen I*]

Sabean, David Warren, Social Background to Vetterleswirtschaft: Kinship in Neckarhausen, in: R. Vierhaus u. a. (Hgg.), Frühe Neuzeit – frühe Moderne? Forschungen zur Vielschichtigkeit von Übergangsprozessen, Göttingen 1992, S. 113–132.

Sabean, David Warren, Soziale Distanzierungen. Ritualisierte Gestik in deutscher bürokratischer Prosa der Frühen Neuzeit, in: Historische Anthropologie 4 (1996), S. 216–233.

Sabean, David Warren, *Village Court Protocolls* and Memory, in: H. R. Schmidt u. a. (Hgg.), Gemeinde, Reformation und Widerstand. Festschrift f. Peter Blickle zum 60. Geb., Tübingen 1998, S. 3–23.

Sälter, Gerhard, Lokale Ordnung und *soziale Kontrolle* in der frühen Neuzeit. Zur außergerichtlichen Konfliktregelung in einem kultur- und sozialhistorischen Kontext, in: Kriminologisches Journal 32 (2000), S. 19–42.

Sailer, Rita, *Untertanenprozesse* vor dem Reichskammergericht. Rechtsschutz gegen die Obrigkeit in der zweiten Hälfte des 18. Jahrhunderts, Köln, Weimar, Wien 1999.

Sandl, Marcus, Ökonomie des Raumes. Der kameralwissenschaftliche Entwurf der *Staatswirtschaft* im 18. Jahrhundert, Köln u. a.1999.

Sarasin, Philipp, *Subjekte*. Diskurse. Körper. Überlegungen zu einer diskursanalytischen Kulturgeschichte, in: W. Hardtwig / H.-U. Wehler (Hg.), Kulturgeschichte Heute, Göttingen 1996, S. 131–164.

Schaab, Meinrad, Die Anfänge der Landesstatistik im Herzogtum Württemberg, in den Badischen Markgrafschaften und in der Kurpfalz, in: ZWLG 26 (1967), S. 89–112,

Schaab, Meinrad, Die Herausbildung einer *Bevölkerungsstatistik* in Württemberg und Baden während der ersten Hälfte des 19. Jahrhunderts, in: ZWLG 30 (1971), S. 164–200.

Schäfer, Konstantin, *Landesvisitationen* in den badischen Markgrafschaften, in: Alemannisches Jahrbuch 1960, S. 158–202.

Schedensack, Christine, Formen der außergerichtlichen Konfliktbeilegung. Vermittlung und Schlichtung am Beispiel nachbarrechtlicher Konflikte in Münster (1600–1650), in: Westfälische Forschungen 47 (1997), S. 643–667.

Schenda, Rudolf, Die Verfleißigung der Deutschen. Materialien zur Indoktrination eines Tugend-Bündels, in: U. Jeggle u.a. (Hgg.), Volkskultur in der Moderne, Reinbek b. Hamburg 1986, S. 88–108.

Scheuner, Ulrich, Die Staatszwecke und die Entwicklung der Verwaltung im deutschen Staat des 18. Jahrhunderts, in: G. Kleinheyer / P. Mikat (Hgg.), Beiträge zur Rechtsgeschichte. Gedächtnisschrift f. H. Conrad, Paderborn u.a. 1979, S. 467–489.

Schiera, Pierangelo, Dall'Arte di Governo alle Scienze dello Stato. Il *Cameralismo* e l'Assolutismo Tedesco, Mailand 1968.

Schildt, Bernd, Der *Friedensgedanke* im frühneuzeitlichen Dorfrecht: Das Beispiel Thüringen, in: ZRG GA, 107 (1990), S. 188–235.

Schilling, Heinz (Hg.), *Institutionen*, Instrumente und Akteure sozialer Kontrolle und Disziplinierung im frühneuzeitlichen Europa, Frankfurt/Main 1999.

Schilling, Heinz, Profil und Perspektiven einer interdisziplinären und komparatistischen Disziplinierungsforschung jenseits einer Dichotomie von Gesellschafts- und Kulturgeschichte, in: Ders. (Hg.), Institutionen, Instrumente und Akteure sozialer Kontrolle und Disziplinierung im frühneuzeitlichen Europa, Frankfurt/Main 1999, S. 3–36.

Schilling, Lothar, Policey und Druckmedien im 18. Jahrhundert. Das *Intelligenzblatt* als Medium policeylicher Kommunikation, in: K. Härter (Hg.), Policey und frühneuzeitliche Gesellschaft, Frankfurt/Main 2000, S. 413–452.

Schlosser, Hans, *Gesetzgebung* und Rechtswirklichkeit im Territorialstaat der Frühen Neuzeit, in: Diritto e potere nella storia europea. Atti del quarto congresso internazionale della Società Italiana di Storia del Diritto, Bd. 1, Florenz 1982, S. 525–542.

Schlumbohm, Jürgen, *Gesetze*, die nicht durchgesetzt werden – ein Strukturmerkmal des frühneuzeitlichen Staates?, in: GG 23 (1997), S. 647–663.

Schmale, Wolfgang, Die *Schule* in Deutschland im 18. und frühen 19. Jh. Konjunkturen, Horizonte, Mentalitäten, Probleme, Ergebnisse, in: W. Schmale / N. L. Dodde (Hgg.), Revolution des Wissens? Europa und seine Schulen im Zeitalter der Aufklärung (1750–1825), Bochum 1991, S. 627–767.

Schmale, Wolfgang, Neuere Forschungen zur Verwaltungsgeschichte der Landgemeinden in Frankreich und Deutschland vor der Industrialisierung, in: Jahrbuch für europäische Verwaltungsgeschichte 4 (1992), S. 343–363.

Schmelzeisen, Gustaf Klemens, Polizeiordnungen und *Privatrecht*, Münster, Köln 1955.

Schmidt, Georg C. L., Der Schweizer Bauer im Zeitalter des Frühkapitalismus, 2 Bde, Bern 1932.

Schmidt, Heinrich R., *Konfessionalisierung* im 16. Jahrhundert, München 1992.

Schmidt, Heinrich R., *Dorf und Religion*. Reformierte Sittenzucht in Berner Landgemeinden der Frühen Neuzeit, Stuttgart u. a. 1995.

Schmidt, Heinrich R., Sozialdisziplinierung? Ein *Plädoyer* für das Ende des Etatismus in der Konfessionalisierungsforschung, in: HZ 265 (1997), S. 639–682.

Schmidt, Peter, Nimburg und Bottingen, *Teningen*, Köndringen und Landeck zwischen Bauernkrieg und Französischer Revolution (1500–1800), in: Ders. (Hg.), Teningen. Ein Heimatbuch, Teningen 1990, S. 137–193.

Schmitt, Sigrid, Territorialstaat und Gemeinde im oberpfälzischen Oberamt Alzey, Stuttgart 1992.

Schmölz-Häberlein, Michaela, Zwischen Integration und Ausgrenzung: Juden in der oberrheinischen Kleinstadt Emmendingen 1680–1800, in: R. Kießling / S. Ullmann (Hgg.), Landjudentum im deutschen Südwesten während der Frühen Neuzeit, Berlin 1999, S. 363–397.

Schmölz-Häberlein, Michaela, Die Täufer im baden-durlachischen Amt Hochberg – ein vergessenes Kapitel südwestdeutscher Geschichte, in: »s Eige zeige«. Jahrbuch des Landkreises Emmendingen für Geschichte und Kultur 14 (2000), S. 67–84.

Schmölz-Häberlein, Michaela, Stadtgeschichte *Emmendingen*: Vom Westfälischen Frieden bis zum Ende des Alten Reiches, in: Geschichte der Stadt Emmendingen, Bd. 1, hg. Stadt Emmendingen (Ms.; erscheint 2002).

Schmucker, Heinz Das Polizeiwesen im Herzogtum Württemberg, Diss. jur. Tübingen 1958.

Schmugge, Ludwig, Kirche, Kinder, Karrieren. Päpstliche *Dispense* von der unehelichen Geburt im Spätmittelalter, Zürich 1995.

Schmugge, Ludwig / Hersperger, Patrick / Wiggenhauser, Béatrice, Die Supplikenregister der päpstlichen Pönitentiarie aus der Zeit Pius' II. (1458–1464), Tübingen 1996.

Schnabel-Schüle, Helga, Der große Unterschied und seine kleinen Folgen. Zum Problem der Kirchenzucht als Unterscheidungskriterium zwischen lutherischer und reformierter Konfession, in: M. Hagenmaier / S. Holtz (Hgg.), Krisenbewußtsein und Krisenbewältigung in der Frühen Neuzeit. Festschrift für H.-Chr. Rublack, Frankfurt/Main 1992, S. 197–214.

Schnabel-Schüle, Helga, Institutionelle und gesellschaftliche *Rahmenbedingungen* der Strafgerichtsbarkeit in Territorien des Reichs, in: H. Mohnhaupt / D. Simon (Hgg.), Vorträge zur Justizforschung, Bd. 2, Frankfurt/Main 1993, S. 147–173.

Schnabel-Schüle, Helga, *Kirchenvisitationen* und Landesvisitationen als Mittel der Kommunikation zwischen Herrscher und Beherrschten, in: H. Duchhardt/ G. Melville (Hgg.), Im Spannungsfeld von Recht und Ritual. Soziale Kommunikation in Mittelalter und Früher Neuzeit, Köln u. a. 1997, S. 173–186.

Schnabel-Schüle, Helga, Überwachen und Strafen im Territorialstaat. Bedingungen und Auswirkungen des Systems strafrechtlicher Sanktionen im frühneuzeitlichen Württemberg, Köln u. a. 1997.

Schneider, Jörg, Die evangelischen *Pfarrer* der Markgrafschaft Baden-Durlach in der zweiten Hälfte des achtzehnten Jahrhunderts, Lahr 1936.

Scholz, Fred, Künstliche Bewässerung im Nordschwarzwald. Ein einzig noch historisch-geographisch interessantes Thema? in: Alemannisches Jahrbuch 1989/90, S. 105–126.

Schremmer, Eckart, Zu wenig städtisches und zu viel *ländliches Gewerbe* in Baden um 1790? in: H. Kellenbenz u.a. (Hgg.), Historia socialis et oeconomica. Festschrift f. W. Zorn zum 65. Geb., Stuttgart 1987, S. 316–29.

Schremmer, Eckart, Zünftige und nicht-zünftige Gewerbetreibende in der Markgrafschaft Baden-Durlach im Jahr 1767, in: H. Henning u.a. (Hgg.), Wirtschafts- und sozialgeschichtliche Forschungen und Probleme. Festschrift f. K. E. Born zum 65. Geb., St. Katharinen 1987, S. 48–84.

Schröder, Rainer, Das Gesinde war immer frech und unverschämt. Gesinde und Gesinderecht vornehmlich im 18. Jahrhundert, Frankfurt/Main 1992.

Schubert, Ernst, Arme Leute, Bettler und Gauner im Franken des 18. Jahrhunderts, Neustadt a.d. Aisch 1983.

Schuck, Gerhard, Überlegungen zum Verhältnis von *Arbeit und Policey* in der Frühen Neuzeit, in: Ius Commune XXII (1995), S. 121–150.

Schuck, Gerhard, *Theorien* moderner Vergesellschaftung in den historischen Wissenschaften um 1900. Zum Entstehungszusammenhang des Sozialdisziplinierungskonzeptes im Kontext der Krisenerfahrungen der Moderne, in: HZ 268 (1999), S. 35–59.

Schülin, Fritz / Eisele, Albert, *Efringen-Kirchen*, 1962.

Schulze, Reiner, Die Polizeigesetzgebung zur *Wirtschafts- und Arbeitsordnung* der Mark Brandenburg in der frühen Neuzeit, Aalen 1978.

Schulze, Reiner, *Geschichte* der neueren vorkonstitutionellen Gesetzgebung. Zu Forschungsstand und Methodenfragen eines rechtshistorischen Arbeitsgebietes, in: ZRG GA 98 (1981), S. 157–235.

Schulze, Reiner, Policey und *Gesetzgebungslehre* im 18. Jahrhundert, Berlin 1982.

Schulze, Reiner, *Polizeirecht* im 18. Jahrhundert. Anmerkungen zu einem Beitrag von Wolfgang Naucke, in: G. Dilcher / B. Diestelkamp (Hgg.), Recht, Gericht, Genossenschaft und Policey, Berlin 1986, S. 199–220.

Schulze, Winfried, Gerhard *Oestreichs Begriff* »Sozialdisziplinierung in der Frühen Neuzeit«, in: ZHF 14 (1987), S. 265–302.

Schulze, Winfried, Einführung in die Neuere Geschichte, Stuttgart 1991².

Schwab, Dieter, Grundlagen und Gestalt der staatlichen Ehegesetzgebung in der Neuzeit bis zum Beginn des 19. Jahrhunderts, Bielefeld 1967.

Schwab, Dieter, Artikel Familie, in: O. Brunner / W. Conze / R. Koselleck (Hgg.), Geschichtliche Grundbegriffe, Bd. 2, Stuttgart 1975, S. 253–301.

Schwarzmaier, Hansmartin, *Baden*, in: M. Schaab / H. Schwarzmaier (Hgg.), Handbuch der baden-württembergischen Geschichte, Bd. 2, Stuttgart 1995.

Schwerhoff, Gerd, *Köln* im Kreuzverhör. Kriminalität, Herrschaft und Gesellschaft in einer frühneuzeitlichen Stadt, Bonn 1991.

Schwerhoff, Gerd, *Devianz* in der alteuropäischen Gesellschaft, in: ZHF 19 (1992), S. 385–414.

Schwerhoff, Gerd / Blauert, Andreas, *Vorbemerkung*, in: Dies. (Hgg.), Mit den Waffen der Justiz, Frankfurt/Main 1993, S. 7–15.

Schwerhoff, Gerd, Aktenkundig und gerichtsnotorisch. Einführung in die Historische *Kriminalitätsforschung*, Tübingen 1999.

Schwerhoff, Gerd, Das Kölner *Supplikenwesen* in der Frühen Neuzeit. Annäherungen an ein Kommunikationsmedium zwischen Untertanen und Obrigkeit, in: G. Mölich / Ders. (Hgg.), Köln als Kommunikationszentrum, Köln 2000, S. 473–496.

Scott, Hamish Marshall (Hg.), Enlightened Absolutism. Reform and Reformers in late 18th Century, London 1990.

Scott, Hamish Marshall, *Introduction*, in: Ders. (Hg.), Enlightened Absolutism. Reform and Reformers in late 18th Century, London 1990, S. 1–35.

Scott, Hamish Marshall, The Problem of Government in *Habsburg Enlightened Absolutism*, in: M. Csáky / W. Pass (Hgg.), Europa im Zeitalter Mozarts, Wien u. a. 1995, S. 252–264.

Scribner, Robert, Symbolising Boundaries: Defining Social Space in the Daily Life of Early Modern Germany, in: Symbole des Alttags – Alltag der Symbole. Festschrift H. Kühnel zum 65. Geb., Graz 1992, S. 821–841.

Scribner, Bob, Communities and the Nature of Power, in: Sh. Ogilvie / B. Scribner (Hgg.), Germany. A New Social and Economic History, Bd. 1, London u. a. 1996, S. 291–325.

Sellert, Wolfgang, Artikel *Rügegericht*, Rügeverfahren, in: HRG, Bd. 4, Berlin 1990, Sp. 1201–1205.

Sellert, Wolfgang, Gewohnheit, Formalismus und Rechtsritual im Verhältnis zur Steuerung sozialen Verhaltens durch gesatztes Recht, in: H. Duchhardt u. a. (Hgg.), Im Spannungsfeld von Recht und Ritual, Köln u. a. 1997, S. 29–47.

Sharpe, J. A., Crime and Delinquency in an Essex Parish 1600–1640, in: J. S. Cockburn (Hg.), Crime in England, 1550–1800, London 1977, S. 90–109.

Sharpe, J. A., *Enforcing the Law* in the Seventeenth-Century English Village, in: V. A. C. Gatrell / B. Lenman / G. Parker (Hgg.), Crime and the Law. The Social History of Crime in Western Europe since 1500, London 1980, S. 97–119.

Sharpe, J. A., Crime in Early Modern England, 1550–1750, London 1984.

Siemann, Wolfram, Zwischen Ordnungs- und Sozialpolitik: die Anfänge parlamentarischer und administrativer Enquêten in Deutschland, in: E. V. Heyen (Hg.), Formation und Transformation des Verwaltungswissens in Frankreich und Deutschland (18./19. Jahrhundert), Baden-Baden 1989, S. 293–311.

Sievers, Kai Detlev, *Fragestellungen* der Volkskunde im 19. Jahrhundert, in: R. W. Brednich (Hg.), Grundriß der Volkskunde, Berlin 1994², S. 31–50.

Siegel, Heinrich, Das pflichtmäßige Rügen auf den Jahrdingen und sein Verfahren (Sitzungsberichte der philos.-histor. Classe der kaiserl. Akademie der Wissenschaften, Bd. 125, 9. Abh.), Wien 1892.

Simon, Thomas, *Recht und Ordnung* in der frühen Neuzeit, in: Rechtshistorisches Journal 13 (1994), S. 372–392.

Simon, Thomas, *Krise oder Wachstum?* Erklärungsversuche zum Aufkommen territorialer Gesetzgebung am Ausgang des Mittelalters, in: G. Köbler / H. Nehlsen (Hgg.), Wirkungen europäischer Rechtskultur. Festschrift K. Kroeschell zum 70. Geb., München 1997, S. 1201–1217.

Simon, Thomas, Einleitung, in: Ders. (Hg.), Brandenburg/Preußen mit Nebenterritorien (Kleve-Mark, Magdeburg und Halberstadt) (Repertorium der Policeyordnungen der frühen Neuzeit, Bd. 2.1, 2,2), Frankfurt/Main 1998, S. 1–56.

Simon, Thomas, Policey im kameralistischen Verwaltungsstaat: Das *Beispiel Preußen*, in: K. Härter (Hg.), Policey und frühneuzeitliche Gesellschaft, Frankfurt/Main 2000, S. 473–496.

Speitkamp, Winfried, *Jugend* in der Neuzeit. Deutschland vom 16. bis zum 20. Jahrhundert, Göttingen 1998.

Spieß, Pirmin, Rüge und Einung dargestellt anhand süddeutscher Stadtrechtsquellen aus dem Mittelalter und der frühen Neuzeit, Speyer 1988.

Spittler, Gerd, Abstraktes *Wissen* als Herrschaftsbasis. Zur Entstehungsgeschichte bürokratischer Herrschaft im Bauernstaat Preußen, in: Kölner Zeitschrift für Soziologie und Sozialpsychologie 32 (1980), S. 574–604.

Steinhaus, Hubert, Das Elementarschulwesen im Amt Meppen (Niederstift Münster) zwischen 1770 und 1812, in: P. Albrecht / E. Hinrichs (Hgg.), Das niedere Schulwesen im Übergang vom 18. zum 19. Jahrhundert, Tübingen 1995, S. 217–238.

Stiefel, Karl, *Baden 1648–1952*, Karlsruhe 1977.

Stier, Bernhard, Fürsorge und Disziplinierung im Zeitalter des Absolutismus. Das Pforzheimer *Zucht- und Waisenhaus* und die badische Sozialpolitik im 18. Jahrhundert, Sigmaringen 1988.

Stölzel, Adolf, Die Entwicklung des gelehrten Richtertums in den deutschen Territorien, Bd. 1, Stuttgart 1872 (Neudruck Aalen 1964).

Stollberg-Rilinger, Barbara, Der Staat als Maschine. Zur politischen Metaphorik des absoluten Fürstenstaates, Berlin 1986.

Stolleis, Michael, Condere leges et interpretari. Gesetzgebungsmacht und Staatsbildung im 17. Jahrhundert, in: ZRG GA 100 (1984), S. 89–116.

Stolleis, Michael, Anmerkungen zum Verhältnis von echtem Recht und freiheitsbeschränkendem Polizeirecht, in: G. Dilcher / B. Diestelkamp (Hgg.), Recht, Gericht, Genossenschaft und Policey, Berlin 1986, S. 188–196.

Stolleis, Michael, Geschichte des öffentlichen Rechts in Deutschland, Bd. 1: *Reichspublizistik und Policeywissenschaft* 1600–1800; Bd. 2: *Staatsrechtslehre und Verwaltungswissenschaft* 1800–1914, München 1988, 1992.

Stolleis, Michael, Pecunia nervus rerum, Frankfurt/Main 1983.

Stolleis, Michael, Grundzüge der Beamtenethik (1550–1650) (1980), neu in: Ders., Staat und Staatsräson in der frühen Neuzeit, Frankfurt/Main 1990, S. 197–231.

Stolleis, Michael / Härter, Karl / Schilling, Lothar (Hg.), Policey im Europa der Frühen Neuzeit, Frankfurt/Main 1996.

Straub, Alfred, Das badische *Oberland* im 18. Jahrhundert. Die Transformation einer bäuerlichen Gesellschaft vor der Industrialisierung, Husum 1977.

Strobel, Albrecht, *Agrarverfassung* im Übergang. Studien zur Agrargeschichte des badischen Breisgaus vom Beginn des 16. bis zum Ausgang des 18. Jahrhunderts, Freiburg i. Br., München 1972.

Strobel, Engelbert, *Neuaufbau* der Verwaltung und Wirtschaft der Markgrafschaft Baden-Durlach nach dem Dreißigjährigen Krieg bis zum Regierungsantritt Karl Wilhelms (1648–1709), Berlin 1935 (Nachdruck 1965).

Teuteberg, Hans-Jürgen, Obst im historischen Rückspiegel – Anbau, Handel, Verzehr, in: Zeitschrift für Agrargeschichte und Agrarsoziologie 46 (1998), S. 168–199.

Theibault, J. C., Copying with the Thirty Years' War. Villages and Villagers in Hesse-Kassel, Ph. D. Ann Arbor 1986.

Thumm, Adolf, Die bäuerlichen und dörflichen Rechtsverhältnisse des Fürstentums *Hohenlohe* im 17. und 18. Jahrhundert, Benningen/Neckar 1971.

Tribe, Keith, Cameralism and the Science of Government, in: Journal of Modern History 56 (1984), S. 263–284.

Tribe, Keith, Governing Economy. The Reformation of German Economic Discourse 1750–1840, Cambridge u. a. 1988.

Troßbach, Werner, Die ländliche *Gemeinde* im mittleren Deutschland (vornehmlich 16.–18. Jh.), in: P. Blickle (Hg.), Landgemeinde und Stadtgemeinde in Mitteleuropa, München 1991, S. 263–288.

Troßbach, Werner, *Bauern* 1648–1806, München 1993.

Troßbach, Werner, Historische Anthropologie und frühneuzeitliche Agrargeschichte. Anmerkungen zu Gegenständen und Methoden, in: Historische Anthropologie 5 (1997), S. 187–211.

Troßbach, Werner, Beharrung und Wandel »als Argument«. Bauern in der Agrargesellschaft des 18. Jahrhunderts, in: Ders. / C. Zimmermann (Hgg.), Agrargeschichte. Positionen und Perspektiven, Stuttgart 1998, S. 107–136.

Troßbach, Werner / Zimmermann, Clemens (Hgg.), Agrargeschichte. Positionen und Perspektiven, Stuttgart 1998.

Ulbrich, Claudia, *Shulamit* und Margarete. Macht, Geschlecht und Religion in einer ländlichen Gesellschaft des 18. Jahrhunderts, Wien u. a. 1999.

Ulbrich, Manfred Otto, Versöhnt und vereinigt. Die badische Kirchen-Censur in der Gemeinde *Weil* 1741–1821, Binzen 1997.

Ulbricht, Otto, Englische Landwirtschaft in Kurhannover in der zweiten Hälfte des 18. Jahrhunderts, Berlin 1980.

Ullmann, Hans-Peter, Staatsschulden und Reformpolitik. Die Entstehung moderner öffentlicher Schulden in Bayern und Baden 1780–1820, 2 Teile, Göttingen 1986.

Ullmann, Hans-Peter, *Baden* 1800 bis 1830, in: H. Schwarzmaier u. a. (Hgg.), Handbuch der baden-württembergischen Geschichte, Bd. 3, Stuttgart 1992.

Unruh, Georg-Christoph v., *Polizei*, Polizeiwissenschaft und Kameralistik, in: K. G. A. Jeserich u. a. (Hgg.), Deutsche Verwaltungsgeschichte, Bd. 1, Stuttgart 1983, S. 388–427.

Vierhaus, Rudolf, Artikel Absolutismus, in: Sowjetsystem und demokratische Gesellschaft, Bd. 1, Freiburg i. Br. u. a. 1966, Sp. 17–37.

Vierhaus, Rudolf, *Einführung*, in: Ders. (Hg.), Das Volk als Objekt obrigkeitlichen Handelns, Tübingen 1992, S. 1–4.

Vierhaus, Rudolf, (Hg.), Das *Volk* als Objekt obrigkeitlichen Handelns, Tübingen 1992.

Vogler, Günter, *Absolutistische Herrschaft* und ständische Gesellschaft. Reich und Territorien von 1648 bis 1790, Stuttgart 1996.

Vortisch, Christian Martin, Die historischen *Ämter* in der Landes- und Selbstverwaltung der Oberen Markgrafschaft, in: Das Markgräflerland 1984, S.73–91.

Walker, Mack, Rights and Functions: The Social Categories of Eighteenth-Century German Jurists and Cameralists, in: Journal of Modern History 50 (1978), S. 234–251.

Weber, Edwin Ernst, Städtische Herrschaft und bäuerliche Untertanen in Alltag und Konflikt. Die Reichsstadt *Rottweil* und ihre Landschaft vom 30jährigen Krieg bis zur Mediatisierung, Rottweil 1992.

Weber, Matthias, Ständische *Disziplinierungsbestrebungen* durch Polizeiordnungen und Mechanismen ihrer Durchsetzung – Regionalstudie Schlesien, in: M. Stolleis/ K. Härter / L. Schilling (Hgg.), Policey im Europa der Frühen Neuzeit, Frankfurt/Main 1996, S. 333–375.

Weber, Matthias, Bereitwillig gelebte Sozialdisziplinierung? Das funktionale System der Polizeiordnungen im 16. und 17. Jahrhundert, in: ZRG GA 115 (1998), S. 420–440.

Weber, Matthias, »Anzeige« und »Denunciation« in der frühneuzeitlichen Policeygesetzgebung, in: K. Härter (Hg.), Policey und frühneuzeitliche Gesellschaft, Frankfurt/Main 2000, S. 583–609.

Weber, Max, *Wirtschaft und Gesellschaft*, Studienausg., Tübingen 1985[5].

Weber, Wolfgang, Bevölkerungsgeschichte und Lebensbedingungen in Heimbach, Köndringen, Landeck, Teningen, Nimburg und Bottingen im 16. bis 18. Jahrhundert, in: P. Schmidt (Hg.), Teningen. Ein Heimatbuch, Teningen 1990, S. 229–254.

Weber, Wolfgang, Prudentia gubernatoria. Studien zur Herrschaftslehre in der deutschen politischen Wissenschaft des 17. Jahrhunderts, Tübingen 1992.

Wegert, Karl H., Contention with *Civility*: the State and Social Control in the German Southwest, 1760–1850, in: The Historical Journal 34 (1991), S. 349–369.

Wehler, Hans-Ulrich, Deutsche Gesellschaftsgeschichte, Bd. 1, München 1987.

Weis, Eberhard, Reich und Territorien in den letzten Jahrzehnten des 18. Jahrhunderts, in: H. Berding / H.-P. Ullmann (Hgg.), Deutschland zwischen Revolution und Restauration, Königstein/Ts. 1981, S. 43–64.

Wessel, Helga, Zweckmäßigkeit als Handlungsprinzip in der deutschen Regierungs- und Verwaltungslehre der frühen Neuzeit, Berlin 1978.

Wettmann-Jungblut, Peter, »Stelen inn rechter hungersnodtt«. *Diebstahl*, Eigentumsschutz und strafrechtliche Kontrolle im vorindustriellen Baden 1600–1850, in: R. van Dülmen (Hg.), Verbrechen, Strafen und soziale Kontrolle, Frankfurt/ Main 1990, S. 133–177.

Wiebel, Eva / Blauert, Andreas, Gauner- und Diebeslisten. Unterschichten- und Randgruppenkriminalität in den Augen des absolutistischen Staates, in: M. Häberlein (Hg.), Devianz, Widerstand und Herrschaftspraxis in der Vormoderne.

Studien zu Konflikten im südwestdeutschen Raum (15.–18. Jahrhundert), Konstanz 1999, S. 67–96.

Wiegelmann, Günter, Gemeindestudien in Deutschland. Trends-Probleme-Aufgaben, in: Ders. (Hg.), Gemeinde im Wandel. Volkskundliche Gemeindestudien in Europa, Münster 1979, S. 67–86.

Willoweit, Dietmar, Rechtsgrundlagen der Territorialgewalt. Landesobrigkeit, Herrschaftsrechte und Territorium in der Rechtswissenschaft der Neuzeit, Köln u. a. 1975.

Willoweit, Dietmar, Struktur und Funktion *intermediärer Gewalten* im Ancien Régime, in: Gesellschaftliche Strukturen als Verfassungsproblem (Der Staat, Beiheft 2), Berlin 1978, S. 9–27.

Willoweit, Dietmar, *Gesetzespublikation* und verwaltungsinterne Gesetzgebung in Preußen vor der Kodifikation, in: G. Kleinheyer / P. Mikat (Hgg.), Beiträge zur Rechtsgeschichte. Gedächtnisschrift H. Conrad, Paderborn u. a. 1979, S. 601–619.

Willoweit, Dietmar, Gewerbeprivileg und ›natürliche‹ Gewerbefreiheit. Strukturen des preußischen Gewerberechts im 18. Jahrhundert, in: K. O. Scherner / D. Willoweit (Hgg.), Vom Gewerbe zum Unternehmen. Studien zum Recht der gewerblichen Wirtschaft im 18. und 19. Jahrhundert, Darmstadt 1982, S. 60–111.

Willoweit, Dietmar, Allgemeine *Merkmale* der Verwaltungsorganisation in den Territorien, in: K. G. A. Jeserich u. a. (Hgg.), Deutsche Verwaltungsgeschichte, Bd. 1, Stuttgart 1983, S. 289–369.

Willoweit, Dietmar, Gesetzgebung und Recht im Übergang vom Spätmittelalter zum frühneuzeitlichen Obrigkeitsstaat, in: O. Behrends / Ch. Link (Hgg.), Zum römischen und neuzeitlichen Gesetzesbegriff, Göttingen 1987, S. 123–146.

Windelband, Wolfgang, Die *Verwaltung* der Markgrafschaft Baden zur Zeit Karl Friedrichs, Leipzig 1916.

Wirsing, Bernd, Die Geschichte der *Gendarmeriekorps* und deren Vorläuferorganisationen in Baden, Württemberg und Bayern 1750–1850, Diss. Konstanz, 1990.

Wittich, Werner, Die Grundherrschaft in Nordwestdeutschland, Leipzig 1896.

Wolff, Hans J. / Bachof, Otto / Stober, Rolf, Verwaltungsrecht I, München 1994[10].

Wollschläger, Christian, Die willenstheoretische Unmöglichkeitslehre im aristotelisch-thomistischen Naturrecht, in: D. Liebs (Hg.), Sympotica Franz Wieacker, Göttingen 1970, S. 154–179.

Wollschläger, Christian, Die Entstehung der Unmöglichkeitslehre. Zur Dogmengeschichte des Rechts der Leistungsstörungen, Köln / Wien 1970.

Wolzendorff, Kurt, Der Polizeigedanke des modernen Staates, Breslau 1918.

Wrightson, Keith, *Two Concepts* of Order: Justices, Constables and Jurymen in Seventeenth- Century England, in: J. Brewer / J. Styles (Hgg.), An Ungovernable People. The English and their Law in the Seventeenth and Eighteenth Century, London u. a. 1980, S. 21–46.

Wrightson, Keith, English Society 1580–1680, London 1982.

Würgler, Andreas, *Desideria* und Landesordnungen. Kommunaler und landständischer Einfluß auf die fürstliche Gesetzgebung in Hessen-Kassel 1650–1800, in:

P. Blickle (Hg.), Gemeinde und Staat im Alten Europa, München 1998, S. 149–207.

Würgler, Andreas, Suppliche e »gravamina« nella prima età moderna: la storiografia di lingua tedesca, in Annali dell'Istituto storico italo-germanico in Trento 25 (1999), S. 515–546.

Wüst, Wolfgang (Hg.), Reichskreis und Territorium: Die Herrschaft über der Herrschaft? Supraterritoriale Tendenzen in Politik, Kultur, Wirtschaft und Gesellschaft. Ein Vergleich süddeutscher Reichskreise, Stuttgart 2000.

Wüstenberg, Kurt, Evangelisches *Eheschließungsrecht* in der Markgrafschaft Baden-Durlach. Seine Gestaltung und Entwicklung in den ersten eineinhalb Jahrhunderten nach der Einführung der Reformation (1556–1700), Karlsruhe 1991.

Wunder, Bernd, Die Sozialstruktur der Geheimratskollegien in den süddeutschen protestantischen Fürstentümern (1660–1720), in: VSWG 58 (1971), S. 145–220.

Wunder, Bernd, Privilegierung und Disziplinierung. Die Entstehung des Berufsbeamtentums in Bayern und Württemberg (1780–1825), München 1978.

Wunder, Bernd, Die badischen Markgrafschaften, in: K. G. A. Jeserich u. a. (Hgg.), Deutsche Verwaltungsgeschichte, Bd. 1, Stuttgart 1983, S. 629 ff.

Wunder, Heide, Die bäuerliche *Gemeinde* in Deutschland, Göttingen 1986.

Wunder, Heide, »*Weibliche Kriminalität*« in der Frühen Neuzeit, in: O. Ulbricht (Hg.), Von Huren und Rabenmüttern. Weibliche Kriminalität in der Frühen Neuzeit, Köln u. a. 1995, S. 39–61.

Zande, Johan v. d., Johann Georg Schlosser 1739–1799, Stuttgart 1986.

Zier, Hans Georg, Geschichte der Stadt Pforzheim, Stuttgart 1982.

Zimmermann, Clemens, *Reformen* in der bäuerlichen Gesellschaft. Studien zum aufgeklärten Absolutismus in der Markgrafschaft Baden 1750–1790, Ostfildern 1983.

Zimmermann, Clemens, Zur aufklärerischen Theorie und Praxis: Die physiokratischen *Wirtschaftsreformen* in Baden 1750–1790, in: H.-P. Becht (Hg.), Pforzheim in der frühen Neuzeit, Sigmaringen 1989, S. 161–175.

Zimmermann, Clemens, *Entwicklungshemmnisse* im bäuerlichen Milieu: Die Individualisierung der Allmenden und Gemeinheiten um 1780, in: T. Pierenkemper (Hg.), Landwirtschaft und industrielle Entwicklung. Zur ökonomischen Bedeutung von Bauernbefreiung, Agrarreform und Agrarrevolution, Stuttgart 1989, S. 99–112.

Zimmermann, Clemens, Bäuerlicher *Traditionalismus* und agrarischer Fortschritt in der frühen Neuzeit, in: J. Peters (Hg.), Gutsherrschaft als soziales Modell, München 1995, S. 219–238.

Zimmermann, Clemens, *Grenzen* des Veränderbaren. Staat und Dorfgemeinde in der Markgrafschaft Baden, in: G. Birtsch (Hg.), Reformabsolutismus im Vergleich (= Aufklärung 9 (1996)), S. 25–45.

Zimmermann, Clemens, Zentralstaatliche Bürokratien und Dorfgemeinden um 1800. Anmerkungen zum Beitrag von Norbert Franz und Michael Knauff, in: N. Franz u. a. (Hgg.), Landgemeinden im Übergang zum modernen Staat, Mainz 1999, S. 43–46.

Ortsregister

Das Ortsregister wurde erstellt von Daniel Schläppi und Simon Hari. Die Seitenzahlen beziehen sich auf Text, Anmerkungen und Anhang. – Die Markgrafschaft bzw. das Kurfürstentum und Großherzogtum Baden sowie die beiden Markgrafschaften Baden-Baden und Baden-Durlach werden nicht einzeln verzeichnet.

Allgäu 613
Altes Land 421
Althannover 831
Ansbach 391
Anweiler 178
Auerbach 470
Auggen 129, 199, 573, 854, 858
Augsburg 178

Baden-Baden (Oberamt, Stadt) 353
Badenweiler (Diözese, Herrschaft, Oberamt, Vogtei) 117, 119, 122, 128–130, 132, 136 f., 140, 174 f., 182, 190, 198–200, 204, 208–210, 213, 233, 235 f., 239, 260, 266, 273, 275, 308–311, 314, 358, 361, 365, 367, 390, 392 f., 395, 397–400, 422, 433, 445–447, 452, 455 f., 531, 547, 564, 573 f., 592 f., 596, 600, 606, 608–612, 614, 646, 648, 655, 728 f., 790, 816, 863, 868, 874–876
Bahlingen 122, 139, 191, 241, 315 f., 337 f., 340, 438–440, 444, 499–504, 510, 521, 526 f., 531, 571, 582 f., 597 f., 600, 633, 661, 667, 680, 688–692, 695, 703, 709 f., 717–719, 723–726, 736, 740 f., 744, 746, 749, 752 f., 756 f., 762–764, 771, 773 f., 781, 788 f., 792, 794, 799, 802, 804, 809 f., 823, 863 f., 870, 872
Ballrechten 139, 444, 863, 866, 876
Bärental 531
Basel 116 f., 122, 146, 203, 398, 433, 564, 595 f., 600, 609 f., 626 f., 721, 822
Bauschlott 881
Bayern 146, 289, 414, 606, 648
Beinheim (Amt) 178
Belg 883

Berghausen 370, 399
Bern 102, 105
Biberach 178
Bickensohl 139, 337, 444, 571, 653, 772, 864, 866, 870, 872
Binzen 199, 240, 375, 438, 486, 494, 556 f., 566, 575, 654 f., 657, 659, 663, 665, 677 f., 687, 689, 692, 702, 713 f., 730, 733, 738, 748, 751 f., 791, 795 f., 803, 815 f., 823, 855, 858
Birkenfeld 233, 828 f.
Bischoffingen 138 f., 337 f., 444, 600, 865 f., 868, 871 f.
Blansingen 199, 375, 486 f., 494, 557, 567, 575, 652, 662 f., 665, 676 f., 685–692, 694, 702 f., 706, 708, 710, 713, 715, 720 f., 731, 735, 740, 744, 749, 751 f., 791, 795, 797, 800, 807, 809, 816, 855, 859
Bottingen 139, 374, 438, 443, 494 f., 567, 569, 580, 793 f., 864, 872
Bötzingen 139, 337, 444, 547 f., 600, 660 f., 665, 670, 672, 684, 736, 798, 870 f.
Brandenburg, Mark 85, 145, 579
Brandenburg-Preußen 71, 174, 414–416
Braunschweig 178
Braunschweig-Lüneburg 421
Braunschweig-Wolfenbüttel 237, 254, 375, 694
Breisgau 117, 443 f., 465, 590, 598, 642, 758
Bremen 421
Brettenthal 339
Britzingen (Ort, Vogtei) 398, 611 f.
Broggingen 139, 337, 869, 871, 873
Brombach (Ort, Pfarrei) 137, 199–201, 241, 375, 494, 576, 578, 595, 685 f., 689, 691 f., 703, 706, 715, 725, 735,

Rheinfelden (Herrschaft, Stadt) 205
Rhod 394
Riedlingen 854
Rinzenberg 882
Rötsweiler 883
Rötteln (Burgvogtei, Diözese, Oberamt,
 Spezialat) 115, 117, 119, 122,
 128–130, 136f., 140, 182, 190, 196f.,
 200–202, 207–213, 232, 235, 239f.,
 255, 257, 262f., 265, 268f., 273f.,
 307f., 309, 311, 314f., 336–340, 354,
 371, 375f., 390, 393, 395, 400, 411,
 422, 433, 438f., 456, 464, 479,
 485–494, 498, 509f., 527, 547,
 555–561, 564–568, 570, 574, 576,
 578f., 592f., 596, 614, 625, 627f.,
 631–633, 648, 651f., 654–657, 660f.,
 665f., 672f., 678, 680, 692f., 700,
 702f., 708, 712–715, 720f., 726,
 730–735, 739, 746, 751–754, 762,
 765–767, 780, 791f., 795–797, 803,
 809–812, 814, 816, 823, 853–859,
 874, 882
Rötteln-Sausenberg (Diözese, Herrschaft,
 Oberamt, Spezialat) 174f., 182, 197,
 205, 213, 308f., 315, 366, 390, 853
Rottweil 418, 421
Rümmingen 438, 486, 494, 556f., 566,
 575, 654f., 663, 730, 751f., 803, 855,
 858
Russheim (Pfarrei) 200

Sachsen 98f., 178, 421
Sachsen-Gotha 178
Sachsen-Hildburghausen 178
Sachsen-Lauenburg 421
Sachsen-Weimar 178
Säckingen 206
Sausenberg (Diözese, Spezialat) 129,
 197, 211, 213, 311, 314, 358, 367,
 422, 565, 754, 853
Schaffhausen 346, 421, 601
Schaffhauser Landschaft 421
Schallbach (Ort, Pfarrei) 200, 307, 340,
 486, 557, 567, 574, 663, 689, 692–694,
 714, 720f., 730, 795, 823, 855
Schallstadt (Ort, Vogtei) 375, 398, 609f.,
 612, 874f.
Schillinghof 857
Schlächtenhaus (Pfarrei) 200
Schlesien 32, 192

Schliengen 203, 721
Schopfheim 129, 204, 206, 211, 257,
 556, 565–567, 593, 627f., 631f., 653,
 692f., 855, 858
Schupfholz 641
Schuttern 340
Schwaben 143, 414, 516, 528, 610
Schwäbisch-Hall 344
Schwarzach 178
Schweighof 398, 610
Schweiz 96, 105, 119, 344, 421, 488f.,
 669
Seefelden (Ort, Vogtei) 397f., 611f., 614,
 876
Seefelden-Betberg 200
Sexau 138f., 200, 211f., 337f., 396, 863,
 869
Sindringen 418
Sitzenkirch 200, 627
Sohren 883
Speyer (Bistum) 92
Speyer (Domkapitel) 178
Speyer (Stadt) 178
Spielberg 470
Sponheim 117, 882
Sprendlingen 882
Staffort (Amt) 182, 213, 429
Staufenberg (Amt) 128, 508
Stein (Amt) 128, 190, 210, 213, 239, 258,
 265, 273, 429, 465, 508, 519, 547,
 564, 877–879
Steinen 201, 311, 405, 438f., 489–491,
 509, 514, 522, 557, 576–579, 592–594,
 596, 614–623, 625, 633, 651, 663,
 677, 688f., 695, 699, 702, 707, 709,
 714, 725, 733, 738, 744, 746, 751f.,
 761, 770, 785, 793f., 796, 800, 804,
 823, 857
Stetten 531
Straßburg 103, 178, 205, 601, 609
Stuttgart 230
Sulz 178
Sulzburg 128, 204, 310, 863, 865f., 868,
 871

Tannenkirch (Ort, Pfarrei) 200, 375, 486,
 556, 559, 561, 566f., 575–577, 651,
 662f., 676, 687, 689, 692–694, 713,
 730, 739, 795, 807, 809, 811, 854f.
Tegernau (Ort, Vogtei) 211, 311, 567,
 569, 857

Teningen 122, 139, 200 f., 218 f., 221,
223, 304, 337 f., 361, 374, 438–440,
443 f., 461, 464, 480, 482 f., 485, 494,
499–504, 510, 547 f., 555 f., 558, 561,
584, 591–593, 601–605, 633, 638–640,
651–653, 659 f., 662, 664 f., 667,
672–677, 686–689, 692 f., 695, 704,
710–712, 717–720, 724 f., 735–737,
742, 744 f., 748 f., 752 f., 756–760,
762, 764 f., 771, 774, 780–782, 784 f.,
787 f., 793 f., 798–800, 802–804, 807,
811, 815, 864 f., 867, 869, 871, 873
Tennenbach 746
Thüringen 226, 344, 422
Tiengen (Ort, Vogtei) 609, 612, 874–876
Tirol 613
Triberg (Obervogtei) 84, 93, 434
Tüllingen 486, 556, 559, 561, 566 f., 576,
652, 654, 663, 676, 687, 689 f., 692 f.,
702, 713, 730, 739, 795, 800, 803,
854 f.
Tumringen 201, 311, 438, 488 f., 531,
557, 576 f., 651, 663, 665, 677, 687,
689, 692 f., 695, 714, 732, 746, 796,
801, 857
Tutschfelden 139, 337, 869, 871, 873

Ulm 393, 421, 528

Verden 421
Vogelbach (Ort, Vogtei) 208, 211, 486 f.,
565, 567, 575, 730 f., 803, 855, 858
Vögisheim 200, 573, 854 f.
Vordersexau 396
Vörstetten 139, 202, 337, 339, 438–440,
444, 486, 498–504, 510 f., 556, 567,
569, 585 f., 601–605, 633, 640–645,
653 f., 687 f., 691 f., 704, 709, 712,
717, 719, 724, 737, 740, 749, 754,
757, 762–766, 768 f., 772, 774, 781,
788, 794, 799–802, 805, 807, 815,
869, 873

Wagenstadt 337, 883
Wasser 217, 434
Weiach 421
Weil am Rhein (Ort, Pfarrei) 203, 208 f.,
308, 340, 352 f., 371, 566, 853–855,
859
Weiler 881

Weilerhof 434
Weisenstein 881
Weisweil 122, 137–139, 337, 361, 863,
865, 870
Weitenau (Ort, Vogtei) 211, 857, 859
Welmlingen 438, 486, 494, 557 f., 567,
575, 627, 651 f., 661–663, 665–668,
675–677, 688–690, 692, 694 f., 700,
702, 714 f., 720 f., 731, 734 f., 738,
751 f., 795, 797, 808 f., 855, 858
Welschenreut 392
Westfalen 347, 417, 421
Wiechs 631
Wies 567, 569, 627, 857
Wieslet 557, 576 f., 654, 665 f., 732, 791,
796, 805, 857
Wilferdingen 877 f.
Windenreute 138 f., 217, 219–221, 434,
483, 548, 735, 752 f., 780 f., 798, 863,
867 f.
Winningen (Ort, Vogtei) 882
Winterburg 882
Wintersweiler 200, 438, 486, 494, 556,
566, 576, 580, 596, 625, 652, 656,
663, 665, 668, 675, 677, 688 f., 692,
702, 713, 721 f., 725, 730 f., 734, 738,
740, 742, 749, 751 f., 765, 791 f., 795,
797, 799–801, 805–807, 816, 855, 858
Wittenbach 870
Wittlingen 487 f., 557, 576, 595, 654,
663, 666 f., 687–690, 692, 695, 732,
796, 803, 857
Wolfach 178
Wolfenweiler (Ort, Vogtei) 398, 609 f.,
612, 874 f.
Wollbach 137, 487 f., 557, 576 f., 595,
622, 654, 657, 662 f., 665 f., 668, 677,
687, 689, 692–694, 708, 714, 720,
732, 791, 796, 803, 857
Wössingen 878
Wülferdingen 570
Württemberg 26, 82, 122, 132, 139, 145,
178, 194, 200 f., 215, 250, 273 f.,
362–364, 374, 391, 405–407, 413,
417, 420 f., 423 f., 427, 429–432, 441,
448, 513, 516–518, 521, 528, 546,
574, 617, 624, 646, 682 f., 699, 727,
748, 755, 800, 831, 837–839, 851 f.,
879
Würzburg 28, 94

937

FRÜHNEUZEIT-FORSCHUNGEN

Herausgeber:
Peter Blickle · Richard van Dülmen · Heinz Schilling · Winfried Schulze

Andreas Würgler: Unruhen und Öffentlichkeit
Städtische und ländliche Protestbewegungen im 18. Jahrhundert
ISBN 3-928471-10-4. Leinen, 394 Seiten, 49 €

Helmut Gabel: Widerstand und Kooperation
Studien zur politischen Kultur rheinischer und maasländischer
Kleinterritorien (1648-1794)
ISBN 3-928471-11-2. Leinen, 480 Seiten, 49 €

Andreas Suter: Der schweizerische Bauernkrieg von 1653
Politische Sozialgeschichte – Sozialgeschichte eines politischen Ereignisses
ISBN 3-928471-13-9. Leinen, 688 Seiten, 49 €

Volker Press: Adel im Alten Reich
Gesammelte Vorträge und Aufsätze
Hrsg. von Franz Brendle und Anton Schindling
ISBN 3-928471-16-3. Leinen, 460 Seiten, 49 €

Regula Ludi: Die Fabrikation des Verbrechens
Zur Geschichte der modernen Kriminalpolitik (1750-1850)
ISBN 3-928471-19-8. Leinen, 612 Seiten, 49 €

Martin Fimpel: Reichsjustiz und Territorialstaat
Württemberg als Kommissar von Kaiser und Reich
im Schwäbischen Kreis (1648-1806)
ISBN 3-928471-21-X. Leinen, 348 Seiten, 49 €

Andreas Blauert:
Das Urfehdewesen im Südwesten Deutschlands
im Spätmittelalter und in der Frühen Neuzeit
ISBN 3-928471-25-2. Leinen, 200 Seiten, 49 €

Nicole Reinhardt: Macht und Ohnmacht der Verflechtung
Rom und Bologna unter Paul V.
ISBN 3-928471-26-0. Leinen, 482 Seiten, 49 €

André Holenstein:
»Gute Policey« und lokale Gesellschaft im Staat des Ancien Régime
Das Fallbeispiel der Markgrafschaft Baden(-Durlach)
ISBN 3-928471-32-5. Leinen, 2 Bde., 940 Seiten, 2 Karten, 64 €

Michael Kempe:
Wissenschaft, Theologie, Aufklärung
Johann Jakob Scheuchzer (1672–1733) und die Sintfluttheorie
ISBN 3-928471-33-3. Leinen, 480 Seiten, 40 Abb., 49 €

Andrea Iseli: »Bonne Police«
Frühneuzeitliches Verständnis von der guten Ordnung eines Staates
in Frankreich
ISBN 3-928471-40-6. Leinen, 400 Seiten, 9 Abb., 49 €

bibliotheca academica Verlag
Am Höhinger Felsen 4 · D-78736 Epfendorf/Neckar
Telefon 0 74 04 / 26 62 · Fax 26 63